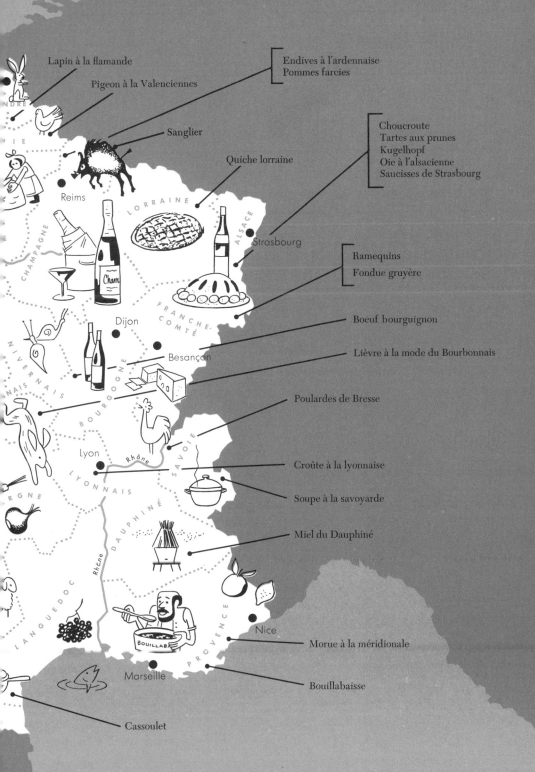

Lapin à la flamande

Pigeon à la Valenciennes

Endives à l'ardennaise
Pommes farcies

Sanglier

Choucroute
Tartes aux prunes
Kugelhopf
Oie à l'alsacienne
Saucisses de Strasbourg

Quiche lorraine

Reims

LORRAINE

ALSACE

Strasbourg

Ramequins

Fondue gruyère

CHAMPAGNE

FRANCHE-COMTÉ

Dijon

Boeuf bourguignon

NIVERNAIS

Besançon

Lièvre à la mode du Bourbonnais

BOURGOGNE

Poulardes de Bresse

SAVOIE

Rhône

Croûte à la lyonnaise

Lyon

LYONNAIS

Soupe à la savoyarde

DAUPHINÉ

Miel du Dauphiné

Rhône

LANGUEDOC

PROVENCE

Nice

Morue à la méridionale

Marseille

Bouillabaisse

Cassoulet

PERSPECTIVES DE FRANCE

Perspectives

PRENTICE-HALL, INC., Englewood Cliffs, New Jersey

de France

SHORTER REVISED EDITION

ARTHUR BIELER

York College of The City University of New York

OSCAR A. HAAC

State University of New York at Stony Brook

MONIQUE LÉON

Victoria College, University of Toronto

To CLARE HAAC

in memory

PERSPECTIVES DE FRANCE
Shorter Revised Edition
Arthur Bieler | Oscar A. Haac | Monique Léon

© 1972, 1968 by Prentice-Hall, Inc.
Englewood Cliffs, New Jersey

ISBN 0–13–660571–0

Library of Congress Catalog Card Number 70–159276
10 9 8 7 6 5

Printed in the United States of America

PRENTICE-HALL INTERNATIONAL, INC., *London*
PRENTICE-HALL OF AUSTRALIA, PTY. LTD., *Sydney*
PRENTICE-HALL OF CANADA, LTD., *Toronto*
PRENTICE-HALL OF INDIA PRIVATE LIMITED, *New Delhi*
PRENTICE-HALL OF JAPAN, INC., *Tokyo*

Preface

Perspectives de France is a first-year text designed to teach audio-lingual as well as reading and writing skills. This revised edition consists of twenty-four lessons geared to a college program of three to four class hours a week plus supplementary work in the laboratory. Every sixth lesson is largely a review. Lessons 1 to 6 may be taught without making the textbook available to students.

Each lesson contains two dialogues, each followed by drills and exercises. Selections of prose and poetry from contemporary authors are introduced beginning with lesson 7. A set of timed tapes has been carefully coordinated with the text.

Dialogues. The dialogues provide the basis for the use of French in the classroom. If conversation and active discussion result, they will have created the situation in which audio-lingual skills are acquired. "Overlearning" of phrases and of the entire dialogue is needed to create confidence; only if the student has mastered the expressions of the dialogue itself can he undertake to transfer the constructions and form analogous sentences on his own.

Drills and exercises. Among the original features of this text are the phonemic drills, which not only illustrate individual sounds, but also show patterns of intonation and rhythm, stress, and pitch. The reproduction of these patterns is far more important than duplicating individual sounds, if the student is to approximate native pronunciation. Groups of phrases of equal length and equal numbers of syllables are used to emphasize typically French rhythm. When necessary, but never as an end in itself, we use phonetic transcriptions based on the international phonetic alphabet (see page ix).

Morphology and syntax are generally presented in steps: (1) introduction and analysis of an individual feature, at times with the use of diagrams or paradigms; (2) familiarization through simple repetition, i.e. oral drill; (3) learning through simple substitution exercises, in which the student replaces one word of a phrase by another, or through transformation exercises where he must make additional changes in form or ending; (4) mixed exercises where different structures are intermingled for review.

The presentation is structural and analytical. It does not shy away from grammatical explanation followed by sufficient examples and exercises to illustrate the basic principles.

Explanations are given in English through lesson 12, in French thereafter. French is used in the headings so that terms can be used in class and the student is prepared for the explanations in French that begin with lesson 13. Instructors should be sure that explanations are fully understood by adding drills or examples of their own.

At the end of each set of exercises are the *Questions-Réponses*, to be answered from the dialogue in complete sentences, constituting a progressive retelling of the episode. Finally there are the *Traductions*—translations into French—a review where correct answers assume careful study of the preceding material. The translations should not be undertaken until the student can do them readily and with very few errors.

Workbook.   Available as a supplement, the workbook provides self-correcting exercises which fortify the instruction and prepare the student to undertake the translations in the text. Answer blanks for the tape quizzes (see below) are provided in the Workbook.

Tapes.   The tapes which accompany the text have been recorded by native speakers. Each lesson contains approximately forty minutes of material, organized as follows:

> Part A: Dialogue
> Drills and exercises
> Tape quiz
> Part B: Dialogue
> Drills and exercises
> Tape quiz
> Part C: Readings (lessons 7–24)

The exact time length for each part, A, B, and C, is indicated in the left margin of the text followed by arrowheads ▼ and ▲, which enclose the passages that are recorded. Intervening explanations are *not* on tape. Dialogues and drills have space for repetition; transformation exercises provide, in addition, the correct response. Students must be made aware that their answer is expected *before* this correct response, which serves as a check, and that active work, not only passive repetition, is part of the laboratory lesson. The tape quizzes of the early lessons test sound discrimination primarily; later, as they review more of the grammatical aspects of the lesson, the amount of writing and dictation increases. The time allowed should be adequate for the student answer. Here, as elsewhere, students should be encouraged to listen as often as necessary for thorough understanding. Readings are recorded without pause, for comprehension, but should be listened to repeatedly until the student can understand the entire passage without following it in the book.

Reading selections. The French poetry and prose selections in part C of lessons 7–24 have not been altered or simplified from the original, although there are a few cuts in some passages. To enable the student to read readily and rapidly, many difficulties, have been dealt with in the *Préparation* which precedes the readings. Since an average sample of original text will use many words only once, even in the longest passages, the *Préparation* provides the repetition needed for learning. These preliminary sentences do not necessarily render the meaning or content of the selection. They are neither critical introductions nor literary analyses. Combined with the footnotes, they should eliminate the need for a dictionary, reduce the inherent difficulties, and thus prepare the student to read the selections for enjoyment and appreciation.

Experience has shown us that our drills are not difficult for students. The hardest task remains *after* the drills have been mastered: the task of building on the knowledge already gained and of progressing to controlled and then free conversation. The drills and exercises provide a good foundation; class discussion and conversation should be the objective of the instructor.

And so . . . *bonne chance et bon voyage!*

A. B. / O. H. / M. L.

ACKNOWLEDGMENTS

The authors express their gratitude, above all, to Pierre Léon, who participated in our planning and wrote the dialogues. We thank our many assistants who helped in preparing the manuscript. We appreciate the valuable advice of our editor, Dr. Edmundo García-Girón, and of Hilda Tauber, Production Editor; also the suggestions of Clare Haac, Sylvie Carduner, and many others. We have incorporated numerous corrections suggested by our colleagues at the State University of New York, Oglethorpe College—especially William Strozier—and at York College; our book has truly become a work in collaboration.

ILLUSTRATIONS

The front endpaper is adapted, with permission, from *La Cuisine de Madame Saint-Ange* (Paris: Librairie Larousse, 1958).

PHONETIC TRANSCRIPTIONS

Phonetic transcriptions are at best approximations of standard pronunciation. The authors do not believe that students need practice in the use of the symbols, but it will help if every student familiarizes himself sufficiently with the explanations given below to benefit from the transcriptions that appear in the book.

Transcriptions are enclosed by slash marks /. . ./ to indicate that they are phonemic, i.e. limited to essential distinctions that make a difference in meaning. To emphasize the difference between French and English linking, syllables are transcribed with initial consonants and final vowels wherever possible: *pour acheter* = /pu ra ʃte/.

We have adopted two further notations in the text, not part of phonetic transcriptions:

    é   indicates unpronounced *e*: Je né sais pas.

    ‿   indicates linking of vowels and consonants within word groups: Nous‿avons; et‿Alice; quatre‿enfants; tu habites‿ici.

VOWELS (The mouth is more open in pronouncing "open" than in pronouncing "closed" vowels):

/a/ in *la*   nasal /ã/ in *dans*
open /ɛ/ in *père*   closed /e/ in *les*   nasal /ɛ̃/ in *vin*
/ə/ in *que*   /i/ in *il*   semivowel /j/ in *bien* /bjɛ̃/
open /ɔ/ in *homme*   closed /o/ in *beau*   nasal /õ/ in *on*
open /œ/ in *heure*   closed /ø/ in *deux*   nasal /œ̃/ in *un*
/y/ in *vu*   semivowel /ɥ/ in *lui* /lɥi/
/u/ in *vous*   semivowel /w/ in *Louis* /lwi/, *moi* /mwa/

CONSONANTS:

/b, d, f, k, l, m, n, p, r, t, v/ self-explanatory
/g/ in *gant*
/ɲ/ in *montagne*
/s/ in *si*,   /ʃ/ in *chef*
/z/ in *zéro*,   /ʒ/ in *Jacques*

Spelling rules are given in 6C: ORTHOGRAPHE (see page 91).

Contents

PERSPECTIVES DE FRANCE

Première leçon

1A

BONJOUR! COMMENT ALLEZ-VOUS?

14:00 MARIE: Bonjour, monsieur.

PIERRE: Bonjour, mad*e*moiselle.*

MARIE: Comment allez-vous?

PIERRE: Très bien, merci, et vous?

MARIE: Très bien, merci.

PIERRE: Je suis en r*e*tard, je suis désolé.

MARIE: Non, vous êtes en avance.

PIERRE: Vous êtes bien aimable.

MARIE: Voilà Thérèse! Elle est française.

Good morning.

Good morning.

How are you?

Very well, thank you, and you?

Very well, thank you.

I'm late, I'm sorry.

No, you are early.

You are very kind.

There is Theresa. She is French.

---

*In the early lessons of this book the symbol *e* is used in non-final position to indicate that the letter *e* is unpronounced. When you write French, use *e*.

3

PIERRE: Ah, oui. Elle est étudiante?	Yes indeed. Is she a student?
MARIE: Non, elle est assistante.	No, she is an assistant instructor.
PIERRE: Et voilà* Jacques. Il est étudiant. Il est français.	And there is Jim. He is a student. He is French.
MARIE: Thérèse, . . . Jacques.	Theresa, . . . Jim.
JACQUES: Très heureux, mademoiselle.	Very happy to meet you.
THÉRESE: Enchantée, monsieur.	Delighted to meet you.

---

*Voilà is a verb substitute; it implies pointing.

1.1   Le son /r/

French /r/ is very different from its English equivalent. The tip of the tongue rests against the lower teeth, the back of the tongue against the rear palate.

1. *Répétez* [repeat]:

Vowel + r	Consonant + r	Final r
en r**e**tard	français	en r**e**tard
merci	française	bonjour
parce que [because]	très	bonsoir [good evening]
pourquoi [why]	triste	au r**e**voir [good-bye]

2. *Écoutez* [listen] *et répétez:*

Pierre est en r**e**tard. Pierre est français. Thérèse est en r**e**tard. Merci, Thérèse. Marie est française. Bonjour, Roger. Pourquoi. Parc**e** que. Elle est très triste.

1.2   Accent et longueur des voyelles françaises; rythme [stress and length of French vowels; rhythm]

The pattern of stress in French is not like that in English. In French the last pronounced syllable of an isolated word receives the stress (*accent*). All other vowels tend to have the same length. Compare the following French examples with their English equivalents. Be sure to stress the boldface syllable at the end of the word.

géogra**phie**   choco**lat**   gouverne**ment**   hô**tel**   continen**tal**

French rhythm is best approximated by counting out the syllables. Tap your pencil three times at regular intervals as you pronounce the following words, one tap for each syllable.

3. *Répétez sur un rythme régulier:*

<table>
<tr><td>1   2 3
madémoiselle</td><td>1 2 3
enchanté</td><td>1 2 3
assistante</td></tr>
<tr><td>1 2 3
désolé</td><td>1 2 3
étudiant</td><td>1 2 3
étudiante</td></tr>
<tr><td>1 2 3
en avance</td><td>1   2   3
très heureux</td><td>1   2 3
bien aimable</td></tr>
</table>

4. *Écoutez et répétez à haute voix* [Listen and repeat aloud]:

Bonjour Madémoiselle. Jacques est enchanté. Thérèse est assistante. Je suis désolé. Pierre est étudiant. Marie est étudiante. Vous êtes en avance. Il est très heureux. Vous êtes bien aimable.

1.3 Niveaux d'intonation [pitch levels]

La phrase simple

Short declarative sentences are made with only slight variations in pitch, i.e., without extremely high or low tones. Simple statements normally proceed from a middle to a lower tone level. Level four in the diagram below and in succeeding diagrams represents the highest level, level one the lowest. Statements generally start at level two.

Elle est étudiante.   **Elle est très heureuse.**

5. *Répétez à haute voix:*

<table>
<tr><td>1   2   3 4 5
Elle est étudiante.</td><td>1   2   3   4   5
Elle est très heureuse.</td></tr>
<tr><td>1 2   3 4 3
Elle est assistante.</td><td>1   2   3   4   5
Elle est enchantée.</td></tr>
<tr><td>1   2   3   4 5
Elle est bien aimable.</td><td>1   2   3 4 5
Elle est en avance.</td></tr>
<tr><td>1   2   3 4 5
Elle est désolée.</td><td>1   2   3   4   5
Elle est très en rétard.</td></tr>
</table>

Questions et réponses

In a statement, the pitch generally descends at the end; in a question, it rises. Note in the following diagram that the question starts on pitch level 3.

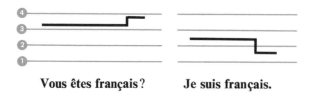

Vous êtes français?   **Je suis français.**

6. *Répondez selon le modèle* [Answer as in the model]:

EXEMPLE: Pierre, vous êtes français?
RÉPONSE: Oui, je suis français.

Marie, vous êtes étudiante? Thérèse, vous êtes assistante? Jacques, vous êtes étudiant? Pierre, vous êtes assistant? Pierre, vous êtes heureux? Vous êtes en avance? Vous êtes en retard? Pierre, vous êtes désolé?

7. *Posez la question* [Ask the question]:

EXEMPLE: Vous êtes désolé.
RÉPONSE: Vous êtes désolé?

Jean, vous êtes enchanté. Jeanne, vous êtes désolée. Vous êtes en avance. Vous êtes en retard. Vous êtes aimable. Monique, vous êtes heureuse. Thérèse, vous êtes en retard.

1.4 Les pronoms il et elle

The masculine and the feminine third person subject pronouns should be clearly distinguished by the vowel sound. For **il** pronounce a long, tense /i/ much as in the English word *beat*. To pronounce **elle** open your mouth a little more and say /ɛ/, somewhat as in English *bet*.

In the following exercise, begin every syllable after the first with a consonant.

8. *Répétez:*

1 2 34 5 Elle est étudiante.	1 2 3 4 5 Il est étudiant.
1 2 3 4 5 Elle est assistante.	1 2 3 4 5 Il est assistant.
1 2 3 4 5 Elle est enchantée.	1 2 3 4 5 Il est enchanté.
1 2 3 4 5 Elle est en avance.	1 2 3 4 5 Il est en avance.
1 2 3 4 5 Elle est bien aimable.	1 2 3 4 5 Il est bien aimable.
1 2 3 4 5 Elle est désolée.	1 2 3 4 5 Il est désolé.

1   2   3   4   5   1 2   3   4   5
Elle est très heureuse.   Il est très heureux.

1   2   3   4   5   1 2   3   4   5
Elle est bien en rɇtard.   Il est bien en rɇtard.

1.5 Être [to be] au présent [in the present tense]; liaison

Since all present tense forms of the verb **être** end in a consonant, liaison is common, i.e., the final consonant is usually pronounced when a vowel sound follows.

9. *Répétez et étudiez:*

être + *voyelle* [vowel]

Je suis̮étudiant(e).*	Il est̮étudiant.	Vous̮êtes étudiant(e).
/ʒə sɥiz/ assistant(e).	/ilɛt/ assistant.	/vuzɛt/ assistant(e).
̮en avance.	Elle est̮étudiante.	en avance.
̮en rɇtard.	/ɛlɛt/ assistante.	en rɇtard.

être + *consonne* [consonant]

Je suis français.	Il est français.	Vous êtes français(e).
/ʒə syi/ désolé(e).	/ilɛ/ désolé.	/vuzɛt/ désolé(e).
très triste.	Elle est française.	très triste.
bien̮aimable.	/ɛlɛ/ désolé.	bien̮aimable.

1.6 Genre des adjectifs [gender of adjectives]

French adjectives (and nouns) are either masculine or feminine. The gender of the adjective· depends on the noun it modifies (see 1.9). Most often the feminine adjective adds a final -*e*:

feminine: **française**   masculine: **français**

The following adjectives are spelled or sound alike in the masculine and feminine.

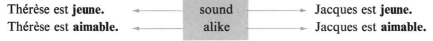

| Thérèse est **jeune.** | ← sound → | Jacques est **jeune.** |
| Thérèse est **aimable.** | alike | Jacques est **aimable.** |

Other adjectives distinguish the feminine from the masculine *in spelling only*, by adding a final -*e*:

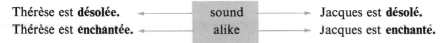

| Thérèse est **désolée.** | ← sound → | Jacques est **désolé.** |
| Thérèse est **enchantée.** | alike | Jacques est **enchanté.** |

---

*Final -*e*, here denoting the feminine, is unpronounced, but makes the preceding consonant pronounced: étudiant /etydjã/, étudiante /etydjãt/. Liaison and other linking are shown thus: ‿

The following adjectives are neither spelled alike nor sound alike in the masculine and the feminine.

Thérèse est **heureuse** /œrøz/.	Jacques est **heureux** /œrø/.
Thérèse est **française** /frãsɛz/.	Jacques est **français** /frãsɛ/.
Thérèse est **anglaise** /ãglɛz/.	Jacques est **anglais** /ãglɛ/.
Thérèse est **contente** /kõtãt/.	Jacques est **content** /kõtã/.

Many words showing occupation, nationality* or religion have masculine and feminine forms; they are not preceded by an article when following forms of **être**.

Alice est **étudiante** /etydjãt/.	Jacques est **étudiant** /etydjã/.
Alice est **assistante** /asistãt/.	Jacques est **assistant** /asistã/.
Alice est **protestante** /protɛstãt/.	Jacques est **protestant** /protɛstã/.

10. *Répondez selon l'indication* [Answer as indicated]:

EXEMPLE: Pierre est français, Brigitte est française, et Jacques?
RÉPONSE: Jacques est français.

Thérèse est heureuse, Maurice est heureux, et Cathérine? Marie est anglaise, Jacques est anglais, et Cathérine? Brigitte est contente, Pierre est content, et Jacques? Cathérine est étudiante, Robert est étudiant, et Jacques? Thérèse est enchantée, Maurice est enchanté, et Cathérine? Brigitte est désolée, Jacques est désolé, et Cathérine? Marie est jeune, Pierre est jeune, et Jacques?

11. *Transformez les phrases suivantes selon le modèle*
[Change the following sentences according to the model]:

EXEMPLE: Elle est anglaise.
RÉPONSE: Il est anglais.

Elle est assistante. Elle est étudiante. Elle est enchantée. Elle est française. Elle est anglaise. Elle est désolée. Elle est contente. Elle est protestante.

12. *Changez les phrases selon l'indication:*

EXEMPLE: Il est anglais.
RÉPONSE: Elle est anglaise.

Il est français. Il est anglais. Il est heureux. Il est content. Il est assistant. Il est étudiant. Il est protestant.

---

*Nouns expressing nationality are capitalized: *le Français, la Française*. Adjectives expressing nationality are not capitalized. In the sentence "Il est français," *français* is generally considered an adjective.

13. QUESTIONS ET RÉPONSES

Complétez selon le dialogue 1A [Complete as in dialogue 1A]:
    1. MARIE: Bonjour Monsieur. —PIERRE: . . .
    2. MARIE: Comment allez-vous? —PIERRE: . . .
    3. PIERRE: Je suis en retard; je suis désolé. —MARIE: . . .
    4. PIERRE: Thérèse est étudiante? —MARIE: Non, . . .
    5. PIERRE: Voilà Jacques. Il est . . .

14. TRADUCTIONS [TRANSLATIONS]

1. He is very kind. 2. I am early. 3. She is very happy. 4. You are a student. 5. Very happy to meet you, Miss. 6. Delighted to meet you. 7. Thank you Miss. 8. Thérèse, you are French?

1B

ÇA C'EST FACILE

19:10 LE TOURISTE: À l'Hôtel de la Poste, s'il vous plaît.

To the Post Hotel, please.

LE CHAUFFEUR: Très bien, monsieur. Vous êtes américain?

All right, sir. Are you American?

LE TOURISTE: Oui, je suis américain.

Yes, I am (an) American.

LE CHAUFFEUR: Alors, regardez! Voilà la Madeleine.

Look, there is the Madeleine.

LE TOURISTE: L'église à gauche?

The church on the left?

LE CHAUFFEUR: Oui, maintenant, voilà la place de la Concorde avec l'Obélisque.

Yes, now there is the Concorde with the Obelisk.

LE TOURISTE: Et ça,* à droite, c'est la gare de l'Est?

And that, on the right, is that the East Station?

LE CHAUFFEUR: Oh, non! Malheureux! C'est l'Assemblée Nationale.†

Oh no, poor fellow! That is the National Assembly.

---

*Ça is colloquial usage for **cela.**
†Formerly "Chambre des députés."

LE TOURISTE: Ah! Et la maison à gauche?	Oh! And the building on the left?
LE CHAUFFEUR: C'est le café de Flore.	That is the Café de Flore.
LE TOURISTE: C'est le centre de Paris ici?	Is this the center of Paris?
LE CHAUFFEUR: Non, c'est un peu plus vers le nord.	No, it's a little further north.
LE TOURISTE: Et là-bas? C'est la tour Eiffel?	And over there? Is that the Eiffel Tower?
LE CHAUFFEUR: Bien sûr, ça c'est facile.	Of course, that is easy.

1.7   Intonation interrogative

A rise in pitch transforms a statement into a question. Questions of this kind usually begin on a higher level of pitch than the ordinary declarative sentence.

15.   *Répétez les phrases suivantes:*

C'est le café de Flore.	**C'est le café de Flore?**
Je suis en retard.	Je suis en retard?
Vous êtes en avance.	Vous êtes en avance?
Elle est étudiante.	Elle est étudiante?
Elle est assistante.	Elle est assistante?
Vous êtes américain.	Vous êtes américain?
C'est la tour Eiffel.	C'est la tour Eiffel?
C'est la place de la Concorde.	C'est la place de la Concorde?

1.8   Phonétique de l'article défini: **le, la, l'**

The vowel of the masculine definite article **le** is usually pronounced /ə/; this sound has the same length as the sound /a/ in the corresponding feminine form **la.** Your lips should be rounded to pronounce **le,** and drawn aside for **la.**

16. *Répétez:*

¹ ² ³ vers le nord	¹ ² ³ vers la poste
¹ ² ³ vers le sud	¹ ² ³ vers la gare
¹ ² ³ ⁴ vers le café	¹ ² ³ ⁴ vers la Madeleine
¹ ² ³ ⁴ vers le taxi	¹ ² ³ ⁴ vers la maison

17. *Écoutez et répétez:*

C'est vers le nord. C'est vers le sud. C'est vers la tour Eiffel. C'est vers la Concorde. Vers le nord de Paris. Vers le sud de Paris. Vers le centre de Paris. Vers la place.

Before vowel sounds both articles are reduced to /l/, spelled *l':*

18. *Répétez:*

Féminin	Masculin
voilà l'église	voilà l'ouest [west]
voilà l'étudiante	voilà l'est
voilà l'assistante	voilà l'hôtel
voilà l'Amérique	voilà l'Obélisque

After words ending in a vowel sound, the masculine article, particularly in rapid speech, is usually reduced to /l/, even before consonants, although the spelling remains *le.*

19. *Écoutez et répétez:*

Masculin		Féminin
¹ ² ³ voilà le nord	¹ ² ³ ⁴ voilà le café	¹ ² ³ ⁴ ⁵ voilà la maison
¹ ² ³ voilà le sud	¹ ² ³ ⁴ voilà le théâtre	¹ ² ³ ⁴ ⁵ voilà la Concorde
¹ ² ³ voilà le centre	¹ ² ³ ⁴ voilà le boulevard	¹ ² ³ ⁴ ⁵ voilà la Madeleine

Masculin		Féminin
¹ ² c'est le nord	¹ ² ³ c'est le café	¹ ² ³ ⁴ c'est la maison
¹ ² c'est le sud	¹ ² ³ c'est le théâtre	¹ ² ³ ⁴ c'est la Concorde
¹ ² c'est le centre	¹ ² ³ c'est le boulevard	¹ ² ³ ⁴ c'est la Madeleine

20. *Répétez:*

Voilà l'église. Voilà l'Amérique. Voilà l'Obélisque. Voilà la gare de l'Est. Voilà la Madeleine. Voilà la Concorde. Voilà la place. Voilà la maison de Marie.

1.9   Genre des noms [gender of nouns]

The gender of French nouns rarely indicates an actual quality of masculinity or femininity. In the case of *le monsieur* and *la dame* [lady], the articles correspond to the actual gender of the person whom they describe. But nouns such as *la gare*, *la place* (which are feminine), and *le taxi, le café* (which are masculine), must be learned with the appropriate article.

▼ **21.** *Remplacez c'est par voilà* [Replace **c'est** by **voilà**]:

EXEMPLE: C'est le centre de Paris.   RÉPONSE: Voilà le centre de Paris.

C'est le monsieur. C'est le chocolat.   C'est le gouvernement. C'est le dialogue. C'est le quartier de la Madeleine. C'est le taxi. C'est le sud de Paris.

22. *Remplacez voilà par c'est:*

EXEMPLE: Voilà la leçon.   RÉPONSE: C'est la leçon.

Voilà la géographie. Voilà la dame. Voilà la place. Voilà la gare. Voilà la tour. Voilà la tour Eiffel. Voilà la rose.

23. *Remplacez le nom masculin par il*
[Replace the masculine noun by **il**]:

EXEMPLE: Le chauffeur est étonné.   RÉPONSE: Il est étonné.

Le quartier est moderne. Le monsieur est heureux. Le théâtre est à gauche. L'artiste est aimable. L'étudiant est désolé. L'assistant est aimable. L'hôtel est vers le nord.

24. *Remplacez le nom féminin par elle:*

EXEMPLE: La géographie est difficile.   RÉPONSE: Elle est difficile.

La dame est en retard. La gare est vers le centre. L'étudiante est heureuse. L'armée est moderne. L'assistante est contente. L'université est à droite. La place est à gauche.

25. *Substituez il ou elle dans les phrases suivantes:*

EXEMPLE: Le gouvernement est à Paris.   EXEMPLE: L'église est à gauche.
RÉPONSE: Il est à Paris.   RÉPONSE: Elle est à gauche.

La maison est moderne. La place de la Concorde est impressionnante. Le dialogue est difficile. Le professeur est aimable. Le taxi est en retard. Le chauffeur est en avance. La poste est à droite.

L'Américain est à Paris. L'église est à gauche. L'hôtel est à droite. L'étudiant est aimable. L'étudiante est enchantée. L'assistante est triste. L'Obélisque est impressionnant.

1.10. Être (suite)*

Tu, nous, ils, elles

26. *Répétez:*

Formes suivies d'une voyelle	Formes suivies d'une consonne
Tu es /ɛz/ étudiant(e).	Tu es /ɛ/ désolé(e).
Tu es /ɛz/ assistant(e).	Tu es /ɛ/ très triste.
Nous sommes /sɔmz/ étudiant(e)s.	Nous sommes /sɔm/ désolé(e)s.
Nous sommes /sɔmz/ assistant(e)s.	Nous sommes /sɔm/ très tristes.
ils sont /sõt/ en avance.	Ils sont /sõ/ français.
Ils sont /sõt/ étudiants.	Ils sont /sõ/ très tristes.
Elles sont /sõt/ en avance.	Elles sont /sõ/ françaises.
Elles sont /sõt/ étudiantes.	Elles sont /sõ/ très tristes.

Note that adjectives and nouns agree in number (**-s** is added in the plural) and gender (**-e** is often added in the feminine). **Ils** refers to groups of nouns all or part of which are masculine; **elles** is used only if *all* subjects are feminine.

Vous au singulier at au pluriel

27. *Répétez:*

sing.: Vous êtes /ɛt/ étudiant(e).	Vous êtes /ɛt/ désolé(e).
pl.: Vous êtes /ɛt/ étudiant(e)s.	Vous êtes /ɛt/ désolé(e)s.
sing.: Vous êtes /ɛt/ assistant(e).	Vous êtes /ɛt/ très triste.
pl.: Vous êtes /ɛt/ assistant(e)s.	Vous êtes /ɛt/ très tristes.

The second person pronoun **vous** can be both singular and plural. **Vous** is the only form for the plural. In the singular it is part of formal speech; **tu** is informal.

Liaison is always made in *vous êtes* /vuzɛt/, but not normally between *êtes* and the word which follows it: *Vous êtes étudiant* /vuzɛt etydjã/.

---

*See 1.5.

▼ **28.** *Répétez:*

François, tu es étudiant? François et Marie, vous_êtes étudiants? Monsieur Dupont, vous_êtes triste? Jacques et Brigitte, vous_êtes contents? Paul, tu es heureux? Catherine, tu es heureuse? Catherine, vous_êtes contente?

29. *Répondez affirmativement aux questions suivantes:*

EXEMPLE: Vous_êtes américain?   RÉPONSE: Oui, nous sommes américains.

▲ Vous_êtes étudiants? Vous_êtes américains? Vous_êtes heureux? Vous_êtes difficiles? Vous_êtes français? Vous_êtes tristes? Vous_êtes contents?

30. *Remplacez **tu** par **vous:***

EXEMPLE: Tu es en rétard.   RÉPONSE: Vous_êtes en rétard.

Tu es heureux. Tu es américain. Tu es anglais. Tu es triste. Tu es chauffeur de taxi. Tu es touriste. Tu es aimable.

▼ **31.** *Répondez selon le modèle:*

EXEMPLE: Jacques est content; Cathérine est contente.
RÉPONSE: Ils sont contents.

Pierre est heureux; Marie est heureuse. Brigitte est étudiante; Maurice est étudiant. Jacques est désolé; Thérèse est désolée. Robert est en avance; Catherine est en avance. L'église est impressionnante; l'Obélisque est impressionnant. Le ▲ quartier est moderne; la maison est moderne.

32. *Employez* [use] *la forme correcte du verbe **être:***

Vous êtes content. Je . . . , Nous . . . , Les Français . . .
Nous sommes enchantés. Vous . . . , Thérèse . . . , Thérèse et Brigitte . . .
Vous êtes difficile. Jacques et Marie . . . , Les étudiants . . . , Je . . .
Je suis étudiant. Jacques et Brigitte . . . , Vous . . . , Pierre . . .
Il est heureux. Jacques . . . , Cathérine et Alice . . . , Brigitte et Jacques . . .
Nous sommes en avance. Vous . . . , Je . . . , Le taxi . . . , Cathérine et Alice . . .

33. QUESTIONS ET RÉPONSES

Répondez selon le dialogue 1B.

1. À l'Hôtel de la Poste, s'il vous plaît. 2. Et ça, c'est la gare de l'Est? 3. C'est lé centre de Paris ici? 4. C'est la tour Eiffel?

34. TRADUCTIONS

1. The church is on the right. 2. The center of Paris is on the left. 3. Over there! That is the Obelisk. 4. We are Americans. 5. There is the National Assembly. 6. That is a little further south. 7. There are the Concorde and the Obelisk. 8. There is the Eiffel Tower!

Deuxième leçon

2A

J'HABITE DANS UNE FAMILLE FRANÇAISE

18:50 ▼

JULIE: Tu habites dans un appartement ou dans une chambre?

Do you live in an apartment or a room?

GILLES: J'habite dans une chambre d'hôtel, et toi?

I live in a hotel room; how about you?

JULIE: J'habite dans une famille française.

I live with a French family.

GILLES: Tu es contente?

Are you satisfied?

JULIE: Oui, les gens sont gentils. Et toi, tu es content?

Yes, the people are nice. How about you, are you satisfied?

GILLES: L'hôtel est confortable. J'habite avec un étudiant français. C'est un ami d'Alice.

The hotel is comfortable. I live with a French student. He is a friend of Alice.

JULIE: Alice?

Alice?

GILLES: C'est une amie française. Une assistante de biologie.

She is a French friend of mine, an assistant instructor in biology.

17

JULIE: Ah! Oui! Elle est dans un labo-   Oh, yes! Is she in a laboratory?
ratoire d'analyse?

GILLES: C'est ça. Elle étudie des mi-   That's right. She is studying some
crobes terribles.   frightful microbes.

Étudiez le genre des noms suivants [the gender of the following nouns]: *un hôtel* (*m.*), *la biologie*
(*f.*), *le microbe* (*m.*).

2.1   Les sons /i/ et /y/

French /i/ is a sharp and intense sound, comparable to the vowel sound in the
English word *heel*.

1.   *Répétez:*

Je suis, Alice, Gilles, assistante, américain, l'église, oui, Paris, ami, Julie.

French /y/, spelled *u*, is unlike any English sound. To pronounce this sound,
say /i/ then round your lips but leave your tongue forward.

2.   *Répétez:*

si—su, fit—fut, dis—du, lit—lu, vie—vue, Gilles—Jules, pire—pure, a mise—
amuse.

3.   *Prononcez à haute voix:*

Oui, je suis ici. Alice est à Paris. Gilles est gentil. La biologie est difficile. Julie
habite à Paris. Marie habite ici. Marie étudie la biologie. Gilles est l'ami de Julie.

2.2   Article indéfini: **un, une**

The masculine indefinite article **un** is pronounced /œ̃/. It is entirely nasal. No /n/
is pronounced in *un tableau* /œ̃ ta blo/, but /n/ is added in liaison before a vowel
sound: *un ami* /œ̃ na mi/.

4.   *Répétez:*

un café /œ̃ ka fe/   un appartement /œ̃ na par tə mã/
un centre /œ̃ sãtr/   un étudiant /œ̃ ne ty djã/
un laboratoire /œ̃ la bɔ ra twar/   un ami /œ̃ na mi/

The feminine indefinite article **une** is always pronounced /yn/: the vowel is not nasalized. The /n/ becomes part of the following word if that word begins with a vowel sound.

5.   *Répétez:*

une place /yn plas/   une étudiante /y ne ty djãt/
une gare /yn gar/   une assistante /y na si stãt/
une chambre /yn ʃãbr/   une amie /y na mi/
une famille /yn fa mij/   une université /y ny ni vɛr si te/

The indefinite articles **un** and **une** always keep the value of a full syllable and are never reduced to /n/ as in English: "I have 'n idea." Give the indefinite article the same length as the other syllables in the following sentences.

6.   *Répétez avec un rythme régulier:*

<table>
<tr><td>1 2   3   4
C'est une famille.</td><td>1   2   3 4
C'est un café.</td></tr>
<tr><td>1   2   3   4
C'est une Française.</td><td>1   2   3   4
C'est un Français.</td></tr>
<tr><td>1   2   3 4
C'est une maison.</td><td>1   2   3   4
C'est un microbe.</td></tr>
<tr><td>1   2   3   4
C'est une artiste.</td><td>1   2   3 4
C'est un taxi.</td></tr>
</table>

7.   *Substituez le mot indiqué* [Substitute the word indicated]:

EXEMPLE: C'est un monsieur; chauffeur.   EXEMPLE: C'est une famille; dame.
RÉPONSE: C'est un chauffeur.   RÉPONSE: C'est une dame.

C'est un hôtel; taxi. C'est un quartier; théâtre. C'est un cours; dialogue. C'est une leçon; question. C'est une place; tour. C'est une assistante; étudiante. C'est un laboratoire; microbe.

8.   *Remplacez une par un:*

EXEMPLE: C'est une église; hôtel.
RÉPONSE: C'est un hôtel.

C'est une amie; ami. C'est une Anglaise; Anglais. C'est une étudiante; étudiant. C'est une artiste; artiste. C'est une assistante; assistant. C'est une université; appartement. C'est une Américaine; Américain.

9.   *Remplacez un par une et une par un:*

EXEMPLE: C'est un ami; Française.   EXEMPLE: Voilà une amie; assistant.
RÉPONSE: C'est une Française.   RÉPONSE: Voilà un assistant.

Voilà un laboratoire; université. C'est un hôtel; gare. Voilà une église; café.

C'est une place; appartement. J'habite une maison; hôtel. Regardez, une maison; appartement. Ah! un Américain; Anglaise.

2.3 La préposition **de**; la possession

The preposition **de** [of, from] frequently expresses possession. It is pronounced *de* /d/ *after* a vowel sound. It is spelled and pronounced *d'* *before* vowels.

10. *Répétez:*

La chambre de Pierre. L'ami dé Pierre. C'est un ami dé Pierre. Le cours d'Alice. L'amie d'Alice. C'est une amie d'Alice. La famille de Marie. L'étudiant dé Marie. C'est un étudiant dé Marie.

11. *Remplacez **un** par **le** ou **l'**:*
EXEMPLE: C'est un professeur de Gilles.
RÉPONSE: C'est lé professeur de Gilles.
EXEMPLE: C'est un ami dé Gilles.
RÉPONSE: C'est l'ami dé Gilles.

C'est un cours de Pierre. C'est un laboratoire d'analyse. C'est un quartier dé Paris. C'est un chauffeur de taxi. C'est un appartement dé Paris. C'est un hôtel de Lyon. C'est un assistant dé Jean.

12. *Répondez selon le modèle:*
EXEMPLE: C'est une famille?
RÉPONSE: Oui, c'est la famille de Julie.
EXEMPLE: C'est une amie?
RÉPONSE: Oui, c'est l'amie dé Julie.

C'est une maison? C'est une chambre? C'est une classe? C'est une assistante? C'est une leçon? C'est une famille? C'est une analyse?

2.4 **C'est**

C'est is the combination of *ce* and *est*. It refers neither exclusively to a masculine like *il est* nor to a feminine like *elle est*. In the following examples **c'est** means *that is, it is:*

C'est vers le sud.   C'est la tour Eiffel.   C'est Paul.

C'est un, c'est une can replace *il est, elle est* before expressions of nationality, profession, or religion. *C'est* is then translated: *he is, she is.*

Il est anglais.	C'est un Anglais.
Elle est anglaise.	C'est une Anglaise.
Il est artiste.	C'est un artiste.
Elle est artiste.	C'est une artiste.

13. *Substituez le mot indiqué:*

EXEMPLE: C'est un ami; classe.
RÉPONSE: C'est une classe; cours.
RÉPONSE: C'est un cours.

Quartier, famille, maison, professeur, laboratoire, chambre, appartement.

▼ **14.** *Continuez:*

EXEMPLE: C'est le quartier de Robert; maison.
RÉPONSE: C'est la maison de Robert; taxi.
RÉPONSE: C'est le taxi de Robert.

▲ Université, boulevard, conversation, professeur, église, café, ami.

15. *Remplacez l'expression il est, ou elle est, par c'est un ou c'est une:*

EXEMPLE: Il est anglais.   EXEMPLE: Elle est assistante.
RÉPONSE: C'est un Anglais.   RÉPONSE: C'est une assistante.

Il est français. Elle est étudiante. Il est professeur. Elle est artiste. Il est chauffeur. Elle est américaine. Elle est protestante.

2.5 Voilà

Like *c'est*, **voilà** requires an article before the noun which follows (unless the noun is a name).

▼ **16.** *Faites une phrase complète avec voilà:*

EXEMPLE: théâtre.   EXEMPLE: Jacques.
RÉPONSE: Voilà le théâtre.   RÉPONSE: Voilà Jacques.
EXEMPLE: tour Eiffel.   EXEMPLE: Paris.
RÉPONSE: Voilà la tour Eiffel. RÉPONSE: Voilà Paris.

Poste, cours, Marie, Italien *(m)*, boulevard *(m)*, maison, Pierre.

17. *Remplacez voilà par c'est:*

EXEMPLE: Voilà le théâtre.
RÉPONSE: C'est le théâtre.

Voilà la tour. Voilà un Italien. Voilà un monsieur. Voilà le quartier. Voilà l'église. Voilà une dame. Voilà l'assistante. Voilà Pierre.

2.6   Le présent des verbes en -er

A regular verb consists of an invariable stem and variable endings; -er, pronounced /e/, as in *parler* [to speak], is the infinitive ending of the most common type of French verb, usually referred to as the "first" conjugation. Four forms of its present tense have unpronounced endings [-e, -es, -e, -ent] and can be distinguished only by the personal pronoun that precedes.

18.   *Répétez et étudiez:*

Singular	Person	Plural
Je parle français.	1st	
J'habite à Paris.		
Tu parles français.	2nd	
Tu habites à Paris.		
Il parle français.	3rd	**Ils** parlent français.
Il habite à Paris.		**Ils** habitent à Paris.
Elle parle français.		**Elles** parlent français.
Elle habite à Paris.		**Elles** habitent à Paris.

There is only one present tense in French; it has several English equivalents:

Je parle: I speak, I am speaking, I do speak.
Il arrive: He arrives, he is arriving, he does arrive.

Liaison /z/ is heard when the **s** of **ils, elles** precedes a vowel sound:

Il habite à Paris.	**Il** aime [he likes] Paris.
/ila bi ta pa ri/	/ilɛm pa ri/
Ils habitent à Paris.	**Ils** aiment Paris.
/il za bi ta pa ri/	/il zɛm pa ri/
Elle arrive à Paris.	**Elle** aime Paris.
/ɛla ri va pa ri/	/ɛlɛm pa ri/
Elles arrivent à Paris.	**Elles** aiment Paris.
/ɛl za ri va pa ri/	/ɛl zɛm pa ri/

Je becomes **j'** before a vowel sound:

J'habite dans une famille; j'aime la famille.   **J'**étudie le français* à Paris.

---

*Languages take definite articles except after **parler**: *Il parle français; il étudie le français; le français est difficile.*

19. *Faites les changements suggérés* [Make the suggested changes]:

EXEMPLE: Je parle français; il.
RÉPONSE: Il parle français.

J'habite à Paris; tu. Alice parle anglais; he. Alice et Jacques habitent à Paris;
Marie. Tu étudies la biologie; Jacques. Robert parle français; Marie et Thérèse.
J'étudie la chimie; tu. Tu parles anglais; je.

20. *Mettez les phrases suivantes au pluriel*
[Put the following sentences into the plural]:

EXEMPLE: Il étudie le français.
RÉPONSE: Ils étudient le français.

Il aime le français. Elle aime la biologie. Il étudie la chimie. Elle étudie l'anglais.
Il habite à Paris. Elle habite dans une famille française. Elle arrive à Paris.

21. *Remplacez le pronom selon l'indication:*

EXEMPLE: Elles habitent à Paris; tu.
RÉPONSE: Tu habites à Paris.

Ils parlent français; tu. Elles étudient le français; je. Ils aiment la biologie; tu.
Il parle anglais; Marie et Pierre. Elles habitent à New York; Julie. Ils étudient la
chimie; Gilles. Tu parles français; Robert.

22.   QUESTIONS ET RÉPONSES

1. Où [where] habite Julie? 2. Où habite Gilles? 3. La famille de
Julie est gentille? 4. L'hôtel de Gilles est confortable? 5. Qui
[who] habite avec Gilles? 6. Qui est Alice? 7. Où est Alice?
8. Alice étudie des microbes terribles?

23.   TRADUCTIONS

1. They live in an apartment. 2. You live in a room? 3. She is
(*c'est*) a friend from England. 4. The people are happy. 5. Alice
is a friend of Marie. 6. There is Robert's course. 7. That is right.
8. You study English.

2B

EST-CE QUE VOUS SUIVEZ DES COURS DE FRANÇAIS?

19:16 RICHARD: Ça va?

How is everything?

MARIE: Ça va!

Fine!

RICHARD: Est-ce que vous habitez dans le quartier maintenant?

Do you live in this part of town now?

MARIE: Oui, tout près de l'université.

Yes, very close to the university.

RICHARD: Alors, nous habitons dans le même quartier; et est-ce que vous suivez* des cours?

Then we live in the same part of town; and do you take courses?

MARIE: Bien sûr! Je suis des cours de maths (mathématiques).

Of course! I am taking courses in math (mathematics).

RICHARD: Est-ce que vous suivez des cours de français aussi?

Are you also taking French courses?

MARIE: Oui, je suis un cours de littérature et un cours de conversation.

Yes, I am taking a course in literature and one in conversation.

RICHARD: Moi, j'étudie la musique. Est-ce que vous êtes contente?

I am studying music. Are you satisfied?

MARIE: Oui, je suis très contente. La classe de conversation est formidable.

Yes, I am very satisfied. The conversation class is wonderful.

RICHARD: Est-ce que vous aimez parler français?

Do you like to speak French?

MARIE: Bien sûr! Je suis très bavarde et j'aime parler français.

Of course! I am very talkative and I like to speak French.

RICHARD: Alors, tout est parfait.

Then everything is fine.

Étudiez: *une université, le cours, la conversation.*

2.7 Révision: /i/ et/y/

Spread your lips as for a broad grin to say /i/; round them as for *o* to say /y/.

*Suivre [to follow]; je suis [I follow]; vous suivez [you follow]. See 9.3.

24. *Répétez:*

Tu lis. Tu vis. Tu ris. Tu nies. Tu dis. Tu scies. Tu étudies la musique. Bien sûr tu habites ici. Tu suis le̸ cours de musique. Tu étudies la littérature.

2.8   Enchaînement vocalique [vowel link]

Unlike in English, the final vowel sound of a word is not separated from the initial vowel sound of the next word. In *tu habites* /tyabit/, /tya/ is a case of vowel link. (See 4.1 for consonant link in *tu habites ici* /tyabitisi/.)

25. *Répétez:*

Tu habites ici et tu étudies; moi aussi. L'anglais est formidable et le français aussi. Voilà Alice, Voilà Hélène, voilà Anne, voilà Elisabeth.

2.9   Est-ce̸ que

This expression is placed before statements to make them into questions. Its use makes rising pitch at the end of the sentence unnecessary (see 1.7).

Est-ce̸ que vous_êtes américain?   **Est-ce̸ qu'il est content?**

Pronounce *est-ce* with your lips drawn aside, *que* with rounded lips. Before a vowel sound, *que* becomes *qu'* /k/.

26. *Répétez sur un rythme régulier:*

Pronounce so that all syllables have the same length:

<table>
<tr><td>

1   2 3 4 5 6 7
Est-ce̸ que tu habites ici?

1   2 3 4 5 6 7
Est-ce̸ que tu es étudiant?

1   2   3 4   5 6 7
Est-ce̸ que vous êtes espagnol?

1   2 3   4 5 6 7
Est-ce̸ que c'est le̸ laboratoire?

</td><td>

1   2 3   4 5
Est-ce̸ qu'il est content?

1   2 3   4   5
Est-ce̸ qu'il est français?

1   2   3   4 5
Est-ce̸ qu'il est chimiste?

1   2   3   4 5
Est-ce̸ qu'elle est jolie?

</td></tr>
</table>

27.   *Formez des questions avec est-ce que:*

EXEMPLE: Vous suivez des cours de français?

RÉPONSE: Est-ce que vous suivez des cours de français?

Vous habitez dans le quartier? Vous suivez des cours de français? Tu étudies la musique? Marie aime la classe de conversation? Nous habitons dans le même quartier? L'hôtel est confortable? Richard est étudiant?

28.   *Formez des questions:*

EXEMPLE: Richard habite dans une famille?

RÉPONSE: Est-ce que Richard habite dans une famille?

Marie habite près de l'université? Marie et Julie sont américaines? Richard est américain aussi? Pierre et Richard sont étudiants? Jacques est en retard? Marie et Anne étudient la musique? Pierre et Jacques parlent anglais?

29.   *Remplacez une forme d'interrogation par l'autre* [by the other]:

EXEMPLE: Est-ce qu'il habite ici?

RÉPONSE: Il habite ici?

EXEMPLE: Il est français?

RÉPONSE: Est-ce qu'il est français?

Il arrive en avance? C'est le professeur? Est-ce que tu étudies la conversation? Tu es content? Est-ce qu'elle étudie la musique? Vous êtes bavard?

2.10   Article défini : **les**

Before a plural noun, **le, la,** and **l'** become **les**: *le Français, les Français; la Française, les Françaises; l'église, les églises.*

30.   *Étudiez et répétez:*

Vous suivez le cours.	Vous suivez **les** cours.
Vous répétez **la** leçon.	Vous répétez **les** leçons.
C'est l'étudiant.	Ce sont **les** étudiants.
C'est l'étudiante.	Ce sont **les** étudiantes.
L'étudiant est content.	**Les** étudiants sont contents.
La chambre est parfaite.	**Les** chambres sont parfaites.
Voilà **le** taxi.	Voilà **les** taxis.
Voilà **la** maison.	Voilà **les** maisons.

31.   *Mettez les noms suivants au pluriel:*

EXEMPLE: Voilà l'étudiant.

RÉPONSE: Voilà les étudiants.

Voilà le Français. Voilà l'école. Voilà le cours. Voilà le boulevard. Voilà le quartier agréable. Voilà la famille anglaise. Voilà l'analyse difficile.

2.11   Article indéfini : **des**

Des before plural nouns corresponds to *un, une* before the singular. **Des** is pronounced /de/ before a consonant and /dez/ before a vowel sound : **des** *Français* [Frenchmen, some Frenchmen]; **des** *Anglais* [Englishmen, some Englishmen]. The plural of most French nouns ends in **-s**.

32.   *Répétez:*

C'est un cours.	Ce sont des cours.
C'est une classe.	Ce sont des classes.
C'est un quartier de Paris.	Ce sont des quartiers de Paris.
C'est un boulévard.	Ce sont des boulévards.
C'est un Anglais.	Ce sont des Anglais.
C'est une Anglaise.	Ce sont des Anglaises.
C'est un étudiant.	Ce sont des étudiants.
C'est une étudiante.	Ce sont des étudiantes.

33.   *Mettez les phrases suivantes au pluriel:*

EXEMPLE : C'est un Français.
RÉPONSE : Ce sont des Français.

C'est une leçon de maths. C'est un microbe terrible. C'est un quartier de Paris. C'est un cours de musique. C'est une famille française. C'est une chambre confortable. C'est un professeur.

C'est un étudiant. C'est un hôtel confortable. C'est une analyse difficile. C'est une étudiante américaine. C'est un ami de Jacques. C'est une assistante de biologie. C'est un étudiant de chimie. C'est un assistant de Marie.

34.   *Mettez les phrases suivantes au pluriel:*

EXEMPLE : C'est un Français.
RÉPONSE : Ce sont des Français.

C'est un microbe. C'est un hôtel. C'est une amie. C'est une église de Paris. C'est un laboratoire. C'est une classe. C'est une chambre.

2.12   La préposition **de** (suite) : une leçon de français

De is used to join two nouns, one of which modifies the other. In English the two nouns are placed next to each other and occur in opposite order from the French (see 2.3).

35. *Répétez:*

C'est une leçon dé français [a French lesson].
Ce sont des léçons dé français [French lessons].
C'est une chambre d'hôtel [a hotel room].
Ce sont des chambres d'hôtel [hotel rooms].
C'est un cours d'université [a university course].
Ce sont des cours d'université [university courses].
C'est une amie dé collège [a school friend].
Ce sont des amies dé collège [school friends].

▼ **36.** *Mettez les phrases suivantes au pluriel:*

EXEMPLE: C'est une leçon dé biologie.
RÉPONSE: Ce sont des léçons dé biologie.

C'est un laboratoire d'analyse. C'est une classe de conversation. C'est un cours
de chimie. C'est un professeur de littérature. C'est un garçon dé restaurant [waiter].
▲ C'est un département dé mathématiques. C'est une tour d'église.

37. *Transformez les expressions du singulier au pluriel et vice versa:*

EXEMPLE: Voilà un assistant dé chimie.
RÉPONSE: Voilà des assistants dé chimie.
EXEMPLE: Voilà des assistants dé chimie.
RÉPONSE: Voilà un assistant dé chimie.

Voilà une assistante de chimie, un étudiant dé musique, des étudiants dé musique, des professeurs de musique, un assistant dé biologie, un professeur d'anglais,
des professeurs de français.

2.13   Le présent des verbes en **-er** (suite) *

The following endings are pronounced and form syllables:

-er /e/,   the infinitive of first conjugation verbs.
-ons /õ/, the first ⎫
-ez /e/,   the second ⎬ person present tense of most verbs.
⎭
parler: to speak; **nous** parl**ons**: we speak; **vous** parl**ez**: you speak

Note the liaison /z/ when **nous** and **vous** are followed by verbs beginning with a
vowel sound. **nous** aimons /nu zemõ/, **vous** habitez /vu za bi te/

---

*See 2.6.

38. *Répétez et étudiez:*

Unpronounced endings

Je parle français.	**J'**enseigne [I teach] le français.
Tu parles anglais.	**Tu** enseignes l'anglais.
Il parle espagnol.	**Il** enseigne l'espagnol.
Ils parlent italien.	**Ils** enseignent l'italien.

Pronounced endings

Nous parlons français.	**Nous** enseignons le français.
Vous parlez anglais.	**Vous** enseignez l'anglais.
J'aime parler espagnol.	**J'**aime enseigner l'espagnol.

39. *Répondez avec **nous:***

EXEMPLE: J'habite en France.
RÉPONSE: Nous habitons en France.

J'arrive en France. Je remarque [I notice] le silence. J'étudie l'anglais. J'enseigne la chimie. J'étudie la biologie. J'aime la musique. J'habite en Amérique.

40. *Répondez avec **vous:***

EXEMPLE: J'habite en France.
RÉPONSE: Vous habitez en France.

J'étudie la leçon. J'habite dans une famille. J'enseigne la musique. J'entre dans l'hôtel. J'aime la France. J'arrive en Amérique. J'écoute le professeur.

41. *Répondez selon l'indication:*

EXEMPLE: Je parle anglais; et Jacques?
RÉPONSE: Jacques parle anglais.

Je parle espagnol; et nous? Ils regardent la tour Eiffel; et nous? Vous parlez français; et Julie? Vous remarquez la musique; et les étudiants? Je regarde la tour Eiffel; et les étudiantes? Je parle anglais; et les Américains? J'étudie la chimie; et Marie?

42. *Mettez les phrases suivantes au pluriel:*

EXEMPLE: Il étudie le français.	EXEMPLE: Elle étudie le français.
RÉPONSE: Ils étudient le français.	RÉPONSE: Elles étudient le français.

Il habite dans une chambre d'hôtel. Elle aime les Français. Elle arrive à Marseille. Il étudie la chimie. Elle arrive en France. Il enseigne le cours. Elle arrive en retard.

43.   *Répondez selon l'indication:*

EXEMPLE: J'habite à Paris; vous.
RÉPONSE: Vous habitez à Paris.

Nous remarquons le taxi; Jacques. Ils habitent à Paris; tu. Elle étudie la bio-logie; j'. Tu parles anglais; vous. Elles arrivent à New York; nous. Il enseigne la musique; vous. Nous habitons à San Francisco; Marie.

44.   QUESTIONS ET RÉPONSES

1. Ça va? 2. Marie habite dans le quartier maintenant? 3. Est-ce qu'elle suit des cours de mathématiques? 4. Est-ce que Marie étudie la chimie? 5. Est-ce qu'elle suit des cours de conversation? 6. Est-ce qu'elle est contente de la classe? 7. Qui est bavard? 8. Est-ce qu'elle aime parler français?

45.   TRADUCTIONS

1. Do you live in an apartment? 2. Are you satisfied? 3. Do you take courses in French? 4. Is she a student or an instructional assistant? 5. I am sorry; I am late. 6. No. you are early. 7. The Madeleine is in the center of Paris. 8. The University of Paris is on the right. 9. Gilles is Juliette's boy friend. 10. He is very talkative. 11. He teaches English.

46.   TRADUISEZ RAPIDEMENT

1. You live in the same part of town. 2. Do you take courses? 3. Of course! 4. She studies music and I'm studying (= I study) French. 5. We are talkative. 6. All is fine. 7. The math course is wonderful. 8. You are wonderful! 9. They notice the silence.

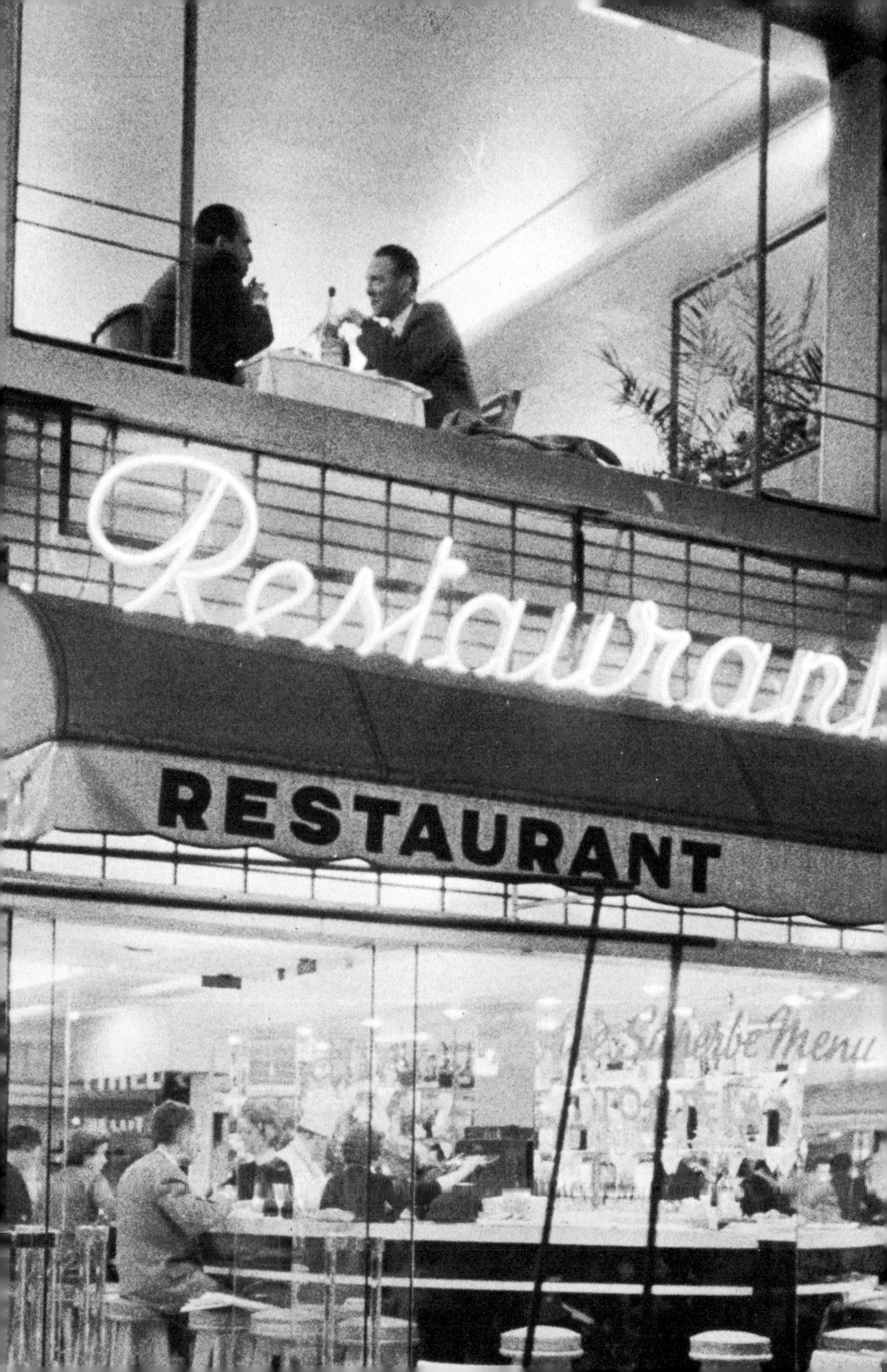
Restaurant
RESTAURANT

Troisième leçon

3A

UN PETIT DÉJEUNER

19:00   JACQUES: Qu'est-ce que tu prends?

What are you having?

VINCENT: De l'eau, de l'orangeade ou de la bière. . . . J'ai chaud et j'ai soif.

Water, orangeade or beer. . . . I am hot and thirsty.

JACQUES: Moi, je prends un petit déjeuner; j'ai faim.

I'm having breakfast; I'm hungry.

VINCENT: Tu as raison. Je prends un petit déjeuner aussi.

You are right. I'm having breakfast too.

JACQUES: Garçon, deux petits déjeuners, s'il vous plaît.

Waiter, two breakfasts, please.

LE GARÇON: Bien, monsieur. Qu'est-ce que vous prenez? Des oeufs au bacon, de la confiture et du café au lait?

All right, sir. What will you have?* Bacon and eggs, jam and coffee with milk?

---

*Note the occasional use of an English future for a French present tense.

33

JACQUES: Oh non! Un pǝtit déjeuner français.

Certainly not! I want a French breakfast.

LE GARÇON: Alors, un café-crème et des croissants?

Well then, coffee with cream and crescent rolls?

JACQUES: Pour moi, un café-crème et deux croissants.

For me, coffee with cream and two croissants.

VINCENT: Pour moi, un chocolat au lait, des pǝtits pains et du beurre. Les pǝtits pains sont frais?

I'll have hot chocolate, rolls and butter. Are the rolls fresh?

LE GARÇON: Oh, monsieur! Mais naturellǝment.

Of course, sir!

VINCENT: Alors trois pǝtits pains pour moi.

All right, I'll take three rolls.

JACQUES: Apportez-nous l'addition en même temps.

Bring us the check at the same time.

LE GARÇON: Tout dǝ suite, messieurs.

Right away, gentlemen.

Étudiez: *un oeuf, une orangeade, une addition, le croissant.*

3.1   /y/, /ø/, /e/ : **du** pain, **deux** pains, **des** pains

Distinguish between the sound of *u* /y/, as in *du* and *eu* /ø/, as in *deux*. Both are pronounced with rounded lips and the tongue tightly against the lower teeth. The back of the tongue is pushed further forward for /y/ than for /ø/.

1.   *Comparez:*

J'ai du pain [I have (some) bread].

J'ai deux pains [I have two loaves of bread.]

J'ai du vin [I have (some) wine].

J'ai deux vins [I have two kinds of wine].

J'ai du café [I have (some) coffee].

J'ai deux cafés [I have two cups of coffee].

J'ai du bifteck [I have (some) steak].

J'ai deux biftecks [I have two steaks].

J'ai du fromage [I have (some) cheese].

J'ai deux fromages [I have two kinds of cheese].

Deux /dø/ is pronounced with lips firmly rounded, as opposed to *des* /de/, pronounced with lips drawn aside.

2. *Répétez:*

Voilà deux chambres	Voilà des chambres
[There are two rooms].	[There are rooms].
Voilà deux cours.	Voilà des cours.
Voilà deux garçons.	Voilà des garçons.
Voilà deux chocolats.	Voilà des chocolats.
Voilà deux messieurs.	Voilà des messieurs.

Le monsieur /lə mə sjø/ in the plural becomes *les messieurs*, pronounced /le me sjø/, with the vowel sounds /e/ and /ø/ also found in *des* and *deux*. Make a clear distinction and add /z/ for liaison in the following exercise.

3. *Répétez:*

Voilà deux_étudiants.	Voilà des_étudiants.
Voilà deux_Américains.	Voilà des_Américains.
Voilà deux_assistants.	Voilà des_assistants.
Voilà deux_appartements.	Voilà des_appartements.
Voilà deux_universités.	Voilà des_universités.
Voilà deux_oeufs /dø zø/.	Voilà des_oeufs /de zø/.

Note the open sound in the singular: *un oeuf* /œ nœf/, opposed to the closed sound in the plural: *deux oeufs* /dø zø/.

3.2   Le pluriel des substantifs et des adjectifs (suite) *

Nouns and adjectives normally add *-s* in the plural except when their singular form ends in *-s*, *-x*, or *-z*, in which case they remain unchanged. Singular and plural nouns and adjectives are usually pronounced alike and are distinguished only by their article.

4. *Comparez:*

le cours parfait	les cours parfaits
un cours parfait	des cours parfaits
la leçon difficile	les leçons difficiles
une leçon difficile	des leçons difficiles
le petit déjeuner	les petits déjeuners
un petit déjeuner	des petits déjeuners

---

*See 2.10.

l'appartement vide [empty]   les appartements vides
      un appartement vide   des appartements vides

Before a vowel sound, *les* and *des* are pronounced with liaison /z/:

Les Anglais, des Anglais;   les artistes, des artistes; les hôtels, des hôtels.

5. *Mettez les phrases suivantes au pluriel:*

EXEMPLE: Il regarde l'appartement.
RÉPONSE: Ils regardent les appartements.

Il regarde la chambre, ... le théâtre, ... la classe de français, ... le garçon, ... la leçon, ... le laboratoire, ... le monsieur.

6. *Continuez:*

EXEMPLE: Elle aime l'étudiant.
RÉPONSE: Elles aiment les étudiants.

Elle aime   l'université, ... l'étudiant, ... l'Anglais, ... l'église, ... l'appartement, ... l'assistant, ... l'Espagnol.

7. *Mettez les phrases suivantes au pluriel:*

EXEMPLE: Il regarde le théâtre.
RÉPONSE: Ils regardent les théâtres.

Il étudie la leçon. Il regarde l'assistant. Elle aime l'Américain. Elle parle avec l'Anglais. Il regarde la chambre. Il aime le cours. Elle regarde le professeur.

3.3 **De** et l'article

The preposition **de** combines with **le** and **les** to form **du** and **des**. It does not combine with **la** or **l'** in **de la** and **de l'**.

	Masculin		Féminin	
singulier:	**de + le = du**	**du** pain	**de + la** ⟶	**de la** bière
	de + l' ⟶	**de l'**argent	**de + l'** ⟶	**de l'**eau
pluriel:	**de + les = des**	**des** amis	**de + les = des**	**des** amies

8. *Répétez:*

Le garçon du restaurant, l'assistant du professeur, les croissants du petit déjeuner, le chauffeur du touriste, le livre de l'étudiant, la maison de la famille, la chambre de l'appartement, l'habitude de la conversation.

9. *Combinez les expressions suivantes:*

EXEMPLE: Le théâtre, le quartier.
RÉPONSE: Le théâtre du quartier.

Le théâtre, le quartier. L'addition, le restaurant. L'ami, le professeur. Les petits pains, le déjeuner. Le chauffeur, le touriste. La fille [daughter], le monsieur. Le fils [son], le monsieur.

L'exercice, la leçon. Le laboratoire, les étudiants. La chambre, l'appartement. La place, la Concorde. L'entrée [entrance], l'hôtel. Le laboratoire, l'université. Le dialogue, les messieurs.

3.4   Avoir [to have]

The present tense of the verb **avoir** is irregular in stem and endings.

10. *Répétez et étudiez:*

Présent:	**J'ai** /ʒe/ deux amis.	**Nous avons** deux amis.
	Tu as des étudiants.	**Vous avez** des étudiants.
	Il a des leçons.	**Ils ont** des leçons.
Infinitif:		J'aime **avoir** des amis.

▼ **11.** *Employez le sujet [subject] indiqué:*

EXEMPLE: Il a deux amis; nous.
RÉPONSE: Nous avons deux amis.

Elle a un café-crème; vous. Ils ont deux fils; Vincent. Tu as une fille; nous. Tu as un assistant; Marie. Vous avez des professeurs; Richard et Marie. Il a des
▲ cours; je. L'université a des laboratoires de chimie; les étudiants.

12. *Répondez avec vous:*

EXEMPLE: J'ai une chambre.
RÉPONSE: Vous avez une chambre.

J'ai un appartement. J'ai des amis. J'ai trois maisons. J'ai un cours de français. J'ai des assistants. J'ai deux filles. J'ai une maison dans le quartier.

13. *Répondez selon le modèle:*

EXEMPLE: Est-ce que vous avez des maisons?
RÉPONSE: J'ai une maison.

Est-ce que vous avez des cours?... des chambres?... des appartements? ... des amis?... des petits pains?... des laboratoires?... des croissants?

14.   *Étudiez et répétez les modèles suivants:*

Memorize these expressions and do not try to translate literally.

> J'ai faim [I am hungry].   J'ai raison [I am right].
> J'ai soif [I am thirsty].   J'ai tort [I am wrong].
> J'ai chaud [I am hot].   J'ai sommeil [I am sleepy].
> J'ai froid [I am cold].   J'ai peur [I am afraid].

▼ **15.**   *Employez la forme analogue de l'expression **être content:***

EXEMPLE: Nous avons raison.   EXEMPLE: J'ai raison.
RÉPONSE: Nous sommes contents.   RÉPONSE: Je suis content.

Il a raison. Vous avez raison. Ils ont raison. Elle a raison. Elles ont raison. Tu as raison. Nous avons raison.

Compare these French forms with English:

avoir + *noun*	**to be** + *adjective*
J'ai raison.	I am right.
J'ai faim.	I am hungry.
être + *adjective*	**to be** + *adjective*
Je suis content.	I am happy.
Je suis petit.	I am little.

16.   *Répondez selon l'indication:*

EXEMPLE: Dites que [say that] vous avez chaud.
RÉPONSE: J'ai chaud.
EXEMPLE: Dites que j'ai chaud.
RÉPONSE: Vous avez chaud.

Dites que vous avez deux amies. Dites que j'ai un ami. Dites que vous avez froid. Dites que j'ai faim. Dites que vous avez sommeil. Dites que vous avez tort. Dites que j'ai soif.

17.   *Mettez les phrases suivantes au pluriel:*

EXEMPLE: Il a chaud.   RÉPONSE: Ils ont chaud.

Il a faim. Elle a sommeil. Il a froid. Il a tort. Elle a raison. Il a peur. Elle a soif.

18.   *Transformez les phrases selon l'indication:*

EXEMPLE: J'ai deux amis; tu.   EXEMPLE: Je suis content; tu.
RÉPONSE: Tu as deux amis.   RÉPONSE: Tu es content.

Nous avons froid; ils. Tu as sommeil; nous. Alice et Monique sont françaises; je. Tu as un assistant; elles. Vous êtes content; nous. Alice est enchantée; ils.

3.5   Le partitif

De + the definite article (**du, de la, de l'**) expresses part or a portion of something that is not countable; the English equivalent may use "some."

J'ai du café = I have (some) coffee.
J'ai de la crème = I have (some) cream.
J'ai de l'eau = I have (some) water.

Des* (**de** + **les**) expresses *some* of a larger number of units:

J'ai des amis = I have (some) friends.
J'ai des étudiants = I have (some) students.

19.   *Répétez:*

Nous avons **du** beurre [butter].	Nous avons **de la** confiture [jam].
Nous avons **du** vin [wine].	Nous avons **de la** crème.
Nous avons **du** café.	Nous avons **de la** bière.
Nous avons **du** lait.	Nous avons **de la** viande.
Nous avons **de** l'eau.	Nous avons **de l'** argent [money].

20.   *Mettez le nom* [noun] *indiqué:*

EXEMPLE: J'ai du pain; confiture.
RÉPONSE: J'ai de la confiture.
EXEMPLE: C'est du vin; lait.
RÉPONSE: C'est du lait.

Vous avez des croissants; café. C'est du lait; orangeade. Paul et Françoise ont des oeufs; lait. C'est la bière; eau. Nous avons du lait; oeufs. Elle a de la viande; croissants. Ce sont des professeurs; étudiants.

3.6   Qu'est-ce que? [what?]

Qu'est-ce que is pronounced like *est-ce que*, but has an initial /k/ sound. Pronounce the first syllable with your lips drawn aside, /kɛs/, the second syllable with rounded lips, /kə/, or /k/ before a vowel sound.

21.   *Répétez:*

Qu'est-ce que vous regardez?	Qu'est-ce qu'il regarde?
Qu'est-ce que vous commandez?	Qu'est-ce qu'il commande?
Qu'est-ce que vous décidez?	Qu'est-ce qu'il décide?

*****Des** also serves as the plural of **un(e)**, see 2.11.

Qu'est-ce que vous apportez?	Qu'est-ce qu'il apporte?
Qu'est-ce que vous enseignez?	Qu'est-ce qu'il enseigne?
Qu'est-ce que vous désirez?	Qu'est-ce qu'il désire?
Qu'est-ce que vous préparez?	Qu'est-ce qu'il prépare?

22. *Répondez au masculin singulier partitif avec* **du:**

EXEMPLE: Qu'est-ce que vous prenez? le beurre.
RÉPONSE: Je prends du beurre.

... le vin, ... le pain, ... le café, ... le chocolat, ... le thé ... le sucre.

23. *Répondez au masculin singulier, avec* **enseigner** *et* **parler:**

EXEMPLE: Qu'est-ce que vous enseignez? le français.
RÉPONSE: J'enseigne le français; je parle français.

... l'italien, ... l'espagnol, ... l'anglais, ... l'espéranto, ... le russe, ... le portugais.

24. *Répondez au féminin singulier partitif avec* **de la** *ou* **de l':**

EXEMPLE: Qu'est-ce que vous commandez? la limonade.
RÉPONSE: Je commande de la limonade.

... la crème, ... la confiture, ... la bière, ... l'orangeade, ... l'eau, ... la viande.

25. *Répondez au pluriel avec* **des:**

EXEMPLE: Qu'est-ce que vous désirez? les petits pains.
RÉPONSE: Je désire des petits pains.
EXEMPLE: Qu'est-ce que vous apportez? les livres.
RÉPONSE: J'apporte des livres.

Qu'est-ce que vous commandez? les oeufs. Qu'est-ce que vous désirez? les croissants. Qu'est-ce que vous regardez? les hôtels. Qu'est-ce que vous désirez? les chambres. Qu'est-ce que vous préparez? les cours de français. Qu'est-ce que vous étudiez? les leçons de biologie.

3.7 Qu'est-ce que c'est? [What is it?]

26. *Répondez selon le modèle:*

EXEMPLE: Qu'est-ce que c'est?
INDICATION: hôtel.
RÉPONSE: C'est un hôtel.

Qu'est-ce que c'est? maison. Qu'est-ce que c'est? appartement. Qu'est-ce que c'est? microbe. Qu'est-ce que c'est? restaurant. Qu'est-ce que c'est? église. Qu'est-ce que c'est? université. Qu'est-ce que c'est? laboratoire.

3.8   Il y a [there is, there are]

While **voilà** points out something, **il y a** indicates its existence or availability.

27.   *Répétez et étudiez:*

Qu'est-cé qu'il y a à manger [to eat] et à boire [to drink]?

Il y a dé la viande.	Il y a dé la bière.
Il y a du beurre.	Il y a du chocolat.
Il y a dé la confiture.	Il y a des oeufs au bacon.
Il y a dé l'orangeade.	Il y a des petits pains.

28.   QUESTIONS ET RÉPONSES

1. Qu'est-cé que Jacques prend? 2. Est-cé que Jacques a raison? 3. Qu'est-cé que le garçon apporte en même temps? 4. Est-cé que les pétits pains sont frais? 5. Qu'est-cé que c'est, un pétit déjeuner français? 6. Pourquoi est-cé qu'il y a deux additions? 7. Quand est-cé que le garçon apporte les additions?

29.   TRADUCTIONS

1. What are you having? 2. I am cold and I take coffee. 3. Waiter! Eggs and bacon, please. 4. Do you take coffee and rolls? 5. I am hungry. 6. You are right! 7. Bring us the checks! 8. Of course, right away.

3B

LA VIE EN FRANCE

14:20 GUY: Est-cé que vous aimez la vie en France?

Do you like life in France?

ALICE: En général, oui.

In general, yes.

GUY: Qu'est-cé que vous n'aimez pas?

What don't you like?

ALICE: Jé n'aime pas ma chambre d'hôtel, par exemple.

I don't like my hotel room, for example.

GUY: Tiens! Pourquoi? Elle n'est pas jolie?

Really! Why? Isn't it attractive?

ALICE: Si, mais elle n'est pas confortable.

Yes, but it's not comfortable.

GUY: Est-cé qu'elle est chère?

Is it expensive?

ALICE: Non, elle n'est pas chère. C'est un avantage.

No, it's not expensive; that's one advantage.

GUY: Qu'est-cé que vous aimez ici?

What do you like here?

ALICE: J'aime les terrasses des cafés, les gens, les grands magasins et les bons restaurants.

I like the sidewalk cafes, the people, the department stores and the good restaurants.

GUY: Est-cé que vous aimez la cuisine française?

Do you like French cooking?

ALICE: Oui, beaucoup. Mais jé n'aime pas les huîtres et jé n'aime pas les escargots.

Yes, very much. But I don't like oysters and I don't like snails.

GUY: C'est parcé que vous n'avez pas l'habitude. Et vous n'aimez pas la viande saignante, naturellément.

That's because you are not used to them. And of course you don't like your meat very rare.

ALICE: Si!

But I do!

Étudiez: *une habitude, une huître, un escargot.*

3.9   Voyelles nasales: /ã, /ɛ̃/, /õ/

Pronounce the following cognates of English words. Be sure to use nasal vowels, i.e., avoid /m/ and /n/ sounds for the letters in italics. Remember that the last syllable is stressed in French and that all syllables have almost the same length. Pay close attention to the rhythmic pattern:

30. *Répétez:*

1 2 3 *con* for table	1 2 s*ym* bole	1 2 3 4 *con* ti n*en* tal
1 2 3 *im* por t*an*t	1 2 *in* stinct	1 2 3 4 5 dis cri mi na ti*on*
1 2 3 s*ym* pho nie	1 2 *an* tique	1 2 3 4 5 *in* ter na tio nal
1 2 3 s*ym* pa thie	1 2 d*an* ger	1 2 3 4 5 s*im* pli fi ca ti*on*
1 2 3 *con* ti n*en*t	1 2 *in* st*an*t	1 2 3 4 5 6 *in* ter *con* ti n*en* tal

La négation : **ne** . . . **pas**

The particles **ne** and **pas** surround the conjugated verb form when the verb is negative. Before a vowel sound, **ne** is spelled **n'**. The stress is on the second element, **pas,** which can be further emphasized by high pitch:

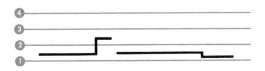

Je n'aime pas ma chambre d'hôtel!

31.   *Répétez avec la même* [same] *intonation:*

n' + *voyelle*	**ne** + *consonne*
Je n'aime **pas** les huîtres.	Je ne pense **pas** en classe.
	[I do not think in class.]
Je n'aime **pas** les escargots.	Je ne danse **pas** en classe.
Je n'aime **pas** les oeufs.	Je ne mange **pas** en classe.
Je n'aime **pas** les oranges.	Je ne chante **pas** en classe.

The word **pas** is marked by low pitch if it stands last in the sentence:

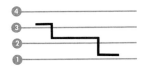

Il ne parle pas.

32.   *Répétez avec la même intonation:*

ne + *consonne*	**n'** + *voyelle*
Il **ne** mange **pas.**	Vous **n'**étudiez **pas.**
Elle **ne** change **pas.**	Vous **n'**entrez **pas.**
Ils **ne** pensent **pas.**	Nous **n'**arrivons **pas.**
Elles **ne** déjeunent **pas.**	Nous **n'**entrons **pas.**

33.   *Répétez les phrases suivantes avec **ne** . . . **pas:***

EXEMPLE: Nous avons tort.
RÉPONSE: Nous n'avons pas tort.

J'aime la tour Eiffel. Vous entrez dans l'église. Il est professeur. Alice habite dans un hôtel. Tu entres dans la chambre. Elle est aimable. Ils habitent dans le quartier. Vous êtes bavard.

3.11 **Si,** elle parle français !

Si replaces **oui** if one wishes to contradict a negative statement or question.

34. *Répétez:*

Elle **n'**est **pas** française ?   —**Si**, elle est française !

Elle **ne** parle **pas** français ?   —**Si**, elle parle français !

Elle **n'**est **pas** anglaise !   —**Si**, elle est anglaise !

Vous **n'**avez **pas** faim ?   —**Si**, j'ai faim !

35. *Répondez selon le modèle:*

EXEMPLE: Tu n'aimes pas la cuisine française ?
RÉPONSE: Si, j'aime la cuisine française.
EXEMPLE: Il n'étudie pas ?
RÉPONSE: Si, il étudie.

Vous n'étudiez pas le cours ? Vous n'étudiez pas la musique ? Vous n'avez pas sommeil ? Elles n'ont pas soif ? Vous n'avez pas froid ? Les étudiants n'ont pas peur ? Nous n'avons pas le temps ? Vous n'aimez pas la viande saignante ?

36. *Répondez **oui** ou **si:***

EXEMPLE: Tu as faim ?
RÉPONSE: Oui, j'ai faim.
EXEMPLE: Tu n'as pas faim ?
RÉPONSE: Si, j'ai faim.

Elle ne parle pas français ? Marie n'est pas étudiante ? Vous n'aimez pas les escargots ? Vous avez sommeil ? La chambre n'est pas confortable ? Il y a des oeufs ? Tu ne prends pas le petit déjeuner ?

3.12 **Prendre** [to take]

The irregular verb **prendre** has three stems in the present tense.

37. *Répétez et étudiez:*

	/prã/	/prɛn/	/prən/

Présent: **Je** prends du café.*   **Nous** prenons du café.
        Tu prends de la crème.   **Vous** prenez du café.
        Il prend de la bière.   **Ils** prennent de l'eau.
        Elle prend du vin.   **Elles** prennent du thé.
Infinitif: J'aime **prendre** du café.

38. *Répétez:*

Vous nⱸ prenez pas les huîtres?   Si, **j**ⱸ prends les huîtres.
Vous nⱸ prenez pas lⱸ livre?   Si, **nous** prenons lⱸ livre.
Ils prennent le taxi?   Oui, **ils** prennent le taxi.
Tu prends lⱸ livre?   Non, **je** nⱸ prends pas lⱸ livre.

39. *Répondez selon l'exemple:*

EXEMPLE: Dites que vous prenez du beurre.
RÉPONSE: Je prends du beurre.
EXEMPLE: Dites qu'Alice et Marie prennent du café.
RÉPONSE: Elles prennent du café.

Dites que vous prenez des oeufs. Dites que je prends des oeufs. Dites que vous prenez une chambre. Dites que Jacques et Guy prennent des cigarettes. Dites qu'Alice prend des huîtres. Dites que je prends des places pour le théâtre.

40. *Changez les phrases suivantes selon le modèle:*

EXEMPLE: Marie prend du café; Marie et Jacques.
RÉPONSE: Marie et Jacques prennent du café.

Marie prend dⱸ l'eau; Marie et Alice. Pierre prend dⱸ la bière; Pierre et Jacques. Alice et Julie prennent de la confiture; Alice. Vincent prend du café au lait; Vincent et Richard. L'étudiant prend des croissants; les étudiants. Les Américains prennent du lait; l'Américain. Les amis français prennent du vin; Jacques.

3.13 J'aime **la** crème ; je prends **de la** crème

Note the use of the definite article to express *all* of a thing or an idea in general, and the use of the partitive to indicate *a part* of the whole, *some* of it.

Je prends du café = I drink coffee; *je prends des oeufs* = I eat eggs. When ordering food or drink, *je prends . . .* = I'm having . . . (See dialogue 3A).

Je prends de la crème [I take cream, i.e., *some of it*].
J'aime la crème [I like cream, i.e., *in general*].

41. *Répétez:*

Ils aiment **le** lait et ils prennent **du** lait.
Nous aimons l'orangeade et nous prenons **de** l'orangeade.
Tu aimes **la** crème et tu prends **de la** crème.
Vous aimez **les** oeufs et vous prenez **des** oeufs.
Il aime **les** croissants et il prend **des** croissants.

42. *Répondez au partitif, avec **prendre:***

EXEMPLE: J'aime le lait.
RÉPONSE: Je prends du lait.

Nous aimons le lait. Vous aimez le café. Marie aime les huîtres. Marie et Pierre aiment la crème. Nous aimons les escargots. J'aime la viande saignante. Tu aimes le vin.

3.14   **Apprendre** [to learn],
   comprendre [to understand]

These two verbs are conjugated like *prendre* (see 3.12).

43. *Remplacez **apprendre** par **comprendre:***

EXEMPLE: Tu apprends l'espagnol.
RÉPONSE: Tu ne comprends pas l'espagnol.

Il apprend l'espagnol. Elle apprend l'anglais. Elles apprennent l'anglais. Vous apprenez le français. J'apprends la chimie. Tu apprends la biologie. Nous apprenons l'espagnol.

3.15   Révision

44. *Répondez selon l'exemple:*

EXEMPLE: Vous avez froid?   EXEMPLE: Vous êtes content?
RÉPONSE: Non, je n'ai pas froid.   RÉPONSE: Non, je ne suis pas content.

Vous avez raison? Vous êtes heureuse? Vous avez sommeil? Vous êtes française? Vous avez soif? Vous êtes italien? Vous avez peur? Vous êtes italienne?

45.   *Répondez selon l'indication:*

EXEMPLE: Je suis content, et Jacques?

RÉPONSE: Il est content aussi.

J'ai froid, et vous? Nous avons peur, et le professeur? Nous avons l'habitude, et les amis? Nous sommes très en retard, et Guy? Tu es heureux, et nous? Ils ont une chambre d'hôtel, et moi? Ils sont contents, et moi?

46.   QUESTIONS ET RÉPONSES

1. Qu'est-ce qu'Alice n'aime pas en France? 2. Qu'est-ce qu'elle aime en France? 3. Est-ce qu'elle aime la cuisine française? 4. Qu'est-ce qu'elle n'aime pas dans la cuisine française? 5. Est-ce qu'elle a l'habitude des escargots? 6. Pourquoi est-ce qu'elle n'aime pas la chambre d'hôtel? 7. Est-ce que la chambre est chère?

47.   TRADUCTIONS

1. What are you having? 2. I am hot and thirsty. 3. Are the rolls fresh? 4. Well then, we'll take rolls and butter. 5. Where is the check?—Right away, gentlemen. 6. Do you like life in France? 7. Do you like French cooking? 8. Do you live in this part of town? 9. Yes, I live near the university. 10. Do you study music? 11. Yes, and I am very satisfied. 12. I have a friend in the laboratory. 13. He is studying microbes, terrifying microbes. 14. What don't you like? Don't you like the room? Yes, I do like my room.

Un café, un tabac.
(*Air France*)

Quatrième leçon

4A

QU'EST-CE QUE VOUS FAITES AUJOURD'HUI?

1:30 BERNARD: Qu'est-ce que vous faites aujourd'hui?

What are you doing today?

GUY: Je vais chercher ma valise à la gare. Et vous?

I'm going to the station to get my suitcase. And you?

BERNARD: Je vais au bureau de tabac* pour acheter des cigarettes, et puis je vais à la poste.

I'm going to the tobacco shop to buy cigarettes, and then I'm going to the post office.

GUY: Vous prenez vos timbres au bureau de tabac!

You get your stamps at the tobacco shop!

BERNARD: Ah! oui, c'est vrai. J'oublie toujours cela.

Ah! yes, that's right. I always forget that.

GUY: Et puis, qu'est-ce que vous faites après?

And then, what are you doing afterwards?

---

*Pronounce *de taba*. Beginning with this lesson, the unstable *e* indications are normally omitted.

49

BERNARD: Je ne sais pas. J'ai envie d'aller au cinéma avec un ami. Et vous?

I don't know. I feel like going to the movies with a friend. And you?

GUY: Moi, je n'ai pas envie d'aller au cinéma.

I don't feel like going to the movies.

BERNARD: Qu'est-ce que vous faites alors?

What will you do then?

GUY: Vous êtes bien curieux! Je vais au restaurant d'abord, et puis au théâtre avec Alice.

You are very inquisitive. I'm going to the restaurant first, and then to the theater with Alice.

BERNARD: Tiens! Voilà justement Alice. Elle arrive en taxi. Alors bonne soirée.

Oh! there's Alice now. She's arriving by taxi. Have a nice evening then.

GUY: À vous aussi.

You too.

BERNARD: Merci, au revoir.

Thanks, good-bye.

GUY: Au revoir.

Good-bye.

Étudiez: *le tabac, le taxi, la cigarette.*

4.1 Enchaînement consonantique*

If a French word ends with a pronounced consonant and the next word begins with a vowel sound, the final consonant is pronounced as a part of the second word:

pour‿acheter /pu ra ʃ te/   pour‿Alice /pu ra lis/

This is true even if the spelling of the first word has a final unpronounced -e, or other unpronounced letters:

au théâtre avec‿Alice /o te a tra vɛ ka lis/
d'abord‿à la poste /da bɔ ra la pɔst/
des timbres‿à trois francs /de tɛ̃ bra trwa frɑ̃/

1. *Répétez:*

pour‿étudier	avec‿Alice	quatre‿étudiants
pour‿aller	avec‿elle	quatre‿assistants
pour‿arriver	avec‿un ami	quatre‿Américains
pour‿avoir	avec‿une étudiante	quatre‿amis

---

*Consonant link differs from liaison: in liaison the last normally unpronounced consonant of a word is linked to the initial vowel sound of the next word.

Elle arrive en taxi.

Il arrive en ville [in town, downtown].

Elle arrive en bateau [ship].

Il arrive à Paris.

Elle arrive en car [bus].

Il arrive à Nancy.

Elle arrive en voiture [car].

Il arrive à Orly.

Je vais d'abord à la plage [beach].

Alice a quatre enfants.

Je vais d'abord à la cave [cellar].

Alice a quatre amis.

Je vais d'abord à la mairie [city hall].

Alice a quatre étudiants.

Je vais d'abord à la Sorbonne.

Alice a quatre assistants.

4.2   /a/

This sound lies between the English vowels in *cat* and *stop*.

2.   *Répétez; faites attention au rythme:*

```
1    2 3   4 5  6
Elle habite avec Anne.
```
```
1    2 3   4 5   6
Elle habite avec Jeanne.
```
```
1    2 3   4 5   6
Elle habite avec moi [me].
```
```
1    2 3   4 5   6
Elle habite avec toi [you].
```

```
1   2 3   4   5
Je vais à la gare.
```
```
1   2 3   4   5
Je vais à la plage.
```
```
1   2 3   4   5
Je vais à la cave.
```
```
1   2 3    4     5
Je vais à la chasse [hunting].
```

```
1   2  3 4  5 6  7   8  9
Vous arrivez avec un ami.
```
```
1   2  3 4  5 6  7    8 9
Vous arrivez avec un enfant.
```
```
1   2  3 4  5 6  7    8 9
Vous arrivez avec un garçon.
```
```
1   2  3 4  5 6  7     8 9
Vous arrivez avec un parent [relative].
```

4.3   À et l'article

The preposition **à** combines with the articles **le** and **les** to form **au** and **aux**. Contraction occurs for **à** as it does for **de** (see 3.3).

3.   *Répétez et étudiez:*

	à + *l'article* devant une consonne	à + *l'article* devant une voyelle
La préposition		*masculin*
est au singulier	Je vais au cinéma.	Je vais à l'hôtel.
	Tu téléphones au restaurant.	Tu téléphones à l'appartement.
	Ils parlent au garçon.	Ils parlent à l'étudiant.

féminin

Je vais à la gare.   Je vais à l'université.
Tu téléphones à la mairie.   Tu téléphones à l'école.
Ils parlent à la bonne.   Ils parlent à l'étudiante.

La préposition   *masculin et féminin*
est au pluriel   Je vais aux cours.   Je vais aux Indes.
                   Tu téléphones aux familles. Tu téléphones aux étudiants.
                   Ils parlent aux garçons.   Ils parlent aux amis.

4. *Formez des phrases selon les modèles suivants:*

EXEMPLE: la gare
RÉPONSE: J'arrive à la gare.

la poste, la chasse, la plage, la cave, la Sorbonne, la Chambre des députés, la terrasse.

5. *Continuez:*

EXEMPLE: le cours   EXEMPLE: les cours
RÉPONSE: J'arrive au cours.   RÉPONSE: J'arrive aux cours.

le café, le centre, les théâtres, le nord de Paris, les grands magasins, le cinéma, les bureaux de l'université.

6. *Continuez:*

EXEMPLE: l'hôtel
RÉPONSE: J'arrive à l'hôtel.

l'école, l'hôpital, l'entrée, l'église, l'est, l'appartement, l'adresse de Jean.

7. *Remplacez de par à:*

EXEMPLE: J'arrive de la gare.
RÉPONSE: J'arrive à la gare.

J'arrive de la poste, . . . de l'école, . . . de l'université, . . . du restaurant, . . . du bureau, . . . des cours, . . . des classes, . . . de Paris, . . . de Rome, . . . de la soirée, . . . du cinéma.

8. *Répondez selon l'exemple:*

EXEMPLE: Dites que vous prenez* des timbres au bureau de tabac.
RÉPONSE: Je prends des timbres au bureau de tabac.

Prendre can mean to take, get, pick up, eat, drink.

Dites que vous mangez au restaurant. Dites que vous étudiez au café. Dites que vous apportez de l'orangeade au monsieur. Dites que vous parlez à l'étudiant. Dites que vous parlez à la dame. Dites que vous arrivez à l'école. Dites que vous apportez de la bière au chauffeur. Dites que vous prenez des oeufs au bacon.

4.4 Faire

The verb **faire** [to make] is extremely versatile; a few of its many uses are listed below.

9. *Répétez et apprenez les expressions suivantes avec* **faire:**

Je fais	une promenade.	I'm taking a walk, a ride.
	un tour.	I'm taking a stroll, a ride.
	un voyage.	I'm taking a trip.
	la valise.	I'm packing the suitcase.
	des courses.	I'm running errands.
	la cuisine.	I'm cooking.
	une étude.	I'm making a study.
	une analyse.	I'm making an analysis.
	l'idiot. (m.)	I'm acting like an idiot.

The irregular verb **faire** has three different stems in the present tense.

10. *Répétez et étudiez:*

	/fɛ/	/f/	/fəz/
Present:	**Je** fais un tour.		**Nous** faisons /fəzõ/ un tour.
	Tu fais une promenade.		
	Il fait un voyage.		
	Elle fait une étude.	**Ils font** un voyage.	
	Vous faites un tour.	**Elles font** des études.	
Infinitif:	Elle aime **faire** des petits pains.		

Compare the irregular endings of:

Vous faites,   **vous** êtes
Ils font,   **ils** ont

11. *Répondez affirmativement aux questions suivantes;*
remplacez le sujet par **nous:**

EXEMPLE: Est-ce que vous faites une promenade?
RÉPONSE: Oui, nous faisons une promenade.

Est-ce que vous faites un voyage? Est-ce que vous faites une étude? Est-ce que vous faites des courses? Est-ce que vous faites de la sculpture? Est-ce que vous faites de la musique? Est-ce que vous faites un tour? Est-ce que vous faites la cuisine?

12. *Répondez aux questions suivantes:*

EXEMPLE: Que font Bernard et Guy? une analyse.
RÉPONSE: Bernard et Guy font une analyse.

Que font les deux messieurs? une promenade. Que font les enfants? un tour. Que font les professeurs? une étude. Que font les garçons? des courses. Que font Irène et Julie? de la musique. Que font les deux amis? un voyage.

13. *Répondez aux questions suivantes:*

EXEMPLE: Dites que vous faites un tour.
RÉPONSE: Je fais un tour.
EXEMPLE: Dites que je fais la cuisine.
RÉPONSE: Vous faites la cuisine.
EXEMPLE: Dites que Paul fait une étude.
RÉPONSE: Il fait une étude.

Dites que vous faites une promenade. Dites que les messieurs font un voyage. Dites que je fais une étude. Dites que les garçons font des courses. Dites que vous faites une analyse. Dites que Marie fait la cuisine. Dites que je fais des courses.

4.5 Aller, avoir, savoir — to know (fact or how to do something)

Aller [to go] and **avoir** [to have] have comparable forms in the present tense; only the first and second persons of the plural share the infinitive stem.

14. *Étudiez:*

Présent:	**Je vais** à l'école.	**Nous allons** à l'école.
	J'ai deux amis.	**Nous avons** deux amis.
	Tu vas à l'école.	**Vous allez** à l'école.
	Tu as deux amis.	**Vous avez** deux amis.
	Il va à l'école. **Ils vont** à l'école.	
	Il a deux amis. **Ils ont** deux amis.	
Infinitif:		J'aime **aller** à l'école.
		J'aime **avoir** des amis.

The verb **savoir** [to know, to know how] is similar to the verb **avoir**; its three plural forms share the stem of the infinitive; there is no *v* in the singular.

15. *Étudiez:*

Présent:	**Je** sais le français.	**Nous** savons le français.
	Tu sais l'anglais.	**Vous** savez l'italien.
	Il sait l'espagnol.	**Ils** savent l'anglais.
Infinitif:		J'étudie pour sav**oir** l'espagnol.

▼ **16.** *Transformez les phrases suivantes; attention au genre:*

EXEMPLE: Je vais au théâtre; l'école.
RÉPONSE: Je vais à l'école.

Je vais au bureau; l'université. Je vais au cours; l'église. Je vais au restaurant; la maison. Je vais au cinéma; la discothèque. Je vais au cours de français; la classe de français. Je vais au bureau de tabac; la poste. Je vais au bureau de tabac; l'université.

17. *Faites les changements indiqués:*

EXEMPLE: Je vais de Bordeaux à Dijon; Paris.
RÉPONSE: Je vais de Dijon à Paris; Marseille.
RÉPONSE: Je vais de Paris à Marseille.

Lyon, Rome, New York, San Francisco, Amsterdam, Bordeaux, Dijon.

18. *Mettez les phrases au négatif:*

EXEMPLE: Je vais à la gare.
RÉPONSE: Je ne vais pas à la gare.

Vous allez à la plage. Nous allons au théâtre. Le chauffeur va au garage. Je vais au cinéma. Le garçon sait l'anglais. Richard va au restaurant. Nous avons deux amis.

19. *Transformez selon l'indication:*

EXEMPLE: Elles vont au théâtre avec des amis.
RÉPONSE: Elles ont des amis.
EXEMPLE: Ils vont à l'opéra avec des amis.
RÉPONSE: Ils ont des amis.

Elle va au théâtre avec des amis. Tu vas au théâtre avec des amis. Nous allons à l'opéra avec des amis. Il va à l'opéra avec des amis. Vous allez au théâtre avec ▲ des amis. Je vais à l'opéra avec des amis.

20. *Transformez les phrases avec **savoir** selon le modèle:*

EXEMPLE: Je fais une étude.
RÉPONSE: Je sais faire une étude.

EXEMPLE: Il parle français.
RÉPONSE: Il sait parler français.

Ils font une analyse. Tu fais la valise. Vous parlez au professeur. Elle étudie la géographie. Vous faites la cuisine. Nous enseignons l'anglais. Je fais l'idiot.

▼ **21.** *Remplacez* **faire** *ou* **avoir** *par* **savoir:**

EXEMPLE: Je fais les leçons.   EXEMPLE: Elle a un poème.
RÉPONSE: Je sais les leçons.   RÉPONSE: Elle sait un poème.

Nous avons tout. Vous en avez beaucoup. Vous faites des chansons. Ils font des
▲ leçons intéressantes. Je fais parler français. Vous faites chanter des chansons.

I get someone to speak french.

22. QUESTIONS ET RÉPONSES

1. Où va Guy? 2. Où va Bernard? 3. Où est-ce qu'il y a des timbres? 4. Qui a envie d'aller voir un film? 5. Comment arrive Alice? 6. Où vont Alice et Guy d'abord? 7. Où est-ce qu'ils vont après? 8. Qui est curieux?

23. TRADUCTIONS

1. The waiter brings a French breakfast. 2. Are the rolls fresh?
3. What are you having? 4. What do you like here? 5. I like the sidewalk cafés and the department stores. 6. What are you doing today? 7. I feel like going to the movies. 8. I am going to the station to get my suitcase. 9. I am going shopping.

4B

ILS SONT AMÉRICAINS?

18:16 MARTINE: Tu connais Jean et Jeanne?

Do you know John and Joan?

PIERRE: Je pense que oui. On vient de me présenter deux jeunes gens. Ils sont américains?

I think so. I have just been introduced to two young people. Are they Americans?

MARTINE: Jean est mexicain et Jeanne est brésilienne.

John is Mexican and Joan is Brazilian.

PIERRE: Qu'est-ce qu'ils font en ce moment?

What are they doing now?

MARTINE: Ils sont étudiants. Jean va être physicien, Jeanne pharmacienne. Ils viennent à la maison ce soir. Viens aussi!

They are students. John is going to be a physicist, Joan a pharmacist. They are coming to the house this evening. Won't you come too?

PIERRE: Avec plaisir.

With pleasure.

MARTINE: Michel, l'Américain, vient aussi. On chante.

Michael, the American, is coming too. We're going to sing.

PIERRE: Très bien; j'apporte ma guitare.

Fine. I'm bringing (I'll bring) my guitar.

MARTINE: Ce n'est pas la peine, mais apporte un livre de chansons.

It's not worth the trouble, but bring a song book.

PIERRE: Très bien. Tu habites toujours *always or still* à la même adresse?

All right. Do you still live at the same address?

MARTINE: Oui, au Quartier Latin, rue des Écoles, au numéro quatre.

Yes, in the Latin Quarter, at 4 Rue des Écoles.

PIERRE: Au quatrième étage?

On the fourth floor?

MARTINE: Non, au rez-de-chaussée. À ce soir.

No, on the ground floor. See you tonight.

Étudiez: *un étage, une adresse, la chanson.*

4.6   Contrastes /ɛn/ et /ɛ̃/

In many nouns and adjectives, the feminine ending is pronounced /ɛn/ while the masculine ends in the nasal vowel /ɛ̃/.

24.   *Répétez et étudiez:*

une Américaine	un Américain	une Brésilienne	un Brésilien
/ameriken/	/amerikɛ̃/	/breziljɛn/	/breziljɛ̃/
une Mexicaine	un Mexicain	une physicienne	un physicien
une Romaine	un Romain	une pharmacienne	un pharmacien
une Napolitaine	un Napolitain	une Canadienne	un Canadien

Note that final -e of the feminine is not found in the masculine. Words ending in -ienne drop -ne to form the masculine:

la physicienne   le physicien

25.   *Répétez et étudiez:*

	féminin	*masculin*
minuscules [small letters]*	Alice est américaine.	Jacques est américain.
	Pauline est mexicaine.	Paul est mexicain.
	Josephine est italienne.	Joseph est italien.
majuscules [capitals]*	Voilà l'Américaine.	Voilà l'Américain.
	C'est une Italienne.	C'est un Italien.
	Ce sont des Canadiennes.	Ce sont des Canadiens.

Adjectives agree in *number* and *gender* with the noun or pronoun they modify (see 1.9):

Jacques est américain.   Les deux dames sont canadiennes.

When both masculine and feminine nouns or pronouns are involved, the *masculine plural* form of the adjective is used:

Jacques et Alice sont américains.

26.   *Changez les phrases selon l'indication:*

EXEMPLE: Elle est américaine; il.
RÉPONSE: Il est américain.

La dame est italienne; le monsieur. L'étudiante est mexicaine; l'étudiant. Jacqueline est canadienne; Jacques. Alice est brésilienne; Pierre. La dame est américaine; le monsieur.

27.   *Changez les phrases du masculin au féminin:*

EXEMPLE: Il est pharmacien.
RÉPONSE: Elle est pharmacienne.

Il est physicien. Il est politicien. Il est italien. Il est pharmacien. Ils sont autrichiens. Ils sont mexicains. Il est mexicain.

28.   *Changez les phrases suivantes selon les modèles:*

EXEMPLE: Le monsieur est américain.
RÉPONSE: C'est un Américain.
EXEMPLE: Les dames sont américaines.
RÉPONSE: Ce sont des Américaines.

L'étudiant est brésilien. Les étudiantes sont brésiliennes. L'assistante est mexi-

*See note on page 8.

caine. Les assistants sont mexicains. Le monsieur est italien. Les messieurs sont américains. Jacques est pharmacien. Alice est autrichienne.

29. *Changez les phrases selon l'indication:*

EXEMPLE: Pierre est américain; Monique.
RÉPONSE: Monique est américaine.
EXEMPLE: Anna est romaine; les dames.
RÉPONSE: Les dames sont romaines.

Les étudiantes sont mexicaines; Jacques. La dame est italienne; les messieurs. Julie est brésilienne; Pierre. Les assistants sont américains; l'assistante. Alice et Martine sont autrichiennes; Guy et Bernard. Jean est physicien; Marie. Michel est américain; Monique et Jeanne.

4.7 Intonation des groupes de mots

Groups of words which constitute phrases are marked by changes in the pitch of the last syllable. The pitch rises on the last syllable of each phrase except the last phrase, where it falls. The symbol / indicates the end of each rising phrase:

Je vais acheter des cigarettes / et aussi des timbres / au bureau de tabac.

30. *Répétez de la même manière:*

J'aime le café /et les magasins/ à Paris. Il habite dans le nord, /près de [near] Lille,/ comme Pierre. Il n'habite pas au rez-de-chaussée,/ mais au deuxième étage, au numéro trois. Je n'ai pas ma guitare, mais un accordéon,/ et des livres de chansons. Ils viennent chercher les valises/ ce matin/ en taxi.

4.8 Venir [to come] tenir [to hold]

Venir and **tenir** are irregular verbs with similar forms; they have three different stem vowels in the present tense.

après demain — day after tomorrow.

31.   *Comparez et étudiez:*

	/jɛ̃/	/jɛn/	/ən/ ou /n/*

Présent: **Je** viens ici.　　　　　　　　　　　　　　　**Nous** venons ici.
　　　　　Je tiens la porte.　　　　　　　　　　　　**Nous** tenons la porte.
　　　　　Tu viens ici.　　　　　　　　　　　　　　**Vous** venez ici.
　　　　　　Tu tiens la porte.　　　　　　　　　　　**Vous** tenez la porte.
　　　　　Il vient ici.　　　**Ils** viennent ici.
　　　　　　Il tient la porte.　　**Ils** tiennent la porte.

Infinitif:　　　　　　　　　　　　　　　　　　　　　J'aime venir ici.
　　　　　　　　　　　　　　　　　　　　　　　　Je vais tenir la porte.

Composite verbs follow the same patterns:
Devenir [to become]:　　**Je** deviens, **nous** devenons,
　　　　　　　　　　　　ils deviennent.
Maintenir [to maintain]:　　**Je** maintiens, **nous** maintenons,
　　　　　　　　　　　　　　ils maintiennent.

▼ **32.**   *Répondez selon le modèle:*

EXEMPLE: Est-ce que Paul vient? oui.
RÉPONSE: Oui, il vient.
EXEMPLE: Et Guy? non.
RÉPONSE: Non, il ne vient pas.

Et Henri et Jacques? oui. Et Pierre? oui. Et Richard et Monique? oui. Et Martine et Alice? non. Et Jacqueline? non. Et Jacques et Jacqueline? non. Et Paul et Pauline? oui.

33.   *Répondez selon l'indication:*

EXEMPLE: Dites que vous venez avec Paul.
RÉPONSE: Je viens avec Paul.
EXEMPLE: Dites que vous tenez la cigarette.
RÉPONSE: Je tiens la cigarette.

Dites que vous venez ce soir. Dites que vous venez en classe. Dites que vous venez de Paris. Dites que vous tenez la porte. Dites que vous tenez la guitare. Dites que vous tenez le livre.

34.   *Mettez les phrases à la forme **nous**:*

EXEMPLE: Il vient du cinéma.
RÉPONSE: Nous venons du cinéma.

---

*The **e** can be pronounced but is often dropped after *nous* and *vous*:
　　　　nous venons /nu və nɔ̃/ or /nu vnɔ̃/
　　　　vous venez /vu və ne/ or /vu vne/

Il vient du théâtre. Il tient les livres. Il vient de la gare. Il tient la porte. Il vient de la terrasse. Il tient les valises. Il vient de la rue.

35. *Mettez les phrases suivantes à l'affirmatif:*

EXEMPLE: Les dames ne viennent pas de Paris.
RÉPONSE: Les dames viennent de Paris.

Les messieurs ne viennent pas de l'église. Les garçons ne viennent pas du cinéma. Les Brésiliens ne viennent pas de Vienne [Vienna]. Les enfants ne viennent pas de l'école. Les professeurs ne viennent pas de l'université. Les assistantes ne viennent ▲ pas de l'hôtel. Les jeunes gens ne viennent pas de New York.

36. *Mettez les phrases suivantes au singulier:*

EXEMPLE: Les dames viennent de Paris.　EXEMPLE: Vous tenez la porte.
RÉPONSE: La dame vient de Paris.　RÉPONSE: Tu tiens la porte.

Les enfants viennent de l'école. Ils tiennent le livre. Les assistants viennent du laboratoire. Elles viennent de la cuisine. Les amis tiennent l'addition. Nous venons de Paris. Est-ce que vous venez de New York?

▼ **37.** *Répondez avec **la France, l'Amérique, l'Italie,** ou **l'Espagne:***

EXEMPLE: Je suis français.　EXEMPLE: Elle est italienne.
RÉPONSE: Je viens de France.　RÉPONSE: Elle vient d'Italie.

Nous sommes américains. Ils sont français. Tu es espagnol(e). Elle est française. ▲ Vous êtes américain. Il est italien. Je suis espagnol(e).

4.9 ~~Passé récent~~: venir de parler; venir parler

Venir de [to have just . . .] refers to the immediate past [*le passé récent*].

38. *Étudiez:*

Nous venons de parler [We have just spoken].
Nous venons de manger [We have just eaten].
Nous venons de chercher Titine [We have just looked for Titine].
Nous venons de chanter [We have just sung].
Nous venons d'étudier [We have just studied].
Nous venons d'y aller [We have just gone there].

Venir followed directly by an infinitive means *to (have) come to do something.*

39. *Étudiez:*

Nous venons parler avec vous [We have come to speak with you].
Nous venons étudier avec vous [We have come to study with you].

Nous vénons déjeuner avec vous [We have come to eat lunch with you].
Nous vénons habiter avec vous [We have come to live with you].
Nous vénons chanter avec vous [We have come to sing with you].
Nous vénons faire un tour avec vous [We have come to take a stroll with you].

Only the sound /d/ distinguishes the following pairs of sentences.

▼ **40.** *Comparez:*

Nous vénons parler.	Nous vénons dé parler.
Nous vénons manger.	Nous vénons dé manger.
Nous vénons chercher.	Nous vénons dé chercher.
Nous vénons voir.	Nous vénons dé voir.

41. *Mettez les phrases au passé récent:*

EXEMPLE: Je viens parler.
RÉPONSE: Je viens de parler.

Je viens manger. Je viens parler. Je viens acheter des cigarettes. Je viens voir un film. Je viens chercher des croissants. Je viens prendre du café.

4.10 Comment allez-vous? [How are you?]

42. *Répétez et étudiez les expressions suivantes:*

Questions	Réponses
Comment allez-vous?	Très bien, merci, et vous?
Comment vas-tu?	Pas mal [not bad], merci, et vous?
	Je vais bien [I am fine].
Ça va?	Ça va bien.
Comment ça va?	Ça va très bien.
	Ça va mal.
	Ça ne va pas mal.
Comment va Jean?	Il va bien.
Comment vont Jean et Alice?	Ils vont bien.
	Ils ne vont pas bien.

43. *Répondez aux questions suivantes:*

Comment vas-tu? Comment ça va? Comment va Jean? Comment vont Gilles et Jacques? Comment allez-vous? Comment ça va, Pierre? Alice, comment ça va? Monsieur Dupont, comment allez-vous? Ça va bien, Michel?

44.   QUESTIONS ET RÉPONSES

1. Qu'est-ce que Jean et Jeanne font en ce moment? 2. Est-ce que Jean est italien? 3. Est-ce que Jeanne vient du Brésil? 4. Qui est l'Américain? 5. Est-ce que Pierre a un livre de chansons? 6. Est-ce qu'il apporte la guitare? 7. Où habite Martine? 8. Est-ce qu'elle habite au rez-de-chaussée? 9. Qui chante?

45.   TRADUCTIONS

1. We are wrong and you are right. 2. We are going to the movies. 3. Michael, the American, is singing. 4. We are going to the post office to get stamps. 5. They live on the fourth floor. 6. They are coming to the house tonight. 7. Gaston has just had lunch with Alice. 8. There are department stores in town. 9. The ladies don't always arrive late.

46.   TRADUISEZ RAPIDEMENT EN CLASSE   *J'aime la viande saignante.*

1. He is still sleepy. 2. She is afraid. 3. I like meat rare. 4. Are you cold? 5. I am packing my suitcase. 6. Where is Julie? 7. She is always at Monique's house. 8. I feel like singing. 9. We have just arrived. 10. How goes it? 11. You are very inquisitive.

5. Je fais ma valise.

7. Elle est toujours chez monique.

8. J'ai envie de chanter.

9. Nous venons d'arriver.

10. Comment ça va?

Cinquième leçon

when ne ... pas used the de is used
not du des etc

5A

PAS DE CHANCE AU RESTAURANT

21:14 LE GARÇON: Qu'est-ce que vous prenez comme hors-d'oeuvre?

What will you have as an appetizer?

JACQUES: Nous n'allons pas prendre de hors-d'oeuvre.*

We aren't going to have any appetizer.

FRANÇOISE: Nous allons prendre du poisson pour commencer.

We'll have some fish to start off.

LE GARÇON: Je suis désolé; nous n'avons pas de poisson aujourd'hui.

I'm very sorry; we don't have any fish today.

FRANÇOISE: Vous avez des asperges?

Do you have asparagus?

LE GARÇON: Vous n'avez pas de chance. Nous n'avons plus d'asperges.

You're out of luck. We have no more asparagus.

---

*In some words, initial *h* is treated like a consonant even though it remains unpronounced: *le hors-d'oeuvre, des hors-d'oeuvre* (no *s* in the plural), *pas de hors-d'oeuvre.* In the vocabulary at the end of the book, words beginning with this kind of *h*, called *aspirate h*, are marked by an asterisk.

JACQUES: Qu'est-ce que vous avez comme viande?

What kind of meat do you have?

LE GARÇON: Du poulet rôti, du rosbif, des côtes de porc, du steak . . .

Roast chicken, roast beef, pork chops, steak . . .

JACQUES: Je vais prendre un steak au poivre avec des pommes frites. Vous aussi?

I'll have pepper steak and French fried potatoes. You too?

FRANÇOISE: Non, je mange trop de viande et pas assez de légumes.

No, I eat too much meat and not enough vegetables.

LE GARÇON: Nous avons aussi des tomates farcies.

We also have stuffed tomatoes.

FRANÇOISE: Bon, et comme dessert, je vais prendre de la tarte aux fraises.

Fine, and for dessert, I shall have strawberry tart.

LE GARÇON: Nous n'avons jamais de tartes aux fraises le lundi, mademoiselle.

We never have strawberry tart on Monday, Miss.

JACQUES: Alors, je suis désolé, mais nous allons manger ailleurs.

Then I'm very sorry, but we shall eat elsewhere.

Étudiez: *une asperge, le légume, le dessert, la viande, la fraise.*

5.1 Voyelles nasales

There are three basic French nasal sounds: /ɛ̃/, /ã/, /õ/.

1. *Répétez et étudiez:*

/ɛ̃/: v**in**, p**ain**, f**aim**, mat**in**, dem**ain** (tomorrow).
   The tongue is pushed forward as for *est* /e/.

/ã/: d**ans**, ch**am**bre, vi**an**de, ch**an**ce, pr**en**dre.
   The lips are not rounded; the tongue position is as for *pas* /a/.

/õ/: **on**, d**on**c, poiss**on**, nous av**on**s, b**on**.
   The lips are rounded, and the tongue position is as for *beau* /o/.

The contrast between /ã/ and /õ/ is important:

banc /bã/	bon /bõ/	tant /tã/	ton /tõ/
fond /fã/	font /fõ/	blanc /blã/	blond /blõ/
rend /rã/	rond /rõ/	sans /sã/	son /sõ/

A fourth nasal **un** /œ̃/ occurs much less frequently and is often pronounced

/ɛ̃/: **un** monsieur, **un** hôtel, **un** café, **un** parf**um**.

5.2   /ə/ et ȩ muet [mute]

E is the only unstable vowel in French. It is either pronounced /ə/ or dropped (ȩ), depending on the sounds surrounding it. It is usually dropped when it follows only one rather than several pronounced consonants. The *e* in *de* is unpronounced in *nous n'avons pas de poisson*, since the *s* of *pas* is not pronounced: *de* after a vowel sound becomes *dȩ*.

2.   *Répétez:*

<table>
<tr><td>1 2 3 4   5 6
Nous n'avons pas dȩ poisson.</td><td>1   2 3   4   5 6
Nous n'avons pas dȩ rosbif.</td></tr>
<tr><td>1 2 3 4   5 6
Nous n'avons pas dȩ légumes.</td><td>1   2 3   4   5 6
Nous n'avons pas dȩ tomates.</td></tr>
<tr><td>1 2 3 4   5 6
Nous n'avons pas dȩ poulet.</td><td>1   2 3   4   5 6
Nous n'avons pas dȩ fromage.</td></tr>
</table>

5.3   ~~Expressions négatives + de~~

Negative expressions: *ne . . . pas* [no, not any], *ne . . . plus* [no more], *ne . . . jamais* [never any] use **de** before the noun which follows rather than the partitive articles **du, de la, de l'** or the indefinite articles **un, une, des.**

▼ **3.**   *Répétez et comparez:*

J'ai du vin.	Je n'ai pas dȩ vin.
J'ai de la viande.	Je n'ai plus dȩ viande.
J'ai de l'encre [ink].	Je n'ai jamais d'encre.
J'ai des enfants.	Je n'ai pas d'enfants.
J'ai un garçon.	Je n'ai pas dȩ garçon.
J'ai une fille.	Je n'ai pas dȩ fille.
J'ai un ami.	Je n'ai plus d'ami.
J'ai des amies.	Je n'ai jamais d'amies.

4.   *Mettez au négatif; substantifs masculins:*

EXEMPLE: Il y a du vin.
RÉPONSE: Il n'y a pas dȩ vin.

Il y a du lait, . . . du bacon, . . . du chocolat, . . . du café, . . . du vin, . . . du beurre, . . . du pain.

5. *Substantifs féminins:*

EXEMPLE: Il y a dé la viande.
RÉPONSE: Je n'ai pas dé viande.

Il y a dé la confiture, . . . dé la crème, . . . dé la tarte aux fraises, . . . dé la bière, . . . dé la viande, . . . dé la sauce.

6. *Substantifs au pluriel:*

EXEMPLE: Voilà des enfants!   RÉPONSE: Il n'y a pas d'enfants.

Voilà des garçons, . . . des dames, . . . des places, . . . des églises, . . . des étudiants, . . . des tomates, . . . des pommes frites.

7. *Dites le contraire des phrases suivantes en employant le partitif; répondez avec **du, de la,** ou **des:***

EXEMPLE: Vous n'avez pas dé beurre.
RÉPONSE: Si, nous avons du beurre.

Il n'y a pas d'assistants. Il n'y a pas dé confiture. Le garçon n'apporte pas dé pain. Vous né prenez pas dé bière. Nous n'avons pas dé beurre. Elle ne mange pas d'oeufs. Ils n'ont pas d'escargots. Nous n'avons pas dé vin.

8. *Répondez avec **un** ou **une:***

EXEMPLE: Il n'y a pas dé théâtre.
RÉPONSE: Si, il y a un théâtre.

Il n'y a pas dé restaurant, . . . dé bureau dé tabac, . . . dé pharmacien, . . . dé film, . . . dé timbre, . . . d'adresse, . . . d'histoire. — *history on story.*
une adresse   une histoire

9. *Mettez les phrases suivantes à l'affirmatif:*

EXEMPLE: Je n'ai pas dé tabac.   EXEMPLE: Nous n'avons plus dé billets.
RÉPONSE: J'ai du tabac.   RÉPONSE: Nous avons des billets.

Nous n'avons jamais dé chance! Ils n'ont plus dé vin! Les assistantes n'ont plus dé professeurs. Françoise n'a pas dé livres. Il n'y a pas dé tartes aux fraises. Gilles n'a plus dé tabac.

10. *Mettez les phrases suivantes à l'affirmatif selon l'exemple:*

EXEMPLE: Nous n'avons pas dé chambre.
RÉPONSE: Si, nous avons une chambre.

Tu n'as pas dé voiture. Ils n'ont plus dé *un* gouvernement. Françoise n'a pas dé livre. Elle ne chante pas dé *une* chanson. Elle n'a pas d'adresse. Ils n'ont pas d'ami français. La maison n'a pas d'étage. Il n'y a pas dé *une* rue Napoléon. Je n'ai pas d'amie comme Françoise.

11. *Mettez l'expression négative selon l'indication:*

EXEMPLE: J'ai dé la chance; pas.   EXEMPLE: J'ai dé la chance; jamais.
RÉPONSE: Je n'ai pas dé chance.   RÉPONSE: Je n'ai jamais dé chance.

Vous mangez du rosbif; plus. Ils ont dé la chance; jamais. Vous prenez du café; jamais. Ils mangent du pain; plus. Il apporte des asperges; plus. Ils prennent du fromage; pas.

12. *Mettez les phrases suivantes au négatif; employez* **pas de** *ou* **plus de** *selon l'indication:*

EXEMPLE: Il y a du fromage (plus).
RÉPONSE: Il n'y a plus dé fromage.
EXEMPLE: Il prend une côte de porc (pas).
RÉPONSE: Il ne prend pas dé côte de porc.

Le garçon apporte dé la confiture (pas). Nous avons dé la viande (plus). Il y a du lait dans lé café (pas). Il y a de la crème dans lé chocolat (pas). Vous avez des croissants? (plus). Ici il y a des magasins (pas).

5.4 Expressions de quantité + de

Expressions of quantity like negations are followed by **de** rather than the complete partitive article.

13. *Répétez et étudiez:*

Voilà du pain.	Voilà beaucoup [much, lots of] dé pain.
Voilà des pommes.	Voilà beaucoup [many] dé pommes.
Il y a dé l'eau chaude.	Il y a peu [little] d'eau chaude.
Il y a des Français.	Il y a peu [few] dé Français.
Il prend du lait.	Il prend assez [enough] dé lait.
Il prend des légumes.	Il prend assez dé légumes.
Ils font du bruit [noise].	Ils font trop [too much] dé bruit.
Elle apporte des fraises.	Elle apporte trop [too many] dé fraises.

14. *Mettez les expressions de quantité selon les indications:*

EXEMPLE: J'ai des amis (beaucoup).   EXEMPLE: Vous avez des amis (assez).
RÉPONSE: J'ai beaucoup d'amis.   RÉPONSE: Vous avez assez d'amis.

Nous avons du lait (trop). Il y a des biftecks (assez). Ils prennent des oeufs (beaucoup). Il y a du bruit (trop). L'université a des laboratoires (assez). Vous prenez de l'eau (beaucoup).

▼ **15.**   *Mettez l'adverbe indiqué dans les phrases suivantes:*

EXEMPLE: Nous mangeons* des asperges; beaucoup.
RÉPONSE: Nous mangeons beaucoup d'asperges.

Il apporte de la confiture; assez. Nous avons des timbres; trop. Nous prenons des tartes; peu. Tu as de la chance; beaucoup. Il y a du café; très peu. Vous faites des analyses; beaucoup. Vous mangez de la viande; trop.

16.   *Répondez aux questions suivantes:*

EXEMPLE: Vous prenez des fraises? Non, jamais.
RÉPONSE: Non, je ne prends jamais de fraises.
EXEMPLE: Vous prenez du café? Oui, beaucoup.
RÉPONSE: Oui, je prends beaucoup de café.

Vous prenez des frites? Non, jamais. —Vous avez des amis? Oui, beaucoup. —Vous prenez des tomates? Non, jamais. —Tu prends de la viande? Oui, beaucoup. —Vous mangez des tartes aux fraises? Non, jamais. —Vous suivez des cours? Oui, beaucoup.

5.5   Impératif et impératif négatif

The most common form of the imperative is identical to the verb form of the second person plural: *vous parlez* [you are speaking]; *parlez!* [speak!]; *vous prenez* [you are taking]; *prenez!* [take!].

17.   *Répétez et étudiez les phrases suivantes:*

Prenez du café!	Ne prenez pas de café!
Apportez l'addition!	N'apportez pas l'addition!
Mangez les escargots!	Ne mangez pas les escargots!
Prenez des timbres!	Ne prenez pas de timbres!
Étudiez la musique!	N'étudiez pas la musique!
Habitez à l'hôtel!	N'habitez pas à l'hôtel!
Allez au cinéma!	N'allez pas au cinéma!
Suivez le cours de mathé-matiques!	Ne suivez pas le cours de mathé-matiques!

18.   *Mettez les phrases suivantes à la forme négative; suivez l'exemple.*

EXEMPLE: Prenez de la tarte!
RÉPONSE: Ne prenez pas de tarte!

----

*The e in *mangeons* preserves the sound /ʒ/ of *manger*.

Mangez du beurre! Étudiez des microbes! Mangez de la viande! Apportez des croissants! Prenez des frites! Prenez des asperges! Buvez [drink] du vin!

5.6   ~~Futur proche~~

Aller followed by an infinitive indicates future action: ~~to be going to do some-~~ ~~thing.~~

19.   *Répétez:*

Je parle français.	Je vais parler français.
Je cherche une chambre.	Je vais chercher une chambre.
J'enseigne la biologie.	Je vais enseigner la biologie.
J'apporte le café.	Je vais apporter le café.

20.   *Mettez les phrases suivantes au futur proche:*

EXEMPLE: Nous parlons français.
RÉPONSE: Nous allons parler français.
EXEMPLE: Je parle anglais.
RÉPONSE: Je vais parler anglais.

Il va être
Il est content. Je visite le quartier. Nous mangeons des croissants. Tu habites à l'hôtel.* Vous arrivez en taxi. Elle cherche le bureau de poste. Vous enseignez le français.

Il apporte la bière. Tu apportes le lait. Elle habite en France. Il arrive en France. Ils arrivent en France. Ils apportent le vin. Tu enseignes le cours. Marie et Brigitte parlent français.

Nous cherchons une chambre. Nous visitons les églises. Vous parlez aux étudiants. Nous arrivons en Europe. Vous venez au théâtre. Vous passez à la gare. Nous avons froid. Nous prenons du café.

Nous allons avoir froid.

21.   QUESTIONS ET RÉPONSES

1. Qu'est-ce qu'il y a comme viande au restaurant? 2. Est-ce qu'il y a du poisson? 3. Est-ce que Françoise mange trop de légumes? 4. Est-ce que le garçon apporte des tartes aux fraises? 5. Est-ce que Jacques aime le restaurant? 6. Qu'est-ce qu'il a envie de manger? 7. Où est-ce qu'il va manger avec Françoise? 8. Pourquoi?

22.   TRADUCTIONS

1. We have no luck. 2. What kind of meat do you have? 3. I am going to have a steak and French fries. You too? 4. I feel like

---

*Compare: J'habite *à* l'hôtel. J'habite *dans* une chambre. J'habite *à* Paris. J'habite *en* France.

having a strawberry tart. 5. We never have strawberry tarts on Mondays. 6. We are out of asparagus. 6. Do you have any fish? 8. We have no more bread. 9. I will have some vegetables. 10. What kind of vegetables do you have?

5B

ALICE, QUELLE SURPRISE!

21:00 ALICE: Paul, vous ici?

Paul, you here?

PAUL: Alice, quelle surprise!

Alice, what a surprise!

ALICE: Qu'est-ce que vous faites donc à Paris?

Just what are you doing in Paris?

PAUL: Je fais des études de français, et vous?

I'm studying French, and you?

ALICE: Je suis des cours d'histoire de l'art.

I am taking courses in art history.

PAUL: Où est-ce que vous habitez?

Where do you live?

ALICE: Dans une famille française très gentille, tout près d'ici. Et vous?

With a very nice French family nearby. And you?

PAUL: J'habite à l'hôtel, rue Champollion, au Quartier Latin. J'ai une jolie chambre.

I live in a hotel, on Champollion Street, in the Latin Quarter. I have a pretty room.

ALICE: Vous êtes bien habitué?

Are you finding your way around?

PAUL: Oui, très bien. Je vais souvent au théâtre et au cinéma.

Yes, very well. I often go to the theater and to the movies.

ALICE: Moi aussi, et j'ai beaucoup d'amis français, italiens, chiliens.

So do I, and I have many French, Italian, Chilean friends.

PAUL: Le temps passe trop vite ici.

Time passes too quickly here.

ALICE: C'est vrai. Où est-ce que vous allez maintenant?

That's true. Where are you going now?

PAUL: Je vais prendre mon petit déjeuner. Vous venez avec moi?

I'm going to have breakfast. Are you coming with me?

ALICE: Je n'ai pas très faim, mais je vais avec vous quand même.

I'm not very hungry, but I'll go with you anyway.

PAUL: Bon. On va bavarder un peu.

Good. We'll talk a bit.

Étudiez: *une étude, la faim.*

5.7 Révision

23. *Intonation de la question; répétez:*

Vous avez beaucoup d'amis. Vous avez beaucoup d'amis?
Est-ce que vous avez beaucoup d'amis?
Elle habite dans une chambre d'hôtel. Elle habite dans une chambre d'hôtel?
Est-ce qu'elle habite dans une chambre d'hôtel?
Il aime la cuisine française. Il aime la cuisine française?
Est-ce qu'il aime la cuisine française?
Ils vont au restaurant. Ils vont au restaurant?
Est-ce qu'ils vont au restaurant?

24. *Intonation de la négation; répétez:*

Il habite à l'hôtel.	Il n'habite pas à l'hôtel.
Il déjeune au restaurant.	Il ne déjeune pas au restaurant.
C'est dans un village.	Ce n'est pas dans un village.
Il suit le cours de français.	Il ne suit pas le cours de français.

25. *Prononciation de du, deux, des; répétez:*

Avez-vous du pain?	Avez-vous deux pains?	Avez-vous des pains?
Avez-vous du chocolat?	Avez-vous deux chocolats?	Avez-vous des chocolats?
Avez-vous du café?	Avez-vous deux cafés?	Avez-vous des cafés?
Avez-vous du dessert?	Avez-vous deux desserts?	Avez-vous des desserts?

26. *Prononciation de /i/ et /y/; répétez:*

J'ai une amie américaine. Elle habite ici mais sa famille habite dans le Mississippi. As-tu dit à Lucie que je n'habite plus dans le sud des États Unis?

27. *Liaison; répétez:*

deux + *consonne*	**deux** + *voyelle*
Je prends deux côtes de porc.	Je prends deux oeufs.
Je prends deux pommes de terre.	Je prends deux oranges.
Je prends deux cafés.	Je prends deux endives.
Je prends deux chocolats.	Je prends deux artichauts.

28.   *Enchaînement vocalique; répétez:*

Et où allez-vous ensuite? J'ai entendu appeler [I heard someone call]. Avez-vous un hors-d'oeuvre? Il a étudié un roman américain.

29.   *Enchaînement consonantique; répétez:*

Elle déjeune avec Antoine et Jean. Il habite au cinquième étage. Alice est brésilienne ou chilienne. J'espère [I hope] aller en voiture à Toulouse.

30.   *Voyelles nasales; répétez:*

/ɛn/	/ɛ̃/
Jeanne est italienne.	Jean est italien.
Jacqueline est américaine.	Jacques est américain.
Georgette est pharmacienne.	George est pharmacien.
Françoise est certaine.	François est certain.

/ã/: J'ai envie dé prendre dé la viande et des endives.

/õ/: C'est bon le poisson. Nous allons au concert. Nous jouons [play] du violon.

/ɛ̃/: Tiens! Il vient chercher du vin et du pain.

31.   *E muet; répétez:*

Bonjour, madémoiselle. Au révoir, monsieur. Pas dé chance.

32.   *L'article; répétez:*

Voyelle + *article*	*Consonne* + *article*
le, la, l'	**le, la, l'**
C'est dans la ville.	C'est vers la ville.
C'est dans lé centre.	C'est vers le centre.
C'est dans l'hôtel.	C'est vers l'hôtel.
Vous mangez la viande.	Ils mangent la viande.
Vous mangez l'orange.	Ils mangent l'orange.
Vous mangez dé la tarte.	Ils mangent de la tarte.
un	**une**
C'est un pianiste.	C'est une pianiste.
C'est un violoniste.	C'est une violoniste.
C'est un flûtiste.	C'est une flûtiste.
C'est un violoncelliste.	C'est une violoncelliste.
C'est un accordéoniste.	C'est une accordéoniste.

33. *R français; répétez:*

Merci. Pardon. C'est confortable. Un cours de français. Une rose rouge [red].

34. *Mettez les phrases suivantes à l'affirmatif:*

EXEMPLE: Vous ne prenez jamais de vin.
RÉPONSE: Vous prenez du vin.
EXEMPLE: Nous n'avons plus de viande.
RÉPONSE: Nous avons de la viande.

Nous n'avons pas de bacon. Ils n'ont jamais de lait. Elle n'a pas de crème. Tu n'as plus de confiture. Nous ne mangeons jamais de dessert. Il n'y a plus d'eau.

35. *Mettez les expressions indiquées:*

EXEMPLE: Il y a du pain (beaucoup).   EXEMPLE: Tu prends du porc (peu).
RÉPONSE: Il y a beaucoup de pain.   RÉPONSE: Tu prends peu de porc.

Ils ont du beurre (assez). Nous prenons du café (trop). Marie prend du poulet (beaucoup). Il y a de la viande (peu). Voilà de l'eau (un peu). Ils prennent de l'orangeade (trop).

36. *Mettez les phrases suivantes à l'affirmatif:*

EXEMPLE: Je n'ai pas de chansons.   EXEMPLE: Nous n'avons pas l'adresse.
RÉPONSE: J'ai des chansons.   RÉPONSE: Nous avons l'adresse.

Vous n'avez pas d'oeufs? Vous ne prenez pas les oeufs. Il ne prend pas de timbres. Elles ne prennent pas les croissants. Nous ne mangeons pas de fraises. Il ne mange pas les tomates. Je ne fais pas de cours.

37. *Répondez aux questions suivantes en remplaçant le nom par le pronom correspondant; attention au genre:*

EXEMPLE: Georgette est canadienne, et Gilles?
RÉPONSE: Il est canadien.

Françoise et Jeanne sont étudiantes, et François? Guy est américain, et Jeanne? Yvonne est contente, et Jacques et Jean? Jeanne est française, et Françoise? Robert et Alice sont assistants, et Marie? Robert est romain, et Gina?

38. *Répétez l'exercice précédent avec la question "... et vous?" et la réponse "Nous sommes ...."*

39. *Mettez le sujet indiqué et faites le changement nécessaire:*

EXEMPLE: Je n'arrive jamais en retard; nous.
RÉPONSE: Nous n'arrivons jamais en retard.

Juliette bavarde souvent avec des amis; vous. Naturellement j'habite à l'hôtel; vous. Nous parlons français et italien; les étudiants. Le monsieur regarde la tour Eiffel; les dames. Je n'aime plus chanter; nous.

40. *Remplacez les expressions verbales selon les exemples:*

EXEMPLE: Elle est grande; avoir faim.
RÉPONSE: Elle a faim.
EXEMPLE: Il a chaud; être petit.
RÉPONSE: Il est petit.

Nous sommes petits; avoir peur. Vous avez sommeil; être content. J'ai froid; être difficile. Il a raison; être formidable. Elle est gentille; avoir tort. Elles ont de la chance; être jolies. Tu es en avance; avoir chaud. Je suis désolé; avoir tort.

41. *Transformez les phrases suivantes; remarquez que le verbe* **aller** *indique ici un futur proche:*

EXEMPLE: J'ai envie de faire des études.
RÉPONSE: Je vais faire des études.
EXEMPLE: Il a envie d'être étudiant.
RÉPONSE: Il va être étudiant.

Tu as envie de prendre un steak? J'ai envie de prendre mon petit déjeuner. J'ai envie de bavarder un peu. Ils ont envie d'habiter à l'hôtel. Elles ont envie d'aller à Toulouse. Vous avez envie d'enseigner le français. J'ai envie d'aller au théâtre. Ils ont envie de manger des escargots.

42. *Transformez les phrases suivantes; remarquez que le verbe* **venir** + **de** *représente un passé récent:*

EXEMPLE: Vous mangez de la viande.
RÉPONSE: Vous venez de manger de la viande.

Il regarde la faculté. Tu vas au bureau de tabac. Nous cherchons les valises. Je fais un voyage. Vous chantez une jolie chanson. Nous faisons le tour de Paris. Elles prennent de la viande. Je cherche la valise.*

43. *Transformez les phrases suivantes du passé récent au futur proche:*

EXEMPLE: Nous venons de commencer la leçon.
RÉPONSE: Nous allons commencer la leçon.

Je cherche la valise [I'm looking for the suitcase]; *je vais chercher la valise* [I'm going to get the suitcase].

Je viens de manger des huîtres. Ils viennent d'arriver à l'université. Nous venons de faire un voyage. Je viens de faire ma valise. Elles viennent de parler au garçon. Tu viens de refuser d'aller au théâtre. Vous venez de chanter avec les jeunes gens?

44. QUESTIONS ET RÉPONSES

1. Qu'est-ce que Paul fait à Paris? 2. Et Alice, qu'est-ce qu'elle étudie? 3. Où habite Paul? Et Alice? 4. Est-ce que la chambre de Paul est jolie? 5. Qu'est-ce qu'il fait souvent? 6. Est-ce qu'Alice va avec Paul parce qu'elle a faim? 7. Est-ce qu'Alice a beaucoup d'amis américains? 8. Qu'est-ce qu'elle va faire avec Paul?

45. TRADUCTIONS

1. I live with a French family. 2. We are studying terrifying microbes in a laboratory for analytical chemistry (*laboratoire d'analyse*). 3. Do you take French courses too? 4. I take a course in literature and in French conversation. 5. Do you like speaking French? 6. I feel like studying music. 7. Everything is perfect, because I like to talk (I am loquacious). 8. Waiter, bring some coffee, bread and butter. 9. Will you have bacon and eggs? 10. I do not like my hotel room; I like the streets and the stores. 11. How are you? I am fine. 12. I always forget to (*de*) get the stamps at the tobacco shop. 13. Do you feel like going to a movie? 14. I like going to the theater and to the movies with Alice. 15. I don't have a book today. 16. You are right and I am wrong. 17. They are coming to the house tonight. 18. They have just arrived. 19. You are still living on the fourth floor? 20. I have many French friends. 21. We have too many friends. 22. Time passes too quickly here. 23. Where are you going now?

Sixième leçon

6A

UN WESTERN À LA TÉLÉVISION

:04 MARIE: Regarde! Voilà un cowboy! Un autre! Deux! Trois! Quatre!

Look! There's a cowboy! Another one! Two! Three! Four!

PAUL: Ils sont formidables! J'aime les cowboys!

They're terrific! I love cowboys!

MARIE: Regarde! Ils sont grands et ils sont beaux!*

Look! They're tall and they're good-looking!

PAUL: Oui, et ils sont braves! Qu'est-ce qu'ils font?

Yes, and they're courageous. What are they doing?

MARIE: Ils regardent la plaine; ils ont des revolvers . . .

They are looking at the plain; they have guns . . .

PAUL: Est-ce qu'ils ont peur?

Are they afraid?

MARIE: Non, un cowboy n'a pas peur!

No, a cowboy is not afraid!

---

*Note the plural ending *x* in *beaux*.

PAUL: Tiens! Il y a un bandit! Deux! Trois! Quatre!

Look! There is an outlaw! Two! Three! Four!

MARIE: Où est-ce qu'ils sont? Je ne vois pas.

Where are they? I don't see.

PAUL: Là, derrière le rocher.

There, behind the rock.

MARIE: Ah, oui! Attention, ils vont attaquer les cowboys.

Oh, yes! Careful, they're going to attack the cowboys.

PAUL: Pan, pan! Ils tirent tous!

Bang, bang! All of them are shooting.

MARIE: Les bandits vont tous mourir ...Oh là là! Il y a des cadavres.

The outlaws are all going to die... Oh boy! Look at the bodies.

PAUL: La jeune fille est libre.

The girl is free.

MARIE: Elle va épouser le chef des cowboys.

She's going to marry the leader of the cowboys.

Étudiez: *le revolver, le cadavre, la peur.*

6.1 /s/ et /z/

A clear distinction between /s/ and /z/ is important. In the pairs of expressions listed below there is no other difference.

1. *Répétez:*

/s/		/z/	
un coussin	[pillow]	un cousin	[cousin]
un poisson	[fish]	un poison	[poison]
un dessert	[dessert]	un désert	[desert]
deux soeurs	[two sisters]	deux heures	[two hours]
Ils sont beaux /il sõ/.		Ils ont faim /il zõ/.	
Ils sont bons.		Ils ont soif.	
Ils sont gentils.		Ils ont froid.	
Ils sont aimables.		Ils ont chaud.	
Ils sont contents.		Ils ont sommeil.	
Nous savons ça.		Nous avons ça.	
[We know that.]		[We have that.].	
Nous savons parler.		Nous avons parlé.	
[We know how to talk.]		[We talked.]	
Nous savons marcher.		Nous avons marché.	
[We know how to walk.]		[We walked.]	

Nous savons tirer.   Nous avons tiré.
[We can shoot.]   [We shot.]
Nous savons chanter.   Nous avons chanté.
[We can sing.]   [We sang.]

6.2   L'infinitif et le participe passé des verbes en -er

The great majority of French verbs, those that have an infinitive ending in **-er** /e/, have a past participle ending in **-é**, which is pronounced the same way. The major use of the past participle is in the formation of compound tenses. The most frequent compound tense is the *passé composé*, most often made up of the present tense forms of *avoir* and the past participle.

2. *Répétez:*

Nous avons envie de parler.   Nous parlons.   Nous avons parlé.
Nous avons envie de chanter.   Nous chantons.   Nous avons chanté.
Nous avons envie de regarder.   Nous regardons.   Nous avons regardé.
Nous avons envie de bavarder.   Nous bavardons.   Nous avons bavardé.
Nous avons envie d'étudier.   Nous étudions.   Nous avons étudié.
Nous avons envie de tirer.   Nous tirons.   Nous avons tiré.
Nous avons envie de marcher.   Nous marchons.   Nous avons marché.

3. *Mettez les phrases suivantes au passé composé:*

EXEMPLE: Vous parlez français.
RÉPONSE: Vous avez parlé français.
EXEMPLE: Nous tirons sur les cowboys.
RÉPONSE: Nous avons tiré sur les cowboys.

Vous mangez du poisson. Vous chantez chez Paul. Nous étudions la musique. Vous attaquez les bandits. Nous regardons la tarte aux fraises. Vous épousez la jeune fille?

4. *Changez les phrases suivantes du passé composé au futur proche:*

EXEMPLE: Nous avons attaqué les bandits.
RÉPONSE: Nous allons attaquer les bandits.

Vous avez tiré sur la maison? Vous avez demandé l'addition? Nous avons mangé des tomates farcies. Vous avez commencé la quatrième leçon. Nous avons cherché les jeunes gens. Vous avez apporté les quatre bières. Nous avons parlé au professeur et aux étudiants.

6.3   Les numéraux [numerals] de 1 à 20

5.   *Comptez sur un rythme régulier*
[Count with regular rhythm]:

1	un	6	six	11	onze	16	seize
2	deux	7	sept	12	douze	17	dix-sept
3	trois	8	huit	13	treize	18	dix-huit
4	quatre	9	neuf	14	quatorze	19	dix-neuf
5	cinq	10	dix	15	quinze	20	vingt

Most numerals are always pronounced the same way, regardless of their position in a sentence or phrase. These include 4 (*quatre*), 7 (*sept*), 9 (*neuf*),* 11 (*onze*), 12 (*douze*), 13 (*treize*), 14 (*quatorze*), 15 (*quinze*), 16 (*seize*), 17 (*dix-sept*), 19 (*dix-neuf*). But certain numerals vary their pronunciation, depending on whether they are used before a vowel sound, or before a consonant, or in final position.

▼ **6.**   *Répétez:*

		Number + vowel sound	Number + consonant	Number in final position *of them*	End sound v = vowel c = consonant
	1	un homme /œ̃n/	un franc /œ̃/	j'en ai un /œ̃/	c v v
	2	deux hommes /døz/	deux francs /dø/	j'en ai deux /dø/	c v v
Two	3	trois hommes /trwaz/	trois francs /trwa/	j'en ai trois /trwa/	c v v
different	20	vingt hommes /vɛ̃t/	vingt francs /vɛ̃/	j'en ai vingt /vɛ̃/	c v v
pronunciations	5	cinq hommes /sɛ̃k/	cinq francs /sɛ̃/	j'en ai cinq /sɛ̃k/	c v c
	8	huit hommes /ɥit/	huit francs /ɥi/	j'en ai huit /ɥit/	c v c
Three different pronunciations	6	six hommes /siz/	six francs /si/	j'en ai six /sis/	c v c
	10	dix hommes /diz/	dix francs /di/	j'en ai dix /dis/	c v c

---

*Pronounced /nœf/ except in *neuf ans* /nœ vã/ and *neuf heures* /nœ vœr/.

7. *Répétez et étudiez; attention à la liaison:*

un an	un cowboy	trois ans	trois cowboys
un autre	un cadavre	trois autres	trois cadavres
un homme	un bandit	trois hommes	trois bandits
un enfant	un rocher	trois enfants	trois rochers

In pronouncing the three numbers 2 (*deux*), 10 (*dix*), and 12 (*douze*), carefully observe the contrasting vowel sounds. In the following exercise, /z/ is pronounced in each case.

8. *Répétez et étudiez:*

/ø/ Rounded lips, tongue forward	/i/ Lips drawn aside, tongue forward	/u/ Rounded lips, tongue backward
deux ans	dix ans	douze ans
deux airs	dix airs	douze airs
deux heures	dix heures	douze heures
deux hommes	dix hommes	douze hommes
deux enfants	dix enfants	douze enfants

9. *Répétez les phrases suivantes en prononçant soigneusement* [pronouncing carefully] *les numéraux:*

Les 13 bandits vont mourir. Les jeunes filles vont épouser 11 cowboys. Les 12 cowboys vont tirer sur 14 bandits. Ils vont manger 15 tomates. Ils vont chanter 16 chansons. Je vais chercher 13 touristes. Il va acheter 12 timbres? Voilà des enfants: 1, 2, 3, 4.

10. *Faites les additions et soustractions selon le modèle:*

EXEMPLE: 2 + 10   EXEMPLE: 13 − 10
RÉPONSE: Deux et dix font douze.   RÉPONSE: Treize moins dix font trois.

1 + 3; 7 − 4; 11 − 5; 14 − 12; 6 + 7; 8 + 9; 19 − 5.

6.4   Impératif (suite) *

The French verb has three forms of the imperative mood.

---

*See 5.5.

11. *Répétez et étudiez:*

	Présent de l'indicatif	*Impératif*
Familiar	Tu parles français.	Parle français!
	Tu fais attention.	Fais attention!
2nd person sing.	Tu ne parles pas de ça.	Ne parle pas de ça!
	Nous parlons français.	Parlons français! *Lets speak*
1st person pl.	Nous faisons attention.	Faisons attention!
	Nous ne faisons pas ça.	Ne faisons pas ça!
Formal (*sing.*)	Vous parlez français.	Parlez français!
and 2nd	Vous faites attention.	Faites attention!
person pl.	Vous ne chantez pas.	Ne chantez pas!

The forms of the imperative are identical to those of the present indicative, except that there are no subject pronouns, and that, for **-er** verbs, there is no final **s** in the familiar form: *Parle! Va! Entre!*

12. *Mettez les phrases suivantes à l'impératif:*

EXEMPLE: Nous parlons français aujourd'hui.
RÉPONSE: Parlons français aujourd'hui!

Nous faisons le cours tout de suite. Nous regardons les deux amis. Nous parlons aux étudiants et au professeur. Nous chantons une deuxième chanson. Nous prenons un bifteck saignant. Nous allons à l'église aujourd'hui. Nous étudions une leçon de mathématiques.

13. *Donnez des instructions avec l'impératif:*

EXEMPLE: Dites à M. Dupont de regarder la tour Eiffel.
RÉPONSE: Regardez la tour Eiffel.

Dites à M. Dupont d'aller chercher des cigarettes, .. . d'aller avec Paul, . . . de faire un voyage, . . . de prendre les timbres au bureau de tabac, . . . de tenir la porte à Madame, . . . de venir avec nous, . . . de regarder l'addition, . . . d'enseigner la musique.

▼ **14.** *Mettez les phrases suivantes à l'impératif négatif:*

EXEMPLE: Tu parles à la jeune fille?   EXEMPLE: Tu cherches un livre.
RÉPONSE: Ne parle pas à la jeune fille!   RÉPONSE: Ne cherche pas de livre.

Tu regardes les jeunes filles? Tu chantes la chanson encore une fois [once again]? Tu achètes des timbres au bureau de tabac? Tu manges une côte de porc avec des

Ne mange pas de

Ne fais pas de

pommes frites? Tu demandes l'addition? Tu fais un tour avec moi? Tu prends la tarte aux fraises? Tu vas au cinéma avec Guy?

15. *Mettez les phrases suivantes à l'impératif:*

EXEMPLE: Tu vas en ville?   EXEMPLE: Nous prenons le livre.
RÉPONSE: Va en ville!   RÉPONSE: Prenons le livre!

Tu cherches la guitare. Vous tenez la porte. Nous allons avec Pierre. Vous venez? Vous mangez les huîtres. Vous faites attention. Tu tiens la porte. Vous pensez au professeur. Tu vas dans la rue? Nous étudions la musique et la littérature.

6.5 Révision

16. *Répondez à la question selon les indications;*
mettez l'article partitif:

EXEMPLE: Qu'est-ce qu'il y a à manger aujourd'hui? La tarte aux fraises.
RÉPONSE: Il y a de la tarte aux fraises.

Les tomates farcies; la viande; les légumes; le rosbif; le poulet rôti; les asperges; le poisson; le steak; la côte de porc; les croissants; les petits pains; les oeufs au bacon; la tarte aux fraises.

17. QUESTIONS ET RÉPONSES

1. Combien de cowboys est-ce qu'il y a à la télévision? 2. Pourquoi est-ce que Paul et Marie aiment et admirent les cowboys? 3. Qu'est-ce que les cowboys font? 4. Est-ce qu'ils ont peur? Pourquoi? 5. Qui voit les bandits? 6. Combien est-ce qu'il y a de bandits? 7. Où sont les bandits? 8. Qu'est-ce qu'ils vont faire? 9. Est-ce que les cowboys vont mourir? 10. Est-ce que la jeune fille va épouser le chef des bandits?

18. TRADUCTIONS

1. Let's take a walk! Let's go to the restaurant. 2. What is there to eat at the restaurant? 3. There is steak, there is pork and there is fish. 4. I like cowboys; they are tall and goodlooking. 5. Where are they? I don't see! 6. The outlaws are going to attack the cowboys. 7. They have just attacked the cowboys. 8. Look! There are the bodies of the bandits. 9. The cowboys are thirsty and hot, but the girl is free. 10. But she is not going to marry the leader of the cowboys.

IL N'Y A PLUS DE PAIN

14:00 ▼

MARTINE: J'ai faim; il n'y a pas de pain?

I'm hungry; isn't there any bread?

FRANÇOISE: Non, il n'y a plus de pain; il n'y a jamais de pain ici!

No, we're out of bread; there is never any bread here!

MARTINE: Téléphone à la boulangerie!

Call the bakery!

FRANÇOISE: Je viens de téléphoner; ils ne livrent pas à domicile. Mange du jambon!

I just called; they don't make home deliveries. Eat some ham.

MARTINE: Je ne mange pas de jambon sans pain. Je vais aller à la boulangerie.

I don't eat ham without bread. I'm going to go to the bakery.

FRANÇOISE: Apporte du lait en même temps. Moi, j'étudie les ressources du frigidaire.

Bring some milk at the same time. I'm studying the resources of the refrigerator.

MARTINE: Tu étudies quoi?

You're studying what?

FRANÇOISE: J'étudie les ressources du frigidaire.

I'm studying the resources of the refrigerator.

MARTINE: C'est malin! Étudie ta leçon d'économie domestique; c'est plus intelligent. Au moins, finis ton travail!

That's clever! Study your home economics lesson; that's more intelligent. At least, finish your work.

FRANÇOISE: Je viens de finir mon travail. Maintenant je vais manger.

I just finished my work. Now I'm going to eat.

MARTINE: J'ai envie de brioche, et toi?

I feel like some brioche, how about you?

FRANÇOISE: Achète des brioches, achète des croissants, achète du pain mais achète quelque chose! J'ai faim.

Buy some brioche, buy some croissants, buy some bread, but buy something! I'm hungry.

Étudiez: *le pain: la brioche.*

6.6   Phonétique

Il y a

Il y a is pronounced as two syllables, /il ja/.

19.   *Répétez les phrases suivantes:*

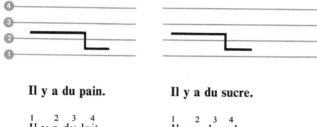

Il y a du pain.	**Il y a du sucre.**

1   2 3 4
Il y a du lait.

1   2 3 4
Il y a du vin.

1   2 3 4
Il y a du beurre.

1   2 3 4
Il y a du sel.

1   2 3 4
Il y a du poivre.

1   2 3 4
Il y a du thé.

Il n'y a pas

Il n'y a pas is pronounced as four syllables /il ni ja pa/. In the following exercise tap out the rhythm with your finger or pencil.

20.   *Répétez:*

Il n'y a pas de pain.	**Il n'y a pas de thé.**

1 2 3 4   5
Il n'y a pas de lait.

1 2 3 4   5
Il n'y a pas de vin.

1 2 3 4   5
Il n'y a pas de beurre.

1 2 3 4   5
Il n'y a pas de sucre.

1 2 3 4   5
Il n'y a pas de poivre.

1 2 3 4   5
Il n'y a pas de sel.

6.7 **Étudier** au présent

Unlike most first conjugation (*-er*) verbs, the stem of **étudier** ends in a vowel. Conjugated forms with unpronounced endings are unaffected. Pronounced endings change the pronunciation of the stem vowel to /j/.

21. *Répétez et étudiez:*

/etydi/ Unpronounced endings	/etydj/ Pronounced endings
J'étudie la leçon.	**Nous** étud**ions** la leçon.
Tu étudies la leçon.	**Vous** étud**iez** la leçon.
Il étudie la leçon.	
Elles étud**ient** la leçon.	Pour étud**ier** la leçon.

22. *Remplacez les formes de **savoir** par des formes du verbe **étudier**:*

EXEMPLE: Je sais l'anglais.
RÉPONSE: J'étudie l'anglais.

Je sais le français. Nous savons l'arabe. Ils ont envie de savoir le russe. Tu sais les dates. Elles savent l'italien. Vous savez le dialogue.

6.8 Le présent des verbes réguliers en **-ir**

Regular **-ir** verbs, referred to as the "second" conjugation, end in /i/ in the singular. They add /s/, spelled **ss**, in the plural.

23. *Répétez et étudiez:*

Je viens de finir la leçon. [I have just finished the lesson.] Je viens de remplir [fill] le verre et de choisir [choose] un dessert.

je	finis	la leçon.
tu	remplis	le verre.
il	choisit	le dessert.
nous	fini**ss**ons	la leçon.
vous	rempli**ss**ez	le verre.
ils	choisi**ss**ent	le dessert.

24. *Étudiez et répétez:*

Finis la leçon tout de suite.
Finissons le travail tout de suite.
Finissez le livre tout de suite.

Choisis un bon vin.
Choisissons un bon vin.
Choisissez un bon vin.

25. *Répondez affirmativement aux questions suivantes:*

EXEMPLE: Est-ce que vous finissez la leçon?
RÉPONSE: Oui, je finis la leçon.

Est-ce que vous remplissez le verre? Est-ce que vous choisissez un frigidaire? Est-ce que vous finissez le travail? Est-ce que vous remplissez le questionnaire? Est-ce que vous choisissez un bon vin? Est-ce que vous finissez le pain tout de suite?

26. *Répondez affirmativement aux questions suivantes:*

EXEMPLE: Est-ce que nous finissons le travail?
RÉPONSE: Oui, vous finissez le travail.

Est-ce que nous finissons la conversation? Est-ce que nous remplissons le questionnaire? Est-ce que nous choisissons un frigidaire? Est-ce que nous remplissons un verre? Est-ce que nous choisissons un bon vin? Est-ce que nous finissons le pain tout de suite? Est-ce que nous choisissons des huîtres?

6.9 Révision

27. *Mettez les phrases suivantes à l'impératif négatif:*

EXEMPLE: Tu étudies la biologie.
RÉPONSE: N'étudie pas la biologie!

Tu téléphones à la boulangerie. Tu remplis le verre du professeur. Tu étudies les ressources du frigidaire. Tu finis le livre tout de suite. Tu tires sur le bandit. Vous allez avec Guy. Vous apportez l'addition. Vous étudiez la géographie.

28. *Mettez les phrases suivantes au négatif selon les exemples:*

EXEMPLE: Il y a du pain ici? jamais.
RÉPONSE: Il n'y a jamais de pain ici.
EXEMPLE: Il y a des croissants? pas.
RÉPONSE: Il n'y a pas de croissants.

Il y a du lait dans le frigidaire? jamais. Il y a de la tarte aux fraises? plus. Il y a du rosbif aujourd'hui? pas. Il y a des brioches sur la table? jamais. Il y a de la confiture? plus. Il y a du jambon dans le frigidaire? pas. Il y a du poivre sur la table? jamais.

29. *Mettez les phrases suivantes au passé récent:*

EXEMPLE: Je vais téléphoner à la boulangerie.
RÉPONSE: Je viens de téléphoner à la boulangerie.

Nous allons finir le travail. Tu vas acheter les croissants. Ils vont étudier les ressources du frigidaire. Vous allez remplir le questionnaire. Elle va épouser le chef des bandits. Je vais regarder. Nous allons manger des brioches.

30.   *Transformez le passé récent au passé composé :*

EXEMPLE: Nous venons de téléphoner à la boulangerie.
RÉPONSE: Nous avons téléphoné à la boulangerie.

Vous venez d'épouser l'assistante de biologie? Vous venez de bavarder avec l'artiste? Nous venons d'étudier les ressources du frigidaire. Vous venez de commencer le travail. Nous venons de parler à Guy et à Martine. Vous venez d'apporter le poisson. Nous venons de manger.

31.   *Mettez au négatif; attention au changement du partitif:*

EXEMPLE: Tu achètes du lait.
RÉPONSE: Tu n'achètes pas de lait.
EXEMPLE: Tu achètes le lait.
RÉPONSE: Tu n'achètes pas le lait.

Vous prenez des escargots. Vous remplissez un verre. Tu fais l'idiot. Tu manges du pain. Nous chantons une deuxième chanson. Vous apportez l'addition. Ils finissent des livres.

32.   **QUESTIONS ET RÉPONSES**

1. Est-ce qu'il y a du pain dans le frigidaire de Martine et de Françoise? 2. Est-ce que la boulangerie va livrer du pain? 3. Est-ce que Françoise va téléphoner à la boulangerie? 4. Pourquoi est-ce que Martine ne mange pas de jambon? 5. Où est-ce qu'elle va aller? 6. Qu'est-ce que Françoise va étudier? 7. Qu'est-ce que Françoise va faire après son travail? 8. De quoi est-ce que Martine a envie?

33.   **TRADUCTIONS**

1. We're hungry; isn't there any bread? 2. There is no bread left in the apartment. 3. I have just called the bakery. 4. We never make home deliveries. 5. Eat bread! There is no meat. 6. We are going to study the refrigerator. That's clever! 7. I have just brought some bread. 8. I am going to buy some brioches, some croissants, and some rolls. 9. I am going to buy something. That's intelligent!

34.   **TRADUISEZ RAPIDEMENT**

1. I have just finished the work. 2. They are going to finish the work. 3. We studied biology and mathematics. 4. There is never

any milk in the refrigerator. 5. What are you filling out? 6. What are you doing? 7. I feel like taking a walk. 8. I'm going to pack my suitcase. 9. We'll have strawberry tarts.

6C

ORTHOGRAPHE [SPELLING]

The material in the following paragraphs should help you write French correctly. Most French sounds are consistently represented by the same letters; certain sounds, however, have several different spellings.

Pronouncing everything you write and writing much of what you pronounce will help you develop both skills and will enhance your ability to speak and to understand.

Study and practice the following basic vowel sounds and consonants and note the significant differences between English and French transcription.

/i/: This sound is usually spelled *i* (sometimes *y*).

:36 **35.** *Répétez et écrivez les phrases suivantes:*

*I*ls sont formidables. Ou*i* /wi/, et *i*ls sont braves. *I*ls t*i*rent tous. La jeune f*i*lle est l*i*bre. Le l*i*vre est d*i*ffic*i*le. D*i*tes que l'anal*y*se est d*i*ffic*i*le. Le Ch*i*lien est un am*i*. L'art*i*ste est *i*talien. L'Obél*i*sque est à Par*i*s.

/**u**/: This sound is spelled *ou*, *où*, or *où*.

36. *Répétez et écrivez:*

Ils tirent *tou*s. Les bandits vont *tou*s mourir. Elle va ép*ou*ser le chef des cowboys. P*ou*rquoi est-ce que v*ou*s *ou*bliez le c*ou*rs? Le j*ou*r va m*ou*rir. La t*ou*r Eiffel v*ou*s dit bonjour. V*ou*s habitez t*ou*j*ou*rs B*ou*levard Saint-Michel?

/**a**/: This sound is usually spelled *a*, *à*, or *â*. It is also heard in the combinations *oi* /wa/, and more rarely, in *emm* /am/.

37. *Répétez et écrivez:*

V*oi*là un cowboy. Un, deux, tr*oi*s, qu*a*tre, Ils sont br*a*ves; ils sont formid*a*bles. Ils reg*a*rdent l*a* plaine. Un cowboy n'*a* p*a*s peur. Je ne v*oi*s p*a*s! *A*h oui, *a*ttention! Ils vont *a*ttaquer les cowboys? L*a* d*a*me v*a* b*a*v*a*rder *a*vec le g*a*rçon. Le laboratoire est *à* dr*oi*te. Oh l*à* l*à* Il y *a* des c*a*d*a*vres! des f*emm*es!

/ø/, /œ/ /ə/: These sounds are usually spelled *eu* or *oeu*.

38.   *Répétez et écrivez:*

/ø/: Un, *deux*, trois! Les messi*eu*rs prennent d*eu*x *oeu*fs. /œ/: Est-ce qu'ils ont p*eu*r? La j*eu*ne fille est libre. Je prends un s*eu*l *oeu*f. Nous faisons p*eu*r à Marie. Je ne vais pas aller aill*eu*rs.

/ə/ is a sound very close to /ø/. /ə/ is usually spelled *e*, but it is spelled *ai* in nous f*ai*sons, and *on* in m*on*sieur.

39.   *Répétez et écrivez:*

Le téléphone de François. Vous faites l*e* travail. Les r*e*ssources d*e* Brigitte n*e* sont pas grandes.

/e/: As a verb ending, /e/ can be spelled *er*, *ez*, or *é*; it is sometimes spelled *ai*, as in j'*ai*. In articles and pronouns /e/ is spelled *es*, as in l*es* and d*es*. *Et* [and] is also pronounced /e/.

40.   *Répétez et écrivez:*

Ils vont attaqu*er* l*es* cowboys. Ven*ez* *é*tudi*er* chez André. J'*ai* peur de mang*er*. J'*ai* une leçon de géographie. L*es* bandits sont désolés. Je regarde la té*lé*vision. J'*é*tudie avec le Brésilien *et* le Chilien. J'*ai* mangé des légumes.

/ɛ/ is usually spelled *è*, *ê*, *ai*, *ei*, or *e* (+pronounced consonants).

41.   *Répétez et écrivez:*

Il *e*st là derrière le rocher. *E*lle va épouser le ch*e*f des cowboys. J'*ai*me les cow-boys. J'y vais av*e*c un revolver. Tu *ai*mes f*ai*re la v*ai*sselle [wash the dishes]? M*e*rci, ch*er* Bernard. Je mange du poul*e*t dans un r*e*staurant près de la S*ei*ne.

/o/, /ɔ/ can be spelled *o*, *ô*, *au*, and *eau*.

42.   *Répétez et écrivez:*

/o/: Un *au*tre! Ils sont b*eau*x! Il fait ch*au*d. Tu fais l'idi*o*t. C'est aussi b*eau*. /ɔ/: P*au*l mange du p*o*rc. Je suis désol*é*.

/y/ is usually spelled *u*. A significant exception is the past participle of *avoir*, which is spelled *eu*.

43.   *Répétez et écrivez:*

Il n'y a pl*u*s de pain. Cherche d*u* lait! *É*tudie les ressources d*u* frigidaire! T*u* ét*u*dies la m*u*sique, Julie? Il n'y a pl*u*s de légumes. T*u* vas au b*u*reau de tabac? Nat*u*rellement la confit*u*re est *u*ne s*u*rprise.

/õ/ is spelled *on* (or *om* before *b* and *p*).

44.   *Répétez et écrivez:*

Mange du jamb*on*! Étudie ta leç*on* d'économie domestique! Ils s*on*t b*on*s. Ils *on*t des revolvers. *On* mange du poiss*on*. D*on*c nous av*on*s une chans*on*. Ils f*on*t la leç*on* sel*on* les instructi*on*s. Une *om*bre [shadow].

/ã/ can be spelled *an*, *am*, *en*, and *em*.

45.   *Répétez et écrivez:*

M*an*ge du j*am*bon. Téléphone à la boul*an*gerie. Je ne m*an*ge pas de j*am*bon s*an*s pain. Cherche du lait *en* même t*em*ps! J'ai *en*vie de brioches. C'est plus intel-lig*en*t. Maint*en*ant je vais m*an*ger. J'ai *en*core faim. Att*en*tion! il pr*en*d le b*an*dit. P*an*! P*an*!

/ɛ̃/ can be spelled *in*, *im*, *ain*, *aim*, *ein*, or sometimes final *-en*.
/jɛ̃/ is spelled *ien*.
/œ̃/, often pronounced /ɛ̃/, is spelled *un* or *um*.

46.   *Répétez et écrivez:*

J'ai f*aim*. Il n'y a pas de p*ain*. Je v*ien*s de téléphoner. T*ien*s, c'est mal*in*! C'est plus *in*telligent. M*ain*tenant je vais manger. Nous cherchons du v*in* dans un magas*in* ital*ien*. *Un* exam*en* . . . B*ien*! *Un* br*un*. Quelqu'*un*. *Un* parf*um*.

/s/: This sound can be spelled *s*, *ss*, *c*, or *ç*. *C* is always pronounced /s/ when followed by an *e* or an *i*; *x* + consonant is pronounced /ks/.

47.   *Répétez et écrivez:*

Ils *s*ont formidables. Ils *s*ont grands. Ils *s*ont beaux. Où est-*c*e qu'ils *s*ont? Qu'est-*c*e qu'ils font? Ils vont tou*s* mourir. *C*'est le gar*ç*on. Je *s*uis i*c*i. Du poi*ss*on et des a*s*perges. E*x*tra!

/z/ can be spelled *z* or *s*; *x* between vowels is pronounced /gz/.*

48.   *Répétez et écrivez:*

Il*s* ont des revolvers! Il*s* ont peur. Elle va épou*s*er le chef des cowboys. La jeune fille françai*s*e est dan*s* un laboratoire d'analy*s*e. Elle est heureu*s*e et désolée en même temps. Nous avons une mai*s*on. L'e*x*amen de*s* étudiants.

---

*Between vowels a single *s* is /z/, a double *ss* is /s/. *Choisissons!* /ʃwazisõ/.

/k/ is usually spelled *qu*, or *c* (except before *e* and *i*). The *q* in *cinq* is also pronounced /k/.

49.   *Répétez et écrivez:*

La leçon d'économie domesti*qu*e. A*c*hète des *c*roissants! *Qu*'est-ce *qu*'ils font? Il y a cin*q* cadavres. A*c*hète *qu*el*qu*e chose! C'est la cin*qu*ième leçon. A*c*hète un es-*qu*imau [eskimo pie = ice cream]! Il en a cin*q*. Un *k*épi [visored cap].

/j/ is usually spelled *i*, *y*, or *ill*,* (*il* after *a* as in *travail*).

50.   *Répétez et écrivez:*

Il n'*y* a pas de pain. Il *y* a des cadavres derr*i*ère le rocher. La jeune fi*lle* est libre. Je v*i*ens de finir mon trava*il*. T*i*ens, il *y* a un bandit. J'ai toujours somme*il*. Ça va b*i*en. Trava*ill*ez!

/ʃ/ is spelled *ch*.

51.   *Répétez et écrivez:*

*Ch*er*ch*e du lait en même temps! A*ch*ète des brio*ch*es! Elle épouse le *ch*ef des cowboys. Nous *ch*er*ch*ons derrière le ro*ch*er. Je désire quelque *ch*ose de *ch*aud. C'est la *ch*ambre du *Ch*ilien. Le *ch*ocolat est *ch*aud.

/ʒ/ is spelled *j*. It is also spelled *g* before *e* and *i*.

52.   *Répétez et écrivez:*

C'est plus intelligent. Man*g*e du *j*ambon! *J*'ai faim. Il n'y a *j*amais de pain ici. *J*e vais aller à la boulangerie. *J*'étudie les ressources du fri*g*idaire. *J*'aime les cowboys. Les *j*eunes *g*ens sont là. Les *g*ens changent tou*j*ours.

---

*Exceptions: *mille* /mil/; *ville* /vil/; *tranquille* /trãkil/.

Dans une librairie.
(*French Government Tourist Office*)

Septième leçon

7A

AU BUREAU DE LOCATION DU THÉÂTRE

17:30 MAURICE: Est-ce que vous avez encore des places pour ce soir?

Do you have any seats left for tonight?

L'EMPLOYÉ: J'en ai encore quelques-unes. Qu'est-ce que vous voulez comme places?

I have a few left. What kind of seats do you want?

MAURICE: Des balcons. Si vous en avez . . .

Balcony seats. If you have any . . .

L'EMPLOYÉ: Je n'en ai plus au premier rang. Mais j'en ai au deuxième et au troisième rang.

I don't have any more in the first row, but I have some in the second and some in the third row.

MAURICE: Vous n'avez plus de fauteuils d'orchestre?

Don't you have any more orchestra seats?

L'EMPLOYÉ: J'en ai encore au cinquième rang, au milieu.

I still have some in the fifth row center.

MAURICE: À quel prix?

At what price?

97

L'EMPLOYÉ: À vingt-cinq francs.	At twenty-five francs.
MAURICE: Vous n'en avez pas à moins cher?	Don't you have any cheaper ones?
L'EMPLOYÉ: Si. Il en reste deux à quinze francs, au dixième rang.	Yes, there are two left at fifteen francs, in the tenth row.
MAURICE: C'est très bien. Voilà cinquante francs.	That is fine. Here are fifty francs.
L'EMPLOYÉ: Vous avez peut-être de la monnaie?	Perhaps you have some change?
MAURICE: Oui, en voilà. Dix, vingt, trente.	Yes, here is some. Ten, twenty, thirty.
L'EMPLOYÉ: Merci monsieur. Ça fait juste le compte.	Thank you, sir. That is exactly right.

Étudiez: *un orchestre, le balcon, le fauteuil, le prix, le franc, la place.*

7.1 /ə/ (suite)*

Unstable *e* is dropped in pronunciation after a single pronounced consonant: *c'est le taxi.* It is pronounced after two or more sounded consonants:

> pour ce soir   ils ne prennent pas
> /pur sə swar/·   /il nə prɛn pa/

Pronounce /ə/ with rounded lips and give it the same length as other vowels. Look at your lips in a mirror to make sure they are rounded. Tap out syllables of equal length as you say them.

1. *Répétez:*

1 2 3	1 2 3	1 2 3
pour ce soir	quelques-uns	il le prend
pour ce cours	quelques-unes	il le fait
pour ce petit	quelques fois	il le dit
pour ce prix	quelques oeufs	il le tient
il reprend	avec le café-crème	
il refait	avec le chocolat	
il redit	avec le steak au poivre	
il retient	avec le petit pain chaud	

*See 5.2.

1	2 3	4	5
elle	ne la	prend	pas

1	2 3	4	5
elle	ne la	fait	pas

1	2 3	4	5
elle	ne la	suit	pas

1	2 3	4	5
elle	ne la	tient	pas

1	2	3 4	5
ils	prennent	de la	bière

1	2	3 4	5
ils	prennent	de la	viande

1	2	3 4	5
ils	prennent	de la	tarte

1	2	3 4	5
ils	prennent	de la	crème

7.2 Tu /ty/ et **tout** /tu/

Both sounds are pronounced with closely rounded lips, but /y/ with the tip of the tongue against the lower teeth and well forward, while /u/ is pronounced with the tongue drawn back. Be sure to produce a single vowel sound and not a diphthong.

2. *Répétez:*

    tu—tout   su—sous   nu—nous   bu—bout   vu—vous
    lu—loup   du—doux   mu—mou   pu—pou   rue—roue

    J'étudie; j'ai tout dit. Je dis "tu"; je dis tout. Tu es sûr; tu es sourd [deaf]. Il est pur; il est pour.

As-tu tout vu [seen]?	As-tu tout su [known]?
As-tu tout lu [read]?	As-tu tout cru [believed]?
Avez-vous du pain?	Non, pas du tout, et vous?
Avez-vous du vin?	Non, pas du tout, et vous?
Avez-vous du beurre?	Non, pas du tout, et vous?
Avez-vous du thé?	Non, pas du tout, et vous?
Il est sur [on] le balcon.	Il est sous [under] le balcon.
Il est sur le bureau.	Il est sous le bureau.
Il est sur le divan.	Il est sous le divan.
Il est sur le fauteuil.	Il est sous le fauteuil.

7.3 Conduire, lire, dire

The irregular verbs **conduire** [to drive, lead], **lire** [to read], and **dire** [to say, tell], end in /i/ in the singular of the present tense. They add /z/, spelled **s**, in the plural. You already know the form *dites*, which does not follow this pattern.

3. *Répétez et étudiez:*

/i/	/iz/
Je dis que je conduis.	**Nous** disons que nous conduisons.
Tu dis que tu conduis.	**Vous** dites que vous conduisez.
Il dit qu'il conduit.	**Ils** disent qu'ils conduisent.
Je lis un livre.	**Nous** lisons un livre.
Tu lis un livre.	**Vous** lisez un livre.
Il lit un livre.	**Ils** lisent un livre.

4. *Répondez affirmativement:*

EXEMPLE: Est-ce que vous lisez beaucoup de livres?
RÉPONSE: Oui, nous lisons beaucoup de livres.

Est-ce que vous conduisez la voiture de Robert? Est-ce que vous dites toujours la vérité? Est-ce que vous lisez en ce moment? Est-ce que vous dites que c'est très bien? Est-ce que vous conduisez un autobus? Est-ce que vous lisez le journal d'aujourd'hui? Est-ce que vous dites toujours "non"?

5. *Mettez les phrases suivantes au présent:*

EXEMPLE: Je viens de lire le dialogue.   EXEMPLE: Nous venons de dire "oui."
RÉPONSE: Je lis le dialogue.   RÉPONSE: Nous disons "oui."

Il vient de conduire la voiture. Ils viennent de dire "bonjour." Tu viens de lire le journal? Vous venez de conduire un autobus? Nous venons de lire la leçon. Je viens de dire "Comment allez-vous?" Elles viennent de dire la vérité.

6. *Transformez la phrase avec le sujet donné:*

EXEMPLE: Il dit la vérité; Pierre et Jean.
RÉPONSE: Pierre et Jean disent la vérité.

Elle conduit la voiture; Marie et Paulette. Elle dit qu'il est là; les jeunes filles. Il conduit l'autobus; les chauffeurs. Il dit que c'est très bien; mes amis. Il lit le journal; les assistants. Elle dit la vérité; les deux étudiantes. Elle dit le poème; ses amis. Elle conduit un taxi; Jacques et Michel.

7.4 Le pronom **en**

The pronoun **en** replaces prepositional phrases starting with **de, du, des,** and also nouns with numbers. It is frequently untranslated from French to English, but when translated, its meaning is *of it, from it, some* (*of it, of them*), depending on the context.

J'en prends.	I take some.	J'en viens.	I come from there.
J'en prends deux.	I take two.	J'en suis fatigué.	I am tired of it.

The pronoun **en** is invariable, it can refer to nouns of both genders, singular and plural.

▼ **7.** *Étudiez les exemples suivants:*

>   Vous prenez **des tartes**? Oui, j'en prends.
>   Vous prenez **du café**? Oui, j'en prends.
>   Vous prenez **de la bière**? Oui, j'en prends.
▲ Vous prenez **des croissants**? Oui, j'en prends.

In response to the question "how many," the pronoun **en** must be used in conjunction with the number in the response.

8. *Étudiez et répétez:*

Vous prenez combien de fauteuils?	J'en prends un.	Je prends un fauteuil.
	J'en prends deux.	Je prends deux fauteuils.
Vous prenez combien de places?	J'en prends une.	Je prends une place.
	J'en prends trois.	Je prends trois places.

▼ **9.** *Répondez "oui"; remplacez le nom par le pronom **en:***

EXEMPLE: Vous avez une place? RÉPONSE: Oui, j'en ai une.

Vous avez un fauteuil? Vous lisez un journal? Vous regardez un film? Vous conduisez une voiture? Vous choisissez une leçon? Vous remplissez des fiches? vous faites des devoirs?

Vous chantez des chansons? Vous faites des petits pains? Vous avez des amis? Vous prenez des tomates? Vous lisez 3 livres? Vous avez 4 frères? Vous achetez ▲ 6 valises? Vous mangez 10 croissants?

Vous achetez un journal? Vous faites des devoirs? Vous remplissez 6 fiches? Vous prenez des places? Vous regardez un film? Vous mangez 9 croissants? Vous prenez du café? Vous avez de la bière?

Vous prenez du pain? Vous mangez des fraises? Vous avez de la viande? Vous prenez de la viande? Vous conduisez une voiture? Vous prenez un journal? Vous prenez des photos? Vous achetez un revolver?

10. *Répondez selon l'indication:*

EXEMPLE: Vous avez des enfants? (3). RÉPONSE: Oui, j'en ai trois.

Vous avez des professeurs? (2). Vous remplissez des fiches? (9). Vous choisissez des chambres? (1). Vous choisissez des cours? (1). Vous avez des amis? (8). Vous prenez des tomates? (3). Il reste encore des places? (15). Vous cherchez des valises? (6).

▼ **11.** *Dans les phrases suivantes, remplacez le complément* [object] *par **en:***

EXEMPLE: Je chante des chansons françaises.
RÉPONSE: J'en chante.
EXEMPLE: Nous avons des voitures.
RÉPONSE: Nous en avons.

Vous avez de la monnaie? Nous avons des places. Elles prennent de la viande.
Il choisit du vin. Il apporte des petits pains. Il mange de la confiture. Nous man-
▲ geons des tomates. Nous préparons des exercices.

12. *Répondez selon l'exemple (en donnant le total):*

EXEMPLE: Maurice prend deux places; Marie en prend trois.
RÉPONSE: Ils en prennent cinq.

Paul demande quatre places; Gilles en demande huit. Alice trouve dix places;
Hélène en trouve cinq. Gaston cherche trois places; Robert en cherche neuf. Il
apporte un billet; elle en apporte douze. J'ai oublié un billet; tu en as oublié six.
Le professeur a refusé neuf étudiants; l'autre professeur en a refusé sept.
      Ils en ont refusé seize.

7.5 Révision

▼ **13.** *Répétez et comparez:*

Paul a un an /œ̃ nɑ̃/	J'ai un franc /œ̃ frɑ̃/	J'en prends un /œ̃/
. . . deux ans /dø zɑ̃/	. . . deux francs /dø frɑ̃/	. . . deux /dø/
. . . trois ans /trwa zɑ̃/	. . . trois francs /trwa frɑ̃/	. . . trois /trwa/
. . . quatre ans /ka trɑ̃/	. . . quatre francs /katr frɑ̃/	. . . quatre /katr/
. . . cinq ans /sɛ̃ kɑ̃/	. . . cinq francs /sɛ̃ frɑ̃/	. . . cinq /sɛ̃k/
. . . six ans /si zɑ̃/	. . . six francs /si frɑ̃/	. . . six /sis/
. . . sept ans /sɛ tɑ̃/	. . . sept francs /sɛt frɑ̃/	. . . sept /sɛt/
. . . huit ans /ɥi tɑ̃/	. . . huit francs /ɥi frɑ̃/	. . . huit /ɥit/
. . . neuf ans /nœ vɑ̃/	. . . neuf francs /nœf frɑ̃/	. . . neuf /nœf/
. . . dix ans /di zɑ̃/	. . . dix francs /di frɑ̃/	. . . dix /dis/
. . . onze ans /õ zɑ̃/	. . . onze francs /õz frɑ̃/	. . . onze /õz/
. . . douze ans /du zɑ̃/	. . . douze francs /duz frɑ̃/	. . . douze /duz/
. . . treize ans /trɛ zɑ̃/	. . . treize francs /trɛz frɑ̃/	. . . treize /trɛz/

14. *Faites les additions et soustractions indiquées:*

EXEMPLE: $20 - 1$
RÉPONSE: Vingt moins un font dix-neuf.
EXEMPLE: $15 + 2$
RÉPONSE: Quinze et deux font dix-sept.

$$20 - 4; \ 19 - 8; \ 18 - 10; \ 1 + 16; \ 4 + 9; \ 2 + 13; \ 14 - 5.$$

15. QUESTIONS ET RÉPONSES

1. Est-ce que l'employé a encore des places? 2. Qu'est-ce que Maurice demande comme places? 3. Est-ce qu'il en reste au premier rang? 4. Qu'est-ce qu'il y a encore comme places au balcon? 5. À quel prix sont les fauteuils au cinquième rang? 6. Est-ce qu'il en reste à moins cher? 7. Est-ce que Maurice a de la monnaie?

16. TRADUCTIONS

1. Do you have any seats left for tonight? I have a few left. 2. Do you have change? Yes, I have some. 3. We do not have fish today? Yes, we do (we have some) today. 4. We never have strawberry tart on Monday; we never have any on Monday. 5. Do you feel like going to the movies? No, I do not feel like it. 6. I have just eaten. What am I going to do?

7B

J'AI ÉTUDIÉ CE MATIN

17:24 ALBERT: Qu'est-ce que tu as fait ce matin?

What did you do this morning?

MARGUERITE: J'ai fait des courses en ville, et toi?

I ran some errands in town, and you?

ALBERT: J'ai étudié dans ma chambre.

I studied in my room.

MARGUERITE: Qu'est-ce que tu as étudié?

What did you study?

ALBERT: J'ai commencé un roman de Camus, *L'Étranger*.

I started a novel by Camus, *The Stranger*.

MARGUERITE: Qu'est-ce que tu en penses?

What do you think of it?

ALBERT: Jusqu'à maintenant, j'ai trouvé le texte très beau.

Up to now, I have found the text very beautiful.

MARGUERITE: Est-ce que tu as du mal à comprendre?

Do you have difficulty understanding?

ALBERT: J'ai cherché quelques mots dans le dictionnaire.

I looked up some words in the dictionary.

MARGUERITE: Ah! Tu en as trouvé un finalement?

Ah! You finally found one?

ALBERT: Oui. J'en ai acheté un d'occasion. Il est très bon.

Yes, I bought one second hand. It is very good.

MARGUERITE: Et il a l'air neuf. *new*

And it looks new. *avoir l'air* / *to have an appearance*

ALBERT: J'en suis très content.

I am very pleased with it.

Étudiez: *une occasion, la course,*

7.6 /r/

/kr/ et /gr/

French *r* is especially difficult to pronounce when preceded by a consonant with a different tongue position. In groups /kr/ and /gr/ the tongue is almost in the same position for both consonants. Compare the diagrams below:

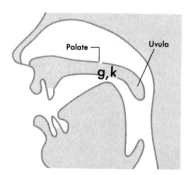

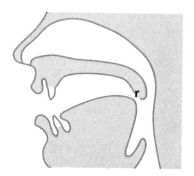

Tip of tongue against lower front teeth; back of tongue against palate.

Tip of tongue against lower front teeth; back of tongue against uvula.

To pronounce /kr/ and /gr/ slide the back of your tongue from palate to uvula.

17. *Répétez soigneusement* [carefully]:

La craie, le crayon, la cravate, la crampe. C'est gris. C'est gras. C'est gros. C'est grand.

/pr/ et /br/

This group is not difficult to pronounce because the tongue remains in one position; *p* and *b* are articulated by the lips alone. Keep the tip of your tongue tightly against your lower front teeth while its back is reaching the uvula.

18. *Répétez soigneusement:*

C'est prêt. C'est pris. C'est prévu. C'est pratique. Ces bras. C'est brun, la Brie, la brute.

ready (handwritten above prêt)

cheese (handwritten, top right)

/tr/ et /dr/

This group needs greater effort in pronounciation. Compare the diagrams below:

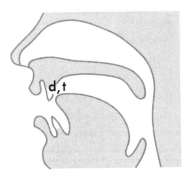 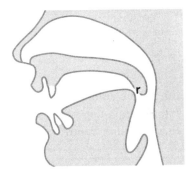

Tip of tongue against upper front teeth for *t* moves to lower front teeth for *r*, while back of tongue moves backward until it reaches uvula.

19. *Répétez soigneusement:*

C'est très bien. C'est trop chaud. C'est triste. Il y a 3 étudiants. Il y a 13 étudiants. C'est drôle. C'est à droite. C'est dramatique.

7.7   Passé composé

Présent et passé

This compound past is composed of an auxiliary verb in the present tense and the past participle of the verb being conjugated. Note that in the first person singular, the sound /ə/ of *je fais* /ʒə fɛ/ contrasting with /e/ of *j'ai fait* /ʒe fɛ/ might be the only distinguishing mark between present and passé composé.

20. *Répétez et étudiez soigneusement:*

	choisir	Je choisis le livre.	J'ai **choisi** le livre.
	finir	Je finis le cours.	J'ai **fini** le cours.
Past participle resembles present sing.	**remplir**	Je remplis la fiche.	J'ai **rempli** la fiche.
	faire	Je fais le devoir.	J'ai **fait** le devoir.
	conduire	Je conduis la voiture.	J'ai **conduit** la voiture.
	dire	Je dis qu'il est là.	J'ai **dit** qu'il est là.

| *Past participle* | **lire** | Je lis *L'Étranger.* | J'ai **lu** *L'Étranger.* |
| *is different* | **savoir** | Je sais le dialogue. | J'ai **su** le dialogue. |

Learn the past participles of *finir* (**fini**), *choisir* (**choisi**), *remplir* (**rempli**), and those of *faire* (**fait**), *conduire* (**conduit**), *dire* (**dit**), *lire*, (**lu**), *savoir* (**su**).

21. *Répétez et étudiez:*

J'ai parlé français;	je parle français.
J'ai choisi un livre;	je choisis un livre.
J'ai fait une promenade;	je fais une promenade.
Tu as cherché un hôtel;	tu cherches un hôtel.
Tu as fini le travail;	tu finis le travail.
Tu as lu un roman;	tu lis un roman.
Il a trouvé un dictionnaire;	il trouve un dictionnaire.
Elle a rempli une fiche;	elle remplit une fiche.
Elle a conduit l'auto;	elle conduit l'auto.
Nous avons déjeuné en ville;	nous déjeunons en ville.
Nous avons fini les travaux;*	nous finissons les travaux.
Nous avons dit bonjour;	nous disons bonjour.
Vous avez remarqué cette dame;	vous remarquez cette dame.
Vous avez choisi la chambre;	vous choisissez la chambre.
Vous avez fait l'idiot;	vous faites l'idiot.
Ils ont regardé l'appartement;	ils regardent l'appartement.
Elles ont choisi des robes;	elles choisissent des robes.
Elles ont fait des courses;	elles font des courses.

▼ **22.** *Mettez les phrases suivantes au passé composé:*

EXEMPLE: Nous disons la vérité.   EXEMPLE: Il choisit un bon vin.
RÉPONSE: Nous avons dit la vérité.   RÉPONSE: Il a choisi un bon vin.

Je conduis un autobus à Paris. Ils parlent français. Il fait la cuisine. Tu finis la leçon? Nous disons bonjour. Vous choisissez une chambre? Ils remplissent la fiche. J'habite à Paris. Nous cherchons Titine. Vous mangez du pain. Le professeur enseigne le cours. Guy commence le roman. Tu téléphones à François. Le ▲ monsieur regarde la tour Eiffel. Nous mangeons à midi.

Le pronom en

Note that *en* immediately precedes the auxiliary.

---

le travail, plural: *les travaux.*

23. *Répétez:*

J'ai choisi un livre.	J'en ai choisi un.
J'ai fini un exercice.	J'en ai fini un.
J'ai rempli une fiche.	J'en ai rempli une.
J'ai conduit une voiture.	J'en ai conduit une.
J'ai mangé des légumes.	J'en ai mangé.
J'ai fait des devoirs.	J'en ai fait.
J'ai lu des romans.	J'en ai lu.

▼ **24.** *Répondez à l'affirmatif:*

EXEMPLE: Vous avez trouvé un dictionnaire?
RÉPONSE: Oui, j'en ai trouvé un.
EXEMPLE: Vous avez rempli quinze fiches?
RÉPONSE: Oui, j'en ai rempli quinze.

Vous avez trouvé un bureau de tabac? Vous avez commencé un roman? Vous avez lu quatorze livres? Vous avez conduit deux voitures? Vous avez étudié une leçon? Vous avez acheté trois livres? Vous avez fait trois courses?

Avoir, être

The past participle of *avoir* is **eu** /y/. That of *être* is **été** /ete/. In the passé composé both verbs use the auxiliary *avoir*.

25. *Répétez et étudiez:*

avoir	être
J'ai eu raison.	J'ai été gentil(le).
Tu as eu tort.	Tu as été content(e).
Il a eu soif.	Il a été heureux.
Elle a eu faim.	Elle a été heureuse.
Nous avons eu chaud.	Nous avons été fatigué(e)s.
Vous avez eu froid.	Vous avez été bavard(e)(s).
Ils ont eu sommeil.	Ils ont été gentils.
Elles ont eu peur.	Elles ont été gentilles.

I have had (handwritten note)

26. *Répondez aux phrases suivantes:*

EXEMPLE: Dites que vous avez été en retard.
RÉPONSE: J'ai été en retard.
EXEMPLE: Dites que vous avez eu raison.
RÉPONSE: J'ai eu raison.

Dites que vous avez eu tort, . . . que vous avez été fatigué, . . . que vous avez eu du mal à comprendre, . . . que vous avez été malade, . . . que vous avez eu le dictionnaire, . . . que vous avez été content, . . . que vous avez eu une place au balcon.

Prendre, comprendre, apprendre

The past participles of these three verbs are respectively **pris, compris, appris.**

27. *Répondez avec* ***j'ai*** *ou* ***vous avez*** *selon le cas:*

EXEMPLE: Dites que vous avez compris le programme.
RÉPONSE: J'ai compris le programme.
EXEMPLE: Dites que j'ai appris le français.
RÉPONSE: Vous avez appris le français.

Dites que vous avez compris son rapport, . . . que vous avez appris le russe (Russian), . . . que j'ai compris le roman, . . . que vous avez pris la rue à droite, . . . que vous avez pris trois lettres, . . . que j'ai compris sa soeur.

7.8   Adjectifs interrogatifs

The interrogative adjective (which, what) has the following forms in French: singular: **quel** (*m.*), **quelle** (*f.*); plural: **quels** (*m.*), **quelles** (*f.*).
Quel, quelle, quels, and *quelles* all sound the same when pronounced alone or before consonants. Before vowels the plural /z/ is heard:

Quel homme!   Quels /z/ hommes!
Quelle occasion!   Quelles /z/ occasions!

28. *Lisez à haute voix et comparez les exemples du tableau;*
faites attention à la liaison:

Singulier		Pluriel	
+ consonne	+ voyelle	+ consonne	+ voyelle
Quel mot?	Quel âge?	Quels mots?	Quels âges?
Quel rang?	Quel art?	Quels rangs?	Quels arts?
Quel prix?	Quel être?	Quels prix?	Quels êtres?
Quel texte?	Quel homme?	Quels textes?	Quels hommes?
Quelle chance?	Quelle heure?	Quelles chances?	Quelles heures?
Quelle dame?	Quelle âme? [soul]	Quelles dames?	Quelles âmes?
Quelle place?	Quelle idée?	Quelles places?	Quelles idées?
Quelle rue?	Quelle île?	Quelle rues?	Quelles îles?

29. *Imitez le modèle suivant:*

EXEMPLE: Voilà des hommes.   EXEMPLE: Voilà une occasion.
RÉPONSE: Quels hommes?   RÉPONSE: Quelle occasion?

Voilà un texte. Voilà un orchestre. Voilà des étrangers. Voilà des employés. Voilà une fiche. Voilà des histoires. Voilà un hôtel. Voilà des étudiants. Voilà une assistante.

30. *Posez des questions selon le modèle:*

EXEMPLE: Vous avez trouvé un dictionnaire?
RÉPONSE: Vous avez trouvé quel dictionnaire?

Vous avez fini la leçon? Vous avez pris des places? Vous avez cherché de l'argent? Vous avez commencé un roman? Vous avez lu le livre? Vous avez compris la réponse? Il a compris la conversation.

7.9   L'heure [the time of day]

31. *Étudiez les expressions suivantes:*

Il est minuit; il est midi [It is twelve o'clock (midnight; noon)]
Il est une heure, il est deux heures, il est onze heures [It is one, two, eleven o'clock].
Il est neuf heures /nœ vœr/; il est huit heures /ɥi tœr/.
Est-ce que vous avez l'heure [Do you have the time]? —Oui, il est quatre heures.
Est-ce que vous avez le temps d'étudier [time to study]? —Oui, j'ai le temps d'étudier une heure [one (an) hour].
Est-ce que vous avez le temps de venir chez nous? —Oui, j'ai beaucoup de temps. Il est une heure!

32. *Répétez:*

J'ai l'heure.	Il est trois heures.
Tu as l'heure.	Il est midi.
Nous avons l'heure?	Il est huit heures.
Vous avez l'heure?	Il est minuit.

33. *Répondez selon l'indication:*

EXEMPLE: Quelle heure est-il? 10 h.
RÉPONSE: Il est dix heures.

Quelle heure est-il? 11 h; 5 h; 3 h; 7 h; 12 h; 1 h; 2 h; minuit; midi.

7.10 Les nombres cardinaux et ordinaux

You have learned the cardinal numbers (one, two, three, etc.) up to twenty. You have also encountered the first seven ordinal numbers (first, second, etc.) in the lesson titles. With the exception of *premier, première*, ordinal numbers are formed by adding the suffix **-ième** to the corresponding cardinal form: *deux, deux***ième**; *trois, trois***ième.** Note below the two ways of abbreviating ordinal numbers.

34. *Répétez et étudiez:*

Un étudiant	Le premier étudiant	1er
Une étudiante	La première étudiante	1ère
Deux étudiants	Le deuxième étudiant	2e (2ème)
Deux étudiantes	La deuxième étudiante	
Trois étudiants	Le troisième étudiant	3e (3ème)
Trois étudiantes	La troisième étudiante	

35. *Continuez à répéter et à étudier:*

Le quatrième étudiant, le cinquième étudiant, le sixième /sizjɛm/ étudiant, le septième étudiant, le huitième étudiant, le neuvième étudiant, le dixième étudiant, le onzième étudiant, le douzième étudiant, le treizième étudiant, le quatorzième étudiant, le quinzième étudiant, le seizième étudiant, le dix-septième étudiant, le dix-huitième étudiant, le dix-neuvième étudiant. *vingtième*

Note the following spelling rules:

1. If a cardinal number ends in *-e* (*quatre, onze, douze, treize, quatorze, quinze, seize*), that letter is dropped when the suffix *-ième* is added.
2. For the ordinal number *cinquième*, *-u* is added to *cinq* before the suffix *-ième*.
3. The *f* of *neuf* becomes a *v* when the suffix *-ième* is added.

36. *Répondez en ajoutant une unité* [adding one number]:

EXEMPLE: C'est quel train? le 1er.
RÉPONSE: C'est le deuxième.

C'est quelle leçon? la 6ème. C'est quelle place? la 16ème. C'est quelle chambre? la 8ème. C'est quelle voiture? la 2ème. C'est quel fauteuil? le 5ème. Ce sont quelles histoires? la 1ère et la 2ème. Ce sont quels enfants? le 3ème et le 4ème.

37. QUESTIONS ET RÉPONSES

1. Où est-ce qu'Albert a étudié? 2. Qu'est-ce qu'il a étudié? 3. De qui est le roman *L'Étranger*? 4. Qu'est-ce que Marguerite a fait ce matin? 5. Qu'est-ce qu'Albert pense de *L'Étranger*?

6. Est-ce qu'il a du mal à comprendre? 7. Est-ce qu'Albert est français? 8. Est-ce que le dictionnaire d'Albert est neuf? 9. Est-ce qu'il est content du dictionnaire?

38. TRADUCTIONS

1. What are you doing now? 2. What did you do this morning? 3. Did you start the book? 4. What did you think of it? 5. You finally found a dictionary. 6. Yes, I bought one second hand. 7. I looked for seats in the balcony. 8. I did not find any. 9. The book is not expensive and it looks new. 10. Did you buy a book? I bought three. 11. I am very pleased with them.

7C

LECTURES

Mots apparentés [cognates] et équivalences

Anyone who speaks English is automatically endowed with a considerable passive vocabulary in French. Many words are almost identical in the two languages: *negligent, patient, pensive, devotion, rich, beauty, desire, invite, accept, prefer*, to mention a few. Others can easily be recognized on the basis of consistent differences between the two languages. Here are some of those differences:

FRENCH		ENGLISH	
-er	agiter	-ate	agitate
	créer		create
	imiter		imitate
-aire	contraire	-ary	contrary
	secondaire		secondary
	élémentaire		elementary
-eux	gracieux	-ous	gracious
	pernicieux		pernicious
	délicieux		delicious
on	prononcer	oun	pronounce
om	nom		noun
	comte		count

FRENCH		ENGLISH	
qu	esquimau	k	eskimo
	attaquer	ck	attack
	indiquer	c	indicate
no consonant before g, v	aventure	d *before* g, v	adventure
	avantage		advantage
	juge		judge
vowel + circumflex	forêt	*vowel + s*	forest
	pâte		paste
	île		island
	mât		mast
initial é-	école	*initial* s-	school
	étranger		stranger
	état		state
es-	esclave		slave
é-	établir	es-	establish
	étendre	ex-	extend
occupation -eur (*m.*)	acteur	-or	actor
-euse (*f.*)	masseuse	-euse	masseuse
-ice (*f.*)	actrice	-ess	actress
negative prefixes dé-	déposer	de-	depose
dés-	désavantage	dis-	disadvantage
mé-	mécontent	dis-	discontent
	méconnaître	mis-	mistake

Although many cognates have identical or very similar meanings in the two languages, attention must be paid to context; some cognates may prove to be "false friends": *conférence* = lecture, *lecture* = reading, *librairie* = book store.

CHANSON D'AUTOMNE

Préparation

Use the "Préparation" to familiarize yourself with the words in italics. You should then have no difficulty in reading the selection which follows.

1. Le poète contemple la nature; il la regarde avec beaucoup d'émotion.
2. L'*automne* est une saison *monotone* et triste.

3. *Quand*[1] les *feuilles*[2] *tombent*,[3] le *vent*[4] les *emporte*.[5]

4. L'auteur est triste, il *pleure*.[6]

5. Ses[7] *sanglots*[8] sont comme les sanglots du vent qui *blessent*[9] son[7] *coeur*[10] (il dit *mon*[11] *coeur*).

6. Des souvenirs (il *se souvient des*[12] *jours anciens*) augmentent la tristesse. Il est pâle (= *blême*) comme (= *pareil à*) la mort[13] et *suffocant* (il pense qu'il va suffoquer).

7. *L'heure sonne*.[14] C'est *l'heure de s'en aller*[15] (il dit, *je m'en vais*).

8. Le poème est musical; c'est une *chanson*. Le poète aime la musique.

9. Il aime aussi être triste; il cherche ses émotions dans la nature. Il identifie ses sentiments avec la nature.

10. Il pressent[16] la mort; il regarde les *feuilles mortes*;[17] il pense que le vent qui les *emporte deça, delà*[18] est *mauvais*.[19]

2:00

Chanson d'automne

Les sanglots longs
Des violons
 De l'automne
Blessent mon coeur
D'une langueur
 Monotone.
Tout suffocant
Et blême, quand
 Sonne l'heure,
Je me souviens
Des jours anciens
 Et je pleure.
Et je m'en vais
Au vent mauvais
 Qui m'emporte
Deça, delà
Pareil à la
 Feuille morte.

PAUL VERLAINE

---

[1]**quand** when.　[2]**la feuille** leaf.　[3]**tomber** to fall.　[4]**le vent** wind.　[5]**emporter** to carry off, away.
[6]**pleurer** to cry, weep.　[7]**son, sa, ses** his.　[8]**le sanglot** sob.　[9]**blesser** to wound.　[10]**le coeur** heart.
[11]**mon, ma, mes** my.　[12]**se souvenir de** to remember, recall.　[13]**la mort** death.　[14]**sonner** to strike, to ring.　[15]**s'en aller** to go away.　[16]**pressentir** to have a foreboding of (*cf.* **sentir** to feel).　[17]**mort** dead.　[18]**qui ... delà** which carries them away here and there.　[19]**mauvais** bad.

DÉJEUNER DU MATIN

Préparation

1. Pour *boire*[1] *du café,* on *met*[2] *du sucre,* puis on remue[3] avec *une cuiller.*[4] Il *tourne*[5] la cuiller dans la tasse.[6] Après avoir *bu*[1] le café, on *repose*[7] la tasse *sans parler.* Elle dit: *"Il a reposé la tasse sans me*[8] *parler."*

2. Pour *fumer*[9] une cigarette, on allume[10] la cigarette avec *une allumette;*[11] après, on met *les cendres*[12] *dans le cendrier.*[13] Elle dit: *"Il a mis*[2] *les cendres dans le cendrier."*

3. Quand un auteur[14] dit qu'il est triste, il décrit[15] souvent des scènes où *il pleut.*[16] Dans la scène que nous allons lire, il pleut, et *la femme*[17] *pleure.*[18] Elle dit: *"Il pleuvait*[16] *et j'ai pleuré."*

4. Quand il pleut, on met *un chapeau*[19] et *un manteau de pluie.*[20] Quand on pleure, on prend *sa tête*[21] dans *sa main.*[22] Elle dit: *"Il a mis son manteau de pluie et j'ai pris ma tête dans ma main et j'ai pleuré."*

Déjeuner du matin[23]

Il a mis le café
Dans la tasse
Il a mis le lait
Dans la tasse de café
Il a mis le sucre
Dans le café au lait
Avec la petite cuiller
Il a tourné
Il a bu le café au lait
Et il a reposé la tasse
Sans me parler
Il a allumé
Une cigarette
Il a fait des ronds[24]
Avec la fumée
Il a mis les cendres
Dans le cendrier
Sans me parler
Sans me regarder
Il s'est levé
Il a mis
Son chapeau sur sa tête

---

[1]**boire** to drink; **il a bu** he drank. [2]**mettre** to put, put on, on met one puts; **il a mis** he put. [3]**remuer** to stir. [4]**la cuiller** spoon. [5]**tourner** to turn (around). [6]**la tasse** cup. [7]**reposer** to put down again. [8]**me** (to) me. [9]**fumer** to smoke. [10]**allumer** to light. [11]**l'allumette,** *f.* match. [12]**les cendres,** *f.* ashes. [13]**le cendrier** ash tray. [14]**l'auteur,** *m.* author. [15]**il décrit** he describes. [16]**il pleut** it rains; **il pleuvait** it was raining. [17]**la femme** woman. [18]**pleurer** to cry. [19]**le chapeau** hat. [20]**le manteau de pluie** raincoat; **la pluie** rain. [21]**la tête** head. [22]**la main** hand. [23]**le déjeuner du matin** breakfast (usually **le petit déjeuner**). [24]**le rond** (smoke) ring.

Il a mis
Son manteau de pluie
Parce qu'il pleuvait
Et il est parti[25]
Sous[26] la pluie
Sans une parole
Sans me regarder
Et moi j'ai pris
Ma tête dans ma main
Et j'ai pleuré.

JACQUES PRÉVERT
Paroles, Ed. Point du jour
(Gallimard), 1949, pp. 176–177.

QUESTIONS

1. Qu'est-ce que les deux poèmes ont en commun ?
2. Pourquoi est-ce que l'homme a mis son manteau de pluie ?
3. Pourquoi est-ce que la femme a pleuré ?

---

[25]**partir** to leave; **il est parti** he left.   [26]**sous** under.

Le dîner en famille.
(*Monkmeyer Press Photo*)

Huitième leçon

8A

À L'HÔTEL

20:55 PIERRE: Avez-vous une chambre à un (bed) lit, avec salle de bains?

Do you have a single room with bath?

L'HÔTELIER: Je n'en ai plus avec salle de bains, mais j'en ai une très bien, avec douche, au quatrième étage. Elle donne sur la rue.

I don't have any more rooms with bath, but I have a very nice one with a shower, on the fifth floor.* It faces the street.

PIERRE: Très bien! Je vais la prendre.

Fine! I'll take it.

L'HÔTELIER: Voulez-vous remplir cette fiche, s'il vous plait?

Will you please fill out this form?

PIERRE: Je vais la remplir dans ma chambre; je suis un peu fatigué.

I'll fill it out in my room; I'm a little tired.

L'HÔTELIER: Très bien, monsieur. Laissez vos valises. Le garçon va les monter.

Very well, sir. Leave your suitcases. The porter will take them up.

---

*In France *le premier étage* is one flight up from the ground floor, which makes *le quatrième étage* equivalent to the fifth floor.

PIERRE: Ma voiture est devant la porte. Est-ce que je la laisse là?

My car is in front of the door. Shall I leave it there?

L'HÔTELIER: Le portier va la mettre au garage, derrière l'hôtel. Je l'appelle.

The doorman will take it to the garage, behind the hotel. I am calling him.

PIERRE: Voilà mes clefs de voiture. Prenez-les tout de suite.

Here are my car keys. Take them right away.

L'HÔTELIER: Voulez-vous dîner maintenant?

Do you wish to have dinner now?

PIERRE: Non, merci, j'ai déjà dîné.

No, thank you, I have already had dinner.

L'HÔTELIER: À quelle heure voulez-vous prendre votre petit déjeuner demain?

At what time do you wish to have breakfast tomorrow?

PIERRE: Je le prends toujours à sept heures.

I always have it at seven.

L'HÔTELIER: Bien, monsieur. Bonne nuit, monsieur.

Fine, sir. Good night, sir.

Étudiez: *le bain, la douche, la clef.*

8.1 E final

Final -e is unstable. (a) At the end of a phrase it is not pronounced: *j'ai une jolie chambre* /ʒe yn ʒɔli ʃãbr/. (b) Within a phrase and before a vowel sound, it is also unpronounced; the preceding consonant is tied to the following vowel by a *consonant link: une chambre à un lit* /yn ʃã bra œ̃ li/. (c) Within a phrase and before a consonant, the e is pronounced /ə/; it becomes the nucleus of a syllable, but one which is pronounced in a low pitch and shorter than the others in the sentence:

Ma chambre donne sur la rue
/ma ʃãbrə dɔn syr la ry/

1. *Répétez les phrases suivantes avec la même intonation:*

ǥ final	ǥ + voyelle	/ə/ + consonne
C'est ma chambrǥ.	Ma chambrǥ est fermée.	Il vous parle toujours.
Je vais la prendrǥ.	Je vais prendrǥ une douche.	Sur la table du salon [living room].
Il y en a quatrǥ.	Il y a quatrǥ étudiants.	C'est un exemple bizarre.
Il vous parlǥ.	Il vous parlǥ aussi.	Ma chambre coûte cher [costs a lot].
Sur la tablǥ.	Sur la tablǥ à droite.	Je vais prendre l'autobus.
C'est un exemplǥ.	C'est un exemplǥ amusant.	Il y a quatre Français.

8.2   Intonation des éléments de la phrase

The last syllable of each breath group in a sentence, except the final breath group, is marked by high pitch. The group most important to the speaker will be marked by the highest pitch. In the following sentence—

Je n'en ai plus avec salle de bains	(group 1)
mais j'en ai une très bien	(group 2)
avec douche	(group 3)
au quatrième étage	(group 4)

—the highest pitch will mark the end of group 2: the room clerk wants to convince you that you will have the best room of all!

Je n'en ai plus avec salle de bains mais j'en ai une très bien

avec douche au quatrième étage.

2. *Répétez:*

Place the high pitch on the underlined syllables; double underlining indicates highest pitch.

Le portier va la mettre au garage derrière l'hôtel.
J'ai cherché quelques mots dans le dictionnaire.
Il en reste deux à quinze francs, au dixième rang.
Je vais la remplir dans ma chambre; je suis un peu fatigué.
Le garçon prend votre valise et la monte tout de suite dans votre chambre.

8.3 Les adjectifs possessifs : **son, sa, ses**

In French, possessive adjectives, like all other adjectives, agree with the noun they modify in gender and number. The possessive adjectives *his* and *her* are **son, sa ses.** Note that *sa chambre = his* or *her* room, *son bureau = his* or *her* office, *ses enfants = his* or *her* children, depending on the context.

3. *Répétez et étudiez:*

C'est **le** bureau de Jean ?   C'est **le** bureau de Marie ?
   Oui, c'est **son** bureau.   Oui, c'est **son** bureau.
C'est **la** chambre de Jean ?   C'est **la** chambre de Marie ?
   Oui, c'est **sa** chambre.   Oui, c'est **sa** chambre.

Ce sont **les** dictionnaires (*m.*) et **les** valises (*f.*) de Jean ?
   Oui, ce sont **ses** dictionnaires et **ses** valises.
Ce sont **les** dictionnaires et **les** valises de Marie ?
   Oui, ce sont **ses** dictionnaires et **ses** valises.

4. *Répondez affirmativement selon l'exemple:*

EXEMPLE: C'est le livre de Jean ? RÉPONSE: Oui, c'est son livre.

C'est la voiture de Martine ? Ce sont les cigarettes de Jean ? Ce sont les cigares de Paul ? C'est le dictionnaire de Pierre ? C'est la maison de Jacques ? C'est la chambre de Françoise ? C'est la valise de Michel ? C'est la guitare d'Alice ?

5. *Dans les phrases suivantes, remplacez le nom par l'adjectif possessif convenable* [proper]:

EXEMPLE: C'est la chambre de Pierre.   EXEMPLE: Ce sont les clefs de Pierre.
RÉPONSE: Oui, c'est sa chambre.   RÉPONSE: Oui, ce sont ses clefs.

C'est le dîner de Pierre. C'est la monnaie de Marguerite. C'est la voiture de Jeanne. C'est la place de Jeanne. Ce sont les livres de Pierre. Ce sont les fauteuils

d'André. Ce sont les valises de Marie. C'est le pain de Jean. C'est la chanson de
▲ Maurice.

8.4 On

The subject pronoun **on**, grammatically, is a third person singular: *On travaille.*
Its meaning, however, is flexible and may be rendered by *one, they, people, we.*

6. *Répétez et étudiez:*

Ici on parle français.	French is spoken here.
Qu'est-ce qu'on fait ce soir?	What shall we do tonight?
Ce soir on chante.	Tonight we (they) are going to sing.
On fait une promenade?	Shall we take a walk?
On ne fait pas ça!	One doesn't do that. (It's not done!)
On y va?	Shall we go?

▼ **7.** *Remplacez le sujet par **on** dans les phrases suivantes:*

EXEMPLE: Nous ne faisons pas ça.   RÉPONSE: On ne fait pas ça.

Nous ne disons pas ça. Ils ne font pas ça. Nous n'avons jamais dit ça. Nous en
faisons beaucoup. Les étudiants disent bonjour. Ils font de la musique. Qu'est-ce
que nous faisons? Qu'est-ce qu'ils disent? Nous avons écrit des lettres. Nous
▲ écrivons une lettre.

8.5 Le pronom complément d'object direct

The direct object pronouns for the third person are identical in form to the definite
article. Like *en* (see 7.4), they normally precede the verb:

8. *Étudiez et comparez:*

Nous cherchons **la** guitare;	nous **la** cherchons.*
Nous regardons **le** livre;	nous **le** regardons.*
Nous achetons **les** dictionnaires;	nous **les** achetons.
Nous cherchons **les** valises;	nous **les** cherchons.
Vous étudiez **le** jazz;	vous **l'**étudiez.
Vous apprenez **l'**histoire;	vous **l'**apprenez.
Vous étudiez **les** analyses;	vous **les** étudiez.

*****Chercher** [to look for] and **regarder** [to look at] take direct objects in French; compare "to seek"
and "to observe."

The direct object pronouns for the first and second persons are **me (m')**, **te (t')**, **nous, vous.**

On **me** regarde!	On **nous** regarde!
Je **te** regarde, mon ami!	Je **vous** regarde, madame!
On **vous** regarde, mes amis!	Ils **nous** regardent!
Il **t'**observe!	Il **m'**observe!
Il **nous** observe!	Il **vous** observe!
On **vous** étudie!	On **t'**étudie!

▼ **9.** *Répétez et étudiez:*

Est-ce que vous me regardez?	Oui, je vous regarde.
Est-ce que tu me conduis?	Non, je ne vais pas te conduire.
Est-ce que je vous écris?	Oui, vous m'écrivez souvent.
Est-ce qu'il t'écrit souvent?	Non, il ne m'écrit pas souvent.
Est-ce que nous vous comprenons?	Oui, vous me comprenez.
Est-ce que vous me comprenez?	Non, je ne vous comprends pas.
Est-ce qu'ils les entendent?	Oui, ils les entendent.
Est-ce que vous l'épousez?	Non, je ne l'épouse pas.

10. *Répondez affirmativement aux questions suivantes:*

EXEMPLE: Est-ce que vous me comprenez?
RÉPONSE: Oui, je vous comprends.
EXEMPLE: Est-ce que tu me cherches?
RÉPONSE: Oui, je te cherche.

Est-ce que vous me conduisez? Est-ce que tu me comprends? Est-ce que tu me retiens? Est-ce que tu m'aimes? Est-ce que vous m'aimez? Est-ce que vous m'attaquez? Est-ce que tu me tiens? Est-ce que vous m'oubliez?

11. *Remplacez le complément par* **le** *ou* **en:**

EXEMPLE: On prend le steak.   EXEMPLE: On prend du steak.
RÉPONSE: On le prend.   RÉPONSE: On en prend.

On prend le beurre. On prend du beurre. On a le courage. On a du courage. On apporte le dessert. On apporte du dessert. On apprend le français. On apprend du café.

12. *Étudiez les voyelles nasales et la liaison; répétez et faites attention au contrastes* / õ/ + /ã/ *et* /on/ + /a/.

On mange des croissants.	On en mange.	On en cherche.
On chante des chansons.	On en écoute.	On en apprend.

On remplit des fiches.   On_en remplit.   On_en_examine.

On prend son déjeuner.   On_en prend.   On_en_a.

▲   On comprend l'anglais.   On_en sait beaucoup.   On_en_apprend toujours.

13.   QUESTIONS ET RÉPONSES

1. Est-ce qu'il y a des chambres avec salle de bains? 2. Qu'est-ce qu'il y a au quatrième étage? 3. Où est-ce que Pierre va remplir la fiche? 4. Pourquoi? 5. Qu'est-ce que Pierre fait de ses valises? 6. Où est-ce que le portier va mettre la voiture? 7. Est-ce que Pierre va dîner? 8. À quelle heure est-ce qu'il va prendre le petit déjeuner? 9. Pourquoi?

14.   TRADUCTIONS

1. At what time do you want to have breakfast? 2. I always have it at eight. 3. He left his suitcases in front of the door. 4. Where is the car? 5. Did you look for me? No, I did not look for you. 6. We are filling out the form now; we are going to finish it right away. 7. What time is it? It is nine o'clock.

8B

TU CONNAIS TOUTE MA FAMILLE?

6:50 ▼

GEORGES: Tu connais toute ma famille, n'est-ce pas?

You know my whole family, don't you?

ANDRÉ: Je connais bien ton père et ta mère; je les vois souvent.

I know your father and mother well; I see them often.

GEORGES: Tu ne connais pas mes frères et mes soeurs?

Don't you know my brothers and sisters?

ANDRÉ: Non, je ne les connais pas.

No, I don't know them.

GEORGES: Les voilà sur une photo.

Here they are in a snapshot.

ANDRÉ: Qui est le garçon avec une barbe?

Who is the boy with a beard?

GEORGES: C'est mon frère. Il est étudiant en électronique.

That is my brother. He's studying electronics.

ANDRÉ: Et ton autre frère? C'est le jeune homme à droite, n'est-ce pas?

And your other brother? He's the young man on the right, isn't he?

ton autre soeur

GEORGES: Non, il est là, entre mon oncle et ma tante.

No, he is there between my uncle and my aunt.

ANDRÉ: Ta tante, je la connais.

Your aunt . . . I know her.

GEORGES: Tout le monde la connaît. Elle a toujours des chapeaux extra-ordinaires.

Everybody knows her. She always wears extraordinary hats.

ANDRÉ: Et qui est la jeune fille entre tes parents?

And who is the girl between your parents?

GEORGES: C'est ma fiancée; elle est jolie, n'est-ce pas?

That is my fiancée; she's pretty, isn't she?

ANDRÉ: Oui . . . Elle n'est pas mal, mais j'aime mieux sa soeur.

Yes . . . She's not bad, but I prefer her sister.

Étudiez: *le chapeau.*

8.6 /ə/ et ∅ muet (suite)*

Unstable *e* is never dropped in two successive syllables. For instance, /ə/ in *je* is maintained before *le* /ʒəl/ and before *ne* /ʒən/.

15. *Répétez:*

Je lɇ conduis,	je nɇ conduis pas,	je nɇ le conduis pas.
Je lɇ finis,	je nɇ finis pas,	je nɇ le finis pas.
Je lɇ comprends,	je nɇ comprends pas,	je nɇ le comprends pas.
Je lɇ regarde,	je nɇ regarde pas,	je nɇ le regarde pas.

The /ə/ in *je* is dropped before *te* /ʒtə/:

16. *Répétez:*

Jɇ te dis,	je nɇ dis pas,	je nɇ te dis pas.
Jɇ te suis,	je nɇ suis pas,	je nɇ te suis pas.
Jɇ te conduis,	je nɇ conduis pas,	je nɇ te conduis pas.
Jɇ te comprends,	je nɇ comprends pas,	je nɇ te comprends pas.

8.7 Connaître

Connaître adds *es* /ɛ/ in the plural of the present tense, like **finir**; the singular ends in /ɛ/, spelled **-ais, -ais, -aît**. Note the circumflex accent before **-t**. The past participle ends in **-u**, like **eu, lu, su.**

---

*See 5.2 and 7.1.

17.   *Répétez et étudiez:*

—ss—

Présent:	Je le connais.	**Nous** le connaiss**ons**.
	Tu le connais.	**Vous** le connaiss**ez**.
	Il le connaî**t**.	**Ils** le connaiss**ent**.
Infinitif:	Voulez-vous le connaî**tre**?	
Passé composé:		Je l'ai conn**u**.

18.   *Remplacez les formes de **choisir** par les formes de **connaître**:*

EXEMPLE: On les choisit.
RÉPONSE: On les connaît.

Nous le choisissons. Elle l'a choisi. Elles le choisissent. Vous l'avez choisi. Je choisis la Sorbonne. Ils choisissent les deux soeurs. Elle choisit l'électronique.

19.   *Répondez affirmativement:*

EXEMPLE: Est-ce que vous me connaissez?
RÉPONSE: Oui, je vous connais.
EXEMPLE: Est-ce que Jean vous connaît?
RÉPONSE: Oui, il me connaît.

Est-ce que vous me connaissez? Est-ce que Julie vous connaît? Est-ce que Janine et Irène te connaissent? Est-ce que Marie vous connaît? Est-ce que vous connaissez Marie? Est-ce que je vous connais? Est-ce que vous l'avez connu?

20.   *Répétez et étudiez les phrases suivantes qui mettent en valeur [emphasize] la différence de sens entre **savoir** et **connaître**:*

Quand on a appris quelque chose, *on le sait.* (to know ` a fact)
Quand on a vu quelque chose ou quelqu'un, *on le connaît.*

Je **connais** ce monsieur.	Je **sais** qu'il habite à Paris.
Je **connais** Paul et Pierre.	Je **sais** qu'ils sont français.
Je **connais** tes amis.	Je **sais** qu'ils ne sont plus en France.
Je **connais** la chanson.	Je **sais** la chanson.
[*I am familiar with it.*]	[*I have learned it.*]
Je **connais** ce numéro.	Je **sais** ce numéro.
[*I am acquainted with it.*]	[*I know it by heart.*]

savoir (lives)

8.8   Adjectifs possessifs ; un seul possesseur

The possessive adjectives **mon, ma, mes** and **ton, ta, tes** behave in the same way as **son, sa, ses** in that they always agree in gender and number with the nouns they modify (see 8.3).

21.   *Étudiez :*

	1ère personne	2e personne	3e personne
masculin :	**mon** frère	**ton** frère	**son** frère
féminin :	**ma** soeur	**ta** soeur	**sa** soeur
pluriel (*m.* et *f.*) :	**mes** soeurs	**tes** soeurs	**ses** soeurs

▼ **22.**   *Lisez les phrases suivantes ; répétez en employant **ton, ta** ou **tes :***

C'est le livre de Jean ?	Non, c'est mon livre.
C'est la guitare de Marie ?	Non, c'est ma guitare.
Ce sont les valises de Françoise ?	Non, ce sont mes valises.
Ce sont les livres de Pierre ?	Non, ce sont mes livres !
C'est la chanson de Jacques ?	Non, c'est ma chanson.
C'est le dessert de Martine ?	Non, c'est mon dessert.
Ce sont les cigares de Paul ?	Non, ce sont mes cigares.
C'est la voiture de Paul ?	Non, c'est ma voiture.

23.   *Répondez aux questions suivantes :*

EXEMPLE: C'est la voiture de Jean ?   EXEMPLE: C'est le lit de Paul ?
RÉPONSE: Non, c'est ma voiture.   RÉPONSE: Non, c'est mon lit. *bed*

Ce sont les valises de Françoise ? C'est la chambre de Jacques ? C'est le garage de Paul ? Ce sont les parents de François ? C'est la guitare d'Alice ? C'est le dictionnaire de Pierre ? Ce sont les amis de Thérèse ? C'est la cigarette de Gilles ?

24.   *Répondez selon le modèle :*

EXEMPLE: Quelle voiture ?   EXEMPLE: Quel lit ?
RÉPONSE: C'est ta voiture.   RÉPONSE: C'est ton lit.

Quelle guitare ? Quelles cigarettes ? Quel café ? Quels livres ? Quel dictionnaire ? Quelle chanson ? Quelle valise ? Quels chapeaux ?

25.   *Répondez à la troisième personne selon le modèle :*

EXEMPLE: Ce sont mes chapeaux ?   EXEMPLE: C'est ta chambre ?
RÉPONSE: Non, ce sont ses chapeaux.   RÉPONSE: Non, c'est sa chambre.

Ce sont mes frères ? C'est mon histoire ? Ce sont mes études ? C'est ton idée ? Ce sont tes cigarettes ? C'est ton dictionnaire ? Ce sont ses enfants ?

8.9   Passé composé : négation et pronom complément

Object pronouns precede the *conjugated* verb form. *Ne . . . pas* surrounds these pronouns and the conjugated verb form. The past participle is the last element; as part of the passé composé composed with *avoir*, it agrees in gender and number with the preceding direct object.*

26.   *Répétez et étudiez:*

Je vous cherche.	Je vous ai cherché.
Je ne vous cherche pas.	Je ne vous ai pas cherché.
Vous me parlez.	Vous m'avez parlé.
Vous ne me parlez plus.	Vous ne m'avez plus parlé.
Elle ne vous téléphone jamais.	Elle ne vous a jamais téléphoné.
Nous cherchons la maison.	Nous l'avons cherchée.
Je ne la trouve jamais.	Je ne l'ai jamais trouvée.
Ils regardent les valises.	Ils les ont regardées.

27.   *Mettez les phrases suivantes au passe composé:*

EXEMPLE: Vous me cherchez souvent.
RÉPONSE: Vous m'avez souvent cherché.

Vous m'oubliez souvent. Vous le remarquez vite. Ils le connaissent peu. Marie le finit vite. Vous le répétez encore. Ils vous conduisent déjà à l'hôtel. Ils nous comprennent très bien. Elle le fait très bien. Elle le regarde souvent. Tu la cherches?

28.   *Mettez les phrases suivantes au négatif:*

EXEMPLE: Je vous ai compris.   RÉPONSE: Je ne vous ai pas compris.

Je vous ai cherché. Elle l'a trouvé. Nous l'avons mangé. Nous l'avons regardé. Ils m'ont cherché. Elles l'ont laissé à la maison. Nous l'avons dit. Je les ai cherchés.

8.10   **Voilà** et son complément

Voilà replaces "see there." It is preceded by the pronoun object:

Le voilà! There he is!	**La voilà!** There she is!
Nous voilà! There we are!	**En voilà!** There is (are) some!

---

*There is no agreement with a) the subject: *Ils* ont cherché.
b) the preceding indirect object: Ils *leur* ont téléphoné.
c) the direct object which follows: Ils ont cherché *les deux valises.*

▼ **29.** *Remplacez le nom par le pronom complément d'objet direct:*

EXEMPLE: Voilà Jean.   RÉPONSE: Le voilà.

Voilà le monsieur. Voilà les messieurs. Voilà la guitare. Voilà l'université. Voilà
▲ le steak. Voilà les taxis. Voilà l'addition. Voilà l'occasion!

30. *Répondez aux questions suivantes selon le modèle:*

EXEMPLE: Où est votre tante?   EXEMPLE: Où sont vos livres?
RÉPONSE: Ma tante, la voilà.   RÉPONSE: Mes livres, les voilà.

Où sont vos amis? Où est votre oncle? Où sont vos parents? Où est votre soeur?
Où sont vos valises? Où est votre addition?

Note that in simple questions with **où est** and **où sont,** one does *not* use **est-ce que:**
Où est Jean? Où est sa tante?

▼ **31.** *Répondez avec en:*

EXEMPLES: Voilà du beurre.   RÉPONSES: En voilà.
Voilà des amis.   En voilà.
Voilà un oeuf.   En voilà un.
Voilà quinze oeufs.   En voilà quinze.

Voilà du pain. Voilà des clefs. Voilà une clef. Voilà huit dames. Voilà cinq
messieurs. Voilà six chambres. Voilà neuf places. Voilà des fauteuils.

32. *Continuez selon les exemples avec en ou avec le, la, les:*

EXEMPLE: Voilà trois bandits.   EXEMPLE: Voilà les cowboys.
RÉPONSE: En voilà trois.   RÉPONSE: Les voilà.

Voilà le professeur. Voilà 5 messieurs. Voilà des croissants. Voilà l'analyse.
Voilà de la viande. Voilà Jean-Pierre. Voilà un étudiant. Voilà Irène. Voilà 19
▲ microbes.

33. QUESTIONS ET RÉPONSES

1. Est-ce qu'André connaît les frères de Georges? 2. Qui est le
garçon avec une barbe? 3. Qu'est-ce qu'il fait? 4. Où est l'autre
frère de Georges? 5. Pourquoi est-ce que tout le monde connaît
la tante de Georges? 6. Est-ce qu'André trouve que la fiancée
de Georges est jolie? 7. Qui est-ce qu'il aime mieux?

34. TRADUCTIONS

1. I know everybody, don't I? 2. My brother is between my uncle
and your aunt. 3. Take my suitcases; they are behind the door.
4. I know your aunt and her extraordinary hats. 5. I like her
(*aimer bien*) but I prefer her sister. 6. Where are my parents?
There they are. 7. I am going to get them (*les chercher*) in town.

8. French is spoken here. Everybody speaks French. 9. I am going to bring some wine and some beer. 10. Here is some. 11. I am going to tell (*dire au*) the waiter to (*de*) bring me the check.

35. TRADUISEZ RAPIDEMENT

1. That's his room. 2. That's my form. 3. That's her street. 4. That's his street. 5. You said it. 6. You never look for me. 7. I know them. 8. I understood you. 9. He read the book. 10. He'll take your luggage up right away.

8C

LECTURES

LA LUNE BLANCHE

Préparation

1. Le disque de la lune[1] est blanc;[2] sa lumière[3] est blanche.

2. La lune donne de la lumière; elle *luit*.[4]

3. Dans la forêt (= dans les *bois*) il y a des arbres.[5] L'ensemble[6] des branches est *la ramée*.[7]

4. Il y a de l'eau dans l'*étang*.[8] L'étang est un petit lac.[9]

5. Le *saule*[10] est un arbre. En voilà un près de l'étang qui reflète sa silhouette. *Le vent pleure* dans les branches du saule.

6. Le poète trouve la paix,[11] un grand *apaisement*.[12] Il pense à l'amour. C'est *l'heure exquise*.

7. La lune et les étoiles[13] sont des *astres*.[14] Leur lumière blanche *irise*[15] la forêt.

8. Le poète rêve,[16] il dit "*rêvons!*"[16] La nature *semble*[17] refléter son bonheur.

1:44

La Lune blanche

La lune blanche	L'étang reflète,	Un vaste et tendre
Luit dans les bois;	Profond miroir,	Apaisement
De chaque branche	La silhouette	Semble descendre
Part une voix	Du saule noir	Du firmament
Sous la ramée . . .	Où le vent pleure . . .	Que l'astre irise . . .
O bien-aimée.	Rêvons, c'est l'heure.	C'est l'heure exquise.

PAUL VERLAINE

---

[1]**la lune** moon. [2]**blanc, blanche** white. [3]**la lumière** light. [4]**luire** to glow. [5]**l'arbre,** *m.* tree. [6]**l'ensemble,** *m.* the whole, all. [7]**la ramée** bough. [8]**l'étang,** *m.* pond, pool. [9]**le lac** lake. [10]**le saule** willow. [11]**la paix** peace. [12]**l'apaisement,** *m.* alleviation. [13]**l'étoile,** *f.* star. [14]**l'astre,** *m.* star, heavenly body. [15]**iriser** to make iridescent. [16]**rêver** to dream; **rêvons** let's dream. [17]**sembler** to seem (to).

UN FRUIT PENDU

Préparation

Un fruit[1] *pend*[2] à *un arbre.*[3] Deux enfants regardent l'arbre qui est très *haut,*[4] trop haut pour prendre le fruit. Ils sont *encore*[5] tout[6] petits, et l'arbre est très grand; mais ils ne sont pas *pressés,*[7] ils vont *grandir,*[8] ils vont être plus grands. Le fruit est beau et *mûr,*[9] pour *sûr*[10] bon à *croquer.*[11] Ils désirent le manger. Ils *s'arrêtent*[12] et *s'assoient*[13] devant *cet*[14] arbre. Ils sont *assis*[13] tout *droits,*[15] très *sages,*[16] sans être pressés, *attendant*[17] de grandir: ils attendent de devenir plus grands.

Un Fruit pendu

Un fruit pendu
À la branche d'un arbre
Deux enfants qui passent,
S'arrêtent,
Regardent
Deux enfants
Tout petits,
Trop petits
Pour cet arbre.
Ils regardent le fruit
Très beau,
Très mûr
Et bon, pour sûr,
À croquer.

Mais trop haut.
Les deux enfants
Trop petits
Regardent
Et s'assoient,
Bien sages,
Pas pressés,
Bien assis,
Très droits,
Attendant
De grandir!

RAYMOND GRENIER
Courtesy Pierre Viala.

---

[1]**le fruit** fruit   [2]**pendre** to hang; **il pend** it hangs   [3]**l'arbre** tree.   [4]**haut** high,   [5]**encore** still,   [6]**tout** quite.   [7]**pressé** in a hurry.   [8]**grandir** to become large, tall, older.   [9]**mûr** ripe.   [10]**pour sûr** surely.   [11]**croquer** to bite into; **bon à croquer** good to eat.   [12]**s'arrêter** to stop   [13]**s'asseoir** to sit down; **ils s'asseoient** they sit down; **ils sont assis** they are seated.   [14]**ce, cet, cette** this.   [15]**droit** straight.   [16]**sage** wise, well-behaved.   [17]**attendre** to wait; **attendant de** waiting to.

QUESTIONS

1. Est-ce que les deux enfants sont très grands? 2. Qu'est-ce qu'il y a à la branche de l'arbre? 3. Est-ce que les deux enfants ont de la patience? 4. Qu'est-ce qu'ils attendent?

Neuvième leçon

9A

LA VIE MODERNE EST COMPLIQUÉE

19:40 M. DUPONT: Voilà un de mes amis, M. Planche, et sa femme. Leur avez-vous retenu une chambre? Je vous ai écrit il y a quinze jours.

L'HÔTELIER: Je leur ai retenu une chambre au sixième, très calme. Ça vous va, monsieur?

M. PLANCHE: Oui, c'est parfait. (À Mme Planche:) Tu vas remplir la fiche?

Mme PLANCHE: Tiens, remplis-la! Tu écris si bien.

M. DUPONT: Ce que la vie moderne est compliquée! Toujours des papiers à remplir.

Here is a friend of mine, Mr. Planche, and his wife. Did you reserve a room for them? I wrote you two weeks ago.

I reserved a room on the seventh floor for them, very quiet. Is that all right with you, sir?

Yes, that's perfect. (To Mrs. Planche:) Are you going to fill out the registration form?

Here, you fill it out! You write so beautifully.

Modern life is certainly complicated! Always papers to fill out.

133

Mme PLANCHE: C'est partout la même chose.

It's the same everywhere.

M. PLANCHE: Oui, au commissariat de police: "Où êtes-vous né? Quand? Quelle année? Quel jour? À quelle heure?"

Yes, at the police station: "Where were you born? When? What year? What day? At what time?"

Mme PLANCHE: Là tu exagères!

There you're exaggerating.

M. PLANCHE: À peine! Et "Quelle est votre profession?" Regarde sur cette fiche!

Hardly! And "What is your occupation?" Look at this form!

Mme PLANCHE: (Lit:) "Pourquoi voyagez-vous?"

(Reads:) "Why are you traveling?"

M. PLANCHE: Quelle question! Je vais chez ma tante. (À l'hôtelier:) J'ai fini.

What a question! I am going to my aunt's. (To the manager:) I've finished.

L'HÔTELIER: Vous n'avez pas signé, monsieur.

You haven't signed, sir.

M. PLANCHE: Ah! J'ai oublié. Et voilà le portier! (À Mme Planche:) Donne-lui les clefs de la voiture, Pauline.

Ah! I forgot. And here is the doorman! (To Mrs. Planche:) Give him the car keys, Pauline.

L'HÔTELIER: La vie moderne est compliquée.

Modern life is complicated.

Étudiez: *le jour, le papier, la fiche.*

9.1 Enchaînement et niveaux d'intonation

Enchaînement consonantique

Within a phrase or breath group, beginning vowel sounds attract the final pronounced consonant of the previous word.

1. *Répétez:*

quelle année? /kɛ la ne/	quelle heure? /kɛ lœr/
quel étage? /kɛ le taʒ/	quel oncle? /kɛ lõkl/
quelle histoire? /kɛ lis twar/	quel art? /kɛ lar/
quel enfant! /kɛ lã fã/	quel oeuf! /kɛ lœf/

2. *Répétez les phrases suivantes:*

Une chambre au sixième. La vie moderne est compliquée. Quelle année? Quelle heure? Quelle est votre profession?

Enchaînement vocalique

Vowel endings are similarly linked to initial vowel sounds. There is no hiatus: The voice slides from one vowel immediately to the next.

3. *Répétez:*

J'ai choisi une chambre.	Je lui ai donné une chambre.
J'ai expliqué une question.	Je lui ai expliqué une question.
J'ai retenu une chambre.	Je lui ai réservé une chambre.
Voilà un ami.	Tu exagères.
Tu écris bien.	J'ai oublié.
Des papiers à remplir.	Je lui ai donné la chambre.

Intonation

Sentences beginning with interrogative pronouns descend gradually in pitch.

Quelle année?   **Quelle chambre?**

4. *Répétez de la même façon:*

Quel jour?	Quelle heure est-il?
Quel étage?	Où êtes-vous né?
Quelle fiche?	Quelle est votre profession?

9.2 Adjectifs possessifs (suite)

Un seul possesseur

When referring to one possessor, before nouns beginning with consonants, the possessive adjective distinguishes gender in the singular (see 8.8). Before a vowel sound there is no distinction of gender:

5.   *Répétez et étudiez:*

Un seul possesseur

	+ *consonne*		+ *voyelle*	
	masculin	féminin	masculin	féminin
Un seul	mon livre	ma chanson	mon ami	mon amie
objet	ton livre	ta chanson	ton ami	ton amie
possédé	son livre	sa chanson	son ami	son amie
Plusieurs	mes livres	mes chansons	mes amis	mes amies
objets	tes livres	tes chansons	tes amis	tes amies
possédés	ses livres	ses chansons	ses amis	ses amies

6.   *Répétez en insistant sur le /n/ et le /z/ de liaison:*

C'est mon‿assistante.   Ce sont ses‿études.
C'est son‿étudiant.   Ce sont mes‿escargots.
C'est mon‿orangeade.   Ce sont ses‿amis.
C'est ton‿hôtel.   Ce sont ses‿oeufs.

7.   *Substituez le mot indiqué et faites les changements nécessaires:*

EXEMPLE: Il finit sa leçon (histoire).
RÉPONSE: Il finit son histoire.

Il cherche ma maison (appartement). Elle aime tes parents (amies). Elle fait son cours (analyse). Jeanne arrive dans mon laboratoire (église). C'est son jour (année). Tu laisses ton livre (histoire). Elle mange ses légumes (escargots). La Française habite dans ma maison (hôtel).

Plusieurs possesseurs

The possessive adjectives referring to several possessors use the same form for the masculine and the feminine. They agree with the noun in number only: *notre, nos* = our; *votre, vos* = your; *leur, leurs* = their.

8.   *Répétez et étudiez:*

Plusieurs possesseurs

	+ *consonne*		+ *voyelle*	
	masculin	féminin	masculin	féminin
Un seul	notre livre	notre chanson	notre ami	notre amie
objet	votre livre	votre chanson	votre ami	votre amie
possédé	leur livre	leur chanson	leur ami	leur amie
Plusieurs	nos livres	nos chansons	nos amis	nos amies
objets	vos livres	vos chansons	vos amis	vos amies
possédés	leurs livres	leurs chansons	leurs amis	leurs amies

9. *Mettez les substantifs* [nouns] *au pluriel ou au singulier selon le cas:*

EXEMPLE: Voilà notre hôtelier.   EXEMPLE: Il va signer nos fiches.
RÉPONSE: Voilà nos hôteliers.   RÉPONSE: Il va signer notre fiche.

J'aime mieux votre frère. Ils vont à leur église. Ils oublient leurs additions. Vous cherchez votre ami? Ils comprennent leurs employés. Vous conduisez vos voitures? Je comprends notre soeur.

10. *Répondez aux questions suivantes;*
l'adjectif possessif reste à la même personne que le sujet:

EXEMPLE: Je parle à mon ami, et nous?
RÉPONSE: Nous parlons à notre ami.
EXEMPLE: Ils oublient leur fiche, et Guy?
RÉPONSE: Guy oublie sa fiche.

Je monte ma valise, et nous? Je connais ma tante, et nous? Je prends mes clefs, et Georges? Je cherche ma mère, et Alice? Je téléphone à mes parents, et Monique? Il aime voir son oncle, et Alice? Je connais mon travail, et les professeurs?

leur travail

9.3 Écrire [to write], suivre [to follow]

Écrire and **suivre** add **v** to the singular stem in the plural present tense, but only *suivre* shows *v* in the infinitive and past participle.

11. *Répétez et étudiez:*

	short stem	stem + **v**
Présent:	J'écris une lettre.	Nous écrivons une lettre.
	Je suis un cours.	Nous suivons des cours.
	Tu écris un poème.	Vous écrivez des poèmes.
	Tu suis le texte.	Vous suivez le texte.
	Il écrit à Irène.	Ils écrivent à leurs amis.
	Il suit la jeune fille.	Ils suivent leurs idées.
Passé composé:	J'ai écrit à mon oncle.	J'ai suivi la conversation.
Infinitif:	J'aime vous écrire.	J'aime suivre les cours.

12. *Mettez les phrases suivantes au présent:*

EXEMPLE: J'ai écrit le texte.
RÉPONSE: J'écris le texte.

Vous avez écrit le texte. Nous avons suivi le cours. Elle a écrit à Papa. J'ai suivi tes instructions. Elles ont écrit à leurs parents. Nous avons choisi la chambre au sixième. Ils ont choisi une tarte aux fraises.

9.4   Pronoms (suite)

Le pronom personnel, complément d'objet indirect

The pronouns **me, te, nous, vous** are used as indirect as well as direct object pronouns:

Complément *d'objet direct*	*Complément* *d'objet indirect*
Pierre regarde Marie; Elle dit: "Il me regarde."	Pierre parle à Marie. Elle dit: "Il me parle."
Pierre écrit les lettres. Il les écrit.	Pierre écrit à des amis. Les amis disent: "Il nous écrit."

13.   *Répétez et étudiez:*

Complément *d'objet direct*		*Complément* *d'objet indirect*	
Il me regarde.	Il m'écrit.	Il me parle.	Il me donne la chambre.
Il t'observe.	Il t'écrit.	Il te parle.	Il te donne la chambre.
Il nous cherche.	Il nous écrit.	Il nous parle.	Il nous donne la chambre.
Il vous trouve.	Il vous écrit.	Il vous parle.	Il vous donne la chambre.

The third person indirect object pronouns are **lui** in the singular, **leur*** in the plural. There is no distinction between the masculine and feminine.

14.   *Répétez:*

Il écrit à Paul.	Il lui écrit.
Il parle à Hélène.	Il lui parle.
Il écrit à ses frères.	Il leur écrit.
Il parle aux étudiantes.	Il leur parle.

▼ **15.**   *Substituez le pronom complément d'objet indirect:*

EXEMPLE: Je dis bonjour à mes amis.
RÉPONSE: Je leur dis bonjour.
EXEMPLE: J'écris à mon ami.
RÉPONSE: Je lui écris.

Il donne la chambre à sa fille. Je montre l'hôtel à mes parents. J'enseigne la chimie aux étudiants. Je dis au revoir à l'hôtelier. Nous écrivons à l'oncle Pierre.

***leur** = *to them* is a pronoun; it is invariable; **leur(s)** = *their* is an adjective.

16. *Mettez les phrases au passé composé; ajoutez **il y a quinze jours:***

EXEMPLE: Je vous écris.

RÉPONSE: Je vous ai écrit il y a quinze jours.

Je vous dis cela. Votre père vous donne une voiture. Tu lui écris. Vous lui donnez votre adresse. Ses amis lui apportent la clef. On leur parle. L'assistante leur apprend la leçon.

L'impératif

Direct and indirect object pronouns are placed immediately after the affirmative imperative and are linked with a hyphen.

17. *Répétez et étudiez:*

Complément d'objet direct

Vous le regardez?	Regardez-le!
Vous la remplissez?	Remplissez-la!
Tu l'étudies?	Étudie-le!
Tu le finis?	Finis-le!
Nous les suivons?	Suivons-les!

Complément d'objet indirect

Vous lui parlez?	Parlez-lui! [Speak to him, to her]
Vous lui écrivez?	Écrivez-lui!
Tu lui téléphones?	Téléphone-lui!
Tu leur dis bonjour?	Dis-leur bonjour!
Nous leur écrivons?	Écrivons-leur!

18. *Formez l'impératif et faites les changements nécessaires:*

EXEMPLE: Vous lui donnez l'argent?

RÉPONSE: Donnez-lui l'argent!

Vous leur réservez des chambres? Vous leur choisissez des places? Vous lui donnez la fiche? Tu lui dis bonjour? Tu leur dis au revoir? Vous leur dites la vérité? Tu lui choisis un film?

19. *Substituez **le** ou **la**:*

EXEMPLE: Vous regardez la jeune fille?

RÉPONSE: Regardez-la!

Vous suivez le cours? Tu demandes l'adresse? Vous finissez l'article? Tu écris ta lettre? Tu donnes ta réponse? Vous finissez le travail tout de suite? Vous prêtez [lend] souvent votre voiture?

▼ **20.** *Remplacez le substantif par le pronom correspondant:*

EXEMPLE: Écrivez la lettre!   EXEMPLE: Écrivez à Arthur!
RÉPONSE: Écrivez-la!   RÉPONSE: Écrivez-lui!

Demandez à vos parents! Parle à ton père! Prenez l'argent! Donne tes livres!
▲ Commencez votre leçon! Apporte tes cigarettes! Dites la vérité!

21. QUESTIONS ET RÉPONSES

1. Où est-ce que l'hôtelier a retenu la chambre? 2. Pourquoi?
3. Est-ce que M. Planche est content? 4. Qui remplit la fiche?
5. Qu'est-ce qu'on demande au commissariat? 6. Pourquoi est-ce
que c'est M. Planche qui remplit la fiche? 7. Est-ce qu'on demande la profession? 8. Qu'est-ce que M. Planche a oublié?

22. TRADUCTIONS

1. We chose a room for Julie. 2. Which hotel did they choose?
3. Fill out your form! Fill it out! 4. Modern life is complicated.
5. Always letters to write! 6. Here they are; sign them! 7. Give
them ten francs! 8. Write us and tell us where you are.

9B

ILS FONT TELLEMENT DE GESTES!

18:26 LOUISE: Vous prenez l'ascenseur?

Are you taking the elevator?

JIM: Oui, je descends aussi. Je vais prendre le train.

Yes, I am going down too. I am going to take the train.

LOUISE: Vous ne prenez pas votre voiture?

You are not taking your car?

JIM: Oh, non! Ma voiture, je la laisse au garage. Je prends toujours le train ou le métro.

Oh, no! I leave my car in the garage. I always take the train or the subway.

LOUISE: Ça va plus vite, n'est-ce pas?

It's quicker, isn't it?

JIM: C'est vrai. Et vous, qu'est-ce que vous prenez pour aller à votre tra-vail?

That's true. And you, what do you take to go to work?

LOUISE: Je prends l'autobus. J'en ai un direct.

I take the bus. Mine is direct.

JIM: J'aime bien l'autobus aussi. J'y apprends beaucoup de choses sur la vie française.	I like the bus too. I learn many things there about French life.
LOUISE: Oui, on apprend à connaître mieux les gens.	Yes, you get to know the people better.
JIM: Je ne comprends pas tout le monde et je n'entends pas tout, mais les Français font tellement de gestes ...	I don't understand everybody and I don't hear everything, but French people make so many gestures ...
LOUISE: ... que vous les comprenez quand même!	... that you understand them anyway!
JIM: Exactement!	Precisely!

Étudiez: *un ascenseur, le travail* (pl. *les travaux*), *la voiture.*

9.5 Révision : interrogation*

Interrogation par intonation

Répétez avec l'intonation indiquée:

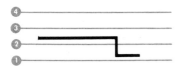 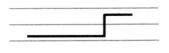

Il prend la voiture.   **Il prend la voiture?**

Ils prennent le train.   Ils prennent le train?
Elles prennent le métro.   Elles prennent le métro?
Nous prenons l'autobus.   Nous prenons l'autobus?
Tu prends le bateau.   Tu prends le bateau?
Tu prends l'avion [plane]. Tu prends l'avion?
Je prends l'ascenseur.   Je prends l'ascenseur?
Elle prend l'hélicoptère.   Elle prend l'hélicoptère?

---

*Voir 1.7, 2.9.

Est-ce que

24. *Répétez avec l'intonation indiquée:*

Est-ce que vous prenez la voiture? **Est-ce qu'elle prend le bateau?**

Est-ce que vous prenez le train? Est-ce qu'on prend l'avion?
Est-ce que nous prenons le métro? Est-ce que tu prends l'ascenseur?
Est-ce qu'il prend l'autobus? Est-ce que je prends l'ascenseur?

9.6 Quelle question!

Quel may or may not be interrogative, depending on intonation:

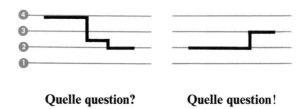

Quelle question? **Quelle question!**

25. *Répétez avec l'intonation correcte:*

J'ai fait le travail. —Quel travail? [What work?]
C'est du travail! —Quel travail! [What hard work!]
J'ai posé une question. —Quelle question? [Which question?]
Vous posez une question impossible! —Quelle question! [What a question!]

26. *Répétez avec **quel** selon les exemples:*

EXEMPLE: Ce sont des enfants terribles! EXEMPLE: Les enfants ont compris?
RÉPONSE: Quels enfants! RÉPONSE: Quels enfants?

J'ai pris l'ascenseur! Vous ne prenez pas votre voiture? Vous avez appris le dialogue? Vous connaissez l'orchestre? Nous connaissons les voisins! Vous avez entendu les histoires? Ils ont tout oublié; c'est toute une histoire! Vous avez vu sa voiture!

9.7   Verbes en -re

Regular **-re** verbs are referred to as the "third" conjugation. The following are examples.

enten**dre**	to hear	atten**dre**	to wait (for)* ~~takes direct obj.~~
descen**dre**	to go down	répon**dre**	to answer
	to take down*		
ven**dre**	to sell	ren**dre**	to give back, return

perdre - to lose

In the singular, these verbs resemble the irregular verb **prendre** with endings **ds, ds, d.**

27.   _Répétez et étudiez:_

Je pren**ds** un verre.	**Je** ven**ds** le livre.	**Je** ren**ds** le livre.
Tu pren**ds** du steak.	**Tu** ven**ds** la voiture.	**Tu** ren**ds** le journal.
Il pren**d** l'autobus.	**Il** ven**d** la maison.	**Il** ren**d** la monnaie.

In the plural, regular **-re** verbs preserve the **d** of the stem; **prendre** does not.

Nous prenons un verre.	**Nous** vend**ons** le livre.	**Nous** rend**ons** le livre.
Vous prenez du steak.	**Vous** vend**ez** la voiture.	**Vous** rend**ez** le journal.
Ils prenn**ent** l'autobus.	**Ils** vend**ent** la maison	**Ils** rend**ent** la monnaie.

▼ **28.**   _Répondez affirmativement:_

EXEMPLE: Tu apprends le français?
RÉPONSE: Oui, j'apprends le français.
EXEMPLE: Est-ce qu'il vend la maison?
RÉPONSE: Oui, il vend la maison.

Est-ce que tu comprends tout? Est-ce qu'il répond à la question? Est-ce que tu entends la conversation? Est-ce que tu prends du sucre? Est-ce qu'il descend la valise? Est-ce que tu apprends à lire? Est-ce qu'il vend sa voiture?

29.   _Mettez les phrases suivantes au pluriel:_

EXEMPLE: Il attend son ami.
RÉPONSE: Ils attendent leurs amis.

---

*__Descendre__ used with a direct object means to take down. Used intransitively, it means to go down, to descend.
> _Je descends l'escalier_ = I go down the stairs.
> _Je descends les valises_ = I take down the suitcases.
__Attendre__ takes a direct object.
> _J'attends Paul_ = I wait for Paul; _je l'attends_ = I wait for him.

Elle entend sa mère. Il descend sa valise. Il rend son billet. Elle comprend son
ami. Elle vend sa voiture. Il répond à sa question. Elle apprend sa leçon.

30. *Répondez négativement:*

EXEMPLE: Est-ce que vous lui répondez?
RÉPONSE: Nous ne lui répondons pas.

Est-ce que vous la vendez? Est-ce que vous descendez tout de suite? Est-ce
que vous entendez la musique? Est-ce que vous répondez au professeur? Est-ce
que vous vendez la voiture? Est-ce que vous attendez l'ascenseur?

31. *Écoutez et répétez:*

Il vend des voitures.	Ils vendent des voitures.
Elle descend à l'hôtel.	Elles descendent à l'hôtel.
Il descend la valise.	Ils descendent la valise.
Il répond à la question.	Ils répondent à la question.

Note that in these sentences /d/ is the only distinguishing sound between singular and plural.

Participe passé

The past participle of **-re** verbs ends in **-u**: *entendu, descendu, répondu, vendu.* The
past participle of *prendre* is *pris* (see 7.7).

Je suis descendu - motion
J'ai descendu mes valises.

32. *Mettez les phrases suivantes au passé composé:*

EXEMPLE: J'entends la question.   EXEMPLE: Je réponds à la question.
RÉPONSE: J'ai entendu la question. RÉPONSE: J'ai répondu à la question.

Je vends la voiture. Je prends un hors d'oeuvre. Vous entendez la question?
Vous répondez à leur question? Elle entend tout le monde. Je vends ses affaires
[things]. Elles vendent leurs affaires. Vous descendez la valise? Vous prenez deux
tartes? Il apprend le français.

9.8 L'impératif négatif

In the negative imperative, all object pronouns precede the verb. Only in the
affirmative imperative do the object pronouns follow (see 9.4).

Vous le dites.	Dites le!	Ne le dites pas!
Nous y allons.	Allons-y!	N'y allons pas!
Vous les regardez.	Regardez-les!	Ne **les** regardez pas!

33. *Répondez au négatif et remplacez le substantif par le pronom:*

EXEMPLE: Écrivez votre lettre!   EXEMPLE: Écrivez à votre tante!
RÉPONSE: Ne l'écrivez pas!   RÉPONSE: Ne lui écrivez pas!

Parlez à votre ami! Parlez à vos amis! Prenez l'ascenseur! Prenez les chambres!
Fais ton travail! Posez vos questions! Expliquez votre question!

9.9 Révision

Complément d'objet

34. *Répétez et étudiez:*

Il me donne mon livre.	Il m'apporte mes affaires.
Il te donne ton livre.	Il t'apporte tes affaires.
Il lui donne son livre.	Il lui apporte ses affaires.
Il nous donne notre livre.	Il nous apporte nos affaires.
Il vous donne votre livre.	Il vous apporte vos affaires.
Il leur donne leur livre.	Il leur apporte leurs affaires.*

35. *Remplacez le complément par un pronom:*

EXEMPLE: Il écrit à la dame.
RÉPONSE: Il lui écrit.

J'écris à l'employé. Nous parlons au professeur. Nous téléphonons à Janine.
Vous faites plaisir à votre père. Ils font plaisir à leur oncle. Elles écrivent à leur
pharmacien.

36. *Remplacez le complément par un pronom:*

EXEMPLE: J'écris à nos amies.
RÉPONSE: Je leur écris.

Ils écrivent à leurs amies. Nous faisons plaisir à nos professeurs. Ils font plaisir
aux enfants. Tu téléphones à Jacques et à François. Elle parle à Janine et à Robert.

37. *Substituez le pronom complément d'objet indirect:*

EXEMPLE: Je dis ça à mes amis.
RÉPONSE: Je leur dis ça.

---

*The adjective **leur,** plural **leurs** [their] takes no **e** for the feminine; the pronoun **leur** [to them] is
invariable.

EXEMPLE: J'écris une lettre à mon ami.
RÉPONSE: Je lui écris une lettre.

Je donne le livre à ma soeur. Je donne le livre à mon frère. J'apporte les valises au portier. Je montre l'hôtel à mes parents. J'enseigne la chimie aux étudiants. Je dis au revoir à Pierre. Vous dites bonjour à ma tante.

38. *Remplacez le complément par un pronom:*

EXEMPLE: Vous prenez l'ascenseur.
RÉPONSE: Vous le prenez.
EXEMPLE: Vous répondez à Paul.
RÉPONSE: Vous lui répondez.

Ils prennent l'autobus. Elles apprennent la leçon. Je parle à l'hôtelier. On aime bien le steak. Nous répondons aux étudiants. Vous entendez l'autobus. Tu comprends tes parents.

L'adjectif possessif

39. *Étudiez le tableau suivant:*

			Un seul possesseur		Plusieurs possesseurs	
		singulier		*pluriel*	*singulier*	*pluriel*
m. + { *voyelle* *consonne* f. + *voyelle*		f. + *consonne*	masculin et féminin		masculin et féminin	masculin et féminin
mon } enfant **ton** } cours **son** } école	**ma** } chambre **ta** } chanson **sa** } femme	**mes** } enfants **tes** } cours **ses** } écoles		**notre** } enfant **votre** } cours **leur** } école	**nos** } enfants **vos** } cours **leurs** } écoles	

The singular possessive adjectives **mon**, **ton**, **son** are used to modify masculine and feminine nouns beginning with a vowel sound.

40. QUESTIONS ET RÉPONSES

1. Qu'est-ce que Louise prend pour aller à son travail? 2. Qu'est-ce que Jim va prendre? 3. Où est-ce qu'il laisse sa voiture? 4. Où va l'autobus de Louise? 5. Pourquoi Jim prend-il l'autobus? 6. Qu'est-ce qu'il y apprend? 7. Qu'est-ce que les Français font avec les mains? 8. Est-ce que Jim les comprend?

41. TRADUCTIONS

1. You are not taking the elevator? 2. Did you take it? 3. We are going to take the bus anyway (de toute façon). 4. What are

we going to take to go to our place of work? 5. She did not understand everyone. 6. The French gesticulate so much that we understand them anyway. 7. My car? I leave it at home! 8. Bring us your papers. 9. He did not understand her.

9C

LECTURES

L'ACCENT GRAVE

Préparation

Quand le professeur trouve que les étudiants sont *dans les nuages* (= qu'ils *pensent à*[1] autre chose), qu'ils *n'y sont pas* (= qu'ils ne comprennent pas) il est *mécontent* (= il n'est pas content).

L'élève[2] Hamlet est dans les nuages et il se demande: "*Qu'est-ce qui se passe?*"[3] Il ne *peut*[4] pas répondre. Le professeur lui dit: "Vous ne *pouvez*[4] pas répondre?" Il lui dit de conjuguer le verb être: "*Conjuguez-moi*[5] le verbe être, c'est *tout ce que*[6] je vous demande." L'élève ne sait pas ce qui se passe, mais il sait qu'il n'y est pas; il ne *pense* pas à la classe. *Dans le fond*[7] il n'aime pas la classe.

L'Accent grave

:06

LE PROFESSEUR: Élève Hamlet!

L'ÉLÈVE HAMLET (*sursautant*[8]): ... Hein[9] ... Quoi ... Pardon ... Qu'est-ce qui se passe ... Qu'est-ce qu'il y a ... Qu'est-ce que c'est? ...

LE PROFESSEUR (mécontent): Vous ne pouvez pas répondre "présent" comme tout le monde? Pas possible, vous êtes encore dans les nuages.

L'ÉLÈVE HAMLET: Être ou ne pas être dans les nuages!

LE PROFESSEUR: Suffit.[10] Pas tant de manières.[11] Et conjuguez-moi le verbe être, comme tout le monde, c'est tout ce que je vous demande.

L'ÉLÈVE HAMLET: To be ...

---

[1] **penser à** to think.   [2] **l'élève** the pupil.   [3] **il se demande: "Qu'est-ce qui se passe?"** He wonders: "What's going on?" **se passer** to happen.   [4] **pouvoir** to be able; **il peut** he can; **vous pouvez** you can.   [5] **moi** I, me, for me; **conjuguez-moi** conjugate for me.   [6] **tout ce que** all that   [7] **dans le fond** when you get right down to it; basically.   [8] **sursautant** with a start.   [9] **hein** what.   [10] **suffit** enough.   [11] **pas tant de manières** don't put on airs.

LE PROFESSEUR : En français, s'il vous plaît, comme tout le monde.

L'ÉLÈVE HAMLET : Bien, monsieur. (*Il conjugue:*)
Je suis ou je ne suis pas
Tu es ou tu n'es pas
Il est ou il n'est pas
Nous sommes ou nous ne sommes pas . . .

LE PROFESSEUR (*excessivement mécontent*): Mais c'est vous qui n'y êtes pas, mon pauvre ami !

L'ÉLÈVE HAMLET : C'est exact, monsieur le professeur,
Je suis "où" je ne suis pas
Et, dans le fond, hein, à la réflexion,
Être "où" ne pas être
C'est peut-être aussi la question.

JACQUES PRÉVERT
Paroles (Gallimard), 1949, pp. 68–69.

MÉTAMORPHOSES

Préparation

1. Le jour est clair[1] mais la nuit est *noire.*[2]
2. *L'Histoire*[3] est noire et confuse. On avance *à tâtons.*[4] Tout change: On est toujours *étonné*[5] et *médusé*, frappé[6] de stupeur (par la tête[7] de Méduse).
3. *Les métamorphoses* (= les transformations).
    A. Les objets:

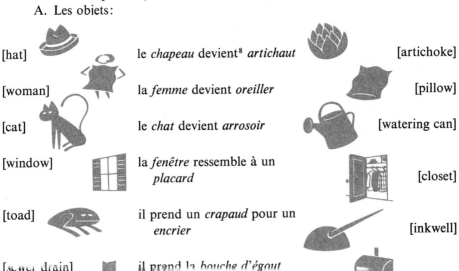

[hat]   le *chapeau* devient[8] *artichaut*   [artichoke]

[woman]   la *femme* devient *oreiller*   [pillow]

[cat]   le *chat* devient *arrosoir*   [watering can]

[window]   la *fenêtre* ressemble à un
                                placard   [closet]

[toad]   il prend un *crapaud* pour un
                                encrier   [inkwell]

[sewer drain]   il prend la *bouche d'égout*
                                pour une *boîte aux lettres*   [mailbox]

---

[1]**clair** light.   [2]**noir, -e** black.   [3]**l'histoire** *f.* history.   [4]**à tâtons** gropingly.   [5]**étonné, -e** astonished, surprised.   [6]**frappé, -e** struck by.   [7]**la tête** head.   [8]**devenir** to become.

B. Les *bruits:*[9]

Quand il entend *le sifflet*[10] du train, il imagine *une hirondelle.*[11] Quand il entend un moteur, il imagine que c'est son coeur, son *propre* coeur.[12] Il pense qu'un cri est *un rire.*[13]

4. Les objets mouillés[14] trop longtemps ont *des moisissures.*[15] On n'aime pas *humer*[16] l'odeur *des moisissures.*

5. Le poète affirme son imagination qui transforme la réalité.

6. Les objets deviennent vivants;[17] un animal—le crapaud—semble être un objet: Les métamorphoses transforment *la vie et la mort.*[18]

Métamorphoses

Dans cette nuit noire
que nous fait l'Histoire
j'avance à tâtons
toujours étonné
toujours médusé:

je prends mon chapeau
c'est un artichaut

j'embrasse ma femme
c'est un oreiller

je caresse un chat
c'est un arrosoir

j'ouvre la fenêtre
pour humer l'air pur
c'est un vieux placard
plein de moisissures

je prends un crapaud
pour un encrier
la bouche d'égout
pour la boîte aux lettres
le sifflet du train
pour une hirondelle
le bruit d'un moteur
pour mon propre coeur
un cri pour un rire
la nuit pour le jour
la mort pour la vie
les autres pour moi.

JEAN TARDIEU
"Monsieur Monsieur," dans
Choix de poèmes 1924–1954
(Gallimard), 1961, pp. 205–206.

QUESTIONS

1. Quel cours suit l'élève Hamlet? 2. Est-ce que c'est un bon étudiant? 3. Quel mot porte l'accent grave? 4. Quelles sont les métamorphoses du deuxième poème?

---

[9]**le bruit** sound. [10]**le sifflet** whistle. [11]**l'hirondelle,** *f.* swallow. [12]**propre coeur** own heart. [13]**le rire** laugh. [14]**mouillé, -e** wet. [15]**la moisissure** mildew. [16]**humer** to breathe in. [17]**vivant, -e** living. [18]**la mort** death.

Dixième leçon

10A

OÙ EST-CE QUE TU VAS CET ÉTÉ ?

:02 PAUL : Est-ce que tu vas au Mexique cet été ?

Are you going to Mexico this summer ?

IRÈNE : Non, j'en reviens. Je vais en vacances en Europe.

No, I am coming (back) from there. I am going on vacation to Europe.

PAUL : Dans quel pays ?

To what country ?

IRÈNE : Cette fois-ci, je vais en France, en Espagne et en Italie. Et toi ?

This time I am going to France, Spain and Italy. And you ?

PAUL : Je crois que je vais aller en Europe ou peut-être au Japon.

I think that I am going to go to Europe or perhaps to Japan.

IRÈNE : J'ai toujours rêvé d'aller voir ce pays.

I have always dreamed of going to see that country.

PAUL : Tiens, pourquoi ?

Really, why ?

IRÈNE : À cause de l'opérette, *Madame Chrysanthème!**

Because of the operetta, *Madame Chrysanthemum.*

**Madame Chrysanthème* par André Messager (1893), d'après le roman de Pierre Loti.

151

PAUL: Et aussi parce que c'est un joli pays.	And also because it is a pretty country.
IRÈNE: Bien sûr. Et puis j'apprends le japonais en ce moment.	Of course. And then, I am learning Japanese now.
PAUL: Moi, j'apprends le français. C'est pourquoi je veux aller en France.	I am learning French. That is why I want to go to France.
IRÈNE: À quel endroit vas-tu?	To which place are you going?
PAUL: Je vais d'abord à Paris, puis à Tours, à Dijon et à Nice.	I am going first to Paris, then to Tours, Dijon and Nice.
IRÈNE: Tu as de la chance.	You are lucky.

Étudiez: *les vacances* (*f.*) = vacation.

10.1   /p/

French *p*, unlike its English equivalent, is never aspirate (never pronounced with a puff of air). Compare the following examples:

English:	pie	pour	report	appearance
French:	paille	pour	rapport	apparence

When English *p* comes right after /s/ (as in *special, Spain, export*), it is pronounced without a puff of air and most closely resembles French *p*.

1.   *Répétez:*

/p/	pays	père	parce que	pourquoi	Espagne	Japon
	pas	Paris	pardon	pouvoir	opérette	apporter
/pr/	prix	prêt	prend	après	apprends	appris

Note that for the /r/ the tip of your tongue must be against your lower teeth.

10.2   Intonation de plusieurs groupes de mots (suite)

Where there are several parallel breath groups in a sentence, each one except the last is marked by high pitch on the final syllable; the last is marked by falling pitch (see 8.2).

2. *Répétez avec l'intonation indiquée:*

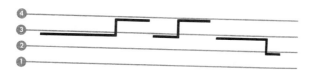

Je vais en Espagne, en France et en Italie.

Je vais d'abord à Paris, puis à Tours, à Dijon et à Nice.
J'ai mangé un hors-d'oeuvre, de la viande, des légumes et un dessert.
Je connais bien ton père, ta mère et ton frère, mais pas ta soeur.
Il a étudié l'anglais, l'espagnol, les mathématiques et la physique.

10.3 Croire [to think, believe], voir [to see]

The sound /j/ is added before the pronounced endings *-ons*, *-ez* of these verbs.
In spelling, *i* changes to *y*.

3. *Répétez et étudiez:*

Présent:	**je** crois /krwa/ le professeur	**nous** croyons /krwajõ/ le professeur
	je le vois	**nous** le voyons /vwajõ/
	tu crois le professeur	**vous** croyez /krwaje/ le professeur
	tu le vois	**vous** le voyez /vwaje/
	il croit le professeur	**ils** croient le professeur
	il le voit	**ils** le voient
Infinitif:	Il va le croire	
	Il va le voir	
Passé composé:	il a cru	
	il a vu	

The two verbs have different infinitive endings but the sounds of their conjugated forms are analogous throughout.

4. *Répétez et étudiez les phrases suivantes:*

Est-ce que vous croyez que vous allez faire un voyage en Europe?—Oui,
je le crois.
Est-ce que les parents de Marie voient leur fille de temps en temps?—Oui,
ils la voient de temps en temps.
Est-ce que vous voyez souvent les parents de Bernard?—Oui, nous les voyons
souvent.

▼ **5.** *Mettez les phrases suivantes au passé composé:*

EXEMPLE: Je vois son sac.   EXEMPLE: Nous croyons le professeur.
RÉPONSE: J'ai vu son sac.   RÉPONSE: Nous avons cru le professeur.

Vous voyez cette maison? Tu crois tes amis? Nous croyons tout le monde. Tu
vois ce chapeau extraordinaire? Je crois l'hôtelier. Nous voyons beaucoup de
▲ bandits à la télévision. Qu'est-ce que tu vois?

10.4 Adjectifs démonstratifs

This or That   *Ce, cet, cette, ces*

Cet is used only before *masculine* nouns beginning with a vowel sound. It is
pronounced like **cette**. **Cet enfant** sounds like **cette enfant.** The *t* must be clearly
articulated and linked to the following vowel.

6. *Répétez et étudiez:*

Singulier

Masculin		Féminin
ce + *consonne*	cet + *voyelle*	**cette**
ce monsieur	cet enfant	cette question
ce matin	cet ami *place*	cette jeune fille
ce taxi	cet endroit	cette enfant *(m or f)*
ce pays	cet hôtel	cette amie

The plural demonstrative adjective **ces** is used with masculine and feminine nouns;
liaison occurs before vowel sounds.

Pluriel

Masculin		Féminin	
ces + *consonne*	ces + *voyelle*	ces + *consonne*	ces + *voyelle*
ces messieurs	ces enfants	ces questions	ces enfants
ces matins	ces amis	ces jeunes filles	ces amies
ces taxis	ces endroits	ces valises	ces années
ces pays	ces hôtels	ces voitures	ces histoires

Cette fois-ci; à ce moment-là

The particles **-ci** and **-là** (with hyphen) are often added to a noun in order to
emphasize the demonstrative or to establish a contrast; *là* is much more frequent
than *ci.*

7. *Répétez et étudiez:*   *This time*

Ce livre-là, ce pays-là, cette histoire-là. Cette fois-ci je vais en France. À ce moment-là j'ai étudié le français. Je connais ce garçon-ci [closer to me]! Je n'aime pas ce garçon-là.   *this boy*

8. *Remplacez l'article par l'adjectif démonstratif avec -là:*

EXEMPLE: Nous chantons la chanson.
RÉPONSE: Nous chantons cette chanson-là.

Vous avez fini le dialogue. Je connais les Français. Il connaît les Françaises. *cet endroit-là* Elle n'aime pas la viande. Elle a bavardé avec le monsieur. L'endroit est joli. L'analyse est difficile. Je vais à l'école. Je n'aime pas les huîtres. J'ai compris les histoires. Ils ont écrit les exercices.

10.5   L'interrogation par inversion

Inversion of subject pronoun and verb is a common form of interrogation. It occurs in all persons except the first singular. When the third person singular does not end in /t/, spelled *t* or *d*, the letter *t* is added and pronounced: *Parle-t-il? Étudie-t-elle? Parle-t-elle?* [Does she speak?] and *Parlent-elles?* [Do they speak?] are pronounced alike. *Est-ce* in *est-ce que* is an inversion of *c'est*. The hyphen is a part of every inversion.

9. *Répétez avec l'intonation indiquée:*

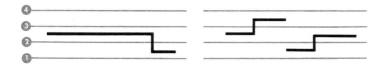

Vous prenez la voiture.   **Prenez-vous la voiture?**

Vous vendez le livre.   Vendez-vous le livre?
Vous voyez la carte.   Voyez-vous la carte?
Nous rendons l'argent.   Rendons-nous l'argent?
Il attend l'avion.   Attend-il /atɑ̃til/ l'avion?
On prend l'ascenseur.   Prend-on l'ascenseur?
Elle attend le bateau.   Attend-elle le bateau?
Tu vas voir l'opérette.   Vas-tu voir l'opérette?

▼ **10.** *Répétez et étudiez les phrases suivantes:*

Déclaration	Interrogation
Vous parlez français.	Parlez-vous français?
Nous apportons de l'eau.	Apportons-nous de l'eau?
Ils conduisent une voiture.	Conduisent-ils une voiture?
Il vient en France.	Vient-il en France?
Il prend du vin.	Prend-il /prã til/ du vin?
Il va en France.	Va-t-il en France?
Elle étudie le français	Étudie-t-elle le français?
Elle parle français.	Parle-t-elle français?
▲ C'est possible.	Est-ce possible?

10.6 Les pays et les continents

Most of the names of countries and continents ending in *-e* are feminine. *Le Mexique* is a notable exception.

Les pays (noms féminins)

With feminine names use **en** to indicate traveling to or being in a country; use **de** to indicate origin or traveling from a country. Do not use articles in these cases.

▼ **11.** *Répétez et étudiez:*

La France est un pays.	Je vais **en** France.
L'Europe est un continent.	J'habite **en** Europe.
La Suède est un pays.	Je vais **en** Suède.
L'Amérique est un continent.	J'habite **en** Amérique.
L'Espagne est un pays.	Je vais **en** Espagne.
L'Afrique est un continent.	J'habite **en** Afrique.
D'où venez-vous?	Je viens **d'**Allemagne [Germany].
Qu'est-ce que vous allez visiter?	Je vais visiter l'Autriche.
D'où venez-vous?	Je viens **de** Russie.
Qu'est-ce que vous allez visiter?	Je vais visiter l'Australie.
D'où venez-vous?	Je viens **de** Chine.
Qu'est-ce que vous allez visiter?	Je vais visiter l'Europe.

Les pays (noms masculins)

For masculine names use **au, aux** to indicate traveling to or being in a country; use **du, des** to indicate origin or traveling from one country.

12. *Répétez et étudiez:*

Le Brésil est **en** Amérique.   Je vais **au** Brésil.

Le Portugal est **en** Europe.   Je vais **au** Portugal.

Le Mexique est **en** Amérique.   Je vais **au** Mexique.

Le Danemark est **en** Europe.   J'habite **au** Danemark.

Les États-Unis et **le** Canada sont **en** Amérique.

Je viens **des** États-Unis.

Je viens **du** Brésil.

Je viens **du** Mexique.

I come from

13. *Répondez selon l'indication:*

EXEMPLE: Où habitez-vous? Le Danemark.

RÉPONSE: J'habite au Danemark.

EXEMPLE: Où allez-vous? Les États-Unis.

RÉPONSE: Je vais aux États-Unis.

Où habitez-vous? le Mexique. Où allez-vous? le Brésil. Où allez-vous? le Luxembourg. Où allez-vous? le Portugal. Où habitez-vous? le Japon. Où allez-vous? le Pérou. Où habitez-vous? le Canada.

14. *Répondez selon l'indication:*

EXEMPLE: D'où venez-vous? le Brésil.   EXEMPLE: D'où venez-vous? la Russie.

RÉPONSE: Je viens du Brésil.   RÉPONSE: Je viens de Russie.

D'où venez-vous? le Japon, ... l'Espagne, ... le Danemark, ... la Suède, ... l'Angleterre [England], ... le Canada, ... les États-Unis, ... l'Allemagne, ... l'Asie.

from there

Les pays et les continents; *en* et *y*

Note the opposition of **en** and **y**. **En** = from there (can replace *d'Italie, d'Afrique,* etc.) **Y** = there (can replace *en Italie, en Afrique, au Portugal,* etc.).

15. *Répétez et étudiez.*

Venez-vous d'Italie?   Oui, j'en viens.

Venez-vous d'Afrique?   Oui, j'en viens.

Venez-vous du Portugal?   Oui, j'en viens.

Venez-vous des États-Unis?   Oui, j'en viens.

Allez-vous en Italie?   Oui, j'y vais.

Allez-vous en Afrique?   Oui, j'y vais.

Allez-vous au Portugal?   Oui, j'y vais.

Allez-vous aux États-Unis?   Oui, j'y vais.

16.   *Remplacez le complément:*

EXEMPLE: Vous venez de Paris? RÉPONSE: Oui, j'en viens.

Il vient du bureau de location? Ils viennent du Mexique? Elle revient de France? Je viens de l'hôtel? Vous venez de chez vous? Elle vient de Marseille? Nous venons des États-Unis?

▼ **17.**   *Répondez avec y ou avec* **en** *selon le cas:*

EXEMPLE: Est-ce que vous allez en France?
RÉPONSE: Oui, j'y vais.
EXEMPLE: Venez-vous de Russie?
RÉPONSE: Oui, j'en viens.

Allez-vous aux États-Unis? Allez-vous en Italie? Allez-vous au Canada? Revenez-vous d'Allemagne? Revenez-vous d'Afrique? Allez-vous en Espagne?
▲ Venez-vous d'Europe?

Les langues

The same word may designate a language and the nationality of the person who speaks it. Capital letters are used only to designate the person.

18.   *Répétez:*

Les Français habitent en France; en France on parle français.
Les Italiens habitent en Italie; en Italie on parle italien.
Les Russes habitent en Russie; en Russie on parle russe.
Les Espagnols habitent en Espagne; en Espagne on parle espagnol.
Les Allemands habitent en Allemagne; en Allemagne on parle allemand.
Les Japonais habitent au Japon; au Japon on parle japonais.
Les Portugais habitent au Portugal; au Portugal on parle portugais.
Les Anglais habitent en Angleterre; en Angleterre on parle anglais.

▼ **19.**   *Répondez affirmativement:*

EXEMPLE: Avez-vous appris le français?
RÉPONSE: Oui, j'ai appris le français.
EXEMPLE: Parlez-vous français?
RÉPONSE: Oui, je parle français.

Enseignez-vous le russe? Est-ce qu'on apprend vite le français? Est-ce qu'elles apprennent le japonais? Est-ce qu'il a appris l'espagnol? Est-ce que Jean a étudié
▲ l'anglais? Est-ce que Jean parle anglais?

20.   QUESTIONS ET RÉPONSES

1. Où est-ce qu'Irène va cet été? Dans quel pays? 2. Où va Paul? 3. Où est-ce qu'Irène a toujours rêvé d'aller? Pourquoi? 4. Quelle langue est-ce qu'elle apprend en ce moment? 5. Quelle langue apprend Paul? 6. Pourquoi est-ce que Paul veut voir la France? 7. À quel endroit est-ce qu'il va? 8. Pourquoi est-ce qu'il a de la chance?

21.   TRADUCTIONS

1. I am going to Europe this summer. 2. I have always dreamed of going to Japan. 3. Why do you prefer Japan? 4. I prefer Japan because it is a pretty country; I am learning Japanese at the present time. 5 I prefer France because of its wines; that is why I like to go to France. 6. Many people in France never eat oysters and snails. 7. Do you speak French? No, I am not lucky. 8. I am learning it, but I do not speak it.

10B

À LA GARE

14:30   JACQUES: Un aller et retour, Besançon, s'il vous plaît.

One round-trip to Besançon, please.

L'EMPLOYÉ: Voilà, monsieur. C'est trente-quatre francs soixante-dix (centimes).

Here you are, sir. That will be thirty-four francs seventy (centimes).

JACQUES: À quelle heure est le départ?

What is the departure time?

L'EMPLOYÉ: C'est à neuf heures quinze, monsieur. Vous avez quarante minutes avant le départ.

It's at 9:15, sir. You have forty minutes before leaving.

JACQUES: Quel quai?

What platform?

L'EMPLOYÉ: Quai huit, voie numéro deux. Le train est déjà là.

Platform eight, track two. The train is already there.

JACQUES: Il y a un wagon-restaurant, n'est ce pas?

There is a dining car, isn't there?

L'EMPLOYÉ: Il y a un wagon-restaurant et un wagon-bar.

There is a dining car and a lounge-car.

JACQUES: Qu'est-ce que c'est que ça?

What's that?

L'EMPLOYÉ: C'est un buffet où il y a des sandwichs, des gâteaux . . . et des boissons.

That's a snack bar where there are sandwiches, cakes . . . and drinks.

JACQUES: Quand est-ce ´qu'on arrive à Besançon?

When do we arrive in Besançon?

L'EMPLOYÉ: Vous arrivez à 13 h 10 (treize heures dix), mais vous avez un changement de train à Dijon à 12 h 02 (midi deux).

You get there at 1:10 P.M., but you change trains at Dijon at 12:02.

JACQUES: Combien de temps est-ce qu'on a pour changer?

How much time do we have to change trains?

L'EMPLOYÉ: Vous avez dix bonnes minutes.

You have a good ten minutes.

JACQUES: Merci, monsieur.

Thank you, sir.

Étudiez: *le quai, le sandwich, le temps, la voie, la boisson.*

10.7   Liaison

Liaison avec /t/

22.   *Répétez et étudiez:*

C'est à une heure.	Elle est intelligente.
C'est à deux heures.	Elle est intéressante.
C'est à trois heures.	Elle est amusante.
C'est à quatre heures.	Elle est intrigante.

Liaison avec /t/, orthographe "d"

23.   *Répétez et étudiez:*

Un grand homme.	Quand est-ce qu'on part? [When do we leave?]
Un grand art.	Quand est-ce qu'on mange?
Un grand orchestre.	Quand est-ce qu'on chante?
Un grand animal.	Quand est-ce qu'on sort? [When do we go out?]

Enchaînement consonantique /d/ et liaison /t/

24.   *Répétez et étudiez:*

Une grande /d/ enfant	Un grand /t/ enfant
Une grande /d/ élève	Un grand /t/ élève
Une grande /d/ amie	Un grand /t/ ami
Une grande /d/ idiote	Un grand /t/ idiot

25. *Substituez grand à petit:*

EXEMPLE: C'est une petite école.
RÉPONSE: C'est une grande école.

C'est un petit orchestre. Voilà un petit avantage. C'est un petit enfant. Voilà la petite élève. Voilà la petite fille. C'est un petit hôtel. Cette ville a de petites rues.

10.8   Tout, toute, tous, toutes

Tout [all, every, entire] is an irregular adjective; the masculine plural is **tous**. **Tout(e)** is the only adjective which can be followed by an article: *tout le monde, tous les étudiants.*

26. *Répétez et étudiez:*

Tout le monde est ici.
Tous les enfants partent en été.
Vous allez manger toute cette viande?
Vous mangez tout le temps [all the time].

Toute la famille va venir.
Toutes les étudiantes sont jolies.
Elle aime toutes ses filles.
Elle sort tous les jours [every day].

tout + *article défini ou indéfini*

tout le monde [the whole world; everyone]	toute une famille [an entire family, a whole family]
tous /tu/ les enfants [all the children]	toutes les étudiantes [all the coeds]

tout + *adjectif demonstratif ou possessif*

tout ce monde [this whole world, all these people]	toute cette viande [all this meat]
tout son monde [his, her entire world]	toute sa viande [all of his, her meat]
tous ces garçons [all these boys]	toutes ces filles [all these girls]
tous ses garçons [all his, her boys]	toutes ses filles [all his, her daughters]

Tout, tous are also used as pronouns; in that case **tous** is pronounced /tus/:

Il fait tout [He does everything].
Ils viennent tous /tus/ [They are all coming].

▼ **27.** *Répondez affirmativement avec la forme convenable de **tout**:*

EXEMPLE: Cette viande est bonne.
RÉPONSE: Toute cette viande est bonne.

▲ Cette conversation est intéressante. Ce poisson est bon. Ces dictionnaires sont bons. Ces dialogues sont intéressants. Ces leçons sont compliquées. Ce cours est compliqué. Ces hommes sont braves.

10.9 Partir, sortir

Partir [to leave] and **sortir** [to go out] are irregular **-ir** verbs, i.e., unlike *finir*, *remplir*, *choisir*.

28. *Répétez et étudiez:*

Je pars /par/ à huit heures.	**Nous** partons /partõ/ à une heure.
Je sors /sɔr/ maintenant.	**Nous** sortons /sɔrtõ/ tout de suite.
Tu pars /par/ à neuf heures	**Vous** partez /parte/ à deux heures.
Tu sors /sɔr/ maintenant.	**Vous** sortez /sɔrte/ tout de suite.
Il part /par/ à dix heures	**Ils** partent /part/ à trois heures.
Il sort /sɔr/ maintenant.	**Ils** sortent /sɔrt/ tout de suite.

Nous partons à quinze heures.	Nous choisissons le train.
Vous sortez à midi.	Vous finissez votre travail à midi.
On part à deux heures.	On choisit le train de deux heures.
Elles sortent à minuit.	Elles finissent leur travail.

The past participles are **parti** and **sorti**. See 11.3 for the *passé composé*.

29. *Remplacez **choisir** par une forme de **partir**:*

EXEMPLE: Nous choisissons le train de 13 h.
RÉPONSE: Nous partons par le train de treize heures.

Je choisis l'autobus de 20 h. Vous choisissez l'avion de 14 h. Nous choisissons la voiture. Elle choisit le métro. Ils choisissent le train de 9 h. Tu choisis l'autobus de 7 h.

30. *Mettez le verbe **sortir**:*

EXEMPLE: Nous remplissons les fiches.
RÉPONSE: Nous sortons les fiches.
EXEMPLE: Vous descendez les valises.
RÉPONSE: Vous sortez les valises.

Je remplis le verre. Elles remplissent les valises. Il vend le livre. Tu attends la voiture. Elle remplit la tasse. Ils rendent le papier. Vous choisissez l'auto.

10.10 Les numéraux de 20 à 100

La prononciation du numéro 20

31. *Répétez et étudiez:*

/vɛ̃/		/vɛ̃t/	
20 + *consonne*	20 *en finale*	20 + *voyelle*	20 + *nombre*
vingt garçons	Il y en a vingt.	vingt enfants	vingt et un enfants
vingt filles	J'en ai vingt.	vingt hôtels	vingt-deux hôtels
vingt francs	Il en faut encore vingt.	vingt amis	vingt-trois amis
vingt chambres	Il en faut vingt.	vingt années	vingt-quatre années

32. *Répétez et étudiez:*

20	J'en ai vingt /vɛ̃/.	60	Il y en a soixante /swasɑ̃t/.
30	Tu en prends trente /trɑ̃t/.	70	Il y en a soixante-dix.
40	Il en choisit quarante /karɑ̃t/.	80	Il y en a quatre-vingts.*
50	Nous en voyons cinquante /sɛ̃kɑ̃t/.	90	Il y en a quatre-vingt-dix.
		100	Il y en a cent /sɑ̃/.

Compound numbers from 17 to 99 are written with hyphens, except for 21, 31, 41, 51, 61 and 71, where **et** replaces the hyphen. Note that 70 = 60 + 10 (soixante-dix), 71 = 60 + 11 (soixante et onze), and that the system continues to 79. Similarly, 90 = 80 + 10 (quatre-vingt-dix), 91 = 80 + 11 (quatre-vingt-onze), and so on up to 99.

33. *Répétez et étudiez:*

62	soixante-deux	69	soixante-neuf	72	soixante-douze
84	quatre-vingt-quatre	90	quatre-vingt-dix	91	quatre-vingt-onze

34. *Répétez et étudiez:*

21	vingt et un	22	vingt-deux
31	trente et un	34	trente-quatre
41	quarante et un	49	quarante-neuf
61	soixante et un	67	soixante-sept
71	soixante et onze	81	quatre-vingt-un
		91	quatre-vingt-onze

---

*Note that *s* appears only in *quatre-vingts* (80) but not in its compounds: *quatre-vingt-un* (81) up to *quatre-vingt-dix-neuf* (99).

35. *Prononcez les numéros:*

EXEMPLE: 25   EXEMPLE: 75
RÉPONSE: vingt-cinq   RÉPONSE: soixante-quinze

27, 29, 34, 41, 52, 68, 73, 86.

▼ **36.** *Comptez selon l'indication* [count as indicated]:

EXEMPLE: De 58 à 63.
RÉPONSE: cinquante-huit, cinquante-neuf, soixante, soixante et un, soixante-deux, soixante-trois.

▲ De 15 à 18; de 29 à 34; de 45 à 50; de 67 à 72; de 80 à 84; de 94 à 99.

37. *Répétez et étudiez:*

+ et $16 + 1$ Seize et un font dix-sept.
— moins $60 - 1$ Soixante moins un font cinquante-neuf.
× fois 8×10 Huit fois dix font quatre-vingts.
÷ divisés par $99 \div 11$ Quatre-vingt-dix-neuf divisés par onze font neuf.

38. *Faites les calculs* [calculations] *suivants:*

EXEMPLE: $75 + 7$
RÉPONSE: Soixante-quinze et sept font quatre-vingt-deux.
EXEMPLE: $77 \div 7$
RÉPONSE: Soixante-dix-sept divisés par sept font onze.

$29 + 5$; $56 + 5$; $60 + 19$; $89 - 10$; $94 - 17$; $100 - 23$; 7×10;
4×12; 8×11; $90 \div 9$; $56 \div 7$; $27 \div 3$.

Les demi-heures, les quarts d'heure

Note that *demi* is invariable when placed before the noun; it agrees when following the noun: *une* **demi-***heure; une heure et* **demie.**

▼ **39.** *Répétez et étudiez:*

12 h 15: midi et quart   12 h 30: midi et demi
12 h 45: une heure moins le quart   1 h 15: une heure et quart
                                       1 h 30: une heure et demie

Quinze minutes font un quart d'heure; trente minutes font une demi-heure.

40. *Répondez aux questions suivantes; dites d'abord* **à huit heures,** *puis ajoutez* [add] *toujours* **un quart d'heure:**

EXEMPLE: Quand est-ce que vous partez?
RÉPONSE: Je pars à huit heures.

EXEMPLE: Quand est-ce que vous sortez?
RÉPONSE: Je sors à huit heures et quart.

Quand est-ce qu'ils partent? Quand est-ce que vous partez? Quand est-ce que vous sortez? Quand est-ce que vous partez? Quand est-ce qu'ils sortent? Quand est-ce que je vais partir? Quand est-ce qu'ils vont sortir? Quand est-ce que vous arrivez? Quand est-ce que je dîne?

Quelle heure est-il?

41. *Répondez selon l'indication:*

EXEMPLE: 3 h 05
RÉPONSE: Il est trois heures cinq.

3 h 14	4 h 06	6 h 10	9 h 02
4 h 46	10 h 16	1 h 49	2 h 25

42. *Questionnaire; répondez aux questions:*

Quelle heure est-il? Quel âge avez-vous? Quelles langues parlez-vous? Est-ce que vous parlez français? Est-ce que vous avez visité la France? Quand parlez-vous français? Quand arrivez-vous en classe? Quels pays connaissez-vous? Comprenez-vous le français, l'espagnol, l'allemand, l'anglais?

43. **QUESTIONS ET RÉPONSES**

1. Où est-ce que Jacques veut aller? 2. À quelle heure est le départ? 3. Combien de temps est-ce qu'il a avant de partir? 4. De quel quai est-ce qu'il part? 5. Est-ce qu'il y a un wagon-restaurant? 6. Qu'est-ce que c'est qu'un wagon-bar? 7. Où est-ce qu'il y a un changement de train? 8. Combien de temps est-ce qu'il a pour changer?

44. **TRADUCTIONS**

1. I am going to take *this* train but Irene is going to take *that* train. 2. What's that? 3. We have a good ten minutes before leaving. 4. When are we going to arrive in Besançon? 5. How many friends do you have? I have fifteen. 6. Have you seen my children? I have seen two. 7. We want to see first Europe, then Africa. 8. We are going to France because we are studying French. 9. Are you going to Paris? 10. I am going to spend three days in Paris, then I am going to Brazil and Chile. 11. Did you see them?

45. **TRADUISEZ RAPIDEMENT**

1. I believed him. 2. I did not believe him. 3. We saw him. 4. We did not see him. 5. Let's go to Spain! 6. I am coming back to

the United States. 7. I am going to go to Portugal. 8. I am going there. 9. I am coming back from there. 10. They speak German in Germany and French in France.

10C

LECTURES

QUAND

Préparation

1. La mère aime son enfant. Elle est contente de voir qu'il mange. Elle a l'impression de devenir plus jeune (= de *rajeunir*). La lionne[1] est contente de voir manger le petit lion (= le *lionceau*). Elle *rajeunit*.

2. Le *feu*[2] de la destruction est *rouge*.[3] Il *rougit la terre*.[4] Il mange aussi: il détruit; il demande (= *réclame*) sa part.[5]

3. Le lion est un animal sauvage qui semble cruel et qui détruit. Il *réclame sa part*.

4. Le lion et la lionne ont trois lionceaux (trois jeunes lions). Les parents rajeunissent quand ils regardent leurs lionceaux.

5. Quand on pense à la mort, on *frémit* (= on tremble de peur).

6. L'amour continue la vie; il *sourit*[6] à la pensée de la mort.

1 : 23

▼

Quand . . .

> Quand le lionceau déjeune
>   la lionne rajeunit
> Quand le feu réclame sa part
>   la terre rougit
> Quand la mort lui parle de l'amour
>   la vie frémit
> Quand la vie lui parle de la mort
>   l'amour sourit.

▲

JACQUES PRÉVERT
La Pluie et le beau temps. Le Point
du jour (Gallimard), 1955, p. 57.

---

[1]**le lion, la lionne** lion.   [2]**le feu** fire.   [3]**rouge** red.   [4]**rougit la terre** reddens the earth.   [5]**réclamer sa part** to claim one's share.   [6]**sourire** to smile.

LES CHANSONS LES PLUS COURTES

Préparation

1. L'*oiseau*[7] *chante*. Il chante l'amour d'une manière fastidieuse. Son *refrain* est toujours le même.

2. Le refrain: "Je t'aime, tu m'aimes," lui reste dans la tête.[8] C'est très bien pour quelque temps.[9]

3. Quand l'auteur ne veut plus penser à l'amour, Il dit: Je tuerai (= je vais tuer[10]) l'oiseau. Est-il cruel?

Les Chansons les plus courtes

L'oiseau qui chante dans ma tête
Et me répète que je t'aime
Et me répète que tu m'aimes
L'oiseau au fastidieux refrain
Je le tuerai demain matin.

JACQUES PRÉVERT
Histoires, Ed. du Pré aux clercs
(Gallimard), 1948, p. 112.

JE SUIS DE BONNE COMPOSITION

Préparation

1. Les *amants* du poème *s'aiment*.[1] Ils sont comme Abélard et Héloïse, ou comme Roméo et Juliette. Leurs *prénoms*[2] vont *par deux* (= par paires), comme José et Carmen, dans l'opéra *Carmen* de Bizet. La soif va avec *la fontaine*[3] comme José va avec Carmen.

2. L'auteur nomme[2] d'autres personnes qu'il admire: Darius Milhaud, le compositeur,[4] et sa femme Madeleine, Louis Aragon et sa femme Elsa Triolet, auteurs tous les deux.

3. L'amour persiste (= il est *têtu*),[5] il *dure*[6] plus longtemps que la *haine*.[7] La haine est le contraire de l'amour; l'amour est plus fort[8]

4. Les amants, *ceux qui s'aiment*, ne se disent pas "vous." Ils se disent[9] "tu" et "toi."

---

[7]**l'oiseau**, *m.* bird.   [6]**lui ... tête** remains in his head.   [9]**quelque temps** some time, a short time. [10]**tuer** to kill.
[1]**les amants s'aiment** lovers love one another.   [2]**le prénom** first name; **le nom** name; **nommer** to name.   [3]**la fontaine** spring.   [4]**le compositeur** composer.   [5]**têtu** stubborn.   [6]**durer** to last.
[7]**la haine** hate.   [8]**plus fort** stronger.   [9]**se dire** to say to each other.

▼

Je suis de bonne composition

Tous les amants sont mes amis
et j'aime tous les gens qui s'aiment
Louis et Elsa José et Carmen
Darius et Madeleine
et les prénoms qui vont par deux
comme la soif et la fontaine
l'amour plus têtu que la haine
l'unique amour qui fait un seul thème
du tu et du toi de tous ceux qui s'aiment.

▲

CLAUDE ROY
Un Seul Poème (Gallimard),
1954, pp. 35–36.

QUESTIONS

1. Que fait l'amour quand la vie lui parle de la mort? 2. Qu'est-ce que l'oiseau chante dans la tête du poète? 3. Qu'est-ce que Louis et Elsa, José et Carmen ont en commun?

Onzième
leçon

11A

POURQUOI NOUS SOMMES REVENUS SI VITE

9:34 MARC: D'où est-ce que vous venez?

Where are you coming from?

ROGER: Je viens de France.

I'm coming from France.

MARC: De France! Vous êtes allé en France?

From France! You went to France?

ROGER: Oui, j'y suis allé la semaine dernière.

Yes, I went there last week.

MARC: Quand est-ce que vous êtes parti?

When did you leave?

ROGER: Je suis parti lundi à huit heures.

I left Monday at eight.

MARC: C'est incroyable! Et quand est-ce que vous êtes arrivé à Paris?

That is unbelievable! And when did you arrive in Paris?

ROGER: Je suis arrivé quelques heures après. Ce n'est pas extraordinaire!

I arrived a few hours later. That's not unusual!

MARC: Vous n'y êtes pas resté longtemps!

You didn't stay there very long!

171

ROGER: Nous y sommes restés deux jours seulement. Et puis nous sommes repartis.

We stayed for only two days. And then we left again.

MARC: Votre femme est allée avec vous?

Did your wife go with you?

ROGER: Oui, elle est venue avec moi.

Yes, she came with me.

MARC: Pourquoi est-ce que vous êtes rentrés si vite?

Why did you come back so soon?

ROGER: Nous avons eu des ennuis à cause de ma femme, bien sûr.

We had difficulties because of my wife, of course.

MARC: À cause de votre femme?

Because of your wife?

ROGER: Nous sommes revenus parce qu'elle a perdu son chapeau, son (*u*) parapluie, et puis son sac.

We came back because she lost her hat, her umbrella, and then her pocketbook.

MARC: Avec tout votre argent?

With all your money?

ROGER: Évidemment!

Of course!

Étudiez: *un ennui.*

la pluie

11.1   /ɥ/

Je suis parti

The sound /ɥ/ in *je suis* /ʒə sɥi/ is similar to /y/ in *tu es* /ty ɛ/. /ɥ/ is pronounced rapidly before /i/ with rounded, tense lips and with the tip of the tongue against the lower front teeth (see 2.1).

1.   *Répétez:*

1 2 3 4 Je suis parti.	1 2 3 4 5 6 Cette voiture est à lui.
1 2 3 4 Je suis sorti.	1 2 3 4 5 6 Cette valise est à lui.
1 2 3 4 Je suis ici.	1 2 3 4 5 6 Cette monnaie est à lui.
1 2 3 4 Je suis chimiste.	1 2 3 4 5 6 Cette assiette [plate] est à lui.

1 2 3   4   5   6
Il y est depuis huit heures.

1 2 3   4 5   6
Il y est depuis six heures.

1 2 3   4   5   6
Il y est depuis minuit.

1 2 3   4   5 6
Il y est depuis midi.

C'est lui, Louis

Contrast /ɥ/ in *lui* with /w/ in *Louis* /lwi/. These words, as well as the examples below, have only *one* syllable. The sound /w/ is similar to English *w* in the word *sweet*.

2. *Répétez:*

/ɥ/	/w/
lui /lɥi/	Louis /lwi/
huit /ɥit/	oui /wi/
enfui /ãfɥi/	enfoui /ãfwi/
ruée /rɥe/	rouée /rwe/
suait /sɥɛ/	souhait /swɛ/

Oui, j'y *suis* allé. Et *puis* je *suis* revenu. *Oui*, nous avons eu des *ennuis*. Elle a perdu son para*pluie*. C'est *Louis* qui *lui* a téléphoné.

11.2   Intonation de plusieurs groupes de mots (suite)

In a complex sentence, the end of the principal clause is marked by the highest pitch, somewhat higher than the verb of the dependent clause. After each high pitch mark, the voice must go down. (See 10.2).

Nous sommes partis parce qu'elle a perdu son chapeau.

Watch final /o/; do not pronounce it as a diphthong /ou/.

3. *Répétez:*

      Nous sommes partis parce qu'elle a perdu son chapeau.
      Nous sommes partis parce qu'elle a perdu son manteau [overcoat].
      Nous sommes partis parce qu'elle a perdu son couteau [knife].
      Nous sommes partis parce qu'elle a perdu son bateau [boat].
      Nous sommes partis parce qu'elle a perdu son gâteau [cake].

11.3   Le passé composé avec **être**

only intransitive cannot take a direct object.

Verbes intransitifs*

Certain intransitive verbs form their compound tenses with **être**, not **avoir**; their past participles agree with their subject in gender and number like adjectives.

Adjectif	*Participe passé*
Elle est contente.	Elle est arrivée.
[She is happy.]	[She arrived.]
Elles sont désolées.	Elles sont parties.
[They (*f.*) are sorry.]	[They (*f.*) left.]

4.   *Répétez et étudiez:*

aller [to go]
Je suis allé(e) à Paris.

sortir [to go out, step outside]
Tu es sorti(e) de la maison.

partir [to leave]
Il est parti pour Paris.

arriver [to arrive]
Elle est arrivée de Paris.

entrer [to enter]
Nous sommes entré(e)s dans le magasin.

rentrer [to go back (home)]
Vous êtes rentré(e)s à la maison.

monter [to go up]
Ils sont montés au premier étage.

descendre [to go down]
Elles sont descendues du deuxième.

venir† [to come]
Je suis venu(e) vous voir.

revenir [to come back]
Tu es revenu(e) de Marseille.

devenir [to become]
Elle est devenue bavarde.

rester [to remain]
Nous sommes resté(e)s à Lyon.

tomber [to fall]
Vous êtes tombé(e)s dans la rue.

naître [to be born]
Ils sont nés à Orléans.

mourir [to die]
Ils sont morts de fatigue.

5.   *Répétez; attention à l'accord* [agreement] *du participe:*

Nous sommes arrivés à Paris lundi dernier. Nous sommes montés sur la tour Eiffel. Ma femme est descendue très vite; elle a eu peur! Et puis elle a perdu son sac. Alors [thus] nous sommes rentrés très vite; nous ne sommes pas restés long-

---

*An intransitive verb, such as *aller*, cannot take a direct object; a transitive verb such as *prendre* does.

†Learn *j'ai tenu* of *tenir*, analogous in form.

temps et nous avons pris l'avion. Nous sommes rentrés à la maison, mais nous avons perdu une valise.

▼ **6.** *Mettez les phrases suivantes au passé composé:*

EXEMPLE: Je vais à Besançon.   EXEMPLE: Nous habitons à Strasbourg.
RÉPONSE: Je suis allé à Besançon.   RÉPONSE: Nous avons habité à Strasbourg.

Je fais un voyage à Nice. Elle va de Paris à Dijon. Vous choisissez une place. Nous restons deux jours à Dijon. Nous aimons Dijon. Vous partez en voiture. Ils reviennent à Lyon où ils habitent; ils rentrent à la maison. Nous les cherchons partout.

7. *Mettez les phrases à la forme indiquée:*

EXEMPLE: Elle est partie à midi (nous).
RÉPONSE: Nous sommes parties à midi.

Il est allé à l'école (elles). Je suis arrivé à l'heure (nous). Tu es tombé (vous). Elle est restée en France (ils). Vous êtes déjà parti (elle). Ils sont sortis contents
▲ (elle). Nous sommes tombés (je).

Verbes intransitifs ou transitifs:
monter, descendre, sortir, rentrer

Some verbs change meaning according to context, and this determines whether they are used with *être* or *avoir*.

8. *Répétez et étudiez:*

Alice est montée au quatrième.	Alice went up to the fifth floor.
Elle a monté sa valise au deuxième.	She took her suitcase up to the third floor.
Ils sont descendus au rez-de-chaussée.	They went down to the ground floor.
Ils ont descendu les valises.	They took down the suitcases.
Elle est sortie la première.	She went out first.
Elle a sorti sa clef.	She took out her key.
Elle est rentrée en auto.	She went home by car.
Elle a rentré la voiture dans le garage.	She put the car in the garage.

▼ **9.** *Mettez les phrases suivantes au passé composé:*

EXEMPLE: Nous sortons notre argent.   EXEMPLE: Nous sortons.
RÉPONSE: Nous avons sorti notre argent.   RÉPONSE: Nous sommes sortis.

Elle descend la valise. Elle descend au rez-de-chaussée. Il rentre son auto au garage. Il rentre à huit heures. Vous montez son déjeuner? Vous montez pour
▲ écrire une lettre? Quelle valise montez-vous?

Quelle valise avez-vous montée
because the object
comes before the verb.

11.4   Parce que . . . À cause de . . .

10.   *Comparez la préposition* **à cause de** *avec la conjonction* **parce que:**

à cause de	parce que
suivi d'un substantif	suivi d'un sujet
ou d'un pronom	et son verbe

Je vous écris à cause du départ de Paul.	Je vous écris parce que Paul est parti.
Je le fais à cause de vous.	Je le fais parce que vous êtes là.

▼ **11.**   *Combinez les deux phrases avec* **parce que:**

EXEMPLE: Nous sommes rentrés. Nous avons perdu notre argent.
RÉPONSE: Nous sommes rentrés parce que nous avons perdu notre argent.

Vous êtes allé à Paris. Je vous ai écrit.
Vous êtes parti du restaurant. Nos amis sont arrivés.
Ils sont sortis. Monique leur a dit de la faire.   *told them to do it*
Je suis descendu. Marc et Roger sont venus.
Vous êtes monté. Pierre et Jean vous ont téléphoné.

12.   *Combinez les phrases suivantes avec* **à cause de:**

EXEMPLE: Je reste à la maison; mon travail.
RÉPONSE: Je reste à la maison à cause de mon travail.

J'aime le Canada; le climat. Elle aime le Japon; Mme Chrysanthème. Nous étudions le français; notre professeur. J'ai perdu mon temps; toi. Nous ne vous comprenons pas; le bruit. Ils sont arrivés en retard; le métro. Elle est rentrée;
▲ sa mère.

11.5   Le pronom y

J'y vais

13.   *Répétez et étudiez:*

Je vais à **Paris.**	J'y vais.
Nous travaillons **à l'université.**	Nous y travaillons.
Vous déjeunez **à l'école.**	Vous y déjeunez.
Ils habitent **à Lyon.**	Ils y habitent.
Il va **en Afrique.**	Il y va.
Il étudie la biologie **en France.**	Il y étudie la biologie.
Ils viennent avec nous **en Italie.**	Ils y viennent avec nous.
Elle habite **au Portugal.**	Elle y habite.

Nous descendons **dans la rue**.	Nous y descendons.
Vous travaillez **dans le laboratoire**.	Vous y travaillez.
Ils achètent des choses **dans les magasins.**	Ils y achètent des choses.
Elle va **dans le parc.**	Elle y va.

Y replaces entire prepositional phrases introduced by *à, en, dans*, (and *chez*, see 12.4); *y* does not refer to persons (in formal speech).

▼ **14.** *Répondez avec y:*

EXEMPLE: Je suis entré dans la chambre.
RÉPONSE: J'y suis entré.

Nous sommes allés en ville. Nous sommes allés au musée. Je suis revenu aux États-Unis. Je suis descendu à l'hôtel. Nous avons écrit nos lettres à Paris. Elle a perdu son chapeau dans le métro. Tu as oublié ton parapluie à la gare.

15. *Dans les phrases suivantes,*
remplacez un élément de la phrase par y ou par en:

EXEMPLE: Je suis allé à Paris.
RÉPONSE: J'y suis allé.
EXEMPLE: Je suis venu de Paris.
RÉPONSE: J'en suis venu.

Elle est allée à Paris. Nous sommes allés à la gare. Nous sommes revenus de la gare. Ils sont restés en Afrique. Ils sont partis d'Afrique. Elles sont rentrées de
▲ Nice. Je suis revenu du Portugal. Elle est montée au premier étage.

11.6   Les jours de la semaine [days of the week]

16. *Répétez sur un rythme régulier:*

1 2		1 2 3	
lundi	= (on) Monday		
mardi	= (on) Tuesday		
jeudi	= (on) Thursday	mercredi	= (on) Wednesday
samedi	= (on) Saturday	vendredi	= (on) Friday
dimanche	= (on) Sunday		

The definite article *le* is used only if one refers to *every* Monday: on Mondays, Tuesdays, etc.

17. *Répétez et étudiez:*

Il étudie le lundi [on Mondays] et le mercredi [on Wednesdays].
Il va aux cours le mardi [on Tuesdays] et le vendredi [on Fridays].

Il va au théâtre le jeudi [on Thursdays].
Il joue au football le samedi [on Saturdays].
Il va à l'église et joue au football le dimanche [on Sundays].

▼ **18.**   *Répétez et étudiez les phrases suivantes:*

J'y suis allé **lundi** à midi.*
    J'en suis revenu **mardi** à minuit.
Il y est allé **mercredi** à midi.
    Il en est revenu **jeudi** à minuit.
Vous y êtes allé(s) **vendredi** à midi.
    Vous en êtes revenu(s) **samedi** à minuit.
Elles y sont allées **dimanche** à midi.
    Elles en sont revenues **lundi** à minuit.

Les élèves [pupils] français vont à l'école le lundi, le mardi, le mercredi, le vendredi et le samedi; ils n'y vont pas le jeudi et le dimanche.†

19.   *Remplacez le jour indiqué par le jour suivant* [*the following day*]:

EXEMPLE: Elle est arrivée lundi à 8 heures.
RÉPONSE: Elle est arrivée mardi à 8 heures.

Nous sommes partis jeudi à midi. Vous êtes revenu dimanche matin. Elles sont rentrées mercredi à 3 h. Vous êtes resté de lundi à mercredi. Vous êtes reparti
▲ samedi. Vous venez le mardi.

20.   QUESTIONS ET RÉPONSES

1. D'où vient Roger? 2. Quand est-ce qu'il y est allé? 3. Quand est-ce qu'il en est reparti? 4. Est-ce qu'il y est allé en bateau? 5. Avec qui est-ce qu'il y est allé? 6. Pourquoi est-ce qu'ils sont rentrés si vite? 7. Aimez-vous mieux voyager en avion ou en bateau?

21.   TRADUCTIONS

1. When did you leave? 2. She left right away because she lost her money. 3. We stayed in Paris because of the cooking. 4. I do not live with this family but I go there on Wednesdays and Thursdays. 5. I am going to eat there Thursday. 6. Why did you come back so fast? 7. We do not have any money. My wife lost it.

---

*See 10.6; y and en replace all types of indications of place: *Je suis allé en ville = j'y suis allé.*
Je reste dans la salle de danse = j'y reste; je viens du restaurant = j'en viens.
†French public schools hold no classes on Thursdays.

IL VA PLEUVOIR

21:42 ELLE: Qu'est-ce que la météo a annoncé ce matin?

What did the weather forecast say this morning?

LUI: Ciel nuageux, de la pluie, du vent, de la tempête.

Cloudy skies, rain, wind, storms.

ELLE: Zut alors! Il n'y a pas de soleil aujourd'hui et pourtant je veux aller en ville avec toi cet après-midi.

Darn it! There's no sun today and yet I want to go downtown with you this afternoon.

LUI: Tu y es allée hier avec Louis.

You went there yesterday with Louis.

ELLE: Oui, j'y suis allée avec lui, mais j'ai encore des courses à faire. Est-ce qu'il fait chaud dehors?

Yes, I went with him, but I have some more shopping to do. Is it warm out?

LUI: Je n'y suis pas encore allé. Attends! Je vais ouvrir la fenêtre.

I haven't gone outside yet. Wait! I'll open the window.

ELLE: Oui, on va voir s'il fait beau ou s'il fait mauvais.

Yes, we'll see if the weather is good or bad.

LUI: Regarde, le ciel est clair, pas de pluie, pas de tempête, pas de neige.

Look, the sky is clear, no rain, no storm, no snow.

ELLE: Tu ne sens pas s'il fait froid?

Can't you tell whether it's cold?

LUI: Il fait du soleil mais aussi du vent. L'air est un peu frais, je crois.

It is sunny but also windy. The air is somewhat cool, I think.

ELLE: Alors, puisqu'il ne pleut pas, je mets ma robe bleue.

Then, since it's not raining, I'll put on my blue dress.

LUI: De toute manière, tu es toujours ravissante.

In any case, you are always beautiful.

ELLE: Comme tu es aimable avec moi aujourd'hui. Mais attendons, la météo a raison: Il va pleuvoir ce soir.

How nice you are to me today. But let's wait. The weatherman is right. It will rain this evening.*

Étudiez: *le soleil, la ville, la pluie, la tempête, la neige.*
*She thinks that by evening there will be a change not only in the weather but in his attitude.

11.7 /j/ : **Hier, le ciel . . .**

French /j/, pronounced as in English *yes* and *yesterday*, occurs in four positions.

22. *Répétez:*

Initial: hier /jɛr/, yacht /jak/, hiérarchie /jerarʃi/.
After consonant: ciel /sjɛl/ tiède /tjɛd/, Pierre /piɛr/.
Between vowels: voyage /vwajaʒ/, mayonnaise /majonɛz/,
    travailler /travaje/.
Final: soleil /solɛj/, fille /fij/ travail /travaj/.

French /j/ is always a separate sound, tense and energetic, while in English between vowels and in final position it constitutes a diphthong or glide with the vowel, as in *boy, toy, tie.* To avoid such diphthongs, compare the following pairs; they differ in the final sounds only.

23. *Répétez:*

tape /tap/—taille /taj/; fil /fil/—fille /fij/; solaire /solɛr/—soleil /solɛj/; foule /ful/—fouille /fuj/.

24. *Étudiez et répétez:*

/j/: *between consonant and vowel:* piano, violon, diamant, piéton, violent, bientôt, fiancé.
/j/: *between vowels:* payer, payons, voyage, billet, cuillère, meilleur, cahier.
Final /j/: (Keep lips in the position of the preceding vowel):
    lips drawn aside: bille, fille.
    lips relaxed: paille, taille.
    lips rounded: feuille, cueille, fouille, nouille.

11.8 /t/

French /t/ is neither as aspirated as English /t/ in *task,* nor as soft as in *motor.* French /t/ is pronounced with the tip of the tongue against the upper teeth, not the gums. To avoid aspiration try to anticipate the following vowel.

25. *Répétez:*

Initial: Tout va bien, tu vas bien, toujours, tant mieux [so much the better].
Between vowels: automatique, activité, synthétique, attitude.
Liaison: C'est à moi, c'est à toi, c'est à lui, c'est à elle.
Consonant link: cette affaire, cette occasion, cette auto, cette invitation.

11.9   Pronoms disjonctifs

In answer to the question, "Qui est là?" the following *disjunctive* (not joined to the verb) personal pronouns are used; they are also used after prepositions and for emphasis. They may be either *subject* or *object* pronouns.

Moi!	I, me	**Elle!**	she, her	**Eux!**	they, them
Toi!	you (*fam.*)	**Nous!**	we, us	**Elles!**	they, them(*f.*)
Lui!	he, him	**Vous!**	you		

26.   *Répétez et étudiez:*

Mise en valeur [emphasis]:	Après la préposition:
Moi, j'ai de l'argent.	J'y vais avec vous.
Toi, tu as de la chance!	Vous venez avec nous.
Lui, il est très en retard.	Sortons avec eux!
Elle, elle ne comprend rien!	Allons avec elles!
C'est moi qui te le dis!	C'est pour toi que je le dis.
Je te comprends, toi!	Parlons de lui!
Je les comprends, eux!	Cet argent est à moi.
	[belongs to me]

27.   *Répondez selon l'indication:*

EXEMPLE: Qui est venu avec Guy? (moi)
RÉPONSE: C'est moi qui suis venu avec lui.
EXEMPLE: Qui est parti avec Marie? (nous)
RÉPONSE: C'est nous qui sommes partis avec elle.

Qui est arrivé avec Gilles? (toi) Qui est sorti avec ma soeur? (vous) Qui est allé en France avec mes amis? (moi) Qui est resté à l'école avec le professeur? (eux) Qui est venu de Paris avec ta tante? (elle) Qui est descendu avec ces étudiantes? (nous).

28.   *Répétez avec le pronom et être à [to belong to]:*

EXEMPLE: C'est mon sac.   EXEMPLE: C'est votre place.
RÉPONSE: Il est à moi.   RÉPONSE: Elle est à vous.

C'est la valise de Jean. Ce sont les billets de Jacques. C'est ton chapeau. C'est ta maison. C'est le sac de Marie. C'est ta monnaie. C'est l'argent de Paul.

11.10   Le temps [the weather]

29.   *Étudiez les expressions suivantes:*

Quel temps fait-il? [What is the weather like?]
Il fait beau = il fait beau temps. [The weather is good.]

Il fait mauvais = il fait mauvais temps. [The weather is bad.]
Il fait gris = il fait un temps gris.
Il fait humide = il fait un temps humide.
Il pleut [It is raining].   Il neige [It is snowing].
Il va pleuvoir.   Il va neiger.
Il a plu.   Il a neigé.
Il vient de pleuvoir.   Il vient de neiger.

Pleuvoir has forms only in the third person singular of each tense, just like *neiger, faire beau, faire mauvais*, etc.

30.   *Mettez les expressions suivantes au futur proche:*

EXEMPLE: Il fait beau.   EXEMPLE: Il pleut.
RÉPONSE: Il va faire beau. RÉPONSE: Il va pleuvoir.

Il fait mauvais. Il fait du vent. Il pleut aujourd'hui. Il fait humide. Il fait du soleil. Il fait froid. Il neige.

▼ **31.**   *Répondez selon l'indication:*

EXEMPLE: Quel temps fait-il? Beau.
RÉPONSE: Il fait beau.

▲   Humide, froid, frais, mauvais, chaud, gris.

32.   *Répondez selon le modèle:*

EXEMPLE: Voilà le soleil.
RÉPONSE: Il fait du soleil.
EXEMPLE: Voilà la pluie.
RÉPONSE: Il pleut.

Voilà le vent, la neige, le soleil, la pluie.

▼ **33.**   *Mettez les expressions suivantes au passé composé affirmatif:*

EXEMPLE: Il ne fait pas froid.
RÉPONSE: Il a fait froid.

Il ne fait pas humide. Il ne fait pas gris. Il ne fait pas mauvais. Il ne fait pas
▲ chaud. Il ne fait pas frais. Il ne fait pas beau.

11.11   **Faire** + infinitif

The idea of having something done (by someone else) can be expressed by *faire* and the infinitive.

34. *Répétez et étudiez:*

Je fais descendre la valise.	I am having the suitcase brought down.
Elle fait monter ses affaires.	She is having her things brought up.
J'ai fait vendre ma maison.	I had my house sold.
Il a fait venir le garçon.	He had the waiter come. (He sent for the waiter.)

35. *Transformez les phrases suivantes selon l'exemple:*

EXEMPLE: Il a vendu la maison.
RÉPONSE: Il a fait vendre la maison.

Elle a descendu ses affaires. Jacques a monté la valise. Nous avons apporté du pain. J'ai réparé la voiture. Ils ont vendu des billets.

11.12 **Depuis** + présent

Il pleut depuis une semaine

"It has been raining for a week." For actions which started in the past and continue into the present, **depuis** [since] takes the present tense. The English equivalent uses the present perfect.

36. *Mettez les phrases au présent avec **depuis:***

pour – future.
depuis – still happening.
translated "for" completed action.

EXEMPLE: Il a plu pendant une semaine [It rained for a week].
RÉPONSE: Il pleut depuis une semaine [It's been raining for a week].

Il a neigé pendant quatre jours. Il a fait du soleil pendant quinze jours. Il a fait beau pendant huit jours. J'ai attendu pendant un quart d'heure. Je vous ai attendu pendant une heure. J'ai étudié l'espagnol pendant trois ans. Vous m'avez attendu une heure seulement.

Depuis combien de temps est-ce que vous travaillez?

Questions with *depuis combien de temps* call for answers stating an exact time span.

37. *Répondez avec **depuis** et le présent:*

EXEMPLE: Depuis combien de temps est-ce que vous parlez français? Deux ans.
RÉPONSE: Je parle français depuis deux ans.

Depuis combien de temps est-ce que vous habitez à Marseille? Dix ans. Depuis combien de temps est-ce que vous allez en France? Quinze ans. Depuis combien

have you been going to France

de temps est-ce que vous êtes ici? Six heures. Depuis combien de temps est-ce que vous conduisez une voiture? Cinq ans. Depuis combien de temps est-ce que vous fréquentez ce musée? Six mois. Depuis combien de temps est-ce que vous étudiez le chinois? Huit jours.

Depuis quand est-ce que vous travaillez?

A question with *depuis quand* calls for an answer which supplies a date, a day of the week, a time of day, etc.

38.   *Répondez avec **lundi, mardi, mercredi,** etc.;*
   mettez le jour suivant:

EXEMPLE: Depuis quand est-ce que vous travaillez?
RÉPONSE: Je travaille depuis lundi.
EXEMPLE: Depuis quand est-ce que vous êtes ici?
RÉPONSE: Je suis ici depuis mardi.

Depuis quand étudiez-vous ce chapitre?... êtes-vous malade?... est-ce que vous restez à la maison?... est-ce qu'il y a du soleil?... est-ce qu'on annonce le mauvais temps?... est-elle rentrée?

11.13   Pluriels en -aux

39.   *Répétez et étudiez:*

	Noms	*Adjectifs*
-al, -aux	Voilà un journal.	C'est un numéro cardinal.
	Voilà des journaux.	Ce sont des numéros cardinaux.
	C'est un général.	Ce problème est international.
	Ce sont des généraux.	Ce sont des problèmes internationaux.
-ail, -aux	C'est un grand travail.	
	Ce sont des travaux importants.	
-eau, -eaux	Voilà un tableau.	Il est très beau.
	Ce sont des tableaux	Ils sont très beaux.
	Il voyage par bateau.	
	Il aime les bateaux	
	Il mange au bureau	
	Il téléphone aux bureaux.	

Note the feminine adjectives: *cardinale(s), belle(s)*. For noun plurals in **-oux**, see 11C.

40. *Mettez les phrases suivantes au pluriel;*
  attention aux formes en -aux et -eaux:

EXEMPLE: Il vend le beau tableau.
RÉPONSE: Ils vendent les beaux tableaux.
EXEMPLE: Il vend l'auto.
RÉPONSE: Ils vendent les autos.

Voilà le bureau du directeur général. Le tableau noir est resté dans la salle de classe. Le bateau est arrivé au Havre. Il porte son beau manteau. C'est l'auto idéale. Il étudie le numéro cardinal.

11.14 Révision

41. *Mettez les verbes suivants au passé composé:*

EXEMPLE: Nous partons en avion.
RÉPONSE: Nous sommes partis en avion.

Nous descendons de la voiture. Vous revenez de France. Elle part pour la France. Ils ne reviennent jamais. Paul, est-ce que tu sors? D'où venez-vous, Mademoiselle? Mes amis descendent du deuxième étage.

42. *Continuez:*

EXEMPLE: Elle va à l'école.
RÉPONSE: Elle est allée à l'école.

Nous arrivons à l'université. Nous restons dans la salle de conférences. Mon ami entre dans le laboratoire. À midi, les étudiants rentrent à la maison. Est-ce que vous rentrez aussi, Monsieur? Non, vous et Madame Dupont allez au restaurant. Monsieur et Madame Dupont entrent dans* la salle à manger.

43. *Continuez:*

EXEMPLE: Rendez-vous le livre?
RÉPONSE: Avez-vous rendu le livre?
EXEMPLE: Est-ce que vous m'entendez?
RÉPONSE: Est-ce que vous m'avez entendu?

Est-ce qu'il vend le garage? Est-ce qu'elles descendent à l'hôtel? Attendons-nous quatre heures? Attend-il le train de midi douze? Est-ce que tu entends cette histoire? Est-ce qu'il répond à la question? Perdez-vous votre temps? Est-ce que vous la suivez?

---

*Note that the verb *entrer* is always followed by the preposition *dans* when the place into which one enters is mentioned.

44.   QUESTIONS ET RÉPONSES

1. Est-ce que la météo a annoncé du vent? 2. Est-ce qu'il y a du soleil? 3. Est-ce que la jeune fille veut rester à la maison? 4. Pourquoi est-ce qu'elle veut aller en ville? 5. Qui va ouvrir la fenêtre? 6. Est-ce qu'il fait frais? 7. Pourquoi est-ce qu'elle prend sa robe bleue? 8. Pourquoi est-ce que la météo a raison?

45.   TRADUCTIONS

1. How long have you been in the United States? 2. I have been there for two years. 3. That's unbelievable! And you speak only French? 4. I have never studied English in school. 5. The weather forecast announced wind, rain, and no sunshine. 6. This handbag belongs to my friend. She lost all her money. 7. We believe that (*croire que*) there is going to be sunshine. 8. I am taking my umbrella because the weather forecast is always right. 9. It is going to be hot and it is going to rain. 10. Call the waiter!

11 C

LECTURES

LES HIBOUX, LA FOURMI

Préparation

1. Si les enfants sont sages,[1] les mères les appellent "mon petit chou."[2]
2. Les singes[3] cherchent les *poux*[4] de leur petits *en les tenant sur les genoux.*[5]
3. Les *hiboux*[6] *n'ont point* (= n'ont pas) de genoux; ils n'ont point de poux. L'auteur accumule les substantifs[7] en -*ou* qui prennent *x* au pluriel.
4. En France, tous les enfants apprennent cette liste de substantifs par coeur;[8] Robert Desnos les présente sous[9] une forme amusante.
5. Leurs *yeux* semblent être des *bijoux*[10] précieux comme *de l'or;*[11] ils ont la valeur[12] de bijoux précieux (ils les *valent*).
6. Les hommes ont des lèvres, les oiseaux ont des becs *durs*[13] comme des *cailloux,*[14] comme de petites pierres.[15]
7. Les enfants, les petits choux, sont *doux*[16] comme des *joujoux.*[17] En réalité

---

[1]**sage** good; wise.   [2]**le petit chou** darling.   [3]**le singe** monkey.   [4]**le pou** louse; les **poux** lice.   [5]**en ...genoux** while holding them on their knees.   [6]**le hibou** owl.   [7]**le substantif** noun.   [8]**par coeur** by heart.   [9]**sous** *ici,* in.   [10]**le bijou** jewel.   [11]**l'or,** *m.* gold.   [12]**la valeur** value.   [13]**dur** hard.   [14]**le caillou** pebble.   [15]**la pierre** stone.   [16]**doux, douce** sweet, gentle.   [17]**le joujou** toy.

les joujoux ne sont pas doux, mais les enfants jouent[18] avec leurs joujoux (= jouets).

8. L'histoire *se passe*[19] chez *les fous.*[20]

9. Les *chars* étaient[21] des voitures antiques; les chevaux[22] et non pas[23] les *fourmis*[24] tiraient (= *traînaient*[25]) les chars. Ici les chars sont *pleins*[26] de *canards.*[27] Qu'est-ce qu'ils y font? La fantaisie du poète les y place.

10. Les animaux *parlant français* (= qui parlent français) existent dans les fables et dans les contes de fées.[28] Seulement ce poème n'est pas un conte de fées. L'auteur va jusqu'au pôle sud pour trouver les *pingouins.* Ensuite il dit: *Eh! Pourquoi pas?*

11. Géographie des fables:

Provinces françaises:	L'*Anjou* (capitale, Angers);
	Le *Poitou* (capitale, Poitiers).
Régions de l'Europe:	Les *Andalous* habitent dans le sud de l'Espagne;
	Moscou, capitale de la Russie;
	on a parlé *latin* à Rome.
Régions de l'Afrique:	*Tombouctou* dans la république de Mali;
	les *Zoulous* habitent en Afrique du Sud.
Régions de l'Asie:	La Chine des *Mandchous*; le *javanais* est la langue de l'île de Java en Indonésie et aussi un jargon des enfants de Paris.
Régions de l'Amérique:	Le *Pérou.*
	C'est dans la zone des tropiques qu'il y a des *cabanes* [huts] de *bambou.*

12. Les substantifs avec *-oux* au pluriel:

bijou(x), caillou(x), chou(x), genou(x), hibou(x), joujou(x); pou(x).

Mais notez: les fous, les Andalous, les Mandchous, les Zoulous.

13. Les adjectifs en *-oux*:

doux, douce; un petit chou doux; de l'eau douce [fresh water].

Les Hiboux

Ce sont les mères des hiboux
Qui désiraient chercher les poux
De leurs enfants, leurs petits choux
En les tenant sur les genoux.
Leurs yeux d'or valent des bijoux
Leur bec est dur comme cailloux,
Ils sont doux comme des joujoux.

---

[18]**jouer** to play.   [19]**se passer** to take place, happen.   [20]**fou, folle,** *adj.* & *n.* crazy, mad.   [21]**étaient** were (*imp. of* **être**).   [22]**le cheval,** *pl.* **chevaux** horse.   [23]**non pas** not.   [24]**la fourmi** ant.   [25]**traîner** to pull slowly.   [26]**plein** full.   [27]**le canard** duck.   [28]**le conte de fées** fairy tale.

Mais aux hiboux point de genoux!
Votre histoire se passait où?
Chez les Zoulous? Les Andalous?
Ou dans la cabane bambou?
À Moscou? Ou à Tombouctou?
En Anjou ou dans le Poitou?
Au Pérou ou chez les Mandchous?
   Hou! Hou!
Pas du tout, c'était chez les fous.

La Fourmi

Une fourmi de dix-huit mètres
Avec un chapeau sur la tête,
Ça n'existe pas, ça n'existe pas.
Une fourmi traînant un char
Plein de pingouins et de canards,
Ça n'existe pas, ça n'existe pas.
Une fourmi parlant français,
Parlant latin et javanais,
Ça n'existe pas, ça n'existe pas.
Eh! Pourquoi pas?

ROBERT DESNOS
Chantefables et chantefleurs

QUESTIONS

1. Pourquoi est-ce que Desnos écrit le premier poème, "Les Hiboux"?
2. Discutez l'imagination des enfants et des poètes selon ces deux poèmes.

Douzième leçon

12 A

opinion about

QU'EST-CE QUE VOUS PENSEZ DE LA CIRCULATION?

0:06 FRANÇOIS: Il y a longtemps que vous êtes en France?

BILL: Je suis ici depuis un mois et demi. Un mois et quatorze jours exactement.

FRANÇOIS: C'est la première fois que vous venez ici?

BILL: Non, je suis déjà venu deux fois. Mais je ne suis jamais revenu depuis la guerre.

FRANÇOIS: Est-ce que vous avez trouvé beaucoup de changements à Paris?

BILL: J'ai l'impression qu'il y a beaucoup plus de voitures, plus de gens

Have you been in France long?

I've been here for a month and a half. One month and fourteen days to be exact.

Is this your first visit here?

No, I have already come twice before. But I have never been back since the war.

Did you find many changes in Paris?

I have the impression that there are many more cars, more people in

moins de before noun
plus de
les

dans les rues et moins de place pour circuler.

the streets and less room for driving.

FRANÇOIS: Est-ce que vous avez autant *as* de difficultés avec la circulation à New-York?

Do you have as much trouble with traffic in New York?

BILL: À peu près autant. *approx* Mais ici les chauffeurs conduisent plus vite qu'à New-York.

About as much. But here the drivers go faster than in New York.

FRANÇOIS: Et pourtant, en France, les rues sont plus petites qu'aux États-Unis.

And yet, the streets in France are narrower than in the United States.

BILL: Oui, mais vos voitures sont moins grandes que les voitures américaines. Et vos chauffeurs sont peut-être plus habiles.

Yes, but your cars are not as large as American cars. And perhaps your drivers are more skillful.

FRANÇOIS: Ils sont peut-être moins prudents.

Perhaps they are less careful.

BILL: C'est bien possible. Et ils ne sont pas plus aimables pour les piétons.

That's quite possible. And they aren't any more polite toward pedestrians.

FRANÇOIS: Disons qu'il est aussi dif- *as* ficile d'être piéton chez vous que chez nous.

Let's say that it's just as difficult to be a pedestrian in your country as it is in ours.

Étudiez: *une impression, le changement, le chauffeur, le piéton, la difficulté.*

12.1   Phonétique

/r/ final

Final /r/ is pronounced with the tongue against the lower teeth. The lips remain in the position assumed to pronounce the preceding vowel. In *jour* /ʒur/, the lips stay rounded for /r/ as for /u/.

1.   *Répétez; faites attention au mouvement des lèvres* [lips]:

Lips drawn aside	Lips relaxed	Lips rounded
première	par	chauffeur
dernière	gare	sept heures
guerre	tard	voiture
dictionnaire	ce soir	quatorze
extraordinaire	le départ	un jour

2. *Répétez les mots suivants sur un rythme régulier:*

/sj/ français ⟶ /ʃ/ anglais		/zj/ français ⟶ /ʒ/ anglais	
1 2 3 impression	1 2 3 4 circulation	1 2 vision	1 2 3 révision
1 2 3 direction	1 2 3 4 association	1 2 lésion	1 2 3 dérision
12 3 réaction	1 2 3 4 exposition	1 2 fusion	1 2 3 décision
1 2 3 attention	1 2 3 4 satisfaction	1 2 3 4 télévision	1 2 3 illusion

12.2   Il y a indique le temps [tense]

Il y a + que + présent

Il y a . . . + que + present tense, indicates an action which started in the past but continues in the present. The present tense is used in French in contrast to the present perfect in English (see 11.12).

3. *Répétez et étudiez:*

Il y a une heure qu'il attend.	Il attend depuis une heure.
Il y a quatre heures qu'il attend.	Il attend depuis quatre heures.
Il y a cinq mois qu'il le prend.	Il le prend depuis cinq mois.
Il y a deux ans qu'il le prend.	Il le prend depuis deux ans.

4. *Transformez les phrases en mettant **depuis**:*

EXEMPLE: Il a y deux jours que j'y suis.

RÉPONSE: J'y suis depuis deux jours.

Il y a une semaine qu'elle en parle. Il y a un an que nous y habitons. Il y a quatre semaines qu'il y est. Il y a quatre ans qu'il y pense. Il y a deux mois que nous en avons besoin. Il y a deux heures qu'elles en ont besoin. Il y a longtemps qu'elle me regarde.

5. *Transformez les phrases en mettant **il y a . . . que**:*

EXEMPLE: Nous étudions depuis une heure.

RÉPONSE: Il y a une heure que nous étudions.

Nous travaillons depuis quelques jours. Elle ne me parle pas depuis une semaine. Elle sait conduire depuis un an. Vous travaillez chez nous depuis quatre ans. J'attends depuis longtemps. Je l'attends depuis une heure. Il neige depuis quelques heures.

6. *Répondez avec* **encore:**

EXEMPLE: Elle lui écrit depuis longtemps.
RÉPONSE: Elle lui écrit encore.

Nous le rencontrons depuis deux ans. Elle travaille depuis longtemps. Il neige depuis longtemps. Elle conduit depuis vingt ans. Nous étudions depuis midi. Il pleut depuis hier. Elle danse depuis quatorze ans.

Il y a [ago]
*before expression
of time.*

7. *Répétez et comparez:*

Il y a [ago]	**Il y a ... que** + *présent*
Il est arrivé il y a dix minutes.	Il y a dix minutes qu'il est là.
Il a acheté sa voiture il y a un an.	Il y a un an qu'il a sa voiture.
Il a travaillé il y a cinq ans.	Il y a une heure que je ne fais rien.
Napoléon est né il y a deux cents ans, en 1768.	Il y a cinq ans qu'il ne travaille plus.

Il y a [ago] is always used with a past tense.
Il y a ... que is used with the present tense since the action continues into the present.

8. *Mettez à l'affirmatif, au passé composé, avec* **il y a** [ago]:

EXEMPLE: Il y a longtemps qu'elle ne lui écrit plus.
RÉPONSE: Elle lui a écrit il y a longtemps.

Il y a deux mois que nous ne le voyons plus. Il y a une semaine qu'elle ne travaille plus. Il y a trois jours qu'il ne neige plus. Il y a un mois qu'il ne pleut plus. Il y a quinze jours qu'il ne fait pas de vent. Il y a huit jours que vous ne lisez plus le journal.

9. *Mettez* **il y a** [ago] *et le passé composé:*

EXEMPLE: Elle lui écrit depuis longtemps.
RÉPONSE: Elle lui a écrit il y a longtemps.

Nous le connaissons depuis deux ans. Elle l'apprend depuis longtemps. Il neige depuis un mois. Il fait mauvais depuis deux jours. Il étudie le chinois depuis quatre ans. Il pleut depuis une heure. Elle parle français depuis six ans.

12.3 La comparaison des adjectifs

Le comparatif

Two persons or things can be compared by use of **plus** . . . **que** [more . . . than], **moins** . . . **que** [less . . . than], **aussi** . . . **que** [as . . . as].

10. *Répétez et étudiez:*

Jean est plus grand que Pierre, aussi grand que Paul, moins grand que Maurice.

Marie est plus gentille que Pauline et aussi gentille que sa soeur; son oncle est moins gentil.

Alice est plus intelligente que Françoise, aussi jolie que Marie et moins bavarde que sa soeur.

Nous sommes plus fatigués que vous parce que nous sommes moins forts [strong] que vous.

11. *Mettez le comparatif selon l'indication:*

EXEMPLE: Elle est jolie; et sa soeur? (plus).
RÉPONSE: Sa soeur est plus jolie qu'elle.
EXEMPLE: Il est petit; et Paul? (aussi).
RÉPONSE: Paul est aussi petit que lui.

Il est prudent; et Sophie? (plus). Il est grand; et sa femme? (moins). Les messieurs sont bavards; et les dames? (aussi). Il est drôle; et Joséphine? (moins). Jean est content; et Jeanne? (encore plus). Les garçons sont braves; et les filles? (aussi). Ma soeur est habile; et mon frère? (moins).

12. *Mettez le comparatif selon l'indication:*

EXEMPLE: Je suis grand; Pierre est grand (plus).
RÉPONSE: Je suis plus grand que Pierre.
EXEMPLE: Je suis content. Mon ami est content (moins).
RÉPONSE: Je suis moins content que mon ami.

Françoise est intelligente; François est intelligent (plus). Richard est riche; Ferdinand est riche (moins). Je suis intelligent; mes amis sont intelligents (plus). Hélène est heureuse; Alice est heureuse (moins). Je suis fatigué; vous êtes fatigués (plus).

Le superlatif

The superlative is composed of the comparative and one or two definite articles.*
If the adjective precedes the noun, the superlative uses one article: *la plus grande*

---

*A possessive adjective may replace the article: *ma plus belle histoire.*

maison. If the adjective follows the noun, there are two articles: *la maison la plus proche.* *De* after the superlative is rendered by "in" in English: *le plus grand du groupe* = the tallest in the group.

13. *Répétez et étudiez:*

Adjectifs antéposés [before the noun]

Paul est un grand garçon.	C'est le plus grand (garçon) de la classe.
Marie est une petite fille.	C'est la plus petite (fille) du groupe.

Adjectifs postposés [following the noun]

Jean est un homme fort.	C'est (l'homme) le plus fort du village.
Janine est une femme intelligente.	C'est (la femme) la plus intelligente de la famille.

▼ **14.** *Mettez le superlatif selon l'indication:*

EXEMPLE: C'est une petite fille (plus).
RÉPONSE: C'est la plus petite fille.
EXEMPLE: C'est un article intéressant (moins).
RÉPONSE: C'est l'article le moins intéressant.

C'est une mauvaise affaire (plus). C'est un grand problème (plus). C'est un élève brillant (moins). C'est un quartier pauvre (plus). C'est une leçon difficile ▲ (moins). C'est un bon dessert (moins).

The irregular comparative of *bon* is *meilleur.*

15. *Remplacez **mauvais** par **bon** dans les phrases suivantes:*

EXEMPLE: Voilà la plus mauvaise musique de la saison [season].
RÉPONSE: Voilà la meilleure musique de la saison.

Ce vin est plus mauvais que l'autre. Le devoir de François est mauvais; c'est le plus mauvais de tous. Aujourd'hui il fait mauvais; c'est le jour le plus mauvais du mois. Cette route est mauvaise; elle est plus mauvaise que l'autre.

12.4 La préposition **chez**

The preposition *chez* expresses *to* or *at the house (home, place of business) of*; *de* may precede *chez* to indicate *from the house of.* The pronoun *y* can replace the prepositional phrase with *chez.*

16. *Répétez et étudiez:*

Je vais chez Gilles.	Je viens de chez Gilles.
Claire rentre chez elle.	Claire sort de chez elle.
Il revient chez ses parents.	Il revient de chez ses parents.
Vous venez chez moi!	Vous venez de chez moi!
Je vais chez Jean.	J'y vais.
Vous travaillez chez le boulanger.	Vous y travaillez.
Elle déjeune toujours chez Mathieu.	Elle y déjeune toujours.
Elle habite chez sa mère.	Elle y habite.

17. *Répondez selon le modèle:*

EXEMPLE: Vous allez chez Pierre?
RÉPONSE: Non, je viens de chez lui.

Vous allez chez Elisabeth? Vous allez chez mes parents? Vous allez chez Guy? Vous allez chez nos soeurs? Vous allez chez Julie? Vous allez chez Brigitte? Vous allez chez Paul?

18. *Mettez chez, en, ou au dans les phrases suivantes:*

EXEMPLE: Je vais . . . Yvonne.   EXEMPLE: Je vais . . . France.
RÉPONSE: Je vais chez Yvonne.   RÉPONSE: Je vais en France.
EXEMPLE: Je vais . . . Japon.   EXEMPLE: Je vais . . . États-Unis.
RÉPONSE: Je vais au Japon.   RÉPONSE: Je vais aux États-Unis.

Nous sommes allés . . . nos amis. Tu vas chercher ta femme . . . Espagne. Ils voyagent . . . Mexique. Elles aiment mieux voyager . . . Europe. Ce n'est pas la peine d'aller . . . Irène. Ils partent de . . . eux. Vous allez . . . Pays-Bas?

12.5 Il y en a

Y and *en* may stand together, in this order: *Il y en a.*

19. *Répétez et étudiez:*

Il y a du beurre dans le frigidaire.
Il y en a sur la table aussi.
Il y a du vin à la cave [cellar].
Il y en a dans la cuisine aussi.

Il y a des touristes en France.
Il y en a en Allemagne aussi.
Il y a des Américains à Paris.
Il y en a en Angleterre aussi.

20.   *Répondez avec il y en a:*

EXEMPLE: Il y a beaucoup de touristes.
RÉPONSE: Il y en a beaucoup.

Il y a beaucoup d'argent. Il y a moins de soleil qu'avant. Il y a beaucoup de voitures. Il y a plus de circulation qu'avant. Il y a moins de difficultés. Il y a soixante voitures. Il y a vingt-cinq petits pains.

12.6   Révision

▼ **21.**   *Combinez les phrases selon l'indication:*

EXEMPLE: Vous écrivez des lettres; moins que moi.
RÉPONSE: Vous écrivez moins de lettres que moi.

Vous avez des ennuis; autant que moi. Ils vendent des voitures; moins que nous. Nous prenons des billets; autant que vous. Ils ont des problèmes; plus que nous. Ils ont de la chance; plus que nous. J'ai des livres; autant qu'eux. Nous ▲ avons du temps; plus que vous.

22.   QUESTIONS ET RÉPONSES

1. Est-ce qu'il y a longtemps que Bill est en France? 2. Depuis combien de temps est-ce qu'il y est exactement? 3. Est-ce que Bill a trouvé beaucoup de changements à Paris? 4. Est-ce qu'il a beaucoup de difficulté à circuler à New-York? 5. Où est-ce que les chauffeurs conduisent plus vite, à Paris ou à New-York? 6. Où est-ce que les rues sont plus petites, en France ou aux États-Unis? 7. Est-ce que les voitures françaises sont plus ou moins grandes que les voitures américaines?

23.   TRADUCTIONS

1. I have been in France for a month. 2. Did you find many changes in Paris? 3. I have the impression that there are more cars in the street. 4. Did you have as much difficulty with traffic in New York? 5. Here the drivers go faster than in New York, don't they? 6. French drivers are less careful than American drivers, aren't they? 7. We are going to see if the weather is good or bad. 8. The sky is clear; there is no rain, no storm, no snow. 9. We sold our house and went to Paris.

IL Y A DES PICASSO SENSATIONNELS

3:30 FRANÇOIS: Demain, je vais voir l'exposition cubiste au Musée d'Art Moderne.

Tomorrow I am going to see the cubist exhibition at the Museum of Modern Art.

BILL: Tiens! Moi, j'en viens justement.

What do you know! I am just coming from there.

FRANÇOIS: Qu'est-ce que tu en pensais?

What did you think of it?

BILL: C'était très intéressant. Il y avait des Picasso sensationnels.

It was very interesting. There were some terrific Picassos.

FRANÇOIS: Oui, mais toi, tu as étudié l'art moderne. . . .

Yes, but *you* have studied modern art. . . .

BILL: On n'a pas besoin de l'avoir étudié pour l'apprécier.

One doesn't need to have studied it to appreciate it.

FRANÇOIS: Je n'en suis pas sûr. Et je préfère les peintres figuratifs.

I am not sure of that, and I prefer representational painters.

BILL: Renoir, par exemple?

Renoir, for instance?

FRANÇOIS: Oui, lui, je le comprends tout de suite.

Yes, I understand *him* right away.

BILL: Il y a une exposition d'art abstrait épatante en ce moment.

There is a fantastic exhibition of abstract art right now.

FRANÇOIS: À quel endroit?

Where?

BILL: Dans une galerie de la rive gauche. J'ai oublié le nom; je vais le chercher.

In a gallery on the left bank. I've forgotten the name; I'll look it up.

FRANÇOIS: Quand y es-tu allé?

When did you go there?

BILL: J'y suis allé hier après-midi, en taxi hélas!

I went yesterday afternoon, unfortunately by taxi.

FRANÇOIS: Tu avais tort de prendre un taxi. On va plus vite à pied qu'en voiture à Paris.

Taking a cab was a mistake. In Paris you go faster on foot than by car.

Étudiez: *un art, une exposition, le besoin.*

Pablo Picasso
Ambroise Vollard

Auguste Renoir
Le Moulin de la Galette

12.7   Accent [stress] et intonation [pitch]

L'accent

English stress is unlike French stress. All syllables of a French word except the last tend to be equal in length. The last syllable is more intense and longer. Observe this in the following cognates.

24.   *Répétez et comparez avec les équivalents anglais:*

1 2 3 4 exposition	1 2 3 apprécier	1 2 galérie
1 2 3 4 intéressant	1 2 3 étudier	1 2 cubiste
1 2 3 4 figuratif	1 2 3 par exemple	1 2 taxi

Niveaux d'intonation

The final syllable of a group of words (or breath group) is pronounced with higher or lower pitch than the rest of the group. The pronunciation of an individual word depends on its position in the breath group. The following three examples show the word **exposition** in three different positions, with three different levels of pitch.

25.   *Répétez et étudiez:*

Before the end of the breath group, *-tion* is neither high nor low:

L'exposition Picasso a eu beaucoup de succès.

At the end of the breath group, *-tion* is intense and high in pitch:

C'est une exposition qui vaut la peine d'être vue.

At the end of the sentence, -*tion* is intense and low in pitch:

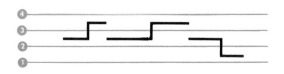

J'ai vu une très bonne expo<u>**sition**</u>**.**

26. *Répétez en observant l'intonation
du mot **intéressant** dans trois positions:*

(a) C'est intéressant et drôle/ mais peu pratique.
(b) C'est intéressant/ mais peu pratique.
(c) C'est peu pratique/ mais très intéressant.

27. *Répétez le mot **galerie** dans ces trois positions:*

(a) La galerie Lemaire/ est ouverte le lundi.
(b) C'est la seule galerie/ ouverte le lundi.
(c) Elle est ouverte le lundi/ cette galerie.

12.8   Voyelles et consonnes finales

Differentiate carefully the nasal vowels from the nasal consonants in final position. Be sure not to pronounce the letter *n* in final position in the first group; in the second group the sounds /m/ and /n/ are pronounced.

28. *Répétez et étudiez:*

(1) Voyelles nasales

/ɛ̃/	/ã/	/ɔ̃/
demain	justement	attention
besoin	changement	circulation
tu viens	c'est quand?	exposition
dans le train	ils sont cent	c'est non

(2) Consonnes nasales

/jɛm/		/ɛn/
le deuxième [2nd]	le dixième [10th]	une dizaine [about 10]
le onzième [11th]	le douzième [12th]	une douzaine [about 12]
le treizième [13th]	le quinzième [15th]	une quinzaine [about 15]
le vingtième [20th]	le quarantième [40th]	une quarantaine [about 40]

12.9 Adjectifs qui changent d'orthographe [spelling]

29. *Étudiez les formes masculines et féminines des adjectifs suivants:*

L'orthographe est différente, le son est le même:

m:	cher(s)	quel(s)	sensationnel(s)
f:	chère(s)	quelle(s)	sensationnelle(s)

L'orthographe et le son sont différents:

m:	premier(s)	dernier(s)	neuf(s)	figuratif(s)
f:	première(s)	dernière(s)	neuve(s)	figurative(s)

30. *Répétez et étudiez:*

J'ai vu ma **chère** Irène et mon **cher** Émile. **Quelle** Irène, **quel** Emile? La soeur est **sensationnelle**, le frère est **sensationnel** aussi.

Nous étudions le **premier** paragraphe de la **première** leçon. Nous lisons la **dernière** partie du **dernier** chapitre. Elle porte un chapeau **neuf**; sa robe est **neuve**. Voilà la forme **figurative** d'un art **figuratif**.

31. *Remplacez le nom; faites accorder [agree] l'adjectif:*

EXEMPLE: Quel âge avez-vous? l'heure.
RÉPONSE: Quelle heure avez-vous?

C'est le dernier moment; l'heure. Voilà le premier étudiant; l'étudiante. Je connais ce monsieur; la dame. Cet appartement est très cher; la maison. Ce chapeau est sensationnel; la robe. Mon ami est Italien; l'assistante. C'est un endroit intéressant; la ville. L'hôtel est neuf; la voiture.

32.   *Remplacez l'article par la forme convenable de l'adjectif ce:*

EXEMPLE: Je suis libre tout l'après-midi.
RÉPONSE: Je suis libre tout cet après-midi.

Nous connaissons tous les étudiants. Nous revenons avec toute la classe. Ils prennent tous les légumes. Vous mangez tout le fromage. Tous les enfants sont arrivés. Vous voulez visiter toutes les écoles. Nous avons été heureux toute l'année.

33.   *Remplacez les mots soulignés par l'indication.*
Changez l'adjectif possessif si nécessaire:

EXEMPLE: Voilà mon ami Bernard; amie Irène.
RÉPONSE: Voilà mon amie Irène.
EXEMPLE: Vous avez parlé à ma tante? enfants.
RÉPONSE: Vous avez parlé à mes enfants.

Est-ce que vous avez vu votre père? parents. Ce sont nos étudiants; soeurs. Tu penses à ta leçon? cours. Ils attendent leurs parents; voiture. Je suis rentré avec ma soeur; amie. Brigitte est chez son amie; mère. Nous déjeunons avec nos parents; enfants.

12.10   L'imparfait

Le radical de l'imparfait

The imperfect is the descriptive past tense which also expresses habitual and repetitive action in the past. It is formed by adding the endings *-ais*, *-ais*, *-ait*, *-ions*, *-iez*, *-aient* to the stem of the first (or second) person plural of the present indicative.

Indicatif présent	Imparfait
Nous **chant**ons	Je chant**ais**, tu chant**ais**, il chant**ait**
Vous **chant**ez	Nous chant**ions**, vous chant**iez**
	Ils chant**aient**

34.   *Répétez et comparez le présent et l'imparfait:*

Nous parl**ons** français.   **Je** parl**ais** français.
                    Nous parl**ions** français.
Nous all**ons** au théâtre.   **J'**all**ais** au théâtre.
                    Nous all**ions** au théâtre.
Nous le connaiss**ons**.   **Je** le connaiss**ais**.
                    Nous le connaiss**ions**.

Nous suivons le cours.   Je suivais le cours.

Nous suivions le cours.

Nous le tenons.   Je le tenais.

Nous le tenions.

Nous lisons la lettre.   Je lisais la lettre.

Nous lisions la lettre.

Nous avons faim.   J'avais faim.

Nous avions faim.

Vous êtes là!   J'étais là!

Nous étions là!

35. *Transformez le verbe selon l'indication:*

EXEMPLE: Nous étions en retard. Je.

RÉPONSE: J'étais en retard.

Monsieur Lanson. M. Lanson et sa femme. Nous. Vous. Tu. Elle.

36. *Mettez les phrases suivantes à l'imparfait:*

EXEMPLE: Elle a raison.   EXEMPLE: Elle est fatiguée.

RÉPONSE: Elle avait raison.   RÉPONSE: Elle était fatiguée.

J'ai de la chance. Nous sommes en retard. Vous avez tort. Elles sont contentes. Qu'est-ce que vous avez? Ils ont besoin de nous. Tu es content.

12.11   Révision

37. *Remplacez les noms par des pronoms:*

Use *en* to replace any noun preceded by a number or by a partitive construction.

EXEMPLE: Je vais voir l'exposition cubiste.   EXEMPLE: Je vais voir un Picasso.

RÉPONSE: Je vais la voir.   RÉPONSE: Je vais en voir un.

EXEMPLE: Je vais voir des Picasso.

RÉPONSE: Je vais en voir.

Nous allons remplir la fiche. Nous allons voir des tableaux. Tu conduis une voiture? Tu attends le train? Elle veut acheter une voiture. Il y a des sandwichs. Nous mangeons dix sandwichs.

38. *Répondez avec y:*

EXEMPLE: Tu es allé au théâtre?—Oui, et toi?

RÉPONSE: J'y suis allé moi aussi.

Elle est allée au théâtre?—Oui, et lui?

Elles sont allées au cinéma?—Oui, et toi?

Elle y est venue elle aussi

Paul et son frère sont venus chez Jacques?—Oui, et Brigitte?
Jeanne est arrivée à l'école—Oui, et son frère?
Tu es allé en France?—Oui, et tes amis?   *Mes amis y sont allés eux aussi*
Nous sommes restés au Japon?—Oui, et les Dupont?
Ils sont restés à Paris tout l'été?—Oui, et toi?

39.   *Répondez avec y ou en selon le cas:*   *Il monte dans le train*

EXEMPLE: Nous venons de Paris.   EXEMPLE: Nous allons à Paris.
RÉPONSE: Vous en venons.   RÉPONSE: Nous y allons.

Nous revenons du Japon. Ils descendent *step off* du train. Elle sort de sa classe. Nous rentrons aux États-Unis. Elle vient souvent en France. Ses amies reviennent de France. Elles arrivent chez elles lundi.

40.   *Mettez en dans les phrases suivantes:* *things use en*

EXEMPLE: Qu'est-ce que tu penses de cette idée-là? *opinion*
RÉPONSE: Qu'est-ce que tu en penses?
EXEMPLE: Je suis sûr d'être à l'heure.
RÉPONSE: J'en suis sûr.

J'ai besoin de cela. *I need of it* Qu'est-ce que vous pensez de ce musée? Ils ont besoin d'argent. Qu'est-ce qu'elle pense de l'exposition? Elle est contente de l'exposition. Vous êtes sûr de partir. Qu'est-ce que tu as fait de ta voiture?

41.   *Remplacez à, au(x) et le nom par lui, leur, y:*

EXEMPLE: Nous parlons aux enfants.
RÉPONSE: Nous leur parlons.
EXEMPLE: Il va à l'église dimanche.
RÉPONSE: Il y va dimanche.

J'écris souvent à Guy. Le garçon apporte l'addition au monsieur américain. Je vais *lui* donner le dictionnaire à Marie. Vous allez à l'opéra avec votre femme. Ils *lui* ont demandé l'argent à l'employé. Ils sont restés à l'université. Vous avez demandé cela à Vincent. Claire revient au Japon.

42.   *Répondez aux questions suivantes*
   en vous servant du pronom convenable:

EXEMPLE: Est-ce que vous parlez souvent à Pierre et à Irène?
RÉPONSE: Oui, je leur parle souvent.
EXEMPLE: Est-ce que vous connaissez ses enfants?
RÉPONSE: Oui, je les connais.

Vous écrivez à votre femme tous les jours, n'est-ce pas? Vous avez remarqué *(l'ai remarqué)* ce monsieur? Elle aime *la* conduire cette voiture, n'est-ce pas? Vous comprenez les femmes? Est-ce que vous êtes sûr de *les* trouver vos parents? Vous êtes allé à Paris. *J'y suis allé*

43. *Remplacez le nom par le pronom disjonctif:*

EXEMPLE: Je fais cela pour François.
RÉPONSE: Je fais cela pour lui.

Vous travaillez avec les enfants. Ils le font pour mes parents. Elle pense à Jacques. Il est entré avant la dame. Tu as tort d'y aller avec Suzanne. Tu as raison de rester avec mes soeurs. Il a tort de penser toujours à Brigitte.

44. *Mettez les phrases suivantes au passé composé:*

EXEMPLE: Nous finissons cet exercice.
RÉPONSE: Nous avons fini cet exercice.

Vous suivez cette voiture? Vous en conduisez une? Qu'est-ce qu'ils prennent comme viande? Ils remplissent la fiche. Elles viennent en avance. Vous avez tort. Il fait beau. Le monsieur part en voyage. Est-ce que vous croyez ça? Vous retenez la chambre? Il répond à la question.

45. *Continuez avec ces phrases négatives:*

EXEMPLE: Je ne connais pas Bernard.
RÉPONSE: Je n'ai pas connu Bernard.

On ne vend pas de peintures. Elle n'est pas prudente. Vous n'avez jamais tort. Il ne pleut pas. Ils ne descendent pas du train. Elles ne viennent jamais en avance. Vous n'étudiez plus. Vous ne lisez pas tous ces livres? Tu ne dis pas la vérité? Nous ne les voyons pas.

46. QUESTIONS ET RÉPONSES

1. Qu'est-ce que François va voir demain? 2. D'où vient Bill? 3. Qu'est-ce qu'il pense de l'exposition? 4. De quel peintre cubiste est-ce qu'il parle? 5. Qui a étudié l'art moderne? 6. Est-ce que François aime les peintres figuratifs? 7. Où est-ce qu'il y a une exposition d'art abstrait? 8. Est-ce que Bill y est allé à pied? 9. Est-ce qu'on y va plus vite à pied ou en voiture?

47. TRADUCTIONS

1. I am going to see the exhibition at the Museum of Modern Art. 2. I am coming from there. 3. What do you think of it? 4. Take Renoir for instance; I understand *him* immediately. 5. You were right to go on foot. 6. You made the mistake of taking a taxi. 7. We have been in Paris for four weeks. 8. It always rains when we are in Chicago, and it is windy. 9. We like this day because of the rain. 10. We like this day because it is raining. 11. We did not get off the train because the weather was bad. 12. The first exhibit was wonderful. 13. I prefer to see this exhibit.

48. TRADUISEZ RAPIDEMENT

1. I am more skillful than you. 2. I am as careful as you. 3. I drive less rapidly than you. 4. There are many cars in Paris. 5. I went there more than twice. 6. There I am, there I stay. 7. There are fewer cars in Paris than in New York. 8. There are more cars in New York than in Paris. 9. There are many more cars. 10. I have as many friends as you.

12 C

LECTURES

UN JARDINIER PERSAN

Préparation

1. Voilà une histoire qui a lieu[1] en Perse.[2] Le *jardinier*[3] est chargé du jardin du prince. Il cultive ses fleurs.

2. Le jardinier *voudrait* (= désire) partir parce que la mort lui a fait un *geste* (= lui a fait signe). Il a peur de *la mort* et demande des chevaux pour partir immédiatement.

3. Le prince persan *prête*[4] *ses chevaux* à son jardinier. C'est un bon prince.

4. Le jardinier croit s'échapper.[5] Il pense que la mort lui a fait un geste de menace.

5. Quand le prince *rencontre*[6] la mort, elle lui donne une explication.

6. Elle n'a pas fait de geste de menace; elle a fait un geste de surprise car (= parce que) elle *voyait*[7] le jardinier *loin*[8] de la ville d'Ispahan.

7. Elle *doit*[9] le prendre à Ispahan mais ne comprend pas comment il va y arriver. Elle ne sait pas qu'il a les chevaux du prince.

8. Personne[10] ne connaît son destin. Une *carte*[11] indique les *routes*.[12] L'auteur dit que la route de notre destin *s'ouvre au fur et à mesure que*[13] nous la traversons; la carte de notre vie est *pliée* [14]*de telle sorte*[15] que nous ne voyons pas l'avenir.[16]

9. L'auteur conclut: Nous croyons choisir nos actions, mais nous n'avons pas le choix. Le jardinier pense choisir la vie et échapper à la mort, mais son destin est fixé d'avance.

---

[1]**avoir lieu** to take place. [2]**la Perse** Persia (Iran). [3]**le jardinier** gardener. [4]**prêter** to lend. [5]**s'échapper** to escape. [6]**rencontrer** to encounter, meet. [7]**voyait** saw (*imp. of* **voir**). [8]**loin** far (*cf.* **près de** = near). [9]**devoir** must, ought. [10]**personne** no one. [11]**la carte** map. [12]**la route** plan; road (way). [13]**s'ouvre ... que** unfolds while. [14]**plié** folded. [15]**de telle sorte** in such a manner. [16]**l'avenir,** *m.* future.

2:32

Un Jardinier persan

folded in / away

La carte de notre vie est pliée de telle sorte que nous ne voyons pas une seule grande route qui la traverse, mais au fur et à mesure qu'elle s'ouvre, toujours une petite route neuve. Nous croyons choisir et nous n'avons pas le choix.

Un jeune jardinier persan dit à son prince:

—J'ai rencontré la mort ce matin. Elle m'a fait un geste de menace. Sauve-moi! Je voudrais être, par miracle, à Ispahan ce soir.

Le bon prince prête ses chevaux. L'après-midi, ce prince rencontre la mort.

—Pourquoi, lui demande-t-il, avez-vous fait ce matin, à notre jardinier, un geste de menace?

—Je n'ai pas fait un geste de menace, répond-elle, mais un geste de surprise. Car je le voyais loin d'Ispahan ce matin et je dois le prendre à Ispahan ce soir.   must

JEAN COCTEAU
Le Grand Écart (Stock), 1923, pp. 25–26.

L'AFFAIRE EINSTEIN

Préparation

1. On nous *rappelle*[1] une affaire que raconte (= relate) la presse; elle a beaucoup amusé le public; *elle a* beaucoup *plu.*[2]

2. Un *savant*[3] a écrit une lettre qui déclare: Einstein a fait une *faute*[4] de calcul. Le savant veut le *confondre*[5] en public; il désire prouver qu'Einstein a tort.

3. L'université *reçoit*[6] la lettre et prépare une confrontation dans la salle de conférences. Il y a un tableau noir sur une *estrade* (= plate-forme) pour écrire les formules.

4. Le savant le *couvre*[7] de signes. Il *pointe*[8] un des signes; il croit que la faute est là; il le *pointe* (= *montre*[9]) à Einstein et aux spectateurs.

5. Einstein regarde le signe indiqué, l'*éponge,*[10] et met un autre signe. L'accusateur quitte la salle: Il part, la *figure*[11] *dans les mains;*[12] il *se cache*[13] *la figure.*

6. Il *pousse un cri,*[14] *une espèce de cri rauque.*[15]

L'Affaire Einstein

Permettez-moi de vous rappeler ici la récente affaire Einstein que relate la presse américaine et qui vous avait tant plu.

---

[1]**rappeler** to remind.   [2]**plu,** *p. part. of* **plaire** to please.   [3]**le savant** scientist.   [4]**la faute** mistake, error.   [5]**confondre** to prove wrong (*cf.* to confound).   [6]**recevoir** to receive.   [7]**couvrir** to cover.
[8]**pointer** to point out.   [9]**montrer** to show.   [10]**éponger** to erase with a sponge.   [11]**la figure** face.
[12]**la main** hand.   [13]**se cacher** to hide.   [14]**pousser un cri** to let out a cry, shout.   [15]**une . . . rauque** a kind of hoarse cry.

L'Université de Philadelphie reçoit une lettre d'un savant qui signale sa découverte d'une faute grave dans les derniers calculs d'Einstein. On communique la lettre à Einstein. Il déclare que le savant est sérieux et que, si quelqu'un est en mesure de le confondre, il demande à l'être publiquement. On invite professeurs, journalistes, à l'Université, dans la grande salle de conférences. Une estrade supporte un tableau noir.

Pendant quatre heures, le savant couvre ce tableau noir de signes incompréhensibles. Ensuite, il pointe un de ces signes et dit: "La faute est là." Einstein monte sur l'estrade, considère longuement le signe incriminé, l'éponge, prend la craie et le remplace par un autre.

Alors, l'accusateur se cache la figure dans les mains, pousse une espèce de cri rauque et quitte la salle.

JEAN COCTEAU
Journal d'un inconnu (Grasset), 1965, pp. 9–10.

QUESTIONS

1. Quel est le destin du jardinier? 2. Pourquoi le savant vient-il à Philadelphie? 3. Quelle est la réaction d'Einstein?

Treizième leçon

13A

DEMANDE À TON PÈRE

demander à

6:00 Mᵐᵉ BERNARD: Henri, qu'est-ce que tu fais?

What are you doing, Henry?

HENRI: J'écris à Janine, maman.

I am writing to Janine, Mother.

Mᵐᵉ BERNARD: Tu lui as écrit hier. Appelle plutôt ton oncle.

You wrote her yesterday. Call your uncle instead.

HENRI: Je lui ai téléphoné hier.

I called him yesterday.

Mᵐᵉ BERNARD: Je veux lui parler; appelle-le, s'il te plaît.

I want to talk to him. Call him, please.

HENRI: Qu'est-ce que tu veux lui dire?

What do you want to tell him?

Mᵐᵉ BERNARD: Je veux lui demander de venir déjeuner dimanche, avec ton grand-père et ta grand-mère.

I want to ask him to come for lunch Sunday with your grandfather and your grandmother.

HENRI: Encore? Maman, ça les ennuie de venir tous les dimanches ici.

Again? Mother, they get tired of coming here every Sunday.

213

Lui et moi
Georges et moi

Mᵐᵉ BERNARD: Non, ça leur fait plaisir à eux, et ça nous fait plaisir aussi.

No, they enjoy it, and we enjoy it too.

HENRI: Ça vous fait peut-être plaisir, mais moi ça m'ennuie. J'ai un match de football à deux heures dimanche.

Maybe you enjoy it, but it bores *me*. I have a soccer game at two on Sunday.

Mᵐᵉ BERNARD: Demande à ton père ce qu'il en pense.

Ask your father what he thinks of it.

HENRI: Je lui ai demandé hier.

I asked him yesterday.

Mᵐᵉ BERNARD: Et qu'est-ce qu'il a répondu?

And what did he answer?

HENRI: Il m'a répondu comme d'habitude: "Demande à ta mère!"

He answered me as he always does: "Ask your mother!"

Étudiez: *une habitude, le plaisir.*

13.1 Phonétique: /l/

Le /l/ français est différent de son équivalent anglais. Prononcez /l/ avec le bout [tip] de la langue [tongue] contre les dents supérieures [upper teeth], et le dos [back] de la langue convexe.

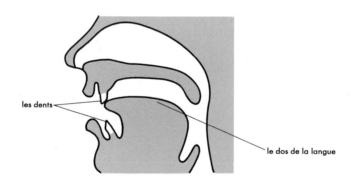

les dents

le dos de la langue

1. *Répétez:*

Là. Les enfants. Lui? Leur idée. Le soir. Allez! Il y est. Il a faim. Elle écrit. Elle attend. Il me parle; il me téléphone, il me cherche; il me répond. Atlantique. Plutôt. Plaisir. Demande-lui; téléphone-lui. Appelle! C'est elle. Chez elle. Pour elle. Un match de football. La belle. La salle. Le sel [salt]. Mille. Elle est belle.

Comparez	en français:	belle	fil	sel	mil
	en anglais:	bell	fill	sell	mill

Touchez les dents avec le bout de votre langue chaque fois que vous dites /l/:
Regardez dans un miroir et observez la position de votre langue!

13.2 Appéler

Observez la phonétique et l'orthographe de ce verbe irrégulier. Toutes les formes
suivantes ont deux syllabes. Quand la désinence [ending] n'est pas prononcée,
on ajoute un *l* au radical [stem].

2. *Répétez et étudiez:*

Désinence non-prononcée		*Désinence prononcée*	
J'appelle	/apɛl/ le garcon.	Nous appel**ons**	/aplõ/ le garçon.
Tu appell**es**	/apɛl/ ta mère.	Vous appel**ez**	/aple/ votre mère.
Il appelle	/apɛl/ son ami.	J'ai appel**é**	/aple/ ma soeur.
Ils appell**ent**	/apɛl/ leurs amis.	Ils appel**aient**	/aplɛ/ le professeur.
		J'ai peur d'appel**er**	/aple/ mes parents.

3. *Répondez aux questions avec les pronoms compléments d'objet direct:*

EXEMPLE: Vous appeliez votre frère?
RÉPONSE: Oui, je l'appelais.
EXEMPLE: Vous appeliez vos frères?
RÉPONSE: Oui, je les appelais.

Vous appeliez votre fils? . . . vos filles? . . . sa soeur? . . . ses soeurs? . . . notre
grand-père? . . . nos grands-parents?

4. *Changez le sujet; l'adjectif possessif change avec la personne du sujet:*

EXEMPLE: Tu appelles ton ami; je.
RÉPONSE: J'appelle mon ami.

Isabelle. Nous. Les jeunes filles. Les jeunes gens. Les parents. Vous. Tu.

13.3 Impératif et pronom complément (suite et révision)

L'impératif affirmatif

Le pronom complément suit l'impératif affirmatif, et ainsi est toujours accentué
(voir 9.4).

5. *Répétez:*

Cherche-**le**!	Prends-**le**!	Regarde-**le**!	Remarque-**le**!
Donne-**le**!	Lis-**le**!	Appelle-**le**!	Enseigne-**le**!
Mange-**le**!	Dis-**le**!	Commence-**le**!	Demande-**le**!
Fais-**le**!	Rends-**le**!	Apprends-**le**!	Attends-**le**!

Observez le contraste entre ǝ̸ dans **Tu le cherches?** et /ǝ/ dans **cherche-le:**

6. *Répétez et étudiez:*

Tu lǝ̸ cherches?	Cherche-**le**!	Vous lǝ̸ cherchez?	Cherchez-**le**!
Tu lǝ̸ donnes?	Donne-**le**!	Vous lǝ̸ donnez?	Donnez-**le**!
Tu lǝ̸ fais?	Fais-**le**!	Vous lǝ̸ faites?	Faites-**le**!
Tu l'écris?	Écris-**le**!	Vous l'écrivez?	Écrivez-**le**!

7. *Répétez et étudiez:*

Tu la prends?	Prends-la!	Vous la prenez?	Prenez-la!
Tu les tiens?	Tiens-les!	Vous les tenez?	Tenez-les!
Tu en parles?	Parles-en!*	Vous en parlez	Parlez-en!
Tu y vas?	Vas-y!*	Vous y allez?	Allez-y!
Tu lui demandes?	Demande-lui!	Vous lui demandez?	Demandez-lui!

8. *Formez l'impératif selon les exemples:*

EXEMPLE: Voilà le livre; tu le rends?
RÉPONSE: Rends-le!
EXEMPLE: Voilà Monique; tu lui parles?
RÉPONSE: Parle-lui!

Voilà Pierre; tu lui réponds? Voilà les fiches; vous les remplissez? Voilà la leçon; tu l'apprends? Voilà ta soeur; tu lui donnes le manteau? Voilà les tartes; vous les mangez? Voilà la chanson; nous la chantons? Voilà mes parents; tu leur parles?

9. *Formez l'impératif avec **y** ou **en:***

EXEMPLE: Vous mangez des huîtres?   EXEMPLE: Nous allons au théâtre?
RÉPONSE: Mangez-en!   RÉPONSE: Allons-y!

Tu demandes des billets? Tu vas chez Pierre? Nous retenons des places? Vous

---

*Devant les pronoms **y** et **en**, l'impératif de la deuxième personne du singulier des verbes en **-er** prend **s**; comparez:

Reste en ville!	Restes-y!	Va en France!	Vas-y!
Mange de la soupe!	Manges-en!	Donne de l'argent!	Donnes-en!

partez pour la France? (= en France) Nous apportons des huîtres? Nous allons au garage?

L'impératif négatif

Le pronom complément suit l'impératif affirmatif; le pronom complément précède les autres formes du verbe, y compris [including] l'impératif négatif (voir 9.8).

10. *Répétez et étudiez:*

Tu n'écris pas la lettre.	Ne l'écris pas!	Prends-la!
Tu n'appelles pas ton oncle.	Ne l'appelle pas!	Écris-lui!
Vous ne vendez pas l'auto.	Ne la vendez pas!	Retenez-la!
Nous ne parlons pas à nos parents.	Ne leur parlons pas!	Donnons-leur quelque-chose!

11. *Mettez l'impératif négatif en substituant le pronom complément d'object indirect:*

EXEMPLE: Tu écris à Anne et à Jacques.

RÉPONSE: Ne leur écris pas.

Tu parles à Claire. Tu téléphones à mes parents. Nous écrivons à mon oncle. Vous répondez à votre père. Tu fais plaisir à ta soeur. Nous donnons la lettre à M. et Mme Bernard. Tu demandes à Marie de venir.

12. *Mettez les expressions suivantes à l'impératif négatif:*

EXEMPLE: Vous leur parlez.   EXEMPLE: Tu le fais.

RÉPONSE: Ne leur parlez pas!   RÉPONSE: Ne le fais pas.

Vous les demandez. Tu leur téléphones. Vous leur téléphonez. Nous les cherchons. Nous leur écrivons. Vous leur répondez. Tu lui réponds. Vous la prenez.

13. *Mettez les impératifs négatifs à la forme affirmative et vice versa:*

EXEMPLE: Cherchez-le et ne l'oubliez pas!

RÉPONSE: Oubliez-le et ne le cherchez pas!

Dites-le et ne le faites pas! Envoyez-le et ne l'oubliez pas! Ouvrez-le et ne le prenez pas! Recommencez-le et ne le finissez pas! Écrivez-lui et ne lui téléphonez pas! Parlez-lui et ne lui écrivez pas!

14. *Mettez les impératifs négatifs suivants à l'affirmatif:*

EXEMPLE: N'en mangez pas!   EXEMPLE: Ne le faites pas!

RÉPONSE: Mangez-en!   RÉPONSE: Faites-le!

Ne l'appelle pas! N'y réponds pas! Ne leur répondez pas! Ne lui téléphonez pas! Ne les oublie pas! Ne les prêtez pas! N'en prenez pas!

to annoyer
to bore *to send*

13.4 Ennuyer, envoyer

Le radical de ces verbes se termine en **i** devant les désinences non-prononcées, et **y** /j/ devant les désinences prononcées.

15. *Comparez et étudiez:*

ennuyons

J'ennuie /ãnɥi/ mes camarades.	**Nous** ennuy**ons** /ãnɥijõ/ nos camarades.
J'envoie /ãvwa/ mes lettres.	**Nous** envoy**ons** /ãvwajõ/ nos lettres.
Tu ennuie**s** tes camarades.	**Vous** ennuy**ez** vos camarades.
Tu envoie**s** tes lettres.	**Vous** envoy**ez** vos lettres.
Il ennuie ses camarades.	Ennuyer /ãnhije/ ses camarades.
Il envoie ses lettres.	Envoyer /ãvwaje/ ses lettres.
Ils ennui**ent** /ãnɥi/ leurs camarades.	**J'ai** ennuyé /ãnɥije/ mes camarades.
Ils envoi**ent** /ãvwa/ leurs lettres.	**J'ai** envoyé /ãvwaje/ mes lettres.

Le verbe **employer** suit le modèle du verbe **envoyer**.

16. *Remplacez le complément par un pronom:*

EXEMPLE: J'envoie la lettre.
RÉPONSE: Je l'envoie.
EXEMPLE: Ils envoient des télégrammes.
RÉPONSE: Ils en envoient.

Nous envoyons les lettres. Vous ennuyez vos parents. Ils emploient des secrétaires. J'ennuie l'oncle Jean. Tu envoies le télégramme. Vous envoyez des journaux. Elle emploie la bonne méthode.

17. *Remplacez les substantifs soulignés par des pronoms:*

EXEMPLE: Il envoie des lettres à ses camarades.
REPONSE: Il en envoie à ses camarades.
EXEMPLE: Il envoie des lettres à ses camarades.
REPONSE: Il leur envoie des lettres.

Il envoie sa soeur en ville. Il envoie sa soeur en ville. Vous envoyez un parapluie à votre père? Vous envoyez un parapluie à votre père? Elle envoie un sac à son amie. Elle envoie un sac à son amie. Nous envoyons Jean à Paris. Nous envoyons Jean à Paris.

18. *Changez le sujet de la phrase selon l'exemple:*

EXEMPLE: Tu les ennuies; vous.
RÉPONSE: Vous les ennuyez.

Il l'ennuie; elle. Tu l'envoies; je. Ils les envoient; je. Nous les ennuyons; Marie. Tu l'ennuies; nous. Tu l'ennuies; je. J'en ai envoyé; on.

19. *Répondez aux questions suivantes
avec des pronoms compléments d'objet direct:*

EXEMPLE: Envoyez-vous la lettre?
RÉPONSE: Non, je ne l'envoie pas.

Envoyez-vous ces livres? Voyez-vous la tour Eiffel? Croyez-vous votre frère?
Vois-tu cette question? Croyez-vous vos professeurs? Ennuies-tu ton oncle?
Vois-tu ton grand-père?

20. *Répondez selon le modèle; attention aux deux pronoms!*

EXEMPLE: Ça nous fait plaisir; et à eux?
RÉPONSE: Eux, ça les ennuie.
EXEMPLE: Et à toi?
RÉPONSE: Moi, ça m'ennuie.

. . . et à lui? . . . et à elle? . . . et à moi? . . . et à vous? . . . et à Monique et
Gisèle? . . . et à Paul et son frère? . . . et à Paul et sa soeur?

21. QUESTIONS ET RÉPONSES

1. Que fait Henri? 2. Qu'est-ce que la mère d'Henri veut dire à
l'oncle? 3. Qu'est-ce qu'Henri en pense? 4. Qui vient tous les
dimanches? 5. Est-ce que ça les ennuie? 6. À quelle heure est
le match de football? 7. Qu'est-ce que la mère dit à Henri?
8. Qu'est-ce que son père lui dit?

22. TRADUCTIONS

1. Where are you, Henri? 2 What are you doing? 3. Here I am,
Mother. 4. I called him yesterday. 5. I want to talk to him; call
him please. 6. I want to ask him to come for lunch. 7. They like
it and we like it too. 8. They liked to come every Sunday.
9. Ask your father what he thinks of it. 10. He answered me
as usual.

13B

LA FAMILLE FRANÇAISE

La famille française est un peu
plus traditionaliste que la famille
américaine. En France, les repas sont
plus longs qu'aux États-Unis, surtout

The French family is a little more
conservative than the American family. In France, meals are longer than
in the United States, especially in the

in the evening   *to ask*

le soir. Le père et la mère posent des questions aux enfants sur leur travail à l'école.

object

Ils leur demandent ce qu'ils ont fait. Les enfants le leur expliquent avec beaucoup de détails, quand ils ont bien travaillé. Quand la journée n'a pas été bonne, ils sont moins bavards!

De temps en temps, le père donne des conseils aux enfants. Il aime leur expliquer ce qu'ils n'ont pas compris à l'école.

Quand il y a des amis ou des parents, les repas français sont souvent interminables. Tout le monde parle, tout le monde discute. Même si on *to belgin* est d'accord, on discute pour le plaisir de parler.

evening. The father and mother ask their children questions about their work at school.

They ask them what they have done. The children tell them about it in great detail, when they have performed well. When the day has not been a good one, they are less talkative!

From time to time, the father gives the children advice. He likes to explain to them what they did not understand in school.

When there are friends or relatives visiting, French meals are often endless. Everyone talks, everyone argues. Even if everyone is in agreement, one argues for the joy of talking.

Étudiez: *une école, le détail, le conseil.*

13.5 **Lui** accentué

Le pronom **lui** est accentué à la fin d'un groupe de mots; il n'est pas accentué à l'intérieur du groupe (voir 11.9).

▼ **23.** *Répétez selon le modèle:*

Tu lui as écrit ce matin.
Tu lui as parlé ce matin.
Tu lui as demandé ce matin.
Tu lui as téléphoné ce matin.

C'est à lui, cette lettre.
C'est à lui, cette place.
C'est à lui, cette boîte.
C'est à lui, cette chambre.

13.6 La distinction *le—leur*: /ə/—/œ/

La différence principale entre /lə/ et /lœr/ est le /r/ de /lœr/.

24. *Répétez:*

Jacques et Alice travaillent:

avec **le** directeur;	avec **leur** directeur.
avec **le** dictionnaire;	avec **leur** dictionnaire.
avec **le** professeur;	avec **leur** professeur.
avec **le** conseiller;	avec **leur** conseiller.

J'ai mis la boîte:

sur **le** bureau;	sur **leur** bureau.
sur **le** piano;	sur **leur** piano.
sur **le** sofa;	sur **leur** sofa.
sur **le** fauteuil;	sur **leur** fauteuil.

13.7 L'ordre des pronoms **le, la, les, lui, leur**

Avant et *après* le verbe, les pronoms

$$\left.\begin{array}{l}\textbf{le}\\\textbf{la}\\\textbf{les}\end{array}\right\} \text{précèdent} \left\{\begin{array}{l}\textbf{lui}\\\textbf{leur}\end{array}\right. \qquad \text{(voir 16.8)}$$

25. *Étudiez:*

Vous dites le **résultat** à Pierre.
    Vous le lui dites.   Dites-**le-lui**!
Vous expliquez la **leçon** à Pierre.
    Vous la lui expliquez.   Expliquez-**la-lui**!
Vous donnez les **livres** à Pierre.
    Vous les lui donnez.   Donnez-**les-lui**!
Vous dites le **résultat** aux professeurs.
    Vous le leur dites.   Dites-**le-leur**!
Vous expliquez la **leçon** aux enfants.
    Vous la leur expliquez.   Expliquez-**la-leur**!
Vous donnez les **livres** aux étudiants.
    Vous les leur donnez.   Donnez-**les-leur**!

26. *Répétez:*

Vous le leur expliquez.	Expliquez-le-leur!	Ne le leur expliquez pas!
Vous la lui présentez.	Présentez-la-lui!	Ne la lui présentez pas!
Vous le lui apprenez.	Apprenez-le-leur!	Ne le lui apprenez pas!
Vous les leur envoyez.	Envoyez-les-leur!	Ne les leur envoyez pas!

▼ **27.** *Mettez les phrases au passé composé:*

EXEMPLE: Je le lui envoie.
RÉPONSE: Je le lui ai envoyé.

Je le lui explique. Il la lui donne. Vous le leur demandez. Je le leur rends. Nous la leur disons. Ils le lui écrivent. Nous le lui trouvons.

28. *Remplacez le substantif par un pronom:*

EXEMPLE: Je lui donnais ces bonbons [I was handing him these candies].
RÉPONSE: Je les lui donnais.

Je lui rendais les analyses. Vous leur rendiez les examens *(m)*. Elles lui écrivaient les lettres. Nous leur expliquions les leçons. Ils lui posaient les questions. Ils lui donnaient les examens. Elles lui posaient les questions.

29. *Remplacez les substantifs par des pronoms:*

EXEMPLE: Je le donne aux étudiants.
RÉPONSE: Je le leur donne.
EXEMPLE: Je leur donne ma réponse.
RÉPONSE: Je la leur donne.

Il la pose aux étudiants. Il leur prend les livres. Il leur explique la leçon. Nous la demandons au garçon. Il leur vend la voiture. Nous les enseignons à nos amis. Je les explique à Marie.

13.8   Révision :

30. *Répétez en prononçant soigneusement la consonne finale du féminin:*

/t/	C'est une fille ravissante.	C'est un théâtre ravissant.
	C'est une leçon intéressante.	C'est un cours intéressant.
	C'était une musique parfaite.	C'était un repas parfait.
	C'était une question abstraite.	C'était un travail abstrait.
/d/	C'est une journée chaude.	C'est un jour chaud.
	C'était une pluie froide.	C'était un vent froid.

/z/   C'est une dame anglai**se**.   C'est un monsieur anglai**s**.
       C'était une fille heureu**se**.   C'était un garçon heureu**x**.
/j/   C'est une fille genti**lle**.   C'est un monsieur genti**l**.
/g/   C'était une leçon très lon**gue**.   C'était un repas très lon**g**.

31.   *Dans chaque phrase, substituez l'expression indiquée:*

EXEMPLE: La famille française; le pays.
RÉPONSE: Le pays français.

Une question intéressante; un problème. Une mauvaise école; un étudiant.
Une bonne école; un ami. Les bonnes écoles; les amis. Une bonne journée; un
hôtel. Une mauvaise impression; un temps. Les grandes vacances; les peintres.

peinter
la pein ture —
painting
peindre – paint

32.   *Substituez **mauvais** à **bon**:*

EXEMPLE: C'est un bon endroit.
RÉPONSE: C'est un mauvais endroit.

C'est un bon départ. C'est une bonne impression. C'est une bonne pièce de
théâtre. C'est un bon exemple. Ce sont de bonnes places. Ce sont de bonnes
manières. Ce sont de bonnes impressions.

33.   *Mettez **ce sont** et l'adjectif possessif convenable:*

EXEMPLE: Ces livres sont à moi.
RÉPONSE: Ce sont mes livres.

Ces livres sont à Nicole, ... à vous, ... aux étudiants, ... à toi, ... à nous.
Ces chaises sont à moi, ... à Claudine, ... à vous, ... aux parents, ... à toi,
... à nous.

34.   *Mettez **c'est** et l'adjectif possessif convenable:*

EXEMPLE: Cet appartement est à moi.
RÉPONSE: C'est mon appartement.

Cet appartement est à Isabelle, ... à vous, ... à eux, ... à toi, ... à nous.
C'est la chambre des enfants. C'est le bureau de Pierre. C'est l'appartement de
Guy et Jacques. C'est le bureau de Bernard. C'est l'idée de Pauline. C'est l'idée de
Paul.

35.   *Mettez l'adjectif possessif:*

EXEMPLE: On déjeune dans la chambre de Pierre.
RÉPONSE: On déjeune dans sa chambre.

Nous circulons dans la voiture de nos amis. Les parents vont à l'école de Bernard. Il vont à l'école de Josette. Ils visitent l'école des enfants. Ils vont voir les parents.

36.   *Répondez selon le modèle:*

EXEMPLE: Je fais mon travail, et lui?
RÉPONSE: Il fait son travail.

Nous regardons notre maison, et eux? Ils expliquent leur devoir, et vous? Tu téléphones à ton père, et nous? Nous conduisons notre voiture, et Gisèle? Nous pensons à nos amis, et toi? Nous demandons notre addition, et lui? Je prends mon petit déjeuner, et les filles? Nous posons des questions à nos professeurs, et eux?

37.   *Mettez le pronom convenable:*

EXEMPLE: J'aime parler à mes professeurs.
RÉPONSE: J'aime leur parler.

Elle fait plaisir à ses amis. Nous voyons vos amis de temps en temps. Est-ce que je remplis ma fiche? Est-ce que vous appelez votre père? Nous répondons à notre soeur. Tu as écrit à ton frère. Elles téléphonent souvent à leurs parents. Elles téléphonent souvent à tes tantes.

38.   *Mettez à l'imparfait:*

EXEMPLE: La famille française est traditionaliste.
RÉPONSE: La famille française était traditionaliste.

Les repas sont longs. Le père et la mère posent des questions. Le père donne des conseils aux enfants. Il y a souvent des amis ou des parents. Tout le monde parle. Nous sommes d'accord. Vous discutez pour le plaisir de parler.

39.   QUESTIONS ET RÉPONSES

1. Qui est plus traditionaliste, la famille française ou la famille américaine? 2. Dans quel pays les repas sont-ils plus longs? 3. Où les enfants ont-ils travaillé? 4. Qu'est-ce que les parents demandent aux enfants? 5. Quand sont-ils moins bavards? 6. Qu'est-ce que le père aime leur expliquer? 7. Pourquoi discute-t-on quand on est d'accord?

40.   TRADUCTIONS

1. Their father and mother asked the children many questions. 2. When their day has been good, they are very talkative. 3. They did not understand everything in school. 4. When there are friends or relatives, French meals are often endless. 5. The

children speak to their parents about their work. 6. They explain it to them. 7. *I did good work in school, and you?* 8. I want to talk to him about his work. 9. They even argue for the pleasure of talking. 10. We used to speak French.

13C

LECTURES

GABBY'S INTERNATIONAL HOUSE

Préparation

1. Un restaurant américain figure sur la liste des restaurants *"exotiques"* de la revue[1] française *Réalités:* un restaurant américain est donc "exotique" à Paris. Êtes-vous d'accord?

2. TRU 66-81 est un numéro de téléphone de Paris. Pour téléphoner à Paris, on forme trois lettres, par exemple T R U (= Trudaine) et quatre chiffres, par exemple 6681.

3. L'*ambiance*, c'est l'atmosphère caractéristique et spéciale d'un local, d'un endroit, d'un restaurant—l'atmosphère que *vous ne trouverez* (= allez trouver) *nulle part ailleurs.*[2]

4. Il y a des restaurants qui sont *ouverts* tous les jours *à partir de* 8 heures. Ils ne sont jamais fermés pendant la journée.

5. Si le patron (= le propriétaire ou le directeur) d'un restaurant *accueille* (= dit bonjour à) ses *clients* (= son public) vêtu[3] d'un *pantalon*[4] de ski, il ne fait pas de *chichis.*[5] C'est *sûrement* un public très *mélangé,*[6] composé d'*habitués* (= des gens qui ont l'habitude d'y manger) et de *clients de passage* (= des gens qui viennent une ou deux fois). Quelques clients français *ont séjourné* (= ont été, ont habité) aux États-Unis. Avez-vous séjourné en France?

6. Quand nous dînons, il y a une *nappe*[7] sur la table. Ma mère nous sert notre *plat favori,*[8] une côte de porc avec des pommes frites. Il y a aussi des hors-d'oeuvre, des *crudités,*[9] des sardines et des oeufs de poisson (un peu comme le caviar). Comme boisson il y a du vin rouge. Le dîner chez nous, c'est un repas qu'il ne faut[10] pas *manquer*[11] (= rater)! Mais nous ne mangeons pas trop. Nous ne sommes pas des *porcs.*

7. Le boucher de la Villette (on y trouve les meilleurs bouchers de Paris) découpe[12] la viande. Il la *coupe* (= découpe) *spécialement* si on la commande

---

[1]**la revue** magazine.   [2]**nulle part ailleurs** nowhere else.   [3]**vêtu**, *p. part. of* **vêtir** to dress.   [4]**le pantalon** trousers, slacks.   [5]**le chichi** pretentiousness, fuss.   [6]**mélangé** mixed, diversified.   [7]**la nappe** tablecloth.   [8]**nous . . . favori** serves us our favorite dish.   [9]**les crudités** raw shredded vegetables.   [10]**il faut** one must.   [11]**manquer** to miss.   [12]**découper** to cut.

à l'avance! Si on est gourmet, il faut la *commander à l'avance*, comme le pain de maïs[13] au restaurant: On ne mange pas souvent de pain de maïs en France!

8. Un franc français vaut à peu près 20 cents; 15 francs font *environ*[14] $3.

Gabby's International House

American Bar and Restaurant

7 rue Manuel. Tél. TRU 66-81

Fermé le mercredi. Ouvert le soir à partir de 19 heures. Réserver la table.

AMBIANCE Intime, familière. Pas de luxe et pas de chichis. Quand il fait froid, Gabby accueille ses clients vêtue de pantalons de ski. Elle fut[15] mariée à un Noir américain et a conservé le restaurant et le personnel américain. Nappes rouges, murs[16] rouges, photos de musiciens américains. Un public extraordinairement mélangé: habitués du quartier, Américains de Paris, Parisiens qui ont séjourné aux États-Unis et musiciens américains de passage: Jimmy Smith, Duke Ellington, Ray Charles, Lionel Hampton.

Ne dites pas à Bill (le chef): "Ce plat est si bon que ce n'est sûrement pas de la vraie cuisine américaine. Il vous sert au contraire des plats authentiques et même régionaux, des plats du "Deep South."

LE MENU DU PATRON La salade du chef (crudités, sardines, oeufs de poisson), le poulet (vierge[17] tant il est jeune!) et frit à la mode du Sud ou le steak du Texas au feu de bois[18] suffisant pour deux personnes ou un seul porc; à ne pas rater: c'est le célèbre T-Bone Steak géant que vous ne trouverez nulle part ailleurs en France et que Bill fait couper spécialement à la Villette. À commander vingt-quatre heures à l'avance. Dessert: pie du chef ou ice cream maison. À ne pas manquer non plus[19]: les "biscuits" (petits pains chauds) et le pain de maïs (les commander une heure à l'avance).

BOISSON Un bon whisky pour commencer et ensuite retour aux vins français.

PRIX Environ 15 francs par personne.

MURIEL REED
"Les Dix Meilleurs Restaurants Exotiques" *Réalités*, Mars, 1964.

QUESTIONS

1. Est-ce que vous considérez un restaurant américain comme exotique?
2. Est-ce que vous croyez qu'il y a beaucoup de restaurants américains à Paris? Expliquez! 3. Quels restaurants étrangers y a-t-il chez vous?

---

[13]**le maïs** corn. [14]**environ** about, approximately. [15]**elle fut** she was. [16]**le mur** wall. [17]**vierge** virginal. [18]**au feu de bois** charcoal broiled. [19]**non plus** not either.

POUR TOI MON AMOUR

Préparation

1. Le *marché* est un endroit public où on vend des marchandises et où on les achète, souvent en plein air[1] (= dehors).

2. On nous parle de quatre marchés différents: d'abord nous allons au *marché aux oiseaux* où on achète, par exemple, des canaris; il est difficile d'y trouver les hiboux et les pingouins de nos textes.

3. Ensuite (= puis) nous allons au *marché aux fleurs* acheter des géraniums ou des violettes, des roses ou des tulipes.

4. Puis nous allons au *marché à la ferraille*[2] où on achète des articles en fer, des chaînes, des pots, etc.

5. Après, l'auteur parle du *marché aux esclaves*[3] où on vend des esclaves.

6. Un jeune homme veut plaire à[4] une fille; il lui achète de jolies choses, des oiseaux, des fleurs, pour en faire ensuite son esclave. Son idéal, c'est la femme esclave. Il ne trouve pas son idéal. Il n'a pas de chance!

0:42

Pour toi mon amour

Je suis allé au marché aux oiseaux
Et j'ai acheté des oiseaux
Pour toi
mon amour
Je suis allé au marché aux fleurs
Et j'ai acheté des fleurs
Pour toi
mon amour
Je suis allé au marché à la ferraille
Et j'ai acheté des chaînes
De lourdes chaînes
Pour toi
mon amour
Et puis je suis allé au marché aux esclaves
Et je t'ai cherchée
Mais je ne t'ai pas trouvée
mon amour

JACQUES PRÉVERT
Paroles, Ed. Le Point du jour (Gallimard), 1949, p. 50.

QUESTIONS

1. Quels sont les quatres marchés où l'auteur du poème est allé?
2. Quelle femme est-ce qu'il cherche dans ce poème?

---

[1] **en plein air** in the open.   [2] **la ferraille** scrap iron.   [3] **l'esclave**, *m.* & *f.* slave.   [4] **plaire à** to please.

Quatorzième leçon

RIEN DE GRAVE ?

PAUL: Jean est parti ?

Has John left ?

MICHEL: Oui, et moi je vais à la maison immédiatement.

Yes, and I'm leaving for home immediately.

PAUL: Il faut que je parte maintenant aussi.

I have to leave now too.

MICHEL: Bon alors, je t'accompagne si tu veux.

Fine then, I'll go with you if you wish.

PAUL: Avec plaisir, mais il faut que je passe en ville.

Fine, but I have to stop off in town.

MICHEL: Moi aussi. Il faut que j'achète du jambon, du pain et des fruits.

So do I. I have to buy ham, bread and fruit.

PAUL: Moi, il faut que j'envoie un télégramme à mes parents.

I must send a telegram to my parents.

MICHEL: Rien de grave ?

Nothing serious ?

PAUL: Non, il faut que je leur demande un peu d'argent.

No, I have to ask them for a little money.

MICHEL: Je peux t'en prêter, si tu en as besoin immédiatement.

I can lend you some, if you need it immediately.

PAUL: Non, merci, j'en ai encore un peu, et mes parents sont riches.

No thank you, I still have a little, and my parents are rich.

MICHEL: Téléphone-leur alors!

Then phone them!

PAUL: Non, je n'aime pas téléphoner. Il faut que je leur envoie un télégramme.

No, I don't like to phone. I have to send them a telegram.

MICHEL: ENVOYEZ ARGENT. URGENT. BAISERS. PAUL.

SEND MONEY. URGENT. KISSES. PAUL.

PAUL: Je peux supprimer *Paul.* Ils vont comprendre.

I can leave out *Paul.* They'll understand.

Étudiez: *le fruit, le baiser.*

14.1 Liaison et enchaînement vocalique; voyelles nasales

Enchaînement vocalique

Entre une voyelle finale et la voyelle initiale du mot suivant il y a, le plus souvent, enchaînement vocalique, sans liaison; après une voyelle nasale, les consonnes **n**, **m**, **nt**, ne sont pas prononcées:

1. *Répétez:*

Ils ont raison /õo/ aussi.

Le garçon /õɛ/ est charmant.

Quelle occasion /õi/ inespérée [unhoped for].

Le wagon /õɛ/ est plein.

Il y a du vent /ão/ aujourd'hui.

Le gouvernement /ãɛ/ est prudent.

L'appartement /ãɛ/ est froid.

L'assistant /ãe/ étudie.

Son nom /õɛ/ est français.

Ce vin /ɛ̃ɛ/ est bon.

Ils ont faim /ɛ̃e/ et soif.

Adam /ãe/ et Ève.

Un croissant /ãe/ et du café.

Un monsieur prudent /ãe/ et discret.

Il y a un changement /ão/ au programme.

Cet argent /ãɛ/ est à lui.

Liaison

La liaison entre une voyelle nasale à la fin d'un mot et la voyelle initiale du mot suivant existe dans certains groupes très répandus [frequent].

2. *Répétez et étudiez:*

Un ami.	Un bon ami.	C'est son ami.	C'est son amie.
Un enfant.	Un bon enfant.	C'est ton enfant.	C'est mon enfant.
Un étudiant.	Un bon étudiant.	C'est mon étudiant.	C'est mon étudiante.
On en a un.	On en a une.	C'est mon hôtel.	C'est mon impression.

14.2   Les nombres (suite)

Phonétique de 20 et 80

Avec liaison	*Sans liaison*	
Voilà vingt enfants. /t/	Voilà vingt maisons. /vɛ̃/	En voilà vingt. /vɛ̃/
Quatre-vingts enfants. /z/	Quatre-vingts maisons. /vɛ̃/	En voilà quatre-vingts. /vɛ̃/

Le /t/ de **vingt** et le /z/ de **quatre-vingts** existent seulement devant la voyelle initiale du mot suivant. Le /t/ de **vingt** est toujours prononcé dans les numéros de 21 à 29, et jamais prononcé dans les numéros de 81 à 99.

3. *Répétez:*

/vɛ̃t/	/vɛ̃/
Il a vingt et un ans.	Il a quatre-vingt-un ans.
Il a vingt-deux ans.	Il a quatre-vingt-deux ans.
Il avait vingt-huit ans.	Il avait quatre-vingt-huit ans.
Il avait vingt-neuf /v/ ans.	Il avait quatre-vingt-seize ans.

Phonétique de 100 à 999

On fait la liaison /z/ quand le *s* pluriel de **cents** est suivi d'une voyelle: *deux cents écoles, trois cents hôtels, quatre cents amis,* etc. Comparez le *s* de **quatre-vingts**.

Trois cents
Trois cent un

▼ **4.** *Répétez et étudiez:*

Cent étudiants.	Cent maisons.	Six cents étudiants.
Deux cents étudiants.	Deux cents maisons.	Neuf cents étudiants.
Trois cents étudiants.	Trois cents maisons.	Neuf cent quatre-vingt-dix étudiants.
Trois cent un étudiants.	Trois cent une maisons.	Neuf cent quatre-vingt-dix-neuf étudiants.
Quatre cent vingt-six étudiants.	Quatre cent vingt-six maisons.	Neuf cent quatre-vingts étudiants.

Les nombres à partir de 1000

1000 = mille.   Mille enfants.

1900 = l'année mil neuf cent (ou dix-neuf cent)

1 000 000* = Un million   1 000 000 000 = Un milliard

Cinquante millions **de** Français. Trois milliards **de** francs.

5. *Répétez et écrivez en chiffres* [numerals]:

Un million trois cent quatre-vingt-neuf mille trois cent trois; quatre millions neuf cent quarante-trois mille quatre cent soixante-dix; neuf milliards neuf cent quatre-vingt-dix-neuf millions neuf cent quatre-vingt-dix-neuf mille neuf cent quatre-vingt-dix-neuf.

6. *Ajoutez **cinq** à chaque nombre:*

EXEMPLE: 12.

RÉPONSE: Douze et cinq font dix-sept.

14, 32, 56, 73, 84, 94, 100, 106, 108, 111, 200, 500, 650, 994, 940, 610, 1970, 3 614 515, 999 999 994.

7. *Ôtez* [subtract] ***vingt** à chaque nombre:*

EXEMPLE: 87.

RÉPONSE: Quatre-vingt-sept moins vingt font soixante-sept.

99, 96, 93, 90, 89, 85, 80, 75, 62, 59, 47, 42, 39, 36, 490, 6 740, 22 550, 310 150.

▼ **8.** *Répétez et observez les liaisons:*

Une /yn/ semaine.	Un /œ̃n/ an.
Vingt et une /vɛ̃teyn/ semaines.	Vingt et un /vɛ̃teœ̃n/ ans.
Quarante et une semaines.	Quarante et un ans.
Cinquante et une semaines.	Cinquante et un ans.
Cinq /sɛ̃/ semaines.	Cinq /sɛ̃k/ ans.
Quatre /katrə/ semaines.	Quatre /katr/ ans.
Huit /ɥi/ semaines.	Huit /ɥit/ ans.
Vingt /vɛ̃/ semaines.	Vingt /vɛ̃t/ ans.

9. *Substituez **ans** et observez la liaison:*

EXEMPLE: Cinq semaines.

RÉPONSE: Cinq ans.

Dix semaines, dix-huit semaines, vingt semaines, vingt-trois semaines, vingt-neuf semaines, trente et une semaines.

---

*Note that the traditional French way of writing large numbers is with spaces instead of commas.

14.3   **Acheter**

La phonétique du verbe **acheter** est la même que celle d'**appeler** (voir 13.2): il y a /ɛ/ devant les désinences non-prononcées, ǝ devant les désinences prononcées. Comparez l'orthographe: *-èt-* (*-ell-*) + désinence non-prononcée; *-et-* (*-el-*) + désinence prononcée.

Désinence non-prononcée /ɛ/		*Désinence prononcée* [ǝ]	
èt	*ell*	*et*	*el*
J'ach*è*te du pain.	J'appe*ll*e Paris.	Nous en ache*t*ons.	Nous l'appe*l*ons.
Tu ach*è*tes du pain.	Tu appe*ll*es Paris.	Vous en ache*t*ez.	Vous l'appe*l*ez.
Ils ach*è*tent du pain.	Ils appe*ll*ent Paris.	Ils en ache*t*aient.	Ils l'appe*l*aient.

10.   *Étudiez et répétez:*

J'achète une voiture. Tu achètes des fruits. Elle demande de l'argent pour acheter une robe. Achetons du pain! Achète-le! Elle ne l'achète pas pour nous. Appelle Marie! Appelons ta tante!

11.   *Remplacez le verbe* **appeler** *par la forme convenable du verbe* **acheter:**

EXEMPLE: J'appelle le chien [dog].   EXEMPLE: J'appelais le chien.
RÉPONSE: J'achète le chien.   RÉPONSE: J'achetais le chien.

Tu appelles le chien. Ils appellent le chien. On appelait le chien. Vous appelez le chien. Elle appelle le chien. Ils appelaient le chien. Nous appelons le chien. Vous appeliez le chien.

12.   *Répondez au négatif:*

EXEMPLE: Achetez-vous du jambon?
RÉPONSE: Non, je n'achète pas de jambon.
EXEMPLE: Appelez-vous mon père?
RÉPONSE: Non, je n'appelle pas votre père.

Achetez-vous des petits pains? En achetez-vous? Achetez-vous du vin et des cigarettes? Appelez-vous votre tante? Tu appelles tes enfants? Tu achètes de la viande? Vous appelez mon amie?

14.4   Le subjonctif: verbes en **-er**

Les temps du verbe [verb tenses] étudiés jusqu'ici sont des temps de l'indicatif:

Présent:	J'envoie une lettre.
Passé composé:	J'ai envoyé la lettre.
Passé récent:	Je viens de la mettre à la poste.
Futur proche:	Elle va arriver demain.

Le subjonctif est un autre mode du verbe qui existe au présent et au passé. On emploie le subjonctif après **il faut que** pour exprimer [express] la nécessité.

Pour les verbes en **-er**, les quatre formes suivantes sont identiques au présent de l'indicatif et du subjonctif:

13.   *Répétez et étudiez:*

Indicatif présent	Subjonctif présent
Je passe en ville.	Il faut que **je** passe en ville.
Tu achètes du jambon.	Il faut que **tu** achètes du jambon.
Il envoie le télégramme.	Il faut qu'**il** envoie le télégramme.
Ils envoient la carte.	Il faut qu'**ils** envoient la carte.

Pour la première et la deuxième personnes du pluriel, on ajoute *i* (/j/) aux formes de l'indicatif présent:

14.   *Répétez et étudiez:*

Indicatif présent	Subjonctif présent
Nous appel**ons** nos parents.	Il faut que **nous** les appel**ions**.
Nous téléphon**ons** à Marie.	Il faut que **nous** lui téléphon**ions**.
Vous achetez des légumes.	Il faut que **vous** en achet**iez**.
Vous parlez beaucoup.	Il faut que **vous** parl**iez** beaucoup.

▼ **15.**   *Ajoutez **il faut que:***

EXEMPLE: Je regarde le télégramme.
RÉPONSE: Il faut que je regarde le télégramme.
EXEMPLE: Nous parlons français.
RÉPONSE: Il faut que nous parlions français.

Tu demandes à ton père. Elle déjeune de bonne heure. Ils expliquent la leçon. Ils travaillent comme d'habitude. Il appelle son frère. On voyage en Europe. Elle
▲ visite le château. Je compte mon argent.

L'imparfait et le subjonctif présent

Les deux premières personnes du pluriel de l'imparfait ont généralement les mêmes formes que le subjonctif présent:

Imparfait	Subjonctif présent
Nous chantions souvent.	Il faut que nous chantions aujourd'hui.
Vous habitiez avec une famille française.	Il faut que vous habitiez avec une famille française.

16. *Mettez* ***il faut que*** *et le subjonctif selon l'exemple:*

EXEMPLE: Vous parliez français tous les jours.
RÉPONSE: Il faut que vous parliez français maintenant.

Nous allions à l'école tous les jours. Vous arriviez à la maison tous les jours. Nous dinions au restaurant tous les jours. Vous déjeuniez tous les jours. Nous téléphonions à Oscar tous les jours. Nous cherchions des lettres tous les jours.

14.5 Rien, personne

Rien et **personne** sont employés comme sujets ou comme pronoms compléments. Au passé composé, **rien** précède le participe passé; **personne** suit le participe passé. La particule **ne** précède le verbe conjugué.

17. *Étudiez les phrases suivantes:*

	ne . . . rien = nothing	*ne . . . personne* = no one
Sujet:	**Rien n'**arrive [nothing happens].	**Personne ne** vient.
	Rien n'est arrivé.	**Personne n'**est venu.
Complément:	Je **ne** fais **rien**.	**Je ne** vois **personne**.
	Je **n'**ai **rien** fait.	**Je n'**ai vu **personne**.

18. *Mettez les phrases suivantes au passé composé:*

EXEMPLE: Je ne prends rien.   EXEMPLE: Elle ne voit personne.
RÉPONSE: Je n'ai rien pris.   RÉPONSE: Elle n'a vu personne.

Je n'achète rien. Il n'appelle personne. Rien ne nous arrive. Je ne connais personne. Personne ne nous parle. Je ne dis rien. Vous ne regardez personne. Vous ne regardez rien.

19. *Mettez les phrases suivantes au passé composé;*
notez ***de*** *dans* ***rien de grave, rien d'intéressant:****

EXEMPLE: Il n'a rien de grave.
RÉPONSE: Il n'a rien eu de grave.
EXEMPLE: Il ne connaît personne d'intéressant.
RÉPONSE: Il n'a connu personne d'intéressant.

Tu ne vends rien de très beau. Nous ne connaissons personne de très intéres

---

Rien, personne, quelque chose prennent **de** devant l'adjectif: *quelque chose* **de** *bon, rien* **de** *grave, personne* **d'***intéressant.*

sant. Vous ne dites rien d'intelligent. Je ne connais personne de très riche. Je ne vois rien de moderne. Il n'y a rien de neuf.

il n'y a rien en de neuf

20.   QUESTIONS ET RÉPONSES

1. Est-ce que Jean est parti? 2. Qui va partir immédiatement? 3. Est-ce que Paul va partir aussi? 4. Pourquoi Paul va-t-il en ville? 5. Combien d'argent a-t-il encore? 6. Est-ce que ses parents en ont? 7. Pourquoi ne téléphone-t-il pas à ses parents? 8. Est-ce que Paul va envoyer le télégramme avec le texte de Michel? 9. Qu'est-ce qu'il va supprimer?

21.   TRADUCTIONS

1. I have to send it. 2. I'm going to leave tomorrow. 3. I have to buy ham, bread and fruit. 4. I am going to send them a telegram. 5. I have to telephone. 6. Do you need money? 7. I can lend you some. 8. Do you need it? 9. My parents will understand. 10. We used to phone every day.

14B

IL FAUT QUE J'ÉTUDIE LA GÉOGRAPHIE

15:26 BILL: Il faut que j'étudie un peu la géographie de la France.

I have to do a little studying about the geography of France.

PIERRE: C'est une bonne idée!

That's a good idea!

BILL: Il faut que vous me trouviez une carte de France et que je l'étudie sérieusement.

You must find me a map of France and I must study it seriously.

PIERRE: Est-ce que vous voulez voyager en France?

Do you want to travel in France?

BILL: Oui, il faut que je voyage le plus possible avant de repartir aux États-Unis.

Yes, I have to travel as much as possible before returning to the United States.

PIERRE: Voilà une carte des anciennes provinces françaises. Vous voyez l'île-de-France autour de Paris, à l'est la Champagne.

Here is a map of the former French provinces. You see the Ile de France around Paris, Champagne to the east.

BILL: J'aime beaucoup le champagne! On le fabrique en Champagne, n'est-ce pas?

I like champagne very much! It is the product of Champagne, isn't it?

le champagne - drink.

adj. *adv.*
courant   couramment

PIERRE: Évidemment. Regardez! On a indiqué sur la carte les produits les plus connus de chaque région.

Of course. Look! They have indicated the best known products of each region on the map.

BILL: Il faut que j'étudie ça. Ensuite, je vais faire de la géographie gastronomique dans toute la France. Il faut que je parte tout de suite.

I have to study that. Then I'm going to learn gastronomic geography in all of France. I have to leave right away.

PIERRE: C'est le meilleur moyen d'apprendre la géographie.

way

That's the best way of learning geography.

Étudier: *la région.*

14.6 Adjectifs

Adjectifs en /ɛ̃/ et /ɛn/

Devant une voyelle, les adjectifs *ancien*, *plein* [full], *moyen* [average], *certain*, sont prononcés de la même manière au masculin et au féminin singulier. Au pluriel il y a une différence.

22. *Répétez et étudiez:*

	singulier	
/ɛn/		/ɛn /
une ancienne /ãsjɛn/ élève		un ancien /ãsjɛn/ élève
une certaine /sɛrtɛn/ amie		un certain /sɛrtɛn/ ami

	pluriel	
/ɛn/		/ɛ̃/
les anciennes /ãsjɛnz/ élèves		les anciens /ãsjɛ̃z/ élèves
certaines /sɛrtɛnz/ amies		certains /sɛrtɛ̃z/ amis

Devant une consonne, la prononciation du masculin et du féminin est différente au singulier et au pluriel.

	singulier	
/ɛn/		/ɛ̃/
une ancienne ville		un ancien château
en pleine* campagne		en plein* travail
/plɛn/		

---

*Ici: in the middle of.

pluriel

/ɛn/	/ɛ̃/
certaines filles	certains garçons
les anciennes villes	les anciens villages

23. *Répétez et étudiez:*   *plein - full*

L'ancien /ɛn/ hôtel, en plein /ɛn/ air [outdoors]; un certain /ɛn/ âge,
le Moyen /ɛn/ Âge.
Les anciens /ɛ̃z/ hôtels, les anciens /ɛ̃/ châteaux, les
anciennes /ɛnz/ auberges [inns] les anciennes /ɛn/ fermes [farms].
Certains /ɛ̃z/ étudiants, certains /ɛ̃/ garçons, certaines /ɛnz/
étudiantes, certaines /ɛn/ filles.

L'adjectif antéposé (qui précède le nom)

Certains adjectifs précèdent toujours le nom qu'ils modifient:

24. *Mettez au pluriel les phrases suivantes:*

EXEMPLE: C'est la petite fille?
RÉPONSE: Ce sont les petites filles?
EXEMPLE: Voilà le petit garçon.
RÉPONSE: Voilà les petits garçons.

Voilà l'ancienne capitale. C'est la plus grande ville. Voilà la meilleure chambre.
C'est notre bon ami. Voilà l'ancien élève. Voilà le grand hôtel! C'est la belle
symphonie.

Différences de position et de sens

Il y a des adjectifs qui ont un sens [meaning] différent avant et après le substantif:

25. *Répétez et étudiez:*

Le Moyen Âge [Middle Ages] n'a rien à faire avec l'âge moyen [the average
age].
J'ai connu un certain bonheur [a certain kind of happiness] mais pas un bonheur certain [certain, sure happiness].
Napoléon est un grand homme [a great man], pas un homme grand [a tall
man].
Un pauvre garçon [poor fellow] peut être très riche; il n'est pas un garçon
pauvre [poor, without money].
Un ancien élève [alumnus] et une ancienne élève [alumna] ne sont pas des
élèves anciens [ancient].

L'adjectif postposé (qui suit le nom)

La plupart [most] des adjectifs suivent toujours le nom qu'ils modifient :

26.   *Répétez et étudiez :*

Un hôtel moderne, un sac élégant, une fille contente, un garçon curieux, un dîner excellent, des conditions incroyables, des cours intéressants.

14.7   Le subjonctif (suite) *

Le radical du subjonctif

Le radical du subjonctif présent est généralement identique au radical de la troisième personne du pluriel de l'indicatif présent. La première et la deuxième personne du pluriel de l'imparfait et du subjonctif présent sont identiques.

27.   *Répétez et étudiez :*

J'écris à mon père.	**Ils** écrivent à leur père.
Il faut que **j'**écrive à mon père.	
Je suis deux cours.	**Ils** suivent deux cours.
Il faut que **je** suive deux cours.	
Je pars pour la France.	**Ils** partent pour la France.
Il faut que **je** parte pour la France.	
Je sors tous les soirs.	**Ils** sortent tous les soirs.
Il faut que **je** sorte tous les soirs.	
Je finis à l'heure.	**Ils** finissent à l'heure.
Il faut que **je** finisse à l'heure.	
Je remplis la fiche.	**Ils** remplissent la fiche.
Il faut que **je** remplisse la fiche.	
Je vends ma voiture.	**Ils** vendent leur voiture.
Il faut que **je** vende ma voiture.	
J'attends l'autobus.	**Ils** attendent l'autobus.
Il faut que **j'**attende l'autobus.	
Je lis le roman.	**Ils** lisent le roman.
Il faut que **je** lise le roman.	
Je dis des bêtises†	**Ils** disent des bêtises.
Il ne faut pas que **je** dise des bêtises.	

---

*Voir 14.4.
†**Dire des bêtises** to talk nonsense.

Nous lui écri**vions** souvent   Il faut que **nous** lui écri**vions**.
l'année passée.

Vous sort**iez** souvent   Il faut que **vous** sort**iez**.
l'année passée.

▼ **28.**   *Remplacez le complément d'objet indirect par un pronom:*

EXEMPLE: Il faut que je dise bonjour à mon père.
RÉPONSE: Il faut que je lui dise bonjour.

Il faut que nous disions bonjour à Marie. Il faut que nous répondions à Paul.
Il faut qu'il dise bonne nuit à Sophie. Il faut que j'écrive une lettre à mon père. Il
faut qu'elle vende sa voiture à Eugène. Il faut que nous envoyions le livre à ma
▲ soeur. Il faut que nous parlions au professeur.

29.   *Mettez les phrases suivantes à la première personne du pluriel:*

EXEMPLE: Il ne faut pas que je réponde à la question.
RÉPONSE: Il ne faut pas que nous répondions à la question.

Il ne faut pas que je descende à l'hôtel, . . . que j'écrive à Pierre, . . . que je
parte pour Dijon, . . . que je sorte de l'hôtel, . . . que je suive ce cours, . . . que
j'attende deux jours, . . . que je finisse très vite.

▼ **30.**   *Mettez les phrases suivantes au subjonctif après* **est-ce qu'il faut:**

EXEMPLE: Vous attendez deux heures?
RÉPONSE: Est-ce qu'il faut que vous attendiez deux heures?
EXEMPLE: Je lis tous les livres.
RÉPONSE: Est-ce qu'il faut que je lise tous les livres?
Tu dis toujours la vérité. Il remplit le verre. Nous finissons la leçon. Vous sortez
▲ tout de suite. Nous partons pour la France. Ils écrivent à leurs parents. Je vous suis.

Les verbes en **-ier** et **-yer** ont des désinences en /jj/ au pluriel du subjonctif
présent et à l'imparfait: /jjõ/ = **-iions, -yions** et /jje/ = **iiez, yiez.**

31.   *Répétez et étudiez:*

/j/	/jj/
Il faut qué **vous** en discut**iez**.	Il faut qué **vous** l'étud**iiez**. **Vous** étud**iiez** souvent.
Il faut qué **vous** en par**liez**.	Il faut qué **vous** l'envo**yiez**. **Vous** envo**yiez** souvent.
Il faut qué **nous** arri**vions** chez eux.	Il faut qué **nous** étud**iions** chez eux.
Il faut qué **nous** voya**gions** avec eux.	Il faut qué **nous** l'envo**yions** chez eux.

32. *Répondez à l'affirmatif:*

EXEMPLE: Est-ce qu'il faut que nous donnions deux exemples?
RÉPONSE: Oui, il faut que nous en donnions deux.
EXEMPLE: Est-ce qu'il faut que j'envoie une carte?
RÉPONSE: Oui, il faut que j'en envoie une.

Est-ce qu'il faut que je mange deux biftecks?... que nous regardions le match?
... que nous étudiions dix exemples?... que je discute deux aspects du problème?
... qu'il poste trois télégrammes?... qu'elle lui prête cent francs?

14.8 Adverbes

Formes en *–ment*

On forme l'adverbe régulièrement en ajoutant [by adding] -*ment* au féminin de l'adjectif. Si le masculin se termine par une voyelle, on ajoute -*ment* au masculin.

33. *Répétez et étudiez:*

C'est un garçon poli.	Il le fait poliment [politely].
C'est un vrai succès.	Il le fait vraiment.
C'est un moment grave.	Il le fait gravement [seriously].
C'est un autre moyen.	Il le fait autrement.
C'était une fille sérieuse.	Elle le faisait sérieusement.
C'était une affaire certaine.	Elle le faisait certainement.
Elle en était très sûre.	Elle le faisait sûrement.
C'était une longue journée.	Elle le faisait longuement.

34. *Étudiez et comparez:*

Adverbes formés sur le féminin		Adverbes formés sur le masculin	
sérieux	sérieusement	poli	poliment
certain	certainement	vrai	vraiment

	Adverbes irréguliers		
mauvais	mal	énorme	énormément
bon	bien	gentil	gentiment

35. *Mettez l'adverbe:*

EXEMPLE: Il faut qu'on le dise d'une manière sérieuse.
RÉPONSE: Il faut qu'on le dise sérieusement.

Il faut qu'on le dise d'une manière polie,... aimable,... claire,... froide,...
naturelle,... normale,... explicite,... bonne,... gentille.

Comparaison

36. *Comparez et étudiez les adjectifs et les adverbes dans la table suivante* (voir 12.3):

	Adjectif	*Adverbe*
Positif	Jean est un garçon **sérieux**.	Il travaille **sérieusement**.
Comparatif	Jean est **plus sérieux** que moi.	Il travaille **plus sérieusement** que moi.
Superlatif	Jean est **le plus sérieux** de tous.	Il travaille **le plus sérieusement**.
Positif	Paul est un **mauvais** étudiant.	Il étudie **mal**.
Comparatif	Jacques est **plus mauvais** que Paul et **aussi mauvais** que moi.	Il étudie **plus mal** que Paul et **aussi mal** que moi.
Superlatif	Pauline est **la plus mauvaise** étudiante de la classe.	Elle étudie **le plus mal** de tous.
Positif	Gaston est un **bon** chanteur.	Il chante **bien**.
Comparatif	Gilles est un **meilleur** chanteur.	Il chante **mieux** que Gaston.
Superlatif	Henri est notre **meilleur** chanteur.	Il chante **le mieux**.
	Marie est notre **meilleure** chanteuse.	Elle chante **le mieux**.

▼ **37.** *Mettez le comparatif selon l'indication:*

EXEMPLE: Il y pensait sérieusement (plus).
RÉPONSE: Il y pensait plus sérieusement.

Il répondait poliment (plus). Je travaille mal (moins). Vous l'expliquiez clairement (plus). Nous arrivons vite (plus). Ils comprenaient bien (moins). Elle protestait fortement (moins). Il s'en occupe longuement (plus).

38. *Remplacez l'adjectif ou l'adverbe par son superlatif:*

EXEMPLE: C'est une bonne étudiante.
RÉPONSE: C'est la meilleure étudiante.
EXEMPLE: Elle travaille bien.
RÉPONSE: C'est elle qui travaille le mieux.

C'est une bonne assistante. Elle travaille bien. Ce sont de bons étudiants. Ils travaillent bien. C'est une bonne petite fille. Elle écoute bien. Ce sont de bonnes étudiantes. Elles étudient bien.

▲

39. QUESTIONS ET RÉPONSES

1. Est-ce que Bill veut étudier la géographie? 2. Qu'est-ce que Pierre en pense? 3. Qu'est-ce que Bill demande à Pierre? 4. Avant de repartir, il faut que Bill. . . . 5. Quelles sont deux anciennes provinces françaises? 6. D'où vient le champagne? 7. Qu'est-ce qu'on a indiqué sur la carte? 8. Qu'est-ce qu'on apprend si on fait de la géographie gastronomique? 9. Est-ce que Bill aime le vin?

40. TRADUCTIONS

1. Do you know that Paris is the capital of France? 2. Do you have to start today? 3. Do you know a certain Mr. Blot? 4. The average Frenchman lives in an apartment. 5. The Middle Ages ended in 1492. 6. Here is a map of the former French provinces. 7. I have to travel as much as possible before (avant de) going back to the United States. 8. I am going to learn gastronomic geography in all of France. 9. Do we have to travel? 10. You have to work with me. 11. He used to talk nonsense. 12. They used to wait for the bus.

41. TRADUISEZ RAPIDEMENT

1. I have to tell you the truth. 2. You must tell me the truth. 3. One must travel. 4. I have a little money. 5. I have a little. 6. I am sicker than my sister. 7. Nothing serious.

14 C

LECTURES

PAR LA RECHERCHE SECOUONS LA ROUTINE

Préparation

1. Les professeurs *enseignent* à l'université, les *maîtres* enseignent dans les écoles publiques. *Au fur et à mesure que*[1] les élèves apprennent leurs leçons, *on peut*[2] observer le *succès* de l'enseignement. Si les maîtres avancent à *une allure*[3] très rapide, la *tâche*[4] de l'élève est difficile et il peut y avoir des *échecs*.[5] Il faut

---

[1]**au fur et à mesure** as. [2]**pouvoir** to be able; **il peut** he can; **ils peuvent** they can. [3]**l'allure**, *f.* pace, speed. [4]**la tâche** task. [5]**l'échec,** *m.* failure.

éviter[6] les échecs; il faut simplifier les programmes *scolaires* (= des écoles), *corriger*[7] les *fautes*[8] et *rechercher* (= chercher) les meilleures méthodes de l'enseignement. Il faut *redonner* (=donner encore une fois) courage aux élèves.

2. Un laboratoire *type* (= typique) a des cabines,[9] des *boxes insonorisés*.[10] Dans chacune, il y a des *écouteurs*[11] et un *microphone*, souvent aussi un *enregistreur*.[12] Un *électrophone*[13] (= magnétophone) *enregistre*[14] des *bandes sonores*[15] où l'élève peut écouter les *paroles*[16] du maître. Il y a un *studio d'enregistrement*[17] où le maître, ou *quelqu'un d'autre*,[18] enregistre sa *voix*[19] sur les bandes sonores. Ensuite, on joue les bandes dans un *poste de commande*[20] où le maître, au *tableau de contrôle*[21] peut observer et écouter chaque élève et peut les *corriger* individuellement. L'élève écoute, *répète*, et compare ses résultats à la voix du maître. *Ainsi*,[22] l'élève étudie au laboratoire *en dehors*[23] des classes et, s'il a un magnétophone, il peut étudier les bandes *également* (= aussi) chez lui. Les laboratoires ont fait beaucoup pour l'enseignement des *langues vivantes*.[24]

3. La *radio* peut faire aussi beaucoup pour l'enseignement. *Les postes*[25] peuvent *diffuser* (= *radiodiffuser*)[26] des cours *hebdomadaires*[27] (= une fois par semaine) ou plus fréquents.

Par la recherche[1]
secouons[2] la routine de notre enseignement

Avec douze millions d'élèves, près d'un demi-million de maîtres associés en un système qui absorbe 18% du budget national, l'éducation dépasse par son importance[3] les premières industries de la nation. À ce titre,[4] l'éducateur ne peut ignorer le souci de rentabilité,[5] ... la recherche pédagogique se développe[6] rapidement à l'étranger[7] ... En France (elle) n'est encore qu'une[8] parente pauvre,[9] et ceci[10] pour des raisons qui ne sont pas uniquement économiques et financières.[11] Notre système d'enseignement reste napoléonien d'inspiration, c'est-à-dire clos, hiérarchisé et centralisé. Il n'est pas comme ses équivalents anglo-saxons en prise directe[12] sur les exigences locales, et sous le contrôle direct des utilisateurs ... Petit à petit, cependant,[13] les enseignants prennent conscience qu'ils ne sont plus isolés dans leur classe dans des conditions parfois difficiles, que leur travail solitaire

---

[6]**éviter** to avoid. [7]**corriger** to correct. [8]**la faute** mistake. [9]**la cabine** booth. [10]**des boxes insonorisés** soundproof booths. [11]**l'écouteur,** *m.* earphone. [12]**l'enregistreur,** *m.* recorder. [13]**l'électrophone,** *m.* record player. [14]**enregistrer** to record. [15]**la bande (sonore)** (sound) tape. [16]**la parole** word. [17]**le studio d'enregistrement** recording studio. [18]**quelqu'un d'autre** someone else. [19]**la voix** voice. [20]**le poste de commande** control console. [21]**le tableau de contrôle** control board. [22]**ainsi** thus. [23]**en dehors** outside. [24]**la langue vivante** spoken language. [25]**le poste (de radio)** radio station. [26]**diffuser** to broadcast. [27]**hebdomadaire** weekly.

[1]**la recherche** research. [2]**secouons** let us shake up! [3]**dépasse par son importance** is larger than. [4]**à ce titre** for this reason. [5]**la rentabilité** efficiency, effective use. [6]**se développe** develops. [7]**à l'étranger** abroad. [8]**ne ... que** only. [9]**la parente pauvre** poor relation. [10]**ceci** this. [11]**financier, -ère** financial. [12]**en prise directe** in immediate contact. [13]**cependant** however.

peut devenir un travail d'équipe,[14] qu'ils peuvent compter sur l'expérience fraternelle du psychologue scolaire, du médecin, de l'assistante sociale, du chercheur universitaire ...

Les laboratoires de langues vivantes. Utilisés depuis longtemps en Amérique, où les élèves ont accès au laboratoire en dehors des classes, ils commencent également à être appréciés en France. Un laboratoire type comprend trois unités: la classe, qui se compose de boxes insonorisés contenant[16] chacun un enregistreur, des écouteurs, un microphone; le poste de commande où le moniteur dispose d'un enregistreur, un microphone, un électrophone, un tableau de contrôle et des écouteurs; le studio d'enregistrement, avec microphones, électrophone stéréophonique, poste de radio avec fréquence modulée. Distribué par l'électrophone, le son modèle est reçu[17] par l'étudiant dans sa cabine grâce aux[18] écouteurs. Il répète l'exercice enregistré sur bande, et s'entend[19] comme s'il écoutait quelqu'un d'autre. Des pauses sont prévues sur la bande sonore pour permettre[20] les réponses. Celles-ci[21] restent toujours à la portée auditive[22] du moniteur placé au poste de commande, qui peut à tout moment se brancher[23] sur telle ou telle[24] cabine, écouter ce que[25] dit l'élève, et le corriger, cela sans interrompre le travail des autres pour qui l'exercice continue. Le laboratoire de langues permet ainsi de travailler individuellement et en groupe. Alors que[26] jusqu'ici l'apprentissage[27] des langues étrangères faisait surtout la part belle à[28] la chose écrite et la littérature, le laboratoire de langues qui permet de corriger et rendre parfaite la prononciation redonne la prééminence à la parole.

L'instruction programmée. C'est une certaine façon d'exposer à l'élève les matières à enseigner. Elle est généralement dispensée par des machines dans lesquelles[29] on a introduit[30] un programme soigneusement découpé[31] et progressif. N'importe quelle[32] matière peut être ainsi démultipliée[33] à l'infini. L'élève s'instruit seul,[34] étape par étape.[35] Une série de questions lui permet de vérifier au fur et à mesure l'état de ses connaissances[36] ... La progression graduée de l'enseignement, la participation active de l'élève, l'allure personnelle de cet apprentissage qui s'effectue[37] comme un dialogue entre la machine et un seul interlocuteur, ont fait le succès de l'instruction programmée.

[14]**le travail d'équipe** team work. [15]**les secteurs qui bougent** areas of growth. [16]**contenant** containing. [17]**reçu** received. [18]**grâce à** thanks to. [19]**il s'entend** he hears himself. [20]**permettre** to permit; **il permet** it permits. [21]**celles-ci** these. [22]**à la portée auditive** within listening range. [23]**se brancher** to plug in, to be connected. [24]**telle ou telle** this or that. [25]**ce que** what. [26]**alors que** while. [27]**l'apprentissage,** *m.* learning, instructional program. [28]**faisait surtout la part belle à** favored especially. [29]**lesquelles** which. [30]**introduit** introduced. [31]**découpé** subdivided. [32]**n'importe quelle** any. [33]**démultiplié** subdivided. [34]**seul** alone. [35]**l'étape,** *f.* step. [36]**l'état de ses connaissances** how much he knows (the state of his knowledge). [37]**s'effectue** takes place.

Les nouvelles mathématiques. Initier les jeunes enfants aux structures mathématiques et les habituer[38] à former des concepts dès[39] l'âge de cinq ou six ans, telle[40] est la tâche à laquelle se sont attelés[41] en particulier Suppes à l'université de Stanford et le mathématicien anglais Dienes dans le Leicestershire. . . .

L'éducation des adultes. En Afrique noire[42] l'alphabétisation a commencé par une série d'échecs, dont les éducateurs s'efforcèrent[43] de rechercher les causes pour tirer la leçon.[44] Ils constatèrent que les méthodes traditionnelles scolaires déplaisaient à des hommes qui refusaient[45] d'être considérés comme des enfants, alors que leur expérience de la vie était[46] souvent plus grande que celle du moniteur . . . Au Niger, chaque village est maintenant doté[47] d'un poste de radio, d'un projecteur de films . . . et d'un tableau noir. Trois cours hebdomadaires radiodiffusés sont ensuite commentés par les adultes, qui posent des questions sur la politique, l'agriculture, les impôts,[48] les maladies,[49] et sont ainsi incités à apprendre à lire et à écrire, en haoussa,[50] puis en français.

HENRI DIEUZÉIDE
"Par la recherche secouons la routine
de notre enseignement"
Réalités, Oct. 1965, pp. 85–87.

QUESTIONS

1. Est-ce que les méthodes françaises d'enseignement sont aussi modernes que celles des États-Unis ? Expliquez votre réponse. 2. Qu'est-ce que l'auteur veut dire par "les secteurs qui bougent" ? 3. Comparez le laboratoire de l'article au laboratoire de langues de votre école. 4. Est-ce que l'éducation des adultes est aussi importante chez nous qu'en Afrique ? Pourquoi ? 5. Qu'est-ce que vous savez de l'instruction programmée ?

---

[38]**habituer** to accustom. [39]**dès** beginning at. [40]**telle** such. [41]**à laquelle se sont attelés** with which . . . have associated themselves. [42]**noir** black. [43]**ils s'efforcèrent** they tried. [44]**tirer la leçon** to draw a conclusion. [45]**ils refusaient** they refused. [46]**elle était** it was. [47]**doté de** equipped with. [48]**l'impôt**, *m.* tax. [49]**la maladie** sickness. [50]**le haoussa** Haussa language (of Africa).

On tourne un film sur les quais de la Seine.
(*Culver Pictures Inc.*)

Quinzième leçon

15A

mangeons
voyageons
changeons

IL JOUAIT DU VIOLON
PENDANT QUE VOUS DÉJEUNIEZ

:00 GUY: Hier quand nous étions au restaurant, "Chez Mimi," un musicien est arrivé.

Yesterday while we were at the restaurant, "Chez Mimi," a musician came in.

M. LANSON: Il avait une grande barbe, un béret et une pipe, n'est-ce pas?

He had a heavy beard, a beret and a pipe, didn't he?

GUY: Vous l'avez déjà rencontré?

Have you met him before?

M. LANSON: Oui, et il jouait du violon pendant que vous déjeuniez.

Yes, and he played the violin while you were having lunch.

always in the imparfait after pendant que

GUY: Pendant qu'il jouait, une jeune fille chantait.

While he was playing, a girl was singing.

usually + passé composé

M. LANSON: Et après, elle a fait la quête.

And afterwards, she took up a collection.

after et après

GUY: Bien sûr! Vous l'avez déjà rencontrée, elle aussi?

Certainly! You've already met *her* too?

249

M. LANSON: Oui, je la connais bien. Elle a chanté des chansons de la belle époque, n'est-ce pas?

Yes, I know her well. She sang songs from the turn of the century, didn't she?

GUY: C'étaient des chansons sentimentales et elle pleurait presque en les chantant.

They were sentimental songs and she almost wept while singing them.

M. LANSON: Oui, ils font du folklore pour les touristes étrangers.

Yes, they put on a traditional act for foreign tourists.

GUY: C'est bien ce que je pensais.

That's just what I was thinking.

M. LANSON: Je mangeais tous les jours dans ce restaurant quand j'étais étudiant.

I used to eat in that restaurant every day when I was a student.

GUY: Mais il y a longtemps que vous n'y avez pas déjeuné.

But you haven't eaten there for a long time.

M. LANSON: Oui.

Yes.

GUY: Pourquoi?

Why?

M. LANSON: On y mange mal. Mais à ton âge on a bon appétit.

The food is bad there. But at your age one is always hungry.

15.1   Intonation (suite)

À l'intérieur de la phrase [sentence] la fin des groupes de souffle [breath groups] est marquée par un niveau d'intonation élevée [high pitch] et, à la fin de la phrase, par un niveau d'intonation plus bas [low pitch]:

Il avait une grande barbe↑ un béret↑ et une pipe.↓

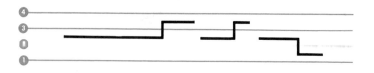

Il avait une barbe noire↑ un béret↑ et une pipe.↓

1. *Répétez selon le modèle:*

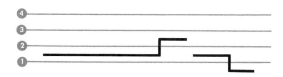

C'est un petit restaurant↑ intéressant.↓

C'est un jeune musicien↑ intéressant.↓
C'est un ancien film↑ intéressant.↓
C'est une jeune chanteuse↑ intéressante.↓
C'est un restaurant moderne↑ intéressant.↓
C'est un musicien américain↑ intéressant.↓
C'est un film historique↑ intéressant.↓
C'est une chanteuse réaliste↑ intéressante.↓

2. *Répétez selon le même modèle:*

C'est un petit restaurant↑ près de Paris.↓
C'est un jeune musicien↑ de vingt-cinq ans.↓
C'est un ancien film↑ de mille neuf cent.↓
C'est une jeune chanteuse↑ de vingt-trois ans.↓
C'est un restaurant moderne↑ près de Paris.↓
C'est un restaurant chinois↑ tout près d'ici.↓
C'est un film historique↑ de mille neuf cent.↓
C'est une chanteuse réaliste↑ de vingt-trois ans.↓

15.2   L'adjectif antéposé (suite)

Devant la voyelle initiale du mot suivant, *bon* et *bonne* ont généralement la même prononciation; devant une consonne le son est différent (voir 14.1, 14.6)

3. *Répétez:*

/bɔn/	/bɔn/*
Une bonne étudiante.	Un bon étudiant.
Une bonne assistante.	Un bon assistant.
Une bonne occasion.	Un bon appétit.
Une bonne ouvrière [worker, *f.*]	Un bon ouvrier.

---

*On prononce /bɔn/ ou /bõn/: *un bon étudiant* /œ̃ bɔ ne ty djã/ = /œ̃ bõ ne ty djã/.

/bɔn/	/bɔ̃/
Une bonne chanson.	Un bon chanteur.
Une bonne chanteuse.	Un bon chauffeur.
Une bonne touriste.	Un bon touriste.
Une bonne fille.	Un bon restaurant.

4. *Prononcez soigneusement;*
attention aux voyelles nasales et à la liaison:

Un petit enfant; un bon hôtel; une certaine occasion; un ancien hôtel; une bonne
affaire; le Moyen-Orient; en plein air; certains amis.

15.3   C*e* que [what]

Le plus souvent **ce que** est prononcé en une syllabe.

5. *Répétez sur un rythme régulier; attention aux e̸:*

c*e* **que** *et verbe avec* *consonne initiale*	c*e* **que** *et verbe avec* *voyelle initiale*
C'est c*e* que j*e* pensais.	C'est c*e* que j'expliquais.
C'est c*e* que j*e* disais.	C'est c*e* que j'indiquais.
C'est c*e* que j*e* voulais.	C'est c*e* que j'apportais.
C'est c*e* que j*e* donnais.	C'est c*e* que j'attendais.

6. *Transformez selon le modèle:*

EXEMPLE: Vous lisez un livre.
RÉPONSE: C'est bien c*e* que j*e* lis.
EXEMPLE: Vous étudiez une leçon.
RÉPONSE: C'est bien c*e* que j'étudie.

Vous discutez un programme. Vous faites un tour en ville. Vous avez de l'argent.
Vous fabriquez du parfum. Vous comprenez ce qu'il dit. Vous voyez qu'il est là.

15.4   **Avoir, être**: subjonctif présent et impératif

Le subjonctif et l'impératif des verbes **avoir** et **être** sont irréguliers. Notez surtout
les désinences irrégulières.

7. *Étudiez et répétez:*

Subjonctif	Impératif
Il faut que **je sois** calme!	
Il faut que **tu sois** heureux!	**Sois** heureux!
Il faut qu'**il soit** bientôt ici!	
Il faut qu'**ils soient** raisonnables!	
Il faut que **nous soyons** calmes!	**Soyons** calmes!
Il faut que **vous soyez** calmes!	**Soyez** tranquilles!
Il faut que **j'aie** raison!	
Il faut que **tu aies** du courage!	**Aie** du courage!
Il faut qu'**elle ait** tort!	
Il faut qu'**ils aient** faim!	
Il faut que **nous n'ayons pas** peur!	**N'ayons pas** peur!
Il faut que **vous n'ayez pas** froid!	**N'ayez pas** froid!

8. *Formez l'impératif équivalent:*

EXEMPLE: Il faut que vous soyez contents!
RÉPONSE: Soyez contents!

Il faut que tu sois gentil! que nous soyons aimables! que vous soyez là avant dix heures! que tu n'aies pas toujours soif! que nous ayons du courage! que nous soyons raisonnables! que vous soyez bientôt de retour!

15.5 L'imparfait (suite)

L'imparfait et le passé composé

L'imparfait indique une action habituelle, continue, souvent répétée, ou en train de se dérouler dans le passé [in the process of taking place]. *Le passé composé* indique une action terminée ou qui a interrompu [interrupted] une autre action dans le passé.

9. *Répétez et étudiez les phrases suivantes;
comparez l'emploi des deux temps:**

Irène était jolie. Elle habitait à Paris quand je l'ai rencontrée. Je la voyais tous les jours, mais, un jour, elle est partie. Je ne l'ai plus revue!

---

*Pour l'accord du participe passé, voir 8.9, 18.2.

Il jouait du violon pendant qu'elle chantait. Pendant qu'il jouait, je suis parti, parce qu'il jouait très mal.

Nous prenions le petit déjeuner quand Marie est entrée et nous a parlé de l'accident. Nous l'avons vu à la télévision. C'était un accident très sérieux!

Quand Jean est arrivé, nous prenions le thé; nous le prenions tous les jours à quatre heures.

La Révolution a eu lieu [took place] en 1789. Napoléon est devenu empereur en 1804.

▼ **10.** *Mettez les phrases suivantes à l'imparfait;*
     *éliminez **hier** et ajoutez **tous les jours:***

EXEMPLE: Hier il est allé à l'école.
RÉPONSE: Il allait à l'école tous les jours.

Hier il est arrivé à onze heures. Hier nous sommes allés au théâtre. Hier il a fait beau. Hier vous êtes parti seul. Hier vous êtes descendu dans ma chambre.
▲ Hier tu as rencontré Gilles devant la tour Eiffel.

11. *Mettez les verbes suivants à l'imparfait selon le modèle:*

EXEMPLE: Il est parti pendant que vous mangiez; bavarder.
RÉPONSE: Il est parti pendant que vous bavardiez.

Lire, . . . travailler, . . . finir votre repas, . . . étudier, . . . jouer du violon, . . . prendre du thé, . . . faire un tour.

▼ **12.** *Combinez les deux phrases selon le modèle:*

EXEMPLE: Il est venu; nous avons mangé.
RÉPONSE: Il est venu pendant que nous mangions.

Il est arrivé; nous avons chanté. Tu es descendu; nous sommes sortis. Vous êtes revenus; nous avons téléphoné. Vous avez appelé Jean; nous avons écouté la radio. Ils nous ont écrit; nous avons été en vacances. Elles ont appelé Jean; il a dîné.
▲ Nous sommes allés en France; vous avez étudié.

15.6   Adverbes (suite)*

Position de l'adverbe

En général l'adverbe suit le verbe.

13. *Mettez les phrases à l'imparfait:*

EXEMPLE: Je la connais bien.
RÉPONSE: Je la connaissais bien.

---

*Voir 14.8.

Elle pleure souvent. Elle conduit mal. Elle est déjà là. Il pleut encore. Il neige toujours. Il joue beaucoup. Il entre vite.

On place souvent les adverbes courts [short] devant le participe passé du passé composé.

> Il a beaucoup dit.   Il a très bien parlé.

Les adverbes plus longs et les adverbes de temps et de lieu [place] suivent généralement le participe passé :

> Il l'a fait aujourd' hui.   Il a parlé sérieusement.
> Il l'a vendu ici.   Il a répondu longuement.

14.   *Mettez les phrases à l'imparfait :*

EXEMPLE: Je l'ai mal connu.
RÉPONSE: Je le connaissais mal.

Elle a presque pleuré. Elle a bien conduit. Elle a été là. Il a encore plu. Il a beaucoup neigé. Il a très bien joué. Il est entré lentement.

15.   *Mettez les phrases suivantes au passé composé :*

EXEMPLE: Il était là.   EXEMPLE: Je mangeais hier au restaurant.
RÉPONSE: Il a été là.   RÉPONSE: J'ai mangé hier au restaurant.

Tu habitais ici. Il chantait hier au cabaret. Nous discutions longuement. Il arrivait tranquillement. Il répondait sérieusement. Nous partions lentement.

Comparaison irrégulière des adverbes

16.   *Répétez et étudiez :*

positif	comparatif	superlatif
bien [well]	mieux [better]	le mieux [best]
beaucoup [much]	plus [more]	le plus [most]
peu [little]	moins [less]	le moins [least]
	moins bien, aussi bien	le moins bien

17.   *Répétez et étudiez :*

Louise écrit bien mais tu écris mieux ; tu écris le mieux du monde.
Françoise parle mal ; elle parle plus mal que toi, moins bien que tous les autres. De nous tous, c'est elle qui parle le plus mal, le moins bien.
Marie travaille très peu, mais Josette fait moins qu'elle. Elle travaille le moins de toute la classe.

18.   *Mettez les expressions indiquées, selon le modèle :*

EXEMPLE: Il y a beaucoup de circulation à Paris (plus qu'en province).
RÉPONSE: Il y a plus de circulation à Paris qu'en province.

Il y a beaucoup de touristes en France (autant qu'aux États-Unis). Il y a beaucoup de monde chez nous (plus que chez vous). Nous avons peu de viande à la maison (moins que vous). Vous avez eu beaucoup d'accidents cette année (autant que nos amis). Ils ont autant d'ennuis (moins que toi). Il y a trop de voitures en ville (moins qu'à New-York).

19. QUESTIONS ET RÉPONSES

1. Où était Guy quand le musicien est arrivé? 2. Décrivez le musicien. 3. De quel instrument le musicien jouait-il? 4. Que faisait la jeune fille pendant qu'il jouait? 5. Qu'est-ce qu'elle faisait pendant qu'elle chantait? 6. Est-ce qu'elle chantait pour les Français? 7. Quand est-ce que M. Lanson mangeait "Chez Mimi"? 8. Est-ce qu'on y mange bien?

20. TRADUCTIONS

1. A musician came in while we were at the restaurant. 2. While he was playing the violin, a girl sang. 3. Afterwards she took up a collection. 4. You have met her already, haven't you? 5. I used to know her well. 6. She used to sing many songs. 7. She used to cry while she sang. 8. He had a long beard and a pipe, didn't he? 9. That is just what I thought.

15B

TOUTES SORTES DE GENS INTÉRESSANTS OU BIZARRES

23:16 Paris, le 29 septembre
Chère Yvonne,

Paris est une ville aussi étonnante que New-York. On y rencontre toutes sortes de gens intéressants ou bizarres. Hier, j'étais en train de déjeuner dans un petit restaurant sur les quais de la Seine, quand un vieux musicien et une jeune chanteuse sont entrés. Ils ont joué des airs à la mode et chanté des chansons 1900.

Ils étaient habillés comme on se représente les Français à l'étranger. Lui, il avait une grosse pipe, une

Paris, September 29
Dear Yvonne,

Paris is as surprising a city as New York. One meets all kinds of interesting or peculiar people there. Yesterday, I was having lunch in a small restaurant on the banks of the Seine, when an old musician and a young singer came in. They played popular melodies and sang songs from the turn of the century.

They were dressed the way people outside of France imagine French people. *He* had a big pipe, a long longue barbe et un grand béret. Elle, elle avait de longs cheveux blonds et de beaux yeux bleus. Lui, il jouait très mal, mais elle, elle chantait très bien. Elle pleurait presque en chantant et elle me regardait toujours. C'était très romanesque et un peu ridicule. J'ai dejeuné en pensant à toi. Tu aimes tant Paris et ce déjeuner était si drôle!

En sortant du restaurant, je suis allé faire un tour sur les quais de la Seine. On tournait un film près de Notre-Dame et j'ai vu beaucoup d'acteurs célèbres. En les voyant, j'ai pensé que toi, tu voulais être vedette et ça m'a bien amusé.

Écris-moi vite!

Amitiés,
Guy

beard and a large beret. *She* had long blonde hair and beautiful blue eyes. *He* played very poorly, but *she* sang very well. She was almost crying while she sang and she kept looking at me. It was very romantic and a little ridiculous. I ate lunch thinking of you. You like Paris so much and this lunch was so funny!

Upon leaving the restaurant, I went to take a walk along the banks of the Seine. A movie was being filmed next to Notre-Dame and I saw many famous actors. Seeing them, I thought of your wanting to be a film star and I was quite amused.

Write me soon!

Love,
Guy

15.7 Pronoms accentués

Quand on emploie les pronoms disjonctifs (voir 11.9) pour mettre en valeur [emphasize] les pronoms sujets du verbe, les pronoms disjonctifs portent un accent tonique comme *lui* et *toi* dans les exemples suivants:

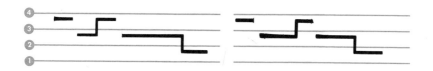

Lui, il avait une grosse pipe.   **Toi, tu voulais être vedette.**

21. *Répétez selon ces modèles:*

Moi, je travaille le soir.
Toi, tu travailles le soir.
Elle, elle travaille le soir.

Nous, nous travaillons le soir.
Vous, vous travaillez le soir.
Eux, ils travaillent le soir.

22. *Mettez un pronom accentué dans les phrases suivantes:*

EXEMPLE: Je suis prêt.
RÉPONSE: Moi, je suis prêt.

Tu le vois. Il l'emploie. Nous le connaissions. Ils leur ont écrit. Elles ne me parlent plus. Tu réponds à ta tante. Vous suivez Irène.

15.8   L'adjectif antéposé (suite)*

Formes spéciales : *bel, nouvel, vieil*

Devant un nom commençant par une voyelle prononcée, les adjectifs **beau, nouveau, vieux** prennent au masculin une forme qui a le son du féminin, mais une orthographe spéciale.

23.   *Répétez et étudiez en faisant attention à l'enchaînement:*

Un *beau* monsieur.   Une *belle* Américaine.
          Un *bel* Américain /œ̃bɛlamerikɛ̃/.
Un *beau* caractère.   Une *belle* attitude.
          Un *bel* exemple /œ̃bɛlɛgzɑ̃pl/.
Un *beau* rapport.   Une *belle* amitié.
          Un *bel* amour /œ̃bɛlamur/.
Un *nouveau* bâtiment.   Une *nouvelle* adresse.
          Un *nouvel* appartement.
Un *nouveau* garçon.   Une *nouvelle* étudiante.
          Un *nouvel* étudiant.
Un *nouveau* quartier.   Une *nouvelle* auberge.
          Un *nouvel* hôtel.
Un *vieux* peintre.   Une *vieille* artiste.
          Un *vieil* artiste /œ̃vjeartist/.
Un *vieux* chapeau.   Une *vieille* amie.
          Un *vieil* ami.
Un *vieux* bâtiment.   Une *vieille* école.
          Un *vieil* appartement.

Au pluriel, il y a une seule forme pour le masculin, une autre pour le féminin.

24.   *Répétez et étudiez; attention à la liaison:*

Il y a de *beaux* hôtels . . .   et de *belles* auberges.
Il y a de *nouveaux* hôtels . . .   et de *nouvelles* auberges.
Il y a de *vieux* hôtels . . .   et de *vieilles* auberges.

---

*Voir 14.6, 15.2.

25. *Ajoutez l'adjectif indiqué; attention au genre!*

EXEMPLE: C'était une amie; vieux.
RÉPONSE: C'était une vieille amie.

C'était une artiste; vieux. C'était un Allemand; vieux. C'était une université; vieux. C'était une femme; beau. Voilà mon ami; ancien. Voilà mon élève; nouveau. Voilà une idée; bon. Voilà un de mes amis; bon. Voilà un hôtel; bon. Voilà un hôtel; petit. Il avait une barbe; long. C'était une auberge; bon. C'était un apparte-ment; beau.

Le partitif

On emploie **de** sans l'article devant un adjectif au pluriel.

26. *Étudiez et répétez:*

Pluriel

Elle avait **des** cheveux **très longs**.	Elle avait **de longs** cheveux.
Elle avait **des** robes **bleues**.	Elle avait **de beaux** yeux.
Il y a **des** hôtels **confortables**.	Il y a **de petits** hôtels confortables.
Voilà **une belle** carte.	Voilà **de belles** cartes.

Singulier

C'est **de la bonne** confiture.
C'est **du mauvais** français.

27. *Mettez les phrases suivantes au pluriel:*

EXEMPLE: C'était une vieille chanteuse.
RÉPONSE: C'étaient de vieilles chanteuses.

C'était une jolie femme. Voilà une vieille chanson. Voilà un petit restaurant. C'était un grand hôtel. C'est une bonne idée. Voilà un bon ami. C'est une bonne amie.

28. *Remplacez l'expression de quantité par un partitif; mettez de ou des:*

EXEMPLE: Jean a beaucoup de bonnes idées.
RÉPONSE: Jean a de bonnes idées.
EXEMPLE: Jean a beaucoup d'idées.
RÉPONSE: Jean a des idées

La boulangerie a beaucoup de bon pain. La chanteuse a tant de cheveux blonds! Bernard a peu de chance! Madame a beaucoup de belles robes. Le Havre

a peu de vieilles maisons. Nicole raconte trop de vieilles plaisanteries [jokes]. Elle
▲ raconte tant de plaisanteries!

15.9   Le participe présent et le gérondif

Le participe présent a le radical de la première personne du pluriel du présent et la
désinence **-ant**. Il est invariable.

> Elle entre **portant** quatre livres.
> Un étudiant **parlant** quatre langues.
> Un homme **travaillant** jour et nuit.

Le participe présent, précédé de la préposition **en**, s'appelle le gérondif. Le
gérondif exprime une action simultanée à celle du verbe principal.

> J'écoute **en travaillant**.   I am listening while I work.
> J'écoutais **en travaillant**.   I was listening as (while) I worked.

29.   *Répétez et étudiez :*

Nous parl**ons**,	**en** parl**ant**.	**Nous** finiss**ons**,	**en** finiss**ant**.
Nous donn**ons**,	**en** donn**ant**.	**Nous** choisiss**ons**,	**en** choisiss**ant**.
Nous vend**ons**,	**en** vend**ant**.	**Nous** répond**ons**,	**en** répond**ant**.
Nous suiv**ons**,	**en** suiv**ant**.	**Nous** conduis**ons**,	**en** conduis**ant**.
Nous lis**ons**,	**en** lis**ant**.	**Nous** sort**ons**,	**en** sort**ant**.
Nous dis**ons**,	**en** dis**ant**.	**Nous** part**ons**,	**en** part**ant**.
Nous fais**ons**,	**en** fais**ant**.	**Nous** pren**ons**,	**en** pren**ant**.
Nous ven**ons**,	**en** ven**ant**.	**Nous** ten**ons**,	**en** ten**ant**.

▼ **30.**   *Combinez les phrases suivantes avec un participe présent :*

EXEMPLE: Il entre; il chante une chanson.
RÉPONSE: Il entre en chantant une chanson.

Il chante; il joue du piano. Nous discutons; nous lisons le journal. Nous pensons à vous; nous écrivons cette lettre. Ils visitent un château; ils rentrent chez
eux. Elles posent des questions; elles remplissent leurs fiches. Nous apprenons le
français; nous accompagnons nos amis. On a vu tourner un film; on fait un tour
▲ de la ville.

31.   *Combinez les phrases suivantes :*

EXEMPLE: Elle a pleuré; elle chantait.
RÉPONSE: Elle a pleuré en chantant.

Elle a écrit une lettre; elle mangeait. Nous avons pensé à vous; nous vous regardions. Vous avez appris à parler français; vous voyagiez en France. Il a beaucoup travaillé; il l'étudiait. J'ai étudié la musique; je jouais du piano. Il est entré; il jouait du violon. Elle est allée chercher les billets; elle rendait visite à son amie en ville.

32.   *Combinez les phrases avec le gérondif:*
EXEMPLE: Je chantais; je sortais.
RÉPONSE: Je chantais en sortant.
EXEMPLE: Il a beaucoup appris; il a travaillé.
RÉPONSE: Il a beaucoup appris en travaillant.

J'apprenais le français; je lisais des romans. Nous découvrons la France; nous y voyageons. Ils ont appris à chanter; ils ont chanté. Elle l'a dit; elle est allée chez elle. Vous lui parliez; vous êtes entré. Tu as vendu la voiture; tu es arrivé à Paris. Tu es resté en ville; tu m'as attendu.

15.10   Infinitif et subjonctif après les expressions de sentiment

Après les expressions de sentiment, on emploie le subjonctif quand les deux phrases ont des sujets différents, l'infinitif quand elles ont le même sujet.

33.   *Répétez et étudiez:*

Deux sujets: subjonctif	Un sujet: infinitif
Je suis content que **vous** disiez ça.	**Je** suis content de vous le dire.
Elle est heureuse que **je** sorte avec elle.	**Elle** est heureuse de sortir avec moi.
Je regrette que **vous** vendiez la maison.	**Je** regrette de vendre la maison.
J'ai peur qu'**elle** conduise mal.	**J'**ai peur de mal conduire.
Ils sont contents que **je** les attende.	**Ils** sont contents de les attendre.
Je suis heureux que **vous** me parliez.	**Je** suis heureux de vous parler.
Nous regrettons que **vous** ne leur parliez pas.	**Nous** regrettons de ne pas leur parler.
Il a peur que **nous** ne l'aimions pas.	**Il** a peur de ne pas l'aimer.

34.   *Combinez les phrases suivantes selon le modèle:*
EXEMPLE: Je suis content; je vous le dis.
RÉPONSE: Je suis content de vous le dire.
J'ai peur; je parle mal. Il est heureux; il finit son travail. Elle regrette; elle ne

comprend rien. Elles ont peur; elles sont en retard. Je suis désolée; j'ai toujours
tort. Ils sont contents; ils ont raison.

35. *Transformez les phrases selon l'indication;*
faites les changements nécessaires:

EXEMPLE: Je vous réponds tout de suite (Je suis heureux).
RÉPONSE: Je suis heureux de vous répondre tout de suite.
EXEMPLE: Vous n'entendez rien (J'ai peur).
RÉPONSE: J'ai peur que vous n'entendiez rien.

Nous finissons notre travail (Nous sommes contents). Il n'écrit jamais (Elle
regrette). Vous répondez à la question (Je suis heureux). Vous m'attendez (Vous
regrettez). Il connaît Irène (Je suis content). Ils connaissent Irène (Ils sont heureux).
Je suis le cours du professeur Lanson (Je regrette). Vous ne remplissez pas la fiche
correctement (J'ai peur).

15.11   Révision

36. *Combinez les phrases suivantes avec **pendant que** et l'imparfait:*

EXEMPLE: J'ai regardé la tour Eiffel; il a fait un tour en ville.
RÉPONSE: J'ai regardé la tour Eiffel pendant qu'il faisait un tour en ville.

Pierre a mangé un sandwich; j'ai travaillé. Pierre l'a vue; j'ai été en France.
Le portier a posé des questions; nous avons rempli la fiche. Il a travaillé; nous
sommes allés en ville. J'ai étudié ma leçon; ma soeur a chanté. Il est parti; le musicien a joué une ancienne chanson.

37. *Répondez au passé composé:*

EXEMPLE: Vous me croyez?
RÉPONSE: Vous m'avez cru?

Vous le voyez? Vous le dites? Vous en vendez? Nous suivons ce cours. Ils
m'écrivent. Il sort? Nous les entendons. Vous la croyez?

38. *Ajoutez les expressions de quantité selon le modèle:*

EXEMPLE: Il y a des difficultés qui sont évidentes. (beaucoup)
RÉPONSE: Il y a beaucoup de difficultés qui sont évidentes.

Il y a des gens qui sont partis. (peu)   Il y a des cowboys qui sont morts derrière
le rocher. (beaucoup)   Il y a du lait dans le frigidaire. (trop)   Il y a de la confiture
dans la maison. (assez)   Il y a du monde dans les rues. (peu)   Il y a des trains qui
sont arrivés ce matin. (assez)

39. *Répondez selon l'indication:*

EXEMPLE: Combien de billets avez-vous? (beaucoup)
RÉPONSE: J'en ai beaucoup.

Combien d'amis avez-vous? (beaucoup) Combien de devoirs avez-vous? (trop) Combien de questions avez-vous? (assez) Combien de dictionnaires avez-vous? (beaucoup) Combien de lettres écrivez-vous? (trop) Combien d'argent avez-vous? (assez)

40. *Renforcez le pronom sujet de la phrase:*

EXEMPLE: J'ai peur d'y aller.
RÉPONSE: Moi, j'ai peur d'y aller.

J'aime Hélène. Nous faisons ça pour elle. Tu penses au problème. Il conduit beaucoup plus vite qu'elle. Elle conduit beaucoup moins vite que lui. Ils ne font jamais la vaisselle [wash the dishes]. Tu ne me crois jamais.

41. *Remplacez le nom par le pronom disjonctif:*

EXEMPLE: Je fais cela pour François.
RÉPONSE: Je fais cela pour lui.

Vous travaillez avec les enfants. Ils le font pour mes parents. Elle pense à Jacques. Il est entré avant la dame. Tu as tort d'y aller avec Suzanne. Tu as raison de rester avec mes soeurs. Il a tort de penser toujours à Brigitte.

42. QUESTIONS ET RÉPONSES

1. Est-ce que Paris est une ville moins étonnante que New-York?
2. Quelles sortes de gens est-ce qu'on y rencontre? 3. Où est le petit restaurant? 4. Qui est entré pendant qu'on déjeunait?
5. Qu'est-ce qu'elle a chanté? 6. Comment est-ce qu'elle a chanté, bien ou mal? 7. Pourquoi est-ce que Guy pense à Yvonne en déjeunant? 8. Qu'est-ce qu'on faisait près de Notre-Dame?
9. Qui voulait être vedette?

43. TRADUCTIONS

1. Paris is an amazing city. 2. The city is as amazing as New York. 3. I was having lunch in a little restaurant, when an old musician came in. 4. He had a big pipe, a long beard and a large beret. 5. He played very badly but she sang very well. 6. She almost cried while singing. 7. While I was taking a walk, I kept thinking of you. 8. While I was taking a walk, I met Pierre. 9. He had blonde hair; she had beautiful blue eyes.

LE CANCRE

Préparation

1. À l'université il y a des étudiants, à l'école secondaire ou primaire il y a des élèves.

2. Un *cancre* est un élève qui n'aime pas la classe, le professeur, la leçon. Il fait le contraire de ce qu'il faut, et cause des *huées*.[1]

3. Il *efface*[2] tout sur le tableau noir; il y *dessine*[3] avec des *craies*.[4]

4. Le cancre pense que les questions du professeur sont des *pièges*.[5]

1:40

Le Cancre

Il dit non avec la tête
mais il dit oui avec le coeur
il dit oui à ce qu'il aime
il dit non au professeur
il est debout[6]
on le questionne
et tous les problèmes sont posés
soudain le fou rire le prend[7]
et il efface tout
les chiffres[8] et les mots
les dates et les noms
les phrases et les pièges
et malgré[9] les menaces du maître
sous les huées des enfants prodiges
avec des craies de toutes les couleurs
sur le tableau noir du malheur
il dessine le visage[10] du bonheur.

JACQUES PRÉVERT
Paroles, Le Point du jour (Gallimard),
1947, p. 75.

---

[1]**les huées**, *f. pl.* shouts, uproar. [2]**effacer** to erase. [3]**dessiner** to draw. [4]**la craie** chalk. [5]**le piège** trap. [6]**debout** standing. [7]**soudain . . . prend** suddenly he is seized by a fit of laughter. [8]**le chiffre** number, figure. [9]**malgré** in spite of. [10]**le visage** face.

DOUTE

Préparation

1. Quand on pleure, on a des larmes[1] dans *les yeux*; les yeux sont *mouillés*.[2] *Lorsqu'on* (= Quand on) est triste, on n'*oublie* pas son désespoir[3] et on reste long-temps *éveillé*[4] la nuit, lorsqu'on *se couche*.[5] La femme dit: "Mes yeux ne *peuvent*[6] (pas) t'oublier lorsque *je me couche*!" Mais son ami croit qu'elle se trompe (= qu'elle n'a pas raison). Il croit qu'elle est moins *grisée*[7] (transporté par l'amour) *qu'amusée*, qu'elle n'a pas le *coeur*[8] tendre, qu'elle préfère le *baiser* à la *bouche*,[9] le plaisir à la personne qui donne le baiser. Il pense qu'elle ne *sent*[10] pas de tour-ment (= peine), et dit: "*Tu ne te tourmentes point.*"[11] Il pense qu'elle ne l'aime pas, ou pas beaucoup, parce qu'elle ne *cherche pas plus loin*[12] pour examiner ses senti-ments. Elle accepte son amour à lui. Donc, il dit: "nos joies sont bien *les nôtres*;"[13] mais son amour à elle est un sentiment général, *un besoin*. Son amour à elle n'a rien à voir avec l'appréciation d'une personne, de l'individu! C'est pourquoi il demande: "*M'aimerais-tu*[14] moins *si j'étais*[15] un autre?"

2. Quelle est, à votre opinion, la réaction de la femme? Est-ce que l'homme qui parle sent les tourments de l'amour? Est-ce que vous *partagez*[16] les opinions de la personne "amusée" par l'amour? Qui a des doutes?

Doute

Tu m'as dit: "Je pense à toi
tout le jour."
Mais tu penses moins à moi
qu'à l'amour.
Tu m'as dit: "Mes yeux mouillés
qui ne peuvent t'oublier
restent longtemps éveillés
lorsque je me couche."

Mais ton coeur est moins grisé
qu'amusé.
Tu penses plus au baiser
qu'à la bouche.
tu ne te tourmentes point

Tu sais, sans chercher plus loin,
que nos joies sont bien les nôtres.
Mais l'amour est un besoin.
M'aimerais-tu beaucoup moins
si j'étais un autre?

PAUL GÉRALDY
Toi et moi (Stock), 1913, pp. 48–49.

QUESTIONS

1. Qu'est-ce que c'est qu'un cancre? 2. Pourquoi est-ce que le cancre efface les chiffres et les mots? 3. Quel est le doute de Paul Géraldy?

---

[1]**la larme** tear.   [2]**mouillé** wet.   [3]**le désespoir** despair.   [4]**éveillé** awake.   [5]**se coucher** to go to bed; **je me couche** I go to bed.   [6]**ils peuvent** they can   [7]**grisé** tipsy.   [8]**le coeur** heart.   [9]**la bouche** mouth.   [10]**sentir** to feel   [11]**tu ne te tourmentes point** you do not torment yourself.   [12]**loin** far.   [13]**le(s) nôtre(s)** ours.   [14]**m'aimerais-tu** would you love me.   [15]**si j'étais** if I were.   [16]**partager** to share.

Au bureau de poste.
(*French Government Tourist Office*)

Seizième leçon

16A

NE VOUS MOQUEZ PAS DE MOI

0:32

BRIGITTE: J'envoie un gros paquet à mon frère pour son anniversaire.

I'm sending a large package to my brother for his birthday.

GUY: Il faut que j'en envoie un aussi à ma mère.

I have to send one to my mother too.

BRIGITTE: C'est son anniversaire?

Is it her birthday?

GUY: Non, mais elle aime les petits cadeaux de temps en temps.

No, but she likes little gifts from time to time.

BRIGITTE: Moi aussi. J'adore les bons parfums et les beaux bijoux.

I do too. I love good perfumes and beautiful jewelry.

GUY: Très bien. Je note tout ça.

Very well. I am taking note of all that.

BRIGITTE: Est-ce que c'est cher pour envoyer un paquet aux États-Unis d'ici?

Is it expensive to send a package to the United States from here?

GUY: Ça dépend du poids. Il faut que vous alliez à la poste.

That depends on the weight. You have to go to the post office.

267

BRIGITTE: Bon, j'y vais tout de suite. Est-ce que vous sortez aussi?	All right, I'm going right away. Are you going out too?
GUY: Oui, il faut que j'aille à la poste aussi. Il faut que ces lettres-là partent ce soir.	Yes, I have to go to the post office too. Those letters have to go out tonight.
BRIGITTE: Alors, j'y vais avec vous.	Then, I'll go there with you.
GUY: Ce n'est pas la peine. Donnez-moi votre paquet.	That's not worth the trouble. Give me your package.
BRIGITTE: Non, je vous accompagne. Il faut que je sorte et que j'apprenne à me débrouiller.	No, I'm going with you. I have to go out and learn to get along by myself.
GUY: Vous avez raison. Mais n'oubliez pas votre dictionnaire et ne parlez pas trop lentement!	You're right. But don't forget your dictionary and don't speak too slowly!
BRIGITTE: Et vous, ne vous moquez pas de moi!	And don't you make fun of me!

Étudiez: *un anniversaire, le bijou, la lettre.*

16.1   Les semi-voyelles

Les voyelles forment des syllabes. Les semi-voyelles n'en forment pas.

1.   *Répétez et étudiez:*

voyelles:		/i/		/y/		/u/
semi-voyelles:		/j/		/ɥ/		/w/
deux syllabes:	pays	/pei/	tu es	/tyɛ/	bout à	/bua/
une syllabe:	paye	/pɛj/	tuait	/tɥɛ/	bois	/bwa/
deux syllabes:	maïs	/mais/	tu as	/tya/	loue à	/lua
une syllabe:	maille	/maj/	tua	/tɥa/	loua	/lwa/

La semi-voyelle /j/ est articulée plus nettement [clearly] en français qu'en anglais. Comparez:

en français—la mayonnaise /majonɛz/, le voyage /vwajaʒ/
en anglais—mayonnaise, voyage.

2.   *Répétez en séparant bien les syllabes:*

Voyage /vwa jaʒ/, mayonnaise /ma jo nɛz/, merveilleux /mɛr vɛ jø/, payer /pɛ je/, essayer /ɛ sɛ je/, nettoyer /nɛ twa je/.

La semi-voyelle /ɥ/ n'existe pas en anglais. Prononcez /ɥ/ en arrondissant [rounding] les lèvres comme pour *tu* /ty/, avec la langue bien en avant.

Comparez la semi-voyelle /w/ dans *Louis* /lwi/ avec l'anglais *we.*

3. *Répétez avec une seule syllabe:*

/w/	Louis	/lwi/	souhait	/swɛ/	mouette	/mwɛt/
/ɥ/	lui	/lɥi/	suait	/sɥɛ/	muette	/mɥɛt/

16.2   Verbes pronominaux : présent

Le verbe pronominal (verbe réfléchi) se compose [= is composed, literally: "composes itself"] de deux pronoms et de la forme du verbe. Les groupes de pronoms sont :

singulier		pluriel	
1ère, 2e *personne*	3e *personne*	1ère, 2e *personne*	3e *personne*
je me (m') . . .	il se (s') . . .	nous nous . . .	ils se (s') . . .
tu te (t') . . .	elle se (s') . . .	vous vous . . .	elles se (s') . . .
	on se (s') . . .		

Le deuxième pronom du groupe est un pronom complément d'objet direct ou indirect. Observez les différents sens :

Complément d'objet direct	Complément d'objet indirect
Je m'habille = I dress [I dress myself]	Je me parle = I speak to myself
Nous nous habillons = we dress [we dress ourselves]	Nous nous parlons = we speak to each other, to ourselves
Cela se fait = it is done [does itself]	Il se fait mal = he hurts himself [does harm to himself]
Il s'amuse — he has a good time [amuses himself]	Ils se parlent — they speak to each other, to themselves
Elle s'amuse = she has a good time [amuses herself]	Ils se donnent des cadeaux = they give each other presents
Ils s'amusent = they have a good time [amuse themselves]	Ils se donnent la main = they shake hands [give each other the hand]

Comparez l'emploi transitif et l'emploi pronominal du verbe :

4. *Répétez et étudiez:*

Verbe transitif	Verbe pronominal

Je vous amuse toujours.
  I always amuse you.
	Je m'amuse toujours.
	  I always enjoy myself (have a good time).

Tu prépares le déjeuner.
  You prepare breakfast.
	Tu te prépares.
	  You get ready.

Elle change ses projets.
  She changes her plans.
	Elle se change.
	  She changes her clothes.

Nous annonçons notre arrivée.
  We announce our arrival.
	Nous nous annonçons.
	  We announce ourselves, our arrival.

Vous demandez l'addition.
  You ask for the bill.
	Vous vous demandez si elle est là.
	  You wonder (ask yourself)
	  if she is there.

Elles habillent leurs enfants.
  They dress their children.
	Elles s'habillent.
	  They get dressed, they dress.

5. *Étudiez les verbes suivants:*

s'écrier = to exclaim.   Il s'écrie: venez! = He exclaims: Come!

se débrouiller = to get by, to manage.   Tu te débrouilles assez bien. = You get by rather well.

se décider = to make a decision, to decide.   Il se décide à partir. = He decides to leave.

s'approcher = to get close, to approach.   Nous nous approchons de la table. = We approach the table.

s'intéresser = to be interested.   Ils s'intéressent au français. = They are interested in French.

se moquer = to make fun (of), not take seriously.   Elle se moque de Paul = She makes fun of Paul.

s'habituer = to get used (to).   Je m'habitue à tout. = I get used to everything.

Observez l'emploi du pronom:

Tu te moques **du problème**. Tu t'**en** moques. Elle se moque **de Paul**. Elle se moque de **lui**. Ils s'habituent **au danger**. Ils s'**y** habituent. Vous vous habituez **au professeur**. Vous vous habituez **à lui**.

6. *Répétez et traduisez les phrases suivantes.*

Ils s'envoient des cadeaux; ils s'aiment beaucoup. Nous nous débrouillons bien; pourquoi est-ce que vous vous moquez de nous? Ils se donnent la main et se parlent longtemps. Nous nous demandons s'ils s'adorent.

7.   *Remplacez les substantifs par des pronoms:*

EXEMPLE: Tu te moques de tes amis.   EXEMPLE: Je m'habitue à Paul.
RÉPONSE: Tu te moques d'eux.   RÉPONSE: Je m'habitue à lui.

Vous vous approchez du professeur. Nous nous approchons de Janine. Ils se moquent de leurs amis. Ils s'habituent à la cuisine française. On se moque des étudiants. Elle s'habitue à Madame Dupont.

8.   *Répondez affirmativement aux questions suivantes:*

EXEMPLE: Tu t'amuses?   EXEMPLE: Vous vous moquez de moi?
RÉPONSE: Oui, je m'amuse.   RÉPONSE: Oui, je me moque de vous.

Tu te débrouilles? Vous vous moquez de Pierre? Tu te prépares vite? Vous vous y habituez? Tu t'approches de moi? Vous vous habituez à moi?

9.   *Transformez avec **vous**:*

EXEMPLE: Je me prépare tranquillement.
RÉPONSE: Vous vous préparez tranquillement.
EXEMPLE: Elles se parlent toujours.
RÉPONSE: Vous vous parlez toujours.

Tu te moques de nous. Ils s'amusent beaucoup. Ils s'y habituent lentement. On se débrouille facilement. Tu te regardes! Elle s'habille tout de suite.

10.   *Répondez affirmativement avec **il faut que nous**:*

EXEMPLE: Est-ce que vous vous amusez?
RÉPONSE: Oui, il faut que nous nous amusions.

Est-ce que vous vous habillez? Vous vous moquez de Janine? Vous vous débrouillez? Vous vous moquez de Pierre? Vous vous habituez à ça? Vous vous décidez? Vous vous préparez vite?

16.3   Verbes pronominaux : infinitif

Le pronom **se** accompagne généralement l'infinitif:

> s'amuser   se préparer   se débrouiller

mais l'infinitif qui se rapporte [refers] à une personne est précédé du pronom qui convient.

> **Je** vais au cinéma pour **m**'amuser.
> **Tu** travailles pour **te** préparer à l'examen.
> **Il** monte dans sa chambre pour **s**'habiller.
> **Nous** sommes ici pour **nous** parler.
> **Vous** venez de **vous** disputer.
> **Ils** vous le disent pour **se** moquer de nous.

▼ **11.** *Répondez selon l'indication avec **partir**:*

EXEMPLE: Nous nous moquons de vous (partir pour).
RÉPONSE: Nous partons pour nous moquer de vous.
EXEMPLE: Je me prépare (partir sans).
RÉPONSE: Je pars sans me préparer.

Vous vous parlez (partir pour). Elles se donnent la main (partir sans). Nous
nous habillons (partir sans). Ils s'amusent (partir pour). Elle se moque de moi
▲ (partir pour). Tu t'habitues à cette idée (partir sans).

16.4   Impératif et pronom complément (suite et révision)

Verbes pronominaux

Les pronoms complément précèdent l'impératif affirmatif, et suivent l'impératif
négatif (voir 13.3):

12. *Répétez et étudiez:*

Préparez-vous! [Get ready!]
  Ne vous préparez pas! [Don't get ready!]
Habillez-vous! [Get dressed!]
  Ne vous habillez pas! [Don't get dressed!]
Amusez-vous! [Have a good time!]
  Ne vous amusez pas trop! [Don't have too good a time!]

▼ **13.** *Mettez à la forme négative selon les exemples:*

EXEMPLE: Habillez-vous!
RÉPONSE: Ce n'est pas la peine, ne vous habillez pas!
EXEMPLE: Écrivez-nous!
RÉPONSE: Ce n'est pas la peine, ne nous écrivez pas!

Parlez-nous! Préparez-vous! Accompagnez-nous! Écoutez-nous! Amusez-vous!
Suivez-nous! Regardez-nous!

Moi et *toi*

Après l'impératif affirmatif **me** devient **moi**, **te** devient **toi** *

---

*Notez l'exception devant **en** et **y**: Donnez m'en! Voir 16.8.

14. *Répétez:*

Ne **me** donnez pas le livre!	Donnez-**moi** le livre!
Ne **me** croyez pas trop vite!	Croyez-**moi**!
Ne **me** suivez pas!	Suivez-**moi**!
Ne **t'**amuse pas trop!	Amuse-**toi** bien [Have a good time]!
Ne **t'**habille pas tout de suite!	Habille-**toi** tout de suite!
Ne **te** prépare pas trop tard!	Prépare-**toi** bien!

15. *Mettez les phrases suivantes à l'impératif:*

EXEMPLE: Il faut que vous m'envoyiez la lettre.
RÉPONSE: Envoyez-moi la lettre!

Il faut que vous me donniez le dictionnaire. Il faut que vous me rendiez le livre. Il faut que vous me parliez de lui. Il faut que vous me prépariez l'analyse. Il faut que vous me donniez votre adresse. Il faut que vous m'envoyiez une lettre. Il faut que vous me croyiez.

16.5 Révision

16. *Transformez les phrases suivantes selon le modèle:*

EXEMPLE: Le vin est bon.
RÉPONSE: Voilà du bon vin.

Le beurre est bon. La bière est bonne. La viande est bonne. La confiture est bonne. Le thé est bon. Le café est bon. La tarte est bonne.

17. *Transformez les phrases selon le modèle:*

EXEMPLE: Voilà de bons parfums.
RÉPONSE: J'aime les bons parfums.

Voilà de beaux bijoux! Voilà de bons amis! Voilà de grandes surprises! Voilà de bonnes voitures! Voilà de gros paquets! Voilà d'anciennes histoires! Voilà de grands problèmes!

18. *Répétez:*

C'est une petite fille.	C'est un petit garçon.
C'est une petite /t/ école.	C'est un petit /t/ hôtel.
Ce sont de petites filles.	Ce sont de petits garçons.
Ce sont de petites /tz/ écoles.	Ce sont de petits /z/ hôtels.
C'est une grande maison.	C'est un grand boulevard.
C'est une grande /d/ université.	C'est un grand /t/ hôtel.
Ce sont de grandes maisons.	Ce sont de grands boulevards.
Ce sont de grandes /dz/ universités.	Ce sont de grands /z/ hôtels.

▼ **19.** *Répétez:*

C'est une **mauvaise** /z/ surprise.
C'est une **mauvaise** /z/ étudiante.
C'est un **mauvais** travail.
C'est un **mauvais** /z/ étudiant.
Ce sont *de* **mauvaises** /z/ surprises.
Ce sont *de* **mauvaises** /z/ étudiantes.
Ce sont *de* **mauvais** travaux.
Ce sont *de* **mauvais** /z/ étudiants.

C'est une **bonne** /bɔn/ voiture.
C'est une **bonne** /bɔn/ histoire.
C'est un **bon** /bõ/ chauffeur.
C'est un **bon** /bɔn, bõn/ endroit.
Ce sont *de* **bonnes** /bɔn/ voitures.
Ce sont *de* **bonnes** /bɔnz/ histoires.
Ce sont *de* **bons** /bõ/ chauffeurs.
Ce sont *de* **bons** /bõz/ endroits.

20. *Remplacez le substantif selon l'indication:*

EXEMPLE: C'est une petite fille; histoire.
RÉPONSE: C'est une petite histoire.

C'est une petite ville; université. C'est un grand boulevard; hôtel. C'est une grande fille; amie. C'est une mauvaise voiture; étudiante. C'est un mauvais garçon; étudiant. C'est un bon parfum; exemple. C'est un bon élève; ami.

21. QUESTIONS ET RÉPONSES

1. Pourquoi est-ce que Brigitte envoie un paquet à son frère? 2. Où est ce frère? 3. A qui est-ce que Guy va envoyer son paquet? 4. Qu'est-ce que Brigitte adore? 5. Est-ce que c'est cher pour envoyer un paquet aux États-Unis? 6. Pourquoi Brigitte veut-elle accompagner Guy? 7. Comment Guy se moque-t-il de Brigitte?

22. TRADUCTIONS

1. I have to send a package to my sister. 2. She adores beautiful jewels from time to time. 3. We have to go to the post office. 4. We have to leave tonight. 5. It is not worth the trouble to accompany her. 6. Do not make fun of her! 7. Don't forget your dictionary! 8. Don't get ready so slowly.

ON CHERCHE QUELQU'UN
QUI CONNAISSE BIEN L'ANGLAIS

:26 IRÈNE: On cherche quelqu'un qui connaisse bien l'anglais et le français.

They are looking for someone who knows English and French well.

BILL: Où avez-vous vu ça?

Where did you see that?

IRÈNE: Je l'ai lu dans les petites annonces. Regardez! "On demande jeune homme, bonne connaissance anglais. Bon salaire. Appelez ODE 22-33."

I read it in the classified ads. Look! "Wanted: Young man, good knowledge of English. Good salary. Call ODE 22-33."

BILL: Qu'est-ce que ça veut dire: "Appelez ODE 22-33?"

What does that mean: "Call ODE 22-33?"

IRÈNE: Il faut que vous appeliez au téléphone Odéon 22-33. Vous composez seulement les trois premières lettres—O D E—et puis les chiffres.

You have to call Odéon 22-33 on the telephone. You dial only the first three letters—O D E—and then the numbers.

BILL: Bon, mais ça ne m'intéresse pas. Il faut que je finisse mes études d'abord.

Good, but that doesn't interest me. I have to finish my studies first.

IRÈNE: Mais cette annonce est peut-être un travail à mi-temps.

But this advertisement might be for part time work.

BILL: Oui, c'est vrai, et comme je veux acheter beaucoup de livres, il faut que je gagne un peu d'argent.

Yes, that's true, and since I want to buy many books, I have to earn a little money.

IRÈNE: Et puis, vous m'avez dit que vous alliez m'offrir des parfums et des bijoux.

And then, you told me that you were going to give me perfumes and jewels.

BILL: Vous n'aimez pas mieux un château Renaissance?

Wouldn't you prefer a Renaissance castle?

IRÈNE: Je vais y réfléchir.

I'll think about it.

16.6   Liaison obligatoire

Il y a toujours liaison entre les mots qui forment un groupe; par exemple:

article + nom: les‿amis; un‿arbre
pronom + verbe: nous‿avons
article + adjectif + nom: les‿anciens‿amis
adjectif possessif + nom: ses‿amis

La liaison est obligatoire dans certains groupes figés [common phrases], par exemple: *comment‿allez-vous, les‿États-Unis, l'accent‿aigu, tout‿à coup, de temps‿en temps, avant‿hier, un fait‿accompli.*

24.   *Répétez et faites la liaison:*

Après les prépositions	Après certains adverbes
chez elle* chez un ami	tout à fait évident
dans une poche	plus important
sous un toit	moins ancien
sans intérêt, sans un sou	très important
en avant, en argent	

▼ **25.**   *Répétez et étudiez:*

Les annonces, trois amis, vos histoires, leurs idées, mon explication. Chez eux, sous un livre, dans un coin. Nous appelons, vous appelez, ils appellent, elles appellent, on appelle, on les appelle, on en appelle, on vous appelle.

16.7   Le subjonctif: l'incertitude

On emploie le subjonctif pour exprimer l'incertitude après des expressions comme: **il se peut que, il est possible que, je cherche quelqu'un qui...**

26.   *Changez les phrases suivantes en ajoutant* **il est possible que:**

EXEMPLE: Je vends ma maison.
RÉPONSE: Il est possible que je vende ma maison.

Je finis la dernière leçon. Je lis tous ces livres. J'écris à mes parents tout de suite. Je réponds à toutes ces questions. Je remplis toutes ces fiches. Je descends avec vous. Je vous dis la vérité.

---

*Il n'y a pas de liaison entre la préposition **chez** et le nom propre: *chez Alice, chez Henri, chez Elisabeth*, etc.

27. *Transformez selon le modèle:*

EXEMPLE: Il connaît l'anglais.
RÉPONSE: Il se peut [it is possible] qu'il connaisse l'anglais.

Il vend sa maison. Il dit la vérité. Il descend en ville. Il va avec vous. Il vient vendredi. Il apprend les langues. Il comprend cet exercice.

28. *Transformez selon le modèle:*

EXEMPLE: Voilà quelqu'un qui connaît l'anglais.
RÉPONSE: On cherche quelqu'un qui connaisse l'anglais.

Voilà quelqu'un qui vend sa maison. Voilà quelqu'un qui dit la vérité. Voilà quelqu'un qui va au bureau de poste. Voilà quelqu'un qui vient m'aider. Voilà quelqu'un qui apprend les langues. Voilà quelqu'un qui comprend cet exercice.

29. *Répondez au subjonctif selon le modèle:*

EXEMPLE: Vous me donnez de petits cadeaux (Je suis content).
RÉPONSE: Je suis content que vous me donniez de petits cadeaux.
EXEMPLE: Nous envoyons un gros paquet (Il faut que).
RÉPONSE: Il faut que nous envoyions un gros paquet.

On me donne de bons parfums (Je cherche quelqu'un qui). Vous allez à la poste (Il faut que). Vous apprenez à vous débrouiller (Je suis content que). Les Français parlent trop vite pour vous (Il se peut que). Vous vous moquez de moi (Il se peut que). On m'écrit souvent (Je suis heureuse que). Il part à six heures (Je cherche quelqu'un qui).

16.8 Ordre des pronoms (suite)

Devant le verbe, deux pronoms compléments sont toujours dans l'ordre suivant:

me te se nous vous	le la les	lui leur		en
			y	

Après le verbe, c'est à dire après l'impératif affirmatif, le complément d'objet direct précède l'indirect; *y* et *en* viennent après.

le la les	nous vous lui leur moi* (m') toi (t')	y en

---

*Voir 16.4.

▼ **30.**   *Remplacez les substantifs par les pronoms convenables:*

EXEMPLE: Elle envoie le gros paquet à son frère.
RÉPONSE: Elle le lui envoie.

Il envoie son paquet à sa mère. Ils envoient les paquets à leurs parents. Bill donne des cadeaux à Brigitte. On annonce le travail aux étudiants. On offre les parfums aux jolies femmes. Il enseigne le français à son frère. Elle explique les exercices à ses amis.

31.   *Mettez les phrases suivantes au passé composé:*

EXEMPLE: Je vous le donne.
RÉPONSE: Je vous l'ai donné.

Vous me le dites. Il te le demande. On nous le demande. Vous nous l'expliquez. Vous me le vendez. Elle me le rend. Il nous l'offre. Nous leur en donnons. Je lui en prête. Je le leur apprends. Nous le lui offrons. Elle m'y envoie. Tu nous y envoies. Je leur en parle. Je l'y rencontre. Tu m'y accompagnes. Elle me le permet. On nous le permet. Paul vous le promet. On nous l'apprend. On vous l'offre.

32.   *Répondez avec **en**:*

EXEMPLE: Je lui donne des conseils.
RÉPONSE: Je lui en donne.
EXEMPLE: Je lui envoie un paquet.
RÉPONSE: Je lui en envoie un.

Je lui offre un café. Nous leur envoyons deux paquets. Vous leur envoyez des paquets. On leur explique deux problèmes. On lui envoie une annonce. On leur offre des parfums. Tu leur expliques un problème.

33.   *Remplacez l'impératif négatif par l'impératif affirmatif:*

EXEMPLE: Ne me le donnez pas!
RÉPONSE: Donnez-le-moi!

Ne me l'expliquez pas! Ne me le montrez pas! Ne me l'envoyez pas! Ne m'en donnez pas! Ne me les offrez pas! Ne vous amusez pas trop!

34.   *Remplacez l'impératif affirmatif par l'impératif négatif:*

EXEMPLE: Donnez-le-lui!
RÉPONSE: Non, ne le lui donnez pas!

Vendez-les-leur! Envoyez-la-lui! Expliquez-le-leur! Vendons-leur-en! Donnez-lui-en! Achète-le-leur! Donnez-m'en!

16.9   Révision

35.   *Changez les phrases suivantes en mettant **il faut** et le subjonctif:*

EXEMPLE: Je finis mes études.
RÉPONSE: Il faut que je finisse mes études.

Je suis trois cours. Je pars pour les États-Unis. J'écris une longue lettre à mes parents. Nous remplissons la fiche. J'attends ma femme. Vous lisez beaucoup. Tu connais tout le monde.

36.   *Mettez à la forme **vous**:*

EXEMPLE: Il faut que tu sortes tout de suite.
RÉPONSE: Il faut que vous sortiez tout de suite.

Il faut que tu partes tout de suite, . . . que je suive tous ces cours, . . . que j'écrive encore une fois, . . . que je remplisse la fiche, . . . que tu connaisses beaucoup de monde, . . . que tu lises beaucoup, . . . que tu y réfléchisses.

37.   *Changez les phrases suivantes en ajoutant **Je regrette que**:*

EXEMPLE: Vous entendez la vérité.
RÉPONSE: Je regrette que vous entendiez la vérité.

Vous attendez devant la porte. Vous choisissez ça. Vous partez aujourd'hui. Vous connaissez ce jeune homme. Vous suivez ce cours. Vous conduisez une petite voiture. Vous écrivez la lettre.

38.   *Changez les phrases suivantes selon l'indication:*

EXEMPLE: Il faut que j'appelle ODE 22-33; nous.
RÉPONSE: Il faut que nous appelions ODE 22-33.

Il faut que je l'appelle; vous. Il faut qu'on les appelle; je. Il faut que vous m'appeliez; tu. Il faut qu'elle nous appelle; vous. Il faut qu'ils nous appellent; on. Il faut que nous vous appelions; je. Il faut que vous m'appeliez; Brigitte.

39.   *Changez les phrases suivantes en mettant le premier verbe au passé composé et le deuxième à l'imparfait:*

EXEMPLE: Vous me dites que vous allez m'offrir des bijoux.
RÉPONSE: Vous m'avez dit que vous alliez m'offrir des bijoux.

Vous oubliez que vous allez m'accompagner. J'apprends que vous allez me prêter de l'argent. Je sais que vous allez finir vos études. J'apprends que vous allez partir. On annonce qu'il va pleuvoir. Je vois qu'il va faire beau. Je lis dans le journal qu'il va faire très froid.

▼ **40.** *Répondez selon le modèle* (voir 15.3):

EXEMPLE: Qu'est-ce que vous croyez?
RÉPONSE: Voilà ce que je crois.

Qu'est-ce que vous faites? Qu'est-ce que vous avez? Qu'est-ce que vous pensez de lui? Qu'est-ce que vous n'entendez pas? Qu'est-ce que vous apprenez? Qu'est-ce que vous demandez?

41. *Mettez le deuxième verbe des phrases suivantes au passé composé:*

EXEMPLE: Je sais ce que vous dites.
RÉPONSE: Je sais ce que vous avez dit.

Je sais ce qu'ils lisent. Je sais ce qu'il vous rend. Je sais ce qu'il connaît. Je sais ce qu'ils font. Je sais ce qu'il croit. Je sais ce qu'il nous envoie. Je sais ce qu'ils ne ▲ comprennent pas.

42. *Mettez à l'impératif négatif:*

EXEMPLE: Il ne faut pas que vous m'envoyiez cette lettre.
RÉPONSE: Ne m'envoyez pas cette lettre!

Il ne faut pas que vous lui donniez le dictionnaire. Il ne faut pas que vous me rendiez le livre. Il ne faut pas que vous me parliez d'elle. Il ne faut pas que vous me répondiez ça. Il ne faut pas que vous y alliez seul. Il ne faut pas que vous en parliez. Il ne faut pas que vous vous habilliez.

43. *Mettez au négatif:*

EXEMPLE: Dites-le!
RÉPONSE: Ne le dites pas!

Oubliez-le! Parlez-lui! Mangez-en! Allez-y! Prenez-le! Répondez-lui! Accompagnez-nous!

44. *Mettez les expressions suivantes à l'impératif:*

EXEMPLE: Vous n'ennuyez pas vos amis.
RÉPONSE: Ne les ennuyez pas!

Vous n'ennuyez pas vos parents. Vous n'envoyez pas cette lettre. Vous n'envoyez pas ces lettres. Vous ne croyez pas votre professeur. Vous ne croyez pas vos professeurs. Tu ne crois pas tes professeurs. Tu n'envoies pas ces lettres.

45. *Mettez les phrases suivantes à l'impératif affirmatif:*

EXEMPLE: Tu ne les prends pas.
RÉPONSE: Prends-les!

Tu ne les envoies pas. Tu ne les ennuies pas. Tu ne les crois pas. Vous ne les envoyez pas. Vous ne les ennuyez pas. Vous ne les croyez pas. Vous ne leur demandez pas.

46. QUESTIONS ET RÉPONSES

1. Qu'est-ce qu'on cherche? 2. Comment Irène le sait-elle? 3. Qu'est-ce que "Appelez ODE 22-33" veut dire? 4. Que faut-il que Bill finisse? 5. Pourquoi est-ce qu'un travail à mi-temps l'intéresse? 6. Qu'est-ce qu'il va offrir à Irène? 7. Est-ce qu'un château Renaissance est cher? 8. Est-ce que Bill va faire des cadeaux à Irène?

47. TRADUCTIONS

1. We are looking for someone to finish the work. 2. What does that mean? I don't know what it means. 3. You have to call this number. 4. This does not interest me; I need to work. 5. You are going to lend me a great deal of money. 6. Give him the money! 7. No, don't give it to him! 8. I have to think about it.

48. TRADUISEZ RAPIDEMENT

1. This is a big package. 2. She loves beautiful jewels. 3. Good perfumes are expensive. 4. He likes to give little gifts. 5. Here is the old gentleman. 6. She has beautiful blue eyes. 7. I gave him some. 8. I wrote them about it. 9. I drove him there. 10. Bring me some of it. 11. Give them to me.

16C

LECTURES

AUTREFOIS

Préparation

1. *Autrefois* (= *il y a longtemps*) des chandeliers illuminaient les maisons et il y avait des *girandoles*[1] *aux murs,*[2] avec des *bougies*[3] en *cire.*[4] La cire pouvait vous tomber sur le *dos.*[5] Aujourd'hui nous avons la lumière[6] électrique, même dans les *lustres* (= chandeliers). Les chandeliers *jettent*[7] de la lumière; le parquet *ciré* reflète la lumière.

---

[1]**la girandole** wall candelabra.   [2]**aux murs** on the walls.   [3]**la bougie** candle.   [4]**la cire** wax.   [5]**le dos** back.   [6]**la lumière** light.   [7]**jeter** to throw.

2. Préférez-vous les *brunes*[8] (= les filles aux cheveux bruns), les *blondes* ou les *rousses*[9] (= les filles aux cheveux blonds ou roux)? Attention, il y en a qui[10] portent de *fausses nattes*[11] pour paraître plus belles et plus jolies. Moi je *n'*aime *ni*[12] les blondes, *ni*[12] les rousses. Et vous, vous aimez *qui*?[13] Et qui[10] êtes-vous?

3. En France, à la campagne, on met une boule *d'eau chaude* (= *bouillotte*[14]) dans son lit et on a un grand *édredon*[15] qui prend la place des couvertures.[16] Êtes-vous *ronfleur*?[17] *Bâillez-vous*?[18] Allez dormir sous votre édredon! Ou préférez-vous un *couvre-pied piqué*?[19] Vous ne pouvez pas dormir? Pourquoi? Vous êtes *amoureux!*[20] Vous avez *battu*[21] votre femme? Cela vous *empêche de*[22] dormir! *Tu t'en ferais claquer le système!*[23] *Plutôt mourir!*[24] Quelle *fin!*[25]

4. Le concierge s'occupe de[26] la maison et souvent de la vie privée des locataires.[27]

5. Qu'est-ce que vous prenez pour commencer? Une soupe? Et puis? Du *boeuf à la mode*[28] et des *pommes de terre*?[29] Et à la fin du repas? Une *poire*?[30]

6. Notez les formes suivantes:

Au futur (voir 19.2):

je soupirerai (du verbe soupirer)	I shall sigh
je serai (du verbe *être*)	I shall be

Au passé simple (Voir 18C):

il se mit dans la tête (du verbe *mettre*)	he got the idea
il voulut (du verbe *vouloir*)	he wanted
il se dit (du verbe *dire*)	he said to himself

5:26

Autrefois

Il y a longtemps—mais longtemps ce n'est pas assez pour vous donner l'idée . . . Pourtant, comment dire mieux?

Il y a longtemps, longtemps, longtemps; mais longtemps, longtemps . . .

Alors, un jour . . . non, il n'y avait pas de jour, ni de nuit. Alors une fois, mais il n'y avait . . . Si une fois, comment voulez-vous parler? Alors il se mit dans la tête (non, il n'y avait pas de tête), dans l'idée . . . Oui, c'est bien cela, dans l'idée de faire quelque chose.

Il voulait boire. Mais boire quoi? Il n'y avait pas de vermouth, pas de madère, pas de vin blanc, pas de vin rouge, pas de bière Dreher,[31] pas de cidre, pas d'eau! C'est que vous ne pensez pas qu'il a fallu[32] inventer tout ça, que ce n'était pas encore fait, que le progrès a marché. Oh! le progrès!

---

[8]**brun** brown.   [9]**roux, rousse** red (of hair).   [10]**qui** who.   [11]**fausses nattes** false hair.   [12]**ni . . . ni** neither . . . nor.   [13]**qui** whom.   [14]**la bouillotte** hot-water bottle.   [15]**l'édredon,** *m.* eiderdown comforter.   [16]**la couverture** blanket   [17]**le ronfleur** snorer.   [18]**bâiller** to yawn.   [19]**le couvre-pied piqué** stitched quilt   [20]**amoureux, amoureuse** in love.   [21]**battu,** *p. part. of* **battre** to beat.   [22]**empêcher de** to prevent from.   [23]**Tu . . . système!** You could lose your mind thinking about it   [24]**Plutôt mourir!** You'd rather die!   [25]**la fin** end, ending.   [26]**s'occuper de** to take care of.   [27]**le locataire** tenant: [28]**le boeuf à la mode** beef stew.   [29]**la pomme de terre** potato.   [30]**la poire** pear.   [31]**Dreher** French brand of beer.   [32]**il a fallu** it was necessary.

Ne pouvant pas boire, il voulait manger. Mais manger quoi? Il n'y avait pas de soupe à l'oseille,[33] pas de turbot sauce aux câpres,[34] pas de rôti, pas de pommes de terre, pas de boeuf à la mode, pas de poires, pas de fromage de Roquefort, pas d'indigestion, pas d'endroits pour être seul ... Nous vivons dans le progrès! Nous croyons que ça a toujours existé, tout ça!

Alors, ne pouvant ni boire, ni manger, il voulut chanter, (*gaiement*) chanter. Chanter (*triste*), oui, mais chanter quoi? Pas de chansons, pas de romances, *mon coeur! petite fleur!* Pas de coeur, pas de fleur, pas de *laï-tou*[35]: *tu t'en ferais claquer le systeme!* Pas d'air pour porter la voix,[36] pas de violon, pas d'accordéon, pas d'orgue. (*geste*) pas de piano! vous savez pour se faire accompagner[37] par la fille du concierge; pas de concierge! Oh! le progrès!

Peux pas chanter; impossible? Et bien, je vais danser. Mais danser où? Sur quoi? Pas de parquet ciré, vous savez, pour tomber. Pas de soirées avec des lustres, des girandoles aux murs qui vous jettent de la bougie dans le dos, des verres, des sirops qu'on renverse[38] sur les robes! Pas de robes! Pas de danseuses pour porter les robes! Pas de pères ronfleurs, pas de mères couperosées[39] pour empêcher de danser en rond.

Alors pas boire, pas manger, pas chanter, pas danser. Que faire?— Dormir! Eh bien, je vais dormir. Dormir, mais il n'y avait pas de nuit, pas de ces moments qui ne veulent pas passer (vous savez, quand on bâille [*il bâille*], qu'on bâille, qu'on bâille le soir).

Il n'y avait pas de soir, pas de lit, pas d'édredon, pas de couvrepied piqué, pas de boule d'eau chaude, pas de table de nuit, pas de ... assez! Oh! le progrès.

Alors il voulut aimer. Il se dit: je vais me mettre amoureux,[40] je soupirerai; c'est ma distraction; je serai même jaloux; je battrai ma ... Ma quoi? Battre quoi? qui? Être jaloux de quoi? de qui? ... amoureux de qui? soupirer pour qui? Pour une brune? Il n'y avait pas de brunes. Pour une blonde? Il n'y avait pas de blondes, ni de rousses; il n'y avait même pas de cheveux ni de fausses nattes, puisqu'il n'y avait pas de femmes!

On n'avait pas inventé les femmes! Oh! le progrès!

Alors, mourir! Oui, il se dit (*résigné*): Je veux mourir. Mourir comment? Pas de canal Saint-Martin, pas de cordes, pas de revolvers, pas de maladies, pas de potions, pas de pharmaciens, pas de médecins![41]

Alors, il ne voulut rien! (*Plaintif.*) Quelle plus malheureuse situation! ... (*Se ravisant.*[42]) Mais, non, ne pleurez pas! Il n'y avait pas de situation, pas de malheur. Bonheur, malheur, tout ça c'est moderne.

---

[33]**l'oseille,** *f.* sorrel (vegetable).   [34]**turbot ... câpres** turbot (fish) with caper sauce.   [35]**laï-tou** layee-too (sound of yodel).   [36]**porter la voix** to carry the voice.   [37]**se faire accompagner** to have oneself accompanied.   [38]**renverser** to spill.   [39]**couperosé** blotchy (complexion).   [40]**se mettre amoureux** to fall in love.   [41]**le médecin** doctor.   [42]**se raviser** to think things over.

La fin de l'histoire? Mais il n'y avait pas de fin. On n'avait pas inventé la fin. Finir, c'est une invention, un progrès! Oh! le progrès! le progrès . . . (*Il sort, stupide*).[43]

CHARLES CROS
Collection Poètes d'aujourd'hui
(Seghers), 1963, pp. 152–155.

QUESTIONS

1. Décrivez le monde d'autrefois de Charles Cros. 2. Est-ce que l'auteur croit au progrès? Qu'est-ce qu'il pense du progrès? 3. Faites la liste des épisodes humoristiques de ce texte. 4. Est-ce que vous trouvez logique la fin de l'histoire? Pourquoi?

---

[43]**stupide** (*here*) stunned.

Dix-septième leçon

17A

MONSIEUR L'AGENT,
EST-CE QUE VOUS POUVEZ ME DIRE...

46 LINDA: Pardon monsieur l'agent, est-ce que vous pouvez me dire où je peux téléphoner, s'il vous plaît?

Excuse me, officer, can you please tell me where I can make a phone call?

L'AGENT: Vous voulez téléphoner en ville ou en dehors de la ville?

Do you want to make a local call or call long distance?

LINDA: Je veux téléphoner à quelqu'un en ville.

I want to call someone in town.

L'AGENT: Bon alors, vous pouvez téléphoner d'un café, si vous voulez. Vous en avez un juste en face.

In that case, you can call from a café, if you wish. There's one right across the street.

LINDA: Merci bien, mais je veux téléphoner aussi à mes parents en Amérique.

Thank you very much, but I also want to call my parents in America.

L'AGENT: En Amérique! Écrivez-leur

In America! Just write them a few

un petit mot; c'est plus facile et c'est moins cher!

LINDA: Je sais que c'est moins cher, mais il faut absolument que je leur téléphone.

L'AGENT: Rien de grave?

LINDA: Non, c'est l'anniversaire de ma mère.

L'AGENT: Et elle veut que vous lui téléphoniez? C'est drôle.

LINDA: Oui, ma mère veut que je l'appelle pour son anniversaire.

L'AGENT: Bon, alors il faut que vous téléphoniez de la poste là-bas.

LINDA: Merci, monsieur, j'y cours.

L'AGENT: Attendez le feu vert, mademoiselle!

words; that's simpler and less expensive!

I know it's cheaper, but I absolutely must call them.

Nothing serious?

No, it is my mother's birthday.

And she wants you to phone her? That's funny.

Yes, my mother wants me to call on her birthday.

Well then, you have to call from the post office over there.

Thank you, sir, I'll rush over.

Wait for the green light, Miss!

17.1   /œ/, /ø/, prononciation ouverte et fermée

Pour le /ø/ fermé, les lèvres sont arrondies et la langue est en avant:

Deux, il v**eu**t, elle p**eu**t, mons**ieu**r, des **oeu**fs.

Pour le /œ/ ouvert, les lèvres sont moins arrondies et la langue est en avant:

L**eu**r j**eu**ne s**oeu**r, le b**eu**rre, elles v**eu**lent, un **oeu**f.

1.   *Répétez en opposant les deux sons:*

/ø/		/œ/	
	elle veut		elles veulent
	elle peut		elles peuvent
	monsieur /məsjø/		ma soeur /masœr/
	messieurs /mesjø/		mes soeurs /mesœr/
	un peu		la peur
	le feu		le fleuve
	c'est vieux		c'est jeune
	l'un d'eux		le leur

17.2 Vouloir, pouvoir

Le radical de ces deux verbes dépend des désinences:

2. *Étudiez:*

	Désinences non-prononcées		*Désinences prononcées*
	/ø/	/œ/	/u/
Présent:	**je** veux /vø/		**nous** voulons /vulõ/
	je peux /pø/		**nous** pouvons /puvõ/
	tu veux		**vous** voulez /vule/
	tu peux		**vous** pouvez /puve/
	il veut	**ils** veulent /vœl/	
	il peut	**ils** peuvent /pœv/	
Imparfait:			**je** voulais /vulɛ/
			je pouvais /puvɛ/
Participe présent:			voulant /vulã/
			pouvant /puvã/
Infinitif:			voulоir /vulwar/
			pouvoir /puvwar/
Participe passé:			voulu /vuly/
			pu /py/

3. *Transformez le verbe selon l'indication en observant l'intonation:*

EXEMPLE: Vous voulez rester ou partir? les jeunes gens.
RÉPONSE: Les jeunes gens veulent rester ou partir?
EXEMPLE: Tu peux m'écrire ou me parler? vous.
RÉPONSE: Vous pouvez m'écrire ou me parler?

Nous pouvons leur téléphoner ou leur écrire? je. Elle veut téléphoner à une amie ou à sa mère? nous. Tu veux voir l'Amérique ou l'Europe? vous. Ils peuvent téléphoner du restaurant ou de la poste? on. Elle veut devenir musicienne ou chanteuse? les deux jeunes filles.

4. *Remplacez **vouloir** par **pouvoir:***

EXEMPLE: Vous voulez leur parler.
RÉPONSE: Vous pouvez leur parler.

Je veux vous voir demain. Nous voulons l'appeler. Ils veulent attendre leurs amis. Il veut écrire en Amérique. Tu veux déjeuner? Elles veulent bavarder. Il n'a pas voulu venir. Vous vouliez téléphoner en ville.

17.3   Subjonctif : formes irrégulières

Verbes qui ont deux radicaux

Les verbes qui ont deux radicaux au présent de l'indicatif, **acheter, appeler, envoyer, ennuyer, voir, croire,** etc., ont les deux mêmes radicaux au subjonctif présent.

5.   *Étudiez :*

Désinences non-prononcées

subj.:   Il faut que **j'**achète une valise.
ind.:   **J'**achète une valise.
subj.:   Il faut qu'**il** appelle son grand-père.
ind.:   **Il** appelle son grand-père.
subj.:   Il faut qu'**ils** envoient un mot.
ind.:   **Ils** envoient un mot.
subj.:   Faut-il qu'**il** ennuie tout le monde !
ind.:   **Il** ennuie tout le monde !

Désinences prononcées

subj.:   Il faut que **nous** achet**ions** une valise.
ind.:   **Nous** achet**ons** une valise.
subj.:   Il faut que **nous** appel**ions** son grand-père.
ind.:   **Nous** appel**ons** son grand-père.
subj.:   Il faut que **vous** envoy**iez** un mot.
ind.:   **Vous** envoy**ez** un mot.
subj.:   Faut-il que **vous** ennuy**iez** tout le monde !
ind.:   **Vous** ennuy**ez** tout le monde !

6.   *Répétez et étudiez :*

Je **vois** mon jeune frère.
    Il faut que je *voie* mon jeune frère.
Ils **voient** leur grand-père.
    Il faut qu'ils *voient* leur grand-père.
Tu **crois** cette histoire.
    Il faut que tu *croies* cette histoire.
Elle **croit** cette histoire.
    Il faut qu'elle *croie* cette histoire.

Nous **voyons** son jeune frère.
    Il faut que nous *voyions* son jeune frère.
Nous **croyons** cette histoire.
    Il faut que nous *croyions* cette histoire.
Vous **croyez** cette histoire.
    Il faut que vous *croyiez* cette histoire.
Vous **voyez** la maison.
    Il faut que vous *voyiez* la maison.

▼ **7.**   *Mettez le verbe au subjonctif en ajoutant **il faut que** :*

    EXEMPLE: Tu achètes un béret.
    RÉPONSE: Il faut que tu achètes un béret.
    EXEMPLE: Nous appelons le garçon.
    RÉPONSE: Il faut que nous appelions le garçon.

Tu vois ce musicien célèbre! Nous voyons la jeune fille. Il achète un bon violon. Vous achetez une belle pipe. Paul envoie un long télégramme. Vous envoyez une longue lettre. Tu achètes ce roman! Vous croyez cet employé!

Verbes à trois radicaux: *prendre, venir, tenir*

Ces verbes ont trois radicaux à l'indicatif présent, et seulement deux radicaux au subjonctif:

8. *Étudiez:*

	Désinences non-prononcées		*Désinences prononcées*
	/jɛ̃/ /ɑ̃/	/jɛn/ /ɛn/	/ən/
Indicatif présent:	je viens, je tiens je prends tu viens, tu tiens tu prends il vient, il tient il prend	ils viennent ils tiennent ils prennent	nous venons, nous tenons nous prenons vous venez, vous tenez vous prenez
Subjonctif présent:		qu(e) je vienne, je tienne je prenne tu viennes, tu tiennes tu prennes il vienne, il tienne il prenne ils viennent ils tiennent ils prennent	que nous venions, nous tenions nous prenions vous veniez, vous teniez vous preniez

9. *Répétez et étudiez:*

Nous prenons deux verres.	Il faut que nous prenions deux verres.
Vous tenez la porte.	Il faut que vous teniez la porte.
Nous venons à l'école.	Il faut que nous venions à l'école.
Vous apprenez à lire et à écrire.	Il faut que vous appreniez à lire et à écrire.
Ils prennent leurs repas au restaurant.	Il faut qu'ils prennent leurs repas au restaurant.

Ils retiennent deux chambres.	Il faut qu'ils retiennent deux chambres.
Je reviens à 7 heures.	Il faut que je revienne à 7 heures.
Je comprends toute la leçon.	Il faut que je comprenne toute la leçon.
Tu apprends la musique.	Il faut que tu apprennes la musique.
Il retient son ami.	Il faut qu'il retienne son ami.

▼ **10.** *Commencez la phrase par **Je veux que** et faites le changement nécessaire:*

EXEMPLE: Vous revenez à Paris.
RÉPONSE: Je veux que vous reveniez à Paris.
EXEMPLE: Tu retiens une chambre.
RÉPONSE: Je veux que tu retiennes une chambre.

Ils apprennent la biologie. Il comprend la leçon. Tu viens avec moi. Ils tiennent la porte. Tu prends une bière. Ils viennent en ville. Vous comprenez mon petit
▲ mot.

Aller, vouloir

Le radical de ces verbes dépend des désinences (prononcées ou non-prononcées).

11. *Étudiez:*

	Désinences non-prononcées		Désinences prononcées	
	/v-/	/vø, vœ/	/al/	/vul/
Indicatif *présent:*	**je** vais	**je** veux	**nous** allons	**nous** voulons
	tu vas	**tu** veux	**vous** allez	**vous** voulez
	il va	**il** veut		
	ils vont	**ils** veulent		
	/aj/	/vœj/	/al/	/vul/
Subjonctif *présent:*	qu(e) **j'**aille	**je** veuille	que **nous** allions	**nous** voulions
	tu ailles	**tu** veuilles	**vous** alliez	**vous** vouliez
	il aille	**il** veuille		
	ils aillent	**ils** veuillent		

12. *Comparez les indicatifs et subjonctifs suivants:*

Je vais chez le dentiste.	Il faut que j'aille le voir.
Il va chez le médecin.	Il faut qu'il aille chez lui.

Ils vont téléphoner.	Il faut qu'ils aillent le faire.
Nous allons consulter l'agent.	Il faut que nous allions le consulter.
Je veux sortir tout de suite.	Il se peut que je veuille sortir.
Tu veux bavarder un peu.	Je suis content que tu veuilles bavarder avec moi.
Vous voulez prendre un verre.	Il se peut que vous le vouliez.
Elles veulent faire un tour.	Nous sommes contents qu'elles veuillent nous accompagner.

13. *Répondez selon le modèle:*

EXEMPLE: Vous voulez que j'aille en ville?
RÉPONSE: Je veux que vous alliez en ville.

Vous voulez que j'aille au restaurant?... que je voie Paul?... que j'envoie la lettre?... que je prenne toute la classe?... que j'appelle la police?... que j'aille au théâtre?... que j'apprenne le français?... que je retienne deux chambres?... que je comprenne toute la leçon?

14. *Mettez les phrases suivantes au pluriel, en employant **nous**:*

EXEMPLE: Il faut qu'il aille en ville.
RÉPONSE: Il faut que nous allions en ville.

Il faut qu'il aille au restaurant,... qu'il voie ce film,... qu'il vous envoie ce livre,... qu'il appelle sa tante au téléphone,... qu'il achète une voiture,... qu'il étudie beaucoup,... qu'il tienne la porte,... qu'il apprenne le japonais.

17.4   Subjonctif: emplois

Verbes de volonté et de nécessité

Après les verbes qui expriment la nécessité, la volonté ou le désir, **que** introduit le subjonctif: *Il faut **que** vous parliez* [you must speak]. *Je veux **que** tu parles, je désire* **que** *tu parles* [I want you to speak].

15. *Répétez et étudiez les phrases suivantes:*

Il faut que vous disiez la vérité.
Je veux que vous disiez la vérité.
Il faut que nous parlions à Jacques.
Tu veux que nous parlions à Jacques.
Il faut que Pierre réponde à la question.
Nous voulons que Pierre réponde à la question.

16. *Remplacez la forme de vouloir par **il faut:***

EXEMPLE: Vous voulez qu'il parte?
RÉPONSE: Oui, il faut qu'il parte.

Vous voulez qu'elle le cherche? Il veut que j'en trouve une? Elle veut que je lui écrive? Vous voulez que nous le lisions? Vous voulez que nous les indiquions? Ils veulent que nous les étudiions? Tu veux que je le finisse?

Subjonctif et infinitif

Vouloir est suivi d'un verbe à l'infinitif si le sujet des deux verbes est le même; **il faut** est suivi d'un verbe à l'infinitif si ce deuxième verbe n'a pas de sujet:

17. *Répétez et étudiez les phrases suivantes:*

Je veux **partir.**	Je veux que vous **partiez.**
Il veut **écrire** à sa tante.	Il veut que j'**écrive** à sa tante.
On veut l'**aider.**	Voulez-vous qu'on l'**aide?**
Nous voulons **attendre** nos amis?	Voulez-vous que nous **attendions** nos amis?
Il faut **travailler.**	Il faut qu'on **travaille.**
Il faut **tenir** ses promesses.	Il faut qu'on **tienne** sa promesse.
Il faut y **aller.**	Il faut qu'on y **aille.**

18. *Transformez les phrases suivantes en employant **tu:***

EXEMPLE: Je veux l'appeler.
RÉPONSE: Je veux que tu l'appelles.
EXEMPLE: Je ne veux pas l'ennuyer.
RÉPONSE: Je ne veux pas que tu l'ennuies.

Je veux l'acheter, . . . les appeler, . . . la voir, . . . le croire, . . . lui parler, . . . le retenir, . . . la prendre.
Je veux finir, . . . les conduire, . . . la connaître, . . . les suivre, . . . le comprendre. Je ne veux pas le remplir, . . . la conduire, . . . les connaître, . . . la suivre, . . . l'apprendre.

▼ **19.** *Transformez les phrases en employant **nous:***

EXEMPLE: Vous voulez y aller.
RÉPONSE: Vous voulez que nous y allions.
EXEMPLE: Vous voulez l'apprendre.
RÉPONSE: Vous voulez que nous l'apprenions.

Vous voulez les attendre, . . . y déjeuner, . . . chanter un air ancien, . . . leur téléphoner, . . . les appeler au téléphone, . . . leur dire au revoir, . . . lire ce roman, ▲ . . . venir au téléphone.

20. *Mettez l'infinitif selon le modèle:*

EXEMPLE: Il faut qu'on étudie.
RÉPONSE: Il faut étudier.

Il faut qu'on apprenne beaucoup de choses, qu'on comprenne ses parents, qu'on tienne sa parole, qu'on veuille travailler, qu'on suive cinq cours, qu'on aille souvent en ville, qu'on écrive à ses amis.

17.5 Révision

21. *Substituez le deuxième adjectif au premier:*

EXEMPLE: Un vieux violon; bon.
RÉPONSE: Un bon violon.

Un grand acteur; ancien. Un vieil acteur; bon. Le dernier anniversaire; premier. Un bon agent; mauvais. Une grande amitié; vieille. Un bon appétit; grand. Un bon exemple: vieil.

22. *Mettez au pluriel les phrases suivantes:*

EXEMPLE: C'est un long voyage.
RÉPONSE: Ce sont de longs voyages.

C'est un bon exemple, . . . un grand moment, . . . un vieux musicien, . . . une jeune chanteuse, . . . un long voyage, . . . une bonne idée, . . . un petit enfant, . . . une mauvaise habitude.

23. QUESTIONS ET RÉPONSES

1. Qu'est-ce que Linda demande à l'agent? 2. Qu'est-ce que l'agent lui répond? 3. Où est-ce qu'elle veut téléphoner d'abord? 4. Et ensuite? 5. De quel pays est-ce qu'elle vient? 6. Qui veut absolument qu'elle téléphone? 7. Où est-ce qu'il faut qu'elle aille pour téléphoner en Amérique? 8. Qu'est-ce qu'il faut attendre?

24. TRADUCTIONS

1. Tell me where I can phone. 2. Do you want to call someone? 3. Write them a short note; that is easier and cheaper. 4. You absolutely must call them. 5. Your mother wants you to talk to her. 6. Wait for the green light, Miss. 7. I want you to write her (that you write her). 8. I want you to send her a letter (that you send her a letter).

MAIS L'ENSEMBLE
A BEAUCOUP DE CHARME

20:42 Si vous voulez avoir une bonne idée du paysage français, il faut que je vous montre quelques reproductions de tableaux impressionistes. Vous pouvez imaginer les maisons d'un village français en regardant cette peinture de Pissarro.

Les maisons sont en pierre blanche, les toits sont en ardoise bleue. Dans certains villages du Midi, par exemple, les toits sont en tuile rouge, comme sur cette toile de Cézanne. On peut trouver des milliers de villages différents. Aucun ne ressemble aux autres, mais tous ont un petit air de famille. Ils sont solides, ils sont faits pour durer des siècles.

La plupart d'entre eux existent depuis le Moyen-Âge, groupés autour d'un château-fort impressionnant. L'église, au centre sur la place du village, est là, elle aussi, depuis des centaines d'années. Vous pouvez penser que tout cela n'est pas très moderne, pas très confortable. Mais l'ensemble a beaucoup de charme.

If you want to have an idea of the French countryside, I must show you some reproductions of impressionist paintings. You can picture the houses of a French village by looking at this painting by Pissarro.

The houses are of white stone, and the roofs of blue slate. In certain villages in the South, for instance, the roofs are red tile, as in this canvas by Cézanne. One can find thousands of different villages. Not one resembles the others but all seem related to each other. They are solid, and built to last centuries.

Most of them date from the Middle Ages, grouped around an impressive castle. The church, in the middle of town on the village square, has also been there for hundreds of years. You may think that all this is not very modern, not very comfortable. But the whole has a great deal of charm.

Étudiez: *un ensemble, le charme, le millier, le siècle, la reproduction.*

17.6 Intonation du complément du nom [noun phrase]

À la fin de la phrase, le ton marque le mot essentiel. Ailleurs dans la phrase, le ton monte pour la dernière syllabe du groupe de mots, mais sans accent d'intensité [without special stress].

Camille Pissarro
La Route de Louveciennes

Paul Cézanne
Village de Gardanne

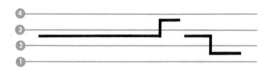

(a) Mais tous ont un petit <u>air</u> de famille.

(b) Pour avoir une bonne idée du paysage fran<u>çais</u>, il faut . . .

25. *Selon les modèles ci-dessus, répétez les phrases suivantes:*

(a) . . . quelques reproduc<u>tions</u> de tableaux impressionistes.
. . . cette pein<u>ture</u> de Pissarro.
. . . sur cette <u>toile</u> de Cézanne.
. . . des mil<u>liers</u> de villages différents.
. . . autour d'un châteaux-<u>fort</u> impressionnant.
. . . des cen<u>taines</u> d'années.

(b) La plupart d'entre <u>eux</u> existent depuis le Moyen-Âge.
Vous pouvez imaginer les maisons d'un village fran<u>çais</u> en regardant cette peinture.
L'église sur la place du vil<u>lage</u>, est là, elle aussi . . .

Dans les phrases suivantes, il y a deux groupes de mots où le ton monte sur la dernière syllabe; à la fin de la phrase le ton descend.

Vous voulez télépho<u>ner</u> en ville ou en de<u>hors</u> de la ville?

26. *Selon ce modèle, répétez les phrases suivantes:*

Vous voulez déjeu<u>ner</u> ou ren<u>trer</u> après?
Ils vont sor<u>tir</u> ou travail<u>ler</u> ce soir?

Vous aimez mieux le thé ou le café au petit déjeuner?

Vous allez au théâtre ou au cinéma demain?

17.7   Adjectifs (suite)*

L'adjectif postposé

La plupart des adjectifs sont postposés: ils suivent le nom. Tous les adjectifs s'accordent [agree] en genre et en nombre avec le nom.

27.   *Formez des phrases analogues avec **ce sont des:***

EXEMPLE: Un tableau impressionniste.

RÉPONSE: Ce sont des tableaux impressionnistes.

Une ville française, une tuile rouge, un château-fort impressionnant, une histoire intéressante, une maison confortable, un acteur célèbre, un toit vert.

Notez l'orthographe de la consonne finale du féminin, qui est prononcée dans les adjectifs suivants:

Féminin	Masculin
longue /lõg/	long /lõ/
blanche /blãʃ/	blanc /blã/
grosse /gros/	gros /gro/

28.   *Remplacez le nom selon l'indication:*

EXEMPLE: Une longue semaine; voyage.

RÉPONSE: Un long voyage.

EXEMPLE: Les maisons blanches; cheveux.

RÉPONSE: Les cheveux blancs.

Les villes différentes; villages. L'église étonnante; château-fort. Les lettres urgentes; télégrammes. L'arrivée immédiate; départ. La fille sérieuse; garçon. La petite fille; garçon. La grande barbe; béret. La grosse pipe; baiser.

Deux adjectifs

Si le nom est modifié par deux adjectifs, chacun [each] prend sa place normale.

29.   *Transformez les phrases selon le modèle;*

EXEMPLE: Le petit restaurant est français.

RÉPONSE: C'est un petit restaurant français.

---

*Voir 14.6.

Le vieux musicien est célèbre. La jeune chanteuse est charmante. La grosse voiture est noire. Le beau garçon est riche. La jolie femme est blonde. Le jeune homme est intelligent.

En + nom : locution adjective

En et un nom désignant une matière peuvent prendre la place d'un adjectif.

30. *Répétez et étudiez:*

La maison est en bois. La statue est en pierre blanche. Ce toit est en tuiles rouges; l'autre toit est en ardoise bleue. Cette bague [ring] est en argent [silver]; l'autre bague est en or.

17.8 Nombres approximatifs

Certains nombres ont un équivalent approximatif. Si une personne a environ [à peu près] quinze ans, on dit qu'elle a une *quinzaine* d'années.

Nombres approximatifs + **d'années**	*Nombres ordinaux* + **an(s)**
Je l'ai vu il y a une dizaine d'années.	Il a dix ans.

31. *Répétez et étudiez:*

Bernard a une **dizaine** d'années.	Il a dix ans.
Suzanne a une **quinzaine** d'années	Elle a quinze ans.
Richard a une **douzaine** d'années.	Il a douze ans.
Claudine a une **vingtaine** d'années.	Elle a vingt ans.
Il y a une **trentaine** de maisons dans cette rue.	Il y en a trente.
Il y a une **quarantaine** de maisons.	Il y en a environ quarante.
Il y a une **cinquantaine** d'étudiants.	Il y en a environ cinquante.
Il y a une **soixantaine** de garçons.	Il y en a environ soixante.
Il y a des trains depuis une **centaine** d'années.	Il y en a depuis cent ans environ.
Paris existe depuis des **milliers** d'années.	Paris existe depuis beaucoup d'années.

32. *Remplacez le nombre par un nombre approximatif.*

EXEMPLE: Dix maisons en bois.   EXEMPLE: Dix ans.
RÉPONSE: Une dizaine de maisons en bois.   RÉPONSE: Une dizaine d'années.

Cent toits en ardoise. Dix églises du Moyen-Âge en pierre. Trente villages avec des toits en tuile rouge. Mille maisons en pierre. Quarante ans après son mariage. Trente ans avant sa mort. Il est arrivé aux États-Unis il y a douze ans.

17.9   Révision

33. *Étudiez soigneusement le tableau suivant et répétez les groupes de mots:*

Singulier

Devant consonne:	la **belle** fille	le **beau** garçon
	la **vieille** fille	le **vieux** garçon
Devant voyelle:	la **belle** actrice	le *bel* acteur
	la **vieille** actrice	le *vieil* acteur

Pluriel

Devant consonne:	les **belles** filles	les **beaux** garçons
	les **vieilles** filles	les **vieux** garçons
Devant voyelle:	les **belles** actrices	les *beaux* acteurs
	les **vieilles** actrices	les *vieux* acteurs

34. *Remplacez l'adjectif selon l'indication:*

EXEMPLE: Les petits garçons (beau).
RÉPONSE: Les beaux garçons.

Les bons exemples (vieux). Les pauvres filles (beau). Le grand appartement (vieux). La belle église (vieux). Le bon enfant (beau). Les vieilles universités (beau). La bonne actrice (vieux).

35. *Remplacez un verbe par l'autre, selon le modèle:*

EXEMPLE: Je ne peux pas remplir la fiche.
RÉPONSE: Je ne veux pas remplir la fiche.

Nous ne pouvons pas venir. Elsa ne veut pas partir. Vous ne pouvez pas arriver aujourd'hui. Elsa et Alice veulent nous parler. Tu peux chanter! Je veux rester!

36. *Remplacez le substantif par le pronom convenable:*

EXEMPLE: Donnez-leur l'adresse!
RÉPONSE: Donnez-la leur!
EXEMPLE: Ne téléphonez pas à mes parents!
RÉPONSE: Ne leur téléphonez pas!

Envoyez-lui le télégramme! N'appelez pas votre mère! Attendez le feu vert! Décrivez-leur les maisons d'un village! Ne leur montrez pas les tableaux! Ne regardez pas le paysage! Racontez-lui votre histoire!

37. *Formez l'impératif, affirmatif ou négatif selon l'indication; attention à l'ordre des pronoms:*

EXEMPLE: Voici des tableaux: tu ne me les donnes pas.
RÉPONSE: Ne me les donne pas!
EXEMPLE: Voici des tableaux; tu me les donnes.
RÉPONSE: Donne-les-moi!

Voici des villages; tu me les décris. Voici les photos des toits en ardoise: tu les lui rends. Voici un château; tu m'en parles. Voici la maison: tu ne m'en parles pas. C'est un Pissarro; tu me le donnes. C'est son idée; tu me l'expliques. C'est son histoire; tu ne me la racontes pas.

38. *Répétez l'exercice précédant en employant **vous**.*

39. *Formez les impératifs correspondants:*

EXEMPLE: Tu t'amuses.   EXEMPLE: Vous ne vous amusez pas.
RÉPONSE: Amuse-toi!   RÉPONSE: Ne vous amusez pas!

Tu ne t'amuses pas. Tu te débrouilles. Vous vous débrouillez. Tu ne te moques pas de moi. Vous ne vous moquez pas de moi. Tu t'habilles. Vous ne vous habillez pas.

40. *Répétez les phrases suivantes avec **vous**:*

EXEMPLE: Tu t'amuses?   RÉPONSE: Vous vous amusez?

Tu t'habitues? Tu te débrouilles? Tu te prépares? Tu te moques de moi? Tu t'habilles? Tu t'ennuies? Tu t'imagines? Tu te parles? Tu te regardes?

41. *Répondez aux questions suivantes:*

EXEMPLE: Est-ce que vous vous amusez?
RÉPONSE: Oui, je m'amuse.

Est-ce que vous vous habillez? Est-ce que vous vous habituez à la circulation? Est-ce que vous vous regardez? Est-ce que vous vous moquez de tout le monde? Est-ce que vous vous préparez? Est-ce que vous vous débrouillez facilement?

42. QUESTIONS ET RÉPONSES

1. Qu'est-ce qu'il faut voir pour se faire une bonne idée du paysage français? 2. De quelle couleur sont les toits des maisons? 3. Est-ce que chaque village ressemble aux autres? 4 Est-ce que les villages se ressemblent? 5. Est-ce qu'ils sont faits pour durer longtemps? 6. Depuis quand existent la plupart d'entre eux? 7. Où est-ce qu'on trouve l'église? 8. Est-ce que tout cela est moderne?

43. TRADUCTIONS

1. I must show you a few reproductions. 2. Look at all the white houses! 3. Hundreds of villages have houses with red tile roofs. 4. The whole has a familiar look. 5. Certain villages date from the Middle Ages. 6. For hundreds of years the stone church has been on the village square. 7. He has a good time.

17C

LECTURES

UN PETIT VILLAGE

Préparation

1. L'école: Les élèves apprennent à lire et à écrire à l'*école communale* (= l'école publique élémentaire). À la fin des classes, c'est la *sortie*. Alors les élèves sortent par la porte, *en rangs*,[1] deux par deux; ensuite *ils s'enfuient*[2] aussi vite (= rapidement) que possible, comme une *volée*[3] *de moineaux*.[4]

2. *L'instituteur*[5] enseigne. Il a étudié à l'*école normale*, l'école qui prépare les instituteurs. Il *doit être*[6] important au village. On le *salue*.[7] Il peut parler à tout le monde, même au *gérant*[8] *du Cercle*.[9] Le *boulanger*[10] est aussi un personnage important du village.

3. Tout le village boit l'eau du *puits*.[11] Si l'eau n'est pas pure, il y a du danger; *il faudrait* (il faut) avertir[12] toute la population; il faut *prévenir*[13] tout le monde. (J'avertirai = je vais avertir.)

4. Beaucoup de *paysans*[14] ont été au même *régiment* pendant leur service militaire.

5. L'*apéritif* est un vin doux qui se boit[15] d'habitude avant le repas.

6. Verbes pronominaux (réfléchis): Les amis *se rencontrent*[16] pour prendre l'apéritif et se parler. Ils ne *se battent*[17] jamais. Les *chiens*[18] se battent souvent. Les ennemis se fâchent[19] et *se disputent*. Ensuite, ils ne se parlent plus. Ils sont *fâchés*. Après l'école les élèves s'en vont (= partent) et s'enfuient comme des moineaux. Ils se dirigent vers leurs maisons.

7. Le journal arrive dans la boîte aux lettres. Il est entouré[20] d'une *bande*,[21] qu'il faut *briser*[22] pour l'ouvrir.

---

[1]**le rang** row. [2]**s'enfuir** to escape, flee. [3]**la volée** flight. [4]**le moineau** sparrow, [5]**l'instituteur,** *m.* teacher. [6]**doit être** must be. [7]**saluer** to greet. [8]**le gérant** manager, director. [9]**Le Cercle** *name of coffee house.* [10]**le boulanger** baker. [11]**le puits** well. [12]**avertir** to warn. [13]**prévenir** to warn. [14]**le paysan** farmer. [15]**se boit** is drunk. [16]**se rencontrer** to meet. [17]**se battre** to fight. [18]**le chien** dog. [19]**se fâcher** to become angry. [20]**entouré** bound with; surrounded. [21]**la bande** paper band. [22]**briser** to break.

2:18
▼

Un Petit Village

Sur la place du village, c'est la sortie de l'école communale. Les enfants avancent en rangs jusqu'à la porte et tout à coup ils s'enfuient comme une volée de moineaux. Monsieur l'instituteur sort le dernier, et il ferme la porte derrière lui. Il est très jeune; il doit sortir de l'école normale, et c'est certainement son premier poste. Il va vers la boîte aux lettres, et avec une clef, il l'ouvre. Il y prend le *Petit Provençal*. À ce moment-là, un paysan s'approche de lui et le salue.

PÉTUGUE: Bonjour, Monsieur l'instituteur.

L'INSTITUTEUR (*Il brise la bande du journal.*): Bonjour, Pétugue. Ça va?

PÉTUGUE (*timide*): Très bien, Monsieur l'instituteur. Très bien. Je voulais vous demander un petit service.

L'INSTITUTEUR: Vas-y![23]

PÉTUGUE: Vous connaissez Casimir, le gérant du Cercle, qui a le bureau de tabac?

L'INSTITUTEUR: Oui. Et puis?

PÉTUGUE (*fâché*):   Eh bien, il faudrait lui dire qu'il y a un chien mort dans son puits. Le puits du Cercle. C'est Cassoti qui l'a vu tomber dedans. Alors, si on ne le prévient pas, il va nous faire boire de cette eau le dimanche à l'apéritif. Il faut le lui dire . . .

L'INSTITUTEUR: Et pourquoi Cassoti ne l'a pas averti?

PÉTUGUE (*mystérieux*):   Il ne peut pas. Ils sont fâchés. Ils se sont battus au régiment, il y a vingt ans. Alors, ils sont fâchés.

L'INSTITUTEUR: Pourtant il va boire l'apéritif au Cercle?

PÉTUGUE: Oui, mais il ne lui parle jamais—il ne commande qu'à la bonne.[24] Comme moi. Parce que moi aussi, je suis fâché avec Casimir.

L'INSTITUTEUR: Mais pourquoi?

PÉTUGUE: Oh! Ça vient de loin.[25] Mon père était fâché avec son père. Et mon grand-père était déjà fâché avec son grand-père. Et déjà, nos grands-pères ne savaient pas pourquoi, parce que ça venait de plus loin. Alors vous pensez que ça doit être quelque chose de grave. Ça doit être une bonne raison.

L'INSTITUTEUR: C'est vraiment un village de crétins.[26]

PÉTUGUE: Mais non, Monsieur l'instituteur. C'est un village où on a de l'amour-propre,[27] voilà tout.

L'INSTITUTEUR: Deux pelés et quatre tondus[28]—et tous fâchés les uns contre les autres!

PÉTUGUE: On se rencontre quand même—au Cercle, ou à la Chorale, mais ceux qui sont fâchés ne se parlent pas.

---

[23]**vas-y** go ahead.   [24]**la bonne** maid servant; (*here*) waitress.   [25]**de loin** from a long time ago.   [26]**le crétin** idiot.   [27]**l'amour-propre,** *m.* self-respect.   [28]**Deux . . . tondus** motley crew.

L'INSTITUTEUR: Bon. J'avertirai Casimir. Mais je vais d'abord voir le pain du nouveau[29] boulanger.

PÉTUGUE: Ah! C'est ce matin qu'il commence?

L'INSTITUTEUR: Oui. La première fournée[30] doit sortir vers onze heures.

MARCEL PAGNOL
La Femme du boulanger
(Fasquelle), 1938, pp. 9–11.

QUESTIONS

1. Où enseigne l'instituteur? Est-ce qu'il a beaucoup de respect pour les paysans? Pourquoi est-ce qu'il les tutoie (= leur dit "tu")? 2. Que font les élèves à la sortie? 3. Qu'est-ce qu'il y a dans le puits du gérant du Cercle? 4. Qui s'est disputé? Qui a vu le chien mort? Est-ce qu'il s'est disputé avec quelqu'un? Qui s'est battu au régiment? 5. Faites une liste des détails réalistes de la vie au village. 6. Décrivez l'atmosphère du village, l'esprit des paysans. 7. Connaissez-vous plusieurs marques [brands] d'apéritifs? Lesquelles [which ones]?

UNE FIN COMME UNE AUTRE

Préparation

1. Un monsieur s'habille le matin, *se rase, se peigne,*[1] *met un complet*[2] et une *cravate;* il *remonte*[3] sa *montre;*[4] ensuite il sort, bien préparé pour la journée.

2. Il y a des gens qui pensent savoir ce qui va arriver et qui semblent connaître leur *destinée.*

3. Quand on *presse le pas*[5] on marche vite. Pour monter rapidement les *escaliers,*[6] on monte deux marches[7] à la fois[8] (les *marches deux à deux*).

Une Fin comme une autre

Il presse le pas vers sa destinée
Il monte les escaliers deux à deux
Il ouvre la porte de la chambre
Une tenture frissonne[9]
Il se rase
Il se parfume
Il se peigne
Il met sa plus belle cravate et son plus beau complet
Il jette son revolver par la fenêtre

---

[29]**nouveau, nouvelle** new.   [30]**la fournée** ovenfull.

[1]**se peigner** to comb one's hair.   [2]**le complet** suit.   [3]**remonter** to wind.   [4]**la montre** watch.
[5]**presser le pas** to hasten one's step.   [6]**les escaliers,** *m. pl.* stairs.   [7]**la marche** stair.   [8]**à la fois** at a time.   [9]**une tenture frissonne** a wall hanging rustles.

Un rire passe dans l'air
Il écrit une lettre d'adieu
Il boit un coup à sa santé[10]
Il remonte sa montre
Il barre[11] un dernier nom sur son carnet de rendez-vous[12]
Il agite une clochette[13]
Et il tombe foudroyé.[14]

ANDRÉ VERDET
Histoires (Gallimard), 1948, p. 154.

QUESTIONS

1. Qu'est-ce qu'on fait quand on s'habille? 2. Pourquoi est-ce que le monsieur écrit une lettre d'adieu? 3. Pourquoi jette-t-il son revolver? 4. Est-ce qu'il a peur de la mort? 5. Qu'est-ce que vous pensez de cette "fin comme une autre"?

---

[10]**Il ... santé** he drinks to his (own) health. [11]**barrer** to strike out, cross out. [12]**le carnet de rendez-vous** appointment book. [13]**agite une clochette** rings a bell. [14]**foudroyé** struck down (as if by lightning).

Dix-huitième leçon

18A

LA NOUVELLE ROBE DE MADAME

0:22

MONSIEUR: Je me demande ce que fait Madame!	I wonder what Madame is doing!
MARIE (la bonne): Madame se maquille et se prépare pour aller en ville avec Monsieur.	(the maid): Madame is putting on make-up and getting ready to go into town with you, Sir.
MONSIEUR: Dites-lui de se dépêcher. Je l'attends depuis une heure.	Tell her to hurry. I've been waiting for her for an hour.
MARIE: Je me rappelle que Madame vous a attendu, elle aussi, ce matin.	I recall that Madame waited for you, too, this morning.
MONSIEUR: Mais non, je me suis levé à sept heures, je me suis rasé, je me suis lavé et je me suis habillé comme d'habitude.	Certainly not. I got up at seven, shaved, washed and got dressed as usual.
MARIE: Oui, mais vous vous êtes recouché parce que vous étiez en avance, et vous vous êtes rendormi!	Yes, but you went back to bed because you were early, and you went to sleep again!

309

MONSIEUR: C'est vrai. Je l'avais oublié. Mais dites à Madame que je m'en vais puisqu'elle n'est pas prête.

That's true. I'd forgotten it. But tell Madame that I'm leaving since she is not ready.

MARIE: Oh, Monsieur! Madame va se fâcher et vous allez vous disputer.

But, Sir! Madame will be angry and you will argue.

MONSIEUR: Il faut que je m'en aille! Il est tard.

I have to leave! It's late.

MARIE: Asseyez-vous, Monsieur, et attendez encore une minute. Aujourd'hui Madame met sa nouvelle robe rose!

Sit down, Sir, and wait a moment longer. Madame is putting on her new pink dress today!

18.1   Révision : e muet

1. *Répétez:*

(a) **E** est muet après une seule consonne prononcée:

dans l∅ château	tout l∅ monde	Marie r∅vient
dans l∅ métro	tout l∅ temps	Marie r∅fait
dans l∅ jardin	tout l∅ vin	Marie r∅lit
dans l∅ village	tout l∅ pain	Marie r∅voit

(b) **E** est prononcé après deux consonnes prononcées:

sur le tableau	vers le sud	Jacques revient
sur le piano	vers le nord	Jacques refait
sur le fauteuil	vers le quai	Jacques relit
sur le bureau	vers le lit	Jacques revoit

(c) **E** est muet dans les groupes figés [invariable phonetic groups]:

je m∅ lève	je n∅ sais pas	j∅ te vois
je m∅ rase	je n∅ vois pas	j∅ te permets
je m∅ lave	je n∅ crois pas	j∅ te promets
je m∅ coiffe	je n∅ pense pas	j∅ te connais

C'est c∅ que . . .	Tout c∅ que . . .	Il faut qu∅ . . .
tu dis.	tu dis.	tu partes.
tu fais.	tu fais.	tu sortes.
tu crois.	tu crois.	tu dormes.
tu vois.	tu vois.	tu y ailles.

(d) Le préfixe **re** veut dire [means] *encore une fois*:

Il a pris du pain.	Il a r∅pris du pain.
Il a dit la phrase.	Il a r∅dit la phrase.
Il a vu son frère.	Il a r∅vu son frère.
Il a trouvé la clef.	Il a r∅trouvé la clef.

18.2   Passé composé : l'accord du participe passé

Verbes conjugués avec *être*

Le participe passé des verbes conjugués avec **être** s'accorde avec leur sujet.

2.   *Répétez et étudiez les phrases suivantes:*

Nous arrivons le lundi mais nous repartons le jour suivant.
    Nous sommes arriv**és** le lundi mais **nous** sommes repart**is** le jour suivant.
Elle vient nous voir et nous sortons ensemble.
    Elle est venue nous voir et **nous** sommes sort**is** ensemble.

Verbes conjugués avec *avoir*

Le participe passé des verbes conjugués avec **avoir** s'accorde avec le complément d'objet direct qui précède le verbe.

3.   *Répétez et étudiez:*

Il a écrit une lettre à ses parents.	**La lettre qu'**il a écrit**e** était pour ses parents.
Il a pris la vieille carte.	**La carte qu'**il a pris**e** était vieille.
Il a reçu une lettre de France.	**La lettre qu'**il a reçu**e** était de France.
Il a mangé deux bonnes oranges.	**Les oranges qu'**il a mang**ées** étaient bonnes.

Verbes pronominaux

Les verbes pronominaux forment le passé composé avec **être**. Le participe passé du verbe pronominal s'accorde avec le pronom complément (**me, te, se, nous, vous**) s'il est complément d'objet *direct*. Il n'y a pas d'accord si le pronom est complément d'objet *indirect*.

4.   *Répétez et étudiez:*

Complément d'objet direct	*Complément d'objet indirect*
Nous nous sommes **habillés**.	Nous nous sommes **parlé**.
[We dressed (ourselves).]	[We talked to each other.]
Elle s'est **lavée**.	Elle s'est **lavé les mains**.
[She washed (herself).]	[She washed her hands.]
Ils se sont **fâchés**.	Ils se sont **donné** de la peine.
Vous vous êtes **disputés**?	Vous vous êtes **dit** bonjour?
Elles se sont **couchées** tard.	Elles se sont **fait** attendre.

▼ **5.** *Mettez les phrases suivantes au passé composé:*

EXEMPLE: Je me rase comme d'habitude.
RÉPONSE: Je me suis rasé comme d'habitude.

Jean-Paul se moque de sa femme. Elle se rendort tout de suite. Je me demande que faire après. Je me dispute avec tout le monde. Elle se maquille soigneusement. Je m'amuse chez toi. Nous nous demandons pourquoi.

6. *Mettez les phrases suivantes au passé composé:*

EXEMPLE: Marie et Claire se disent bonjour.
RÉPONSE: Marie et Claire se sont dit bonjour.

Ma sœur se moque de moi. Irène et Yvonne se parlent. Paul et Marie se donnent la main. Mes amis s'écrivent des lettres. Marie se lave les mains. Nous nous don-
▲ nons de la peine. Marie se lave et se change.

18.3   Verbes pronominaux (suite)

L'imparfait

7. *Répétez et étudiez:*

Je **me débrouille** toujours.	Je **me débrouillais** toujours.
Tu **te rases** une fois par semaine.	Tu **te rasais** une fois par semaine.
Nous **nous fâchons** souvent.	Nous **nous fâchions** souvent.
Vous **vous disputez** trop souvent.	Vous **vous disputiez** trop souvent.
Marie **se maquille** tous les matins.	Marie **se maquillait** tous les matins.
Guy **s'amuse** facilement.	Guy **s'amusait** facilement.
Les filles **se moquent** de nous.	Les filles **se moquaient** de nous.
Nous **nous habillons** à huit heures.	Nous **nous habillions** à huit heures.
Tu **t'habitues** à tout.	Tu **t'habituais** à tout.
Vous **vous endormez** en classe.	Vous **vous endormiez** en classe.

8. *Mettez les phrases suivantes à l'imparfait:*

EXEMPLE: Je me couche tard tous les jours.
RÉPONSE: Je me couchais tard tous les jours.

Je me rase et je me lave tous les matins. Je m'habille comme d'habitude. Jean-Pierre s'amuse toujours. Elle se fâche souvent. Ils ne se disent jamais bonjour. Elle se donne de la peine. Marie et Claire ne se parlent pas.

9. *Remplacez l'indication de temps par* **hier** *selon le modèle:*

EXEMPLE: Nous nous rasions tous les jours.
RÉPONSE: Nous nous sommes rasés hier.

Yvonne se maquillait tous les jours. Les garçons se couchaient tous les soirs. Irène se fâchait tous les jours. Guy s'amusait à Lyon tous les jours. Toi, Marie, tu te maquillais tous les jours. Tu t'amusais toujours. Nous nous lavions tous les jours.

Se lever

10. *Répétez et comparez:*

Je me lève le matin.	J'achète du pain.
Tu te lèves le matin.	**Tu** achètes du pain.
Pierre se lève le matin.	**Il** achète du pain.
Mes parents se lèvent le matin.	**Ils** achètent du pain.
Nous nous levons le matin.	**Nous** achetons du pain.
Vous vous levez le matin.	**Vous** achetez du pain.
Il faut que **je me** lève le matin.	Il faut que **j'**achète du pain.
Il faut que **vous vous** leviez le matin.	Il faut que **vous** achetiez du pain.
Je me levais le matin.	J'achetais du pain.

11. *Répondez affirmativement à l'imparfait:*

EXEMPLE: Vous vous levez à 5 heures?
RÉPONSE: Oui, je me levais à 5 heures.

Vous vous levez à 8 heures? Ils se lèvent à minuit? Elles se lèvent à 3 heures? Je me lève à 5 heures? Vous vous levez à midi? Tu te lèves à 11 heures? Tu te lèves à 1 heure?

S'appeler

12. *Répétez et étudiez:*

Comment vous appelez-vous?	Je m'appelle Henri.
Comment t'appelles-tu?	Je m'appelle Jeannot.
Comment est-ce qu'il s'appelle?	Il s'appelle Georges.
Nous nous appelons Dupont, et vous?	Nous nous appelons Smith.
Comment s'appelle la bonne?	Elle s'appelle Marie.
Comment s'appellent ces étudiants?	Ils s'appellent Georges et Henri.
Vous vous rappelez [you remember] comment il s'appelle?	Oui, je me rappelle comment il s'appelle.

S'en aller

S'en aller [to go away] est un verbe pronominal qui contient **en.**

Je m'en vais.	Nous nous en allons.
Tu t'en vas.	Vous vous en allez.
Il s'en va.	Ils s'en allaient.
Ils s'en vont.	Ils s'en sont allés.

▼ **13.** *Remplacez la forme de **partir** par la forme analogue de **s'en aller:***

EXEMPLE: Il faut que je parte.
RÉPONSE: Il faut que je m'en aille.
EXEMPLE: Il part aujourd'hui.
RÉPONSE: Il s'en va aujourd'hui.

Je veux partir. Elle est partie hier. Nous partions ensemble. Vous partiez? Vous partez? On part tout de suite? Ils partent pour Paris? Il faut que vous
▲ partiez.

18.4 S'asseoir*

14. *Répétez et étudiez:*

Présent:	**Je m'**assie**ds** sur le banc.	**Nous nous** asse**yons** sur le banc.
	Tu t'assie**ds** sur la chaise.	**Vous vous** asse**yez** sur la chaise.
	Il s'assie**d** sur le sofa.	**Ils s'**asse**yent** sur le sofa.

Subjonctif: Il faut que **je m'**asse**ye** sur une chaise.

Imparfait: **Je m'**asse**yais** sur le banc.

Passé
composé: **Je me** suis assis sur le banc.
Elle s'est assise sur la chaise.

▼ **15.** *Donnez la forme équivalente de **s'asseoir:***

EXEMPLE: Je me lève.
RÉPONSE: Je m'assieds.
EXEMPLE: Nous nous sommes levés.
RÉPONSE: Nous nous sommes assis.

---

*Le verbe **s'asseoir** a une conjugaison alternative:
  Je m'assois, **tu t'**assois, **il s'**assoit, **nous nous** assoyons, **vous vous** assoyez, **ils s'**assoient, il faut que **je m'**assoie, **je m'**assoyais.

Il se lève. Vous vous levez. Il se levait. Il faut que tu te lèves. Il faut que nous nous levions. Je me suis levé. Elles s'étaient levées.

16. *Mettez au présent les phrases suivantes:*

EXEMPLE: Je me suis assis là.
RÉPONSE: Je m'assieds là.

Elles se sont assises là. Vous vous êtes assis là. Tu t'es assis là. Il s'était assis là. Nous nous étions assis là. Elles s'étaient assises là. Je me serai assis là.

Être assis; être debout

Le français exprime *to be sitting, to be standing* par **être assis(e)(s)** et **être debout** [forme invariable].

17. *Répétez et étudiez:*

> **Je me suis assis,** donc je suis **assis.**
> **Tu t'es levé,** donc tu es **debout.**
> **Elle s'est assise,** donc elle est **assise.**
> **Nous nous sommes levés,** donc nous sommes **debout.**
> **Vous vous êtes assis,** donc vous êtes **assis.**
> **Ils se sont levés** donc ils sont **debout.**

18. *Remplacez **debout** par **assis** selon le modèle:*

EXEMPLE: Il n'était pas debout.   EXEMPLE: Elle est debout.
RÉPONSE: Il était assis.   RÉPONSE: Elle n'est pas assise.

Nous ne serons pas debout. Elle a été debout. Elles n'étaient pas debout. Ils étaient debout. Vous n'êtes pas debout. Il ne faut pas qu'elle soit debout. Il faut que je sois debout.

18.5   Dormir [to sleep]

Dormir perd la dernière lettre de son radical au singulier de l'indicatif présent. (Voir **partir, sortir,** 10.9.)

19. *Répétez et étudiez:*

Je dors chez moi.   Nous dormons la nuit.
Je pars de chez moi.   Nous sortons le jour.
Tu dors toute la journée.   Vous dormez beaucoup trop.
Tu sors la nuit [at night].   Vous partez trop souvent.

Il dort en classe.   **Ils** dorment très bien.
  Il sort de la classe   **Ils** part**ent** pour Paris.
    tout endormi [quite sleepy].

Il faut que **je** dorme peu!   J'ai dormi huit heures.

Les verbes pronominaux **s'endormir** [to fall asleep] et **se rendormir** [to go back to sleep] ont les mêmes formes que **dormir**:

20. *Répétez:*

Présent:	**Je m'**endors facilement.	**Nous nous** endormons vite.
Imparfait:	**Tu te** rendormais facilement.	**Vous vous** rendormiez vite.
Passé		
composé:	**Il s'**est endormi facilement.	**Ils** se sont vite endormis.
Subjonctif:	Il faut qu'**elle s'**endorme.	Il faut qu'**elles s'**endorment.

21. *Transformez les phrases suivantes selon l'indication:*

EXEMPLE: Je dors souvent en ville. (nous)
RÉPONSE: Nous dormons souvent en ville.

Il faut que je dorme huit heures. (ils) Tu as trop dormi. (elle) Il dort dans son lit. (vous) Elle s'endort facilement. (nous) Il faut que je me rendorme. (vous) Je m'endors quand je suis fatigué. (ils) Je me suis rendormi à cinq heures. (vous)

18.6 Révision

22. *Mettez le verbe indiqué:*

EXEMPLE: Vous vous lavez. (se lever)
RÉPONSE: Vous vous levez.

Je me maquille. (se lever) Elle se dépêche. (s'endormir) Vous vous coiffez. (se rendormir) Il se rase. (s'habiller) Tu te fâches. (se laver) Nous nous levons. (s'endormir) Elles s'habillent. (se lever)

▼ **23.** *Changez le sujet selon le modèle:*

EXEMPLE: Nous allons nous lever; on.   EXEMPLE: Je peux me fâcher; nous.
RÉPONSE: On va se lever.   RÉPONSE: Nous pouvons nous fâcher.

Nous allons nous habiller; on. Elle va s'habituer; les étrangers. Elle va se laver; Jean et Paul. Elles peuvent se laver; vous. Ils veulent se rendormir; Marie. Elles veulent se rendormir; je. Nous voulons nous préparer; tu.

24. *Mettez les phrases au passé composé:*

EXEMPLE: Madame lave ses enfants; madame se lave.
RÉPONSE: Madame a lavé ses enfants. Madame s'est lavée.

La bonne prépare le dîner; la bonne se prépare. Vous habillez les malades; vous vous habillez. Tu ennuies souvent tes parents; tu t'ennuies souvent. Je rappelle l'étudiant; je me rappelle. On appelle le garçon; on s'appelle le "Club des Parisiens." Ils vont au théâtre; ils s'en vont.

25. *Mettez les phrases suivantes au passé composé:*

EXEMPLE: Nous nous disputons tout le temps.
RÉPONSE: Nous nous sommes disputés tout le temps.
EXEMPLE: Elle va avec vous.
RÉPONSE: Elle est allée avec vous.

Tu te rappelles ton ancien ami? Elle se rendort plus tard. Elle part à huit heures. Nous nous fâchons tout le temps. Elle se maquille pendant deux heures. Vous vous levez tard.

26. QUESTIONS ET RÉPONSES

1. Qu'est-ce que Madame fait pour se préparer? 2. Depuis combien de temps est-ce que Monsieur l'attend? 3. À quelle heure est-ce qu'il s'est levé? 4. Qu'est-ce qu'il a fait ensuite? 5. Est-ce qu'il s'est rappelé tout de suite qu'il s'est rendormi? 6. Pourquoi est-ce que Madame va se fâcher? 7. Pourquoi est-ce qu'il faut que Monsieur s'en aille? 8. Qu'est-ce que Madame met aujourd'hui?

27. TRADUCTIONS

1. I wonder whether she is putting on make-up. 2. She's putting on make-up because she's getting ready to go into town. 3. She has to hurry! 4. He has been waiting for her for two hours. 5. He tells Caroline he is leaving. 6. Caroline got angry (*passé composé*) 7. Wait another half hour! 8. The pink dress is now. 9. He always goes to sleep at nine o'clock.

18B

LA RÉALITÉ EST BIEN DIFFÉRENTE!

FRANÇOIS: Qu'est-ce que vous avez fait pendant que j'étais en classe?

What did you do while I was in class?

BILL: J'ai téléphoné à des amis et j'ai écrit à mes parents.

I called some friends and wrote my parents.

FRANÇOIS: Est-ce que vous leur avez dit que vous étiez malade?

Did you tell them that you were ill?

BILL: Non, je ne veux pas qu'ils s'inquiètent. Je ne suis pas très malade, vous savez.

No, I don't want them to worry. I'm not very sick, you know.

FRANÇOIS: Est-ce que vous leur avez parlé de votre vie en France?

Did you speak to them about your life in France?

BILL: Oui, je leur ai expliqué ce que je faisais tous les jours.

Yes, I explained to them what I was doing every day.

FRANÇOIS: Je me demande comment ils s'imaginent votre vie ici.

I wonder how they imagine your life here.

BILL: Mes parents ont déjà voyagé en France, mais mon grand-père avait des idées très amusantes sur les Français.

My parents have already traveled in France, but my grandfather had some very amusing ideas about French people.

FRANÇOIS: Qu'est-ce qu'il en pensait?*

What did he think of them?

BILL: Je ne peux pas tout vous dire, mais il pensait que les Français n'étaient jamais sérieux, qu'ils avaient tous une grande barbe, une grosse pipe et un béret.

I can't tell you all the details, but he thought that Frenchmen were never serious, that they all had long beards, big pipes and berets.

FRANÇOIS: Et qu'est-ce qu'il pensait des Françaises?

And what did he think of French women?

BILL: Il s'imaginait que la plupart d'entre elles étaient petites et très jolies et qu'elles étaient presque toutes danseuses dans des cabarets.

He imagined that most of them were small and very pretty and that almost all of them were dancers in night clubs.

---

*Dans une langue plus soignée, on dit: "Qu'est-ce qu'il pensait d'eux?" (d'elles, etc.)

FRANÇOIS: Et maintenant, qu'est-ce
que vous en pensez?

And now, what do you think of them?

BILL: J'ai l'impression que la réalité
est bien différente.

It seems that the real situation is quite
different.

18.7   Phonétique

Articulation

Les voyelles françaises ne changent pas pendant la durée de leur émission [the time
it takes to say them]. Pour cela il faut que la tension des muscles des lèvres soit
forte [tongue and lips must be tense].

28. *Répétez:*

j'ai écrit	elle mangeait	c'est très bleu
j'ai appris	elle dansait	c'est très vieux
j'ai fini	elle venait	c'est sérieux
j'ai compris	elle partait	c'est bien mieux

Rythme

À l'intérieur d'un groupe toutes les voyelles sont égales sauf [equal except] la
dernière, qui est la plus longue.

29. *Répétez:*

| 1 2 3   J'ai parlé.

1   2   3 4 5 6   7
Qu'est-ce que vous leur avez fait?

1 2   3
Avec moi?

1   2 3
À midi.

1   2   3 4 5 6   7
Qu'est-ce que vous leur avez dit?

1 2   3
Avec eux?

1 2   3
C'était lui.

1   2   3 4 5 6   7
Qu'est-ce que vous leur avez lu?

1 2   3
Avec lui?

Les pronoms conjonctifs sont prononcés sur un ton neutre [even, not emphatic].

Je leur ai expliqué ce que je faisais tous les jours.

30. *Répétez avec la même intonation:*

Ils vous ont expliqué	ce qu'ils faisaient	tous les jours.
Tu lui as expliqué	ce que tu faisais	tous les jours.
Elle leur a expliqué	ce qu'elle faisait	tous les jours.
Vous nous avez expliqué	ce que vous faisiez	tous les jours.

18.8 Révision

31. *Mettez les phrases suivantes au passé composé:*

EXEMPLE: J'appelle mes amis.
RÉPONSE: J'ai appelé mes amis.
EXEMPLE: Nous lisons ce roman.
RÉPONSE: Nous avons lu ce roman.

Je vends ce béret. Il vient très vite. Ils conduisent leur père et leur mère. Tu achètes les légumes? Nous lui envoyons des lettres. Vous sortez avec vos parents.

Elles partent avec vous. Tu vois la belle fille? Vous écrivez à vos amis? Je comprends la leçon. Je vais avec elle. Nous connaissons tout le monde. J'ai peur. Nous sommes amis.

Vous finissez le travail? Vous dites la vérité. Ils suivent le cours de maths. Vous entendez? Il répond à ma question. Je crois toute l'histoire. Je veux dormir. Je ne peux pas dormir. Je fais une promenade.

32. *Mettez le verbe principal au passé composé, le verbe de la subordonnée [dependent clause] à l'imparfait:*

EXEMPLE: Qu'est-ce que vous faites pendant que je suis en classe?
RÉPONSE: Qu'est-ce que vous avez fait pendant que j'étais en classe?

Qu'est-ce qu'ils font pendant que vous travaillez? Qu'est-ce que tu fais pendant qu'on s'amuse? Qu'est-ce que vous faites pendant qu'elle s'habille? Qu'est-ce qu'elle fait pendant que je me rase? Qu'est-ce qu'elle fait pendant qu'il est en classe? Qu'est-ce qu'elles font pendant que vous sortez? Qu'est-ce que tu fais pendant que je me lave?

33. *Mettez les verbes au passé composé et à l'imparfait comme pour l'exercice précédent:*

EXEMPLE: Je leur explique ce que je fais tous les jours.
RÉPONSE: Je leur ai expliqué ce que je faisais tous les jours.

Je leur dis ce qu'il fait tous les jours. Il m'explique ce qu'elle lui écrit tous les jours. Mes parents arrivent au moment où mon grand-père s'en va. Tu arrives au moment où je pars. Il arrive à l'université pendant que nous sommes en classe. Je lui écris pendant que Guy est encore là. Je vous vois quand vous arrivez.

34. *Continuez selon le même modèle:*

EXEMPLE: J'écris à ma grand-mère pendant que Monique déjeune.
RÉPONSE: J'ai écrit à ma grand-mère pendant que Monique déjeunait.

J'écris à ma grand-mère pendant que tu fais la cuisine. Tu apprends la leçon pendant que Martine danse. Elle finit le déjeuner pendant que Janine vient voir nos tableaux. Nous apprenons tout cela pendant que Brigitte fait ses valises. Vous me dites ce que vous avez. Elles s'amusent parce qu'il ne dit rien. Ils s'habituent à ce qu'ils font.

35. *Mettez les phrases suivantes au passé composé:*

EXEMPLE: Elle se lève tout de suite.   EXEMPLE: Vous vous en allez?
RÉPONSE: Elle s'est levée tout de suite.   RÉPONSE: Vous vous en êtes allé?

Elle s'habille très vite. Elle se fâche souvent. Tu te rendors encore une fois? Le monsieur se rase. Il se prépare à sortir. Nous nous levons à huit heures. Monsieur et Madame se couchent avant minuit.

36. *Mettez il faut que avec le subjonctif:*

EXEMPLE: Nous écrivons beaucoup de lettres.
RÉPONSE: Il faut que nous écrivions beaucoup de lettres.

Nous nous lavons les mains. Nous allons au cinéma. Elle chante des chansons françaises. Ils vont souvent voir notre ami. Denise téléphone souvent à sa mère. Je vois ce que j'ai à faire. Je m'endors tout de suite. Je sors de l'hôtel.

37. *Remplacez l'infinitif par le subjonctif avec le sujet indiqué:*

EXEMPLE: Il faut partir; je.   EXEMPLE: Nous voulons partir; vous.
RÉPONSE: Il faut que je parte.   RÉPONSE: Nous voulons que vous partiez.

Il faut rendre les livres; nous. Il faut envoyer l'argent à Paul; tu. Vous voulez téléphoner à ses parents; Irène. Il faut finir le devoir; vous. Vous voulez vous en aller tout de suite; nous. Il veut conduire la voiture; Françoise. Vous voulez répondre à toutes les questions; je.

38. *Employez il faut que avec le subjonctif:*

EXEMPLE: Nous nous rasons tous les matins.
RÉPONSE: Il faut que nous nous rasions tous les matins.

Nous nous rappelons ce garçon. Nous nous habillons ce matin. Vous vous recouchez à onze heures. Tu te rendors à neuf heures. Vous vous amusez le dimanche. Tu te lèves à 7 heures. Marie et sa sœur se préparent tout de suite.

39. *Mettez les phrases suivantes à l'impératif:*

EXEMPLE: Vous la lui donnez.   EXEMPLE: Vous ne la lui donnez pas.
RÉPONSE: Donnez-la-lui.   RÉPONSE: Ne la lui donnez pas!

Vous la lui expliquez. Vous les leur montrez. Vous la lui achetez. Vous le lui prêtez. Vous ne le lui prêtez pas. Vous ne la lui expliquez pas. Vous ne les leur montrez pas. Vous ne les leur apportez pas.

▼ **40.** *Ajoutez l'adverbe de quantité aux phrases suivantes:*

EXEMPLE: Nous connaissons des gens amusants; beaucoup.
RÉPONSE: Nous connaissons beaucoup de gens amusants.
EXEMPLE: J'ai des idées formidables; peu.
RÉPONSE: J'ai peu d'idées formidables.

Voilà des gens sérieux; trop. Nous avons des amis français; beaucoup. Bill connaît des femmes ravissantes; beaucoup. Il dit des choses agréables; peu. Caro-
▲ line a des robes roses; plus. J'ai des amis; moins. Elle a de l'argent; assez.

41. *Ajoutez l'adjectif indiqué; mettez **de** puisque l'adjectif précède le nom:*

EXEMPLE: Ce sont des amis; bon.
RÉPONSE: Ce sont de bons amis.

Voilà des maisons; petit. Ce sont des peintres; mauvais. Ce sont des provinces; ancien. Voilà des pays; beau. On vend des voitures; beau. Ils ont des enfants; petit. Voilà des robes; nouveau.

▼ **42.** *Ajoutez l'adjectif indiqué:*

EXEMPLE: Paul voit souvent ses amis; ancien.
RÉPONSE: Paul voit souvent ses anciens amis.

Nous avons une assistante; bon. Elle a rencontré beaucoup d'amis; ancien. Elle a toujours été une amie de ma soeur; grand. Nous admirons cette église; ancien. C'est devenu une ville; beau. Voilà quatre étudiants; bon. Voilà notre université;
▲ grand.

43. *Continuez:*

EXEMPLE: Vous avez chanté de belles chansons; français.
RÉPONSE: Vous avez chanté de belles chansons françaises.

Il préfère les jolies femmes; blond. C'est une jeune fille; étonnant. Ils nous ont envoyé de longues lettres; intéressant. Ces beaux tableaux m'ont toujours intéressé; abstrait. Voilà une grande galerie; très original. Elle a beaucoup de nouvelles robes; ravissant. Nous avons vu beaucoup de grandes maisons; moderne.

44   QUESTIONS ET RÉPONSES

1. Qu'est-ce que Bill a fait pendant que François était en classe?
2. Pourquoi est-ce qu'il ne dit pas à ses parents qu'il est malade?
3. Qu'est-ce qu'il leur a dit de sa vie en France? 4. Pourquoi

est-ce qu'ils s'imaginent facilement la vie en France? 5. Quelles idées sur la France a le grand-père? 6. Que dit-il des Français? 7. Et des Françaises? 8. Quelle est l'impression de Bill?

45.   TRADUCTIONS

1. We went to the movies while you were in class. 2. I've just written a long letter to my parents. 3. How long have you been in France? 4. I have been here for eight months and twenty days. 5. You've been there for ten months, almost a year. 6. While Caroline put on her make-up, Mr. Parisot shaved and got dressed. 7. I got mad and said, "I don't want you to leave now!" 8. You have to finish your lunch.

46.   TRADUISEZ RAPIDEMENT

1. You wrote the letter. 2. You read the letter. 3. I went with you. 4. He left. 5. He saw the Eiffel Tower. 6. We went back to sleep. 7. We went back to bed. 8. We slept. 9. I remembered something. 10. He was waiting for his wife. 11. She was cooking. 12. He chose the meat. 13. He came to the house.

18C

LECTURES

Le passé simple

Dans les cas où on emploie le passé composé dans la langue parlée, on emploie très souvent le passé simple dans la langue écrite.

47.   *Étudiez et apprenez à reconnaître les quatre types de désinences du passé simple:*

parler		dire		pouvoir		venir	
je	parlai	je	dis	je	pus	je	vins
tu	parlas	tu	dis	tu	pus	tu	vins
il	parla	il	dit	il	put	il	vint
nous	parlâmes	nous	dîmes	nous	pûmes	nous	vînmes
vous	parlâtes	vous	dîtes	vous	pûtes	vous	vîntes
ils	parlèrent	ils	dirent	ils	purent	ils	vinrent

48. *Étudiez ces exemples du passé simple dans* Le Général Bonaparte, *avec le passé composé correspondant:*

Verbes en **-er** *au passé simple:*

Passé simple	Passé composé	Passé simple	Passé composé
il arriva	= il est arrivé	il obligea	= il a obligé
il brava	= il a bravé	il proposa	= il a proposé
il classa	= il a classé	il remporta	= il a remporté [carried off]
il s'écria	= il s'est écrié [shouted]	il rentra	= il est rentré
il s'efforça	= il s'est efforcé [tried hard]	il retourna	= il est retourné
il s'en alla	= il s'en est allé	ils demandèrent	= ils ont demandé
il envoya	= il a envoyé	ils volèrent	= ils ont volé [flew]

Verbes avec **-i-** *au passé simple:*

dire:		il dit	= il a dit
accueillir [to receive]:		ils accueillirent	= ils ont accueilli
prendre:		il prit	= il a pris

Verbes avec **-in-** *au passé simple:*

devenir [to become]:		il devint	= il est devenu

Verbes avec **-u-** *au passé simple:*

avoir:		il eut /y/	= il a eu /y/
devoir [to have to]:		il dut	= il a dû
		ils durent	= ils ont dû
s'émouvoir [to be moved]:		il s'émut	= il s'est ému
être:		il fut	= il a été
être envoyé [to be sent]:		il fut envoyé	= il a été envoyé
être conquis [to be conquered]:		il fut conquis	= il a été conquis
mourir [to die]:		il mourut	= il est mort
savoir [to know]:		ils surent	= ils ont su
		il sut	= il a su

LE GÉNÉRAL BONAPARTE

Préparation:

1. Bonaparte *était né*[1] en *Corse.*[2] La langue corse resemble à l'italien et beaucoup de Corses parlent français avec un accent corse. On se moquait de l'accent du jeune Napoléon; pour cette raison on le *surnommait* (= l'appelait) "*la paille*[3]

---

[1]**né** born.   [2]**la Corse** Corsica.   [3]**la paille** straw.

au nez"[4]: Napolioné—na-poli-o-né—la paille au nez. Très *tôt*[5] il *remplit* une place importante dans l'armée; *plus tard* il devint empereur.

2. Cherchez sur une carte: *La Corse; Toulon; Fréjus* (entre Nice et Toulon) et les autres endroits mentionnés dans le texte.

3. *Lorsque* (= quand) ses soldats ont commencé à *se plaindre*,[6] Napoléon leur a adressé des *paroles* (= des mots, des discours) qui les ont *électrisés* (= inspirés). *Aussi*[7] ont-ils *conquis*[8] des adversaires *bien plus nombreux*.[9] Ils ont vu la victoire; ont-ils pu *rétablir*[10] la *paix*?

4. *Une flotte*[11] se compose de *vaisseaux*,[12] de *navires* (= vaisseaux) lourds et *légers*, qui forment des *escadres*.[13]

5. Étudiez le sens de *r(e)* = *de nouveau*, encore une fois:

prendre [to take]	Il voulait **reprendre** [recapture] la ville.
entrer [to go in]	Il est **rentré** [went back] à Paris.
lever [to raise]	Il a **relevé** [revived] leur courage.
amener [to bring]	Il a **ramené** [brought back] la victoire.
établir [to establish]	Il a **rétabli** [restored] la religion.

6. Notez les formes suivantes:

Au futur (Voir 19.2-3):	*Au conditionnel (Voir* 19.5):
il rétablira = il va rétablir	il remplirait = he would fill
il fera = il va faire	il serait (être) = he would be

7. Les Français habitent en France; les *Autrichiens* habitent en Autriche.[14] Les *mameluks* habitaient en Egypte; au temps de Napoléon ils formaient une milice turco-égyptienne et contrôlaient l'Egypte. Saint-Louis (Louis IX) est mort de la *peste*[15] en 1270 pendant sa croisade[16] "au pays des mameluks."

Le Général Bonaparte

Dans la Corse que Louis XV nous avait donnée trente ans plus tôt, il était né un enfant, Napoléon Bonaparte, dont la destinée serait merveilleuse[1] et qui remplirait le monde de son nom.

Sa famille n'était pas riche, et il avait sept frères et soeurs dont il fera plus tard des rois et des reines.[2]

Son père l'envoya à l'École militaire, où ses camarades se moquaient de lui parce que, lorsqu'on lui demandait son nom, il répondait avec l'accent de son pays: "Napolioné Bonaparte." Aussi le surnommait-on "la paille au nez." Mais, dans les jeux,[3] il était toujours le chef.

Sous la Révolution, il était capitaine d'artillerie lorsqu'il fut envoyé au siège[4] de Toulon. À ce moment nos affaires allaient si mal, que ce grand port était occupé par les Anglais.

---

[4]**le nez** nose. [5]**tôt** early, soon. [6]**se plaindre** to complain. [7]**Aussi** therefore. [8]**conquis** past part. *of* **conquérir** to conquer. [9]**bien plus nombreux** much more numerous. [10]**rétablir** to re-establish. [11]**la flotte** fleet. [12]**le vaisseau** ship. [13]**l'escadre,** *f.* squadron. [14]**l'Autriche** Austria. [15]**la peste** plague. [16]**la croisade** crusade.

[1]**dont . . . merveilleuse** whose destiny would be miraculous. [2]**dont . . . reines** of whom he will later make kings and queens. [3]**le jeu** game. [4]**le siège** seat, center.

Le général révolutionnaire qui voulait le leur reprendre était incapable. Ce fut le petit capitaine d'artillerie corse qui dit ce qu'il fallait faire. Les Anglais durent quitter Toulon, et Bonaparte, en récompense, devint général.

Il fut envoyé en Italie, où l'armée française, manquant[5] de tout, était sur le point de battre en retraite.[6] D'abord les soldats accueillirent[7] mal ce jeune général, maigre, jaune,[8] et qui ne payait pas de mine.[9] Mais il sut leur dire des paroles qui les électrisèrent. Avec lui, ils volèrent[10] de victoire en victoire, bousculant[11] l'ennemi bien plus nombreux. À Arcole, il s'agissait de[12] traverser un pont[13] balayé[14] par la mitraille.[15] Voyant que les grenadiers hésitent, Bonaparte saisit[16] un drapeau[17] et s'élance[18] le premier. Tous le suivent. Il est jeté[19] dans la rivière, il va être pris. Mais les grenadiers le délivrent, le pont est franchi,[20] et les Autrichiens battus.

Bonaparte rentre à Paris victorieux. Cependant la France restait malheureuse. Il y avait beaucoup de désordre et de misère, et les Anglais ne consentaient pas à faire la paix. Afin de[21] les y forcer, Napoléon proposa de conquérir l'Egypte pour leur couper le chemin[22] des Indes.

Le voilà débarquant, comme jadis[23] saint Louis, au pays des mameluks. Il faisait bien chaud, on avait soif et les soldats commençaient à se plaindre, lorsque l'armée arriva devant les Pyramides géantes que les anciens Egyptiens avaient construites.

"Soldats, s'écria[24] le général Bonaparte, qui trouvait toujours le mot qu'il fallait pour relever les courages, soldats, du haut de ces pyramides quarante siècles vous contemplent!"

Le pays des mameluks fut conquis au pas de course.[25] Par malheur, pendant ce temps, notre escadre était détruite par les Anglais à Aboukir. Bonaparte était enfermé en Egypte! Il ne s'émut pas pour si peu[26] et s'en alla conquérir la Syrie. Ne craignant[27] jamais rien pour lui-même, il brava le désert et la peste, comme il allait braver la flotte anglaise.

De mauvaises nouvelles lui étaient venues de France. Il savait que, sous le gouvernement du Directoire, tout allait de mal en pis,[28] que l'Italie était de nouveau perdue, qu'une grande coalition menaçait d'envahir[29] le territoire. Alors, laissant le commandement de l'Egypte au brave Kléber, il monte à bord d'un navire léger, traverse toute la Mé-

---

[5]**manquer de** to lack. [6]**battre en retraite** to retreat. [7]**accueillir** to receive. [8]**jaune** sallow; yellow. [9]**qui... mine** his looks did not help him. [10]**voler** to fly. [11]**bousculer** to push back, about. [12]**il s'agissait de** It was a question of. [13]**le pont** bridge. [14]**balayer** to sweep. [15]**la mitraille** the fire. [16]**saisir** to seize. [17]**le drapeau** flag. [18]**s'élancer** jump forward. [19]**jeter** to throw. [20]**franchir** to cross. [21]**afin de** in order to. [22]**leur couper le chemin** to cut their path. [23]**jadis** once upon a time. [24]**s'écrier** to shout. [25]**au pas de course** very rapidly. [26]**il... peu** he did not get upset by trifles. [27]**craindre** to fear. [28]**de mal en pis** from bad to worse. [29]**envahir** to invade.

diterrannée, échappe aux marins anglais qui cherchent à l'arrêter,[30] passe hardiment[31] entre leurs vaisseaux et débarque à Fréjus.

Lorsqu'on sut que le général Bonaparte était de retour, il y eut en France un grand enthousiasme. On comptait sur lui[32] pour ramener la victoire et mettre fin aux disputes, au chaos et à la désolation intérieure. Quelques membres du Directoire lui demandèrent même de les aider à chasser du gouvernement les Jacobins, qui continuaient à répandre[33] la haine[34] et l'anarchie. Dans la journée du 18 brumaire,[35] à Saint-Cloud, il chassa les députés.

Alors il devint Premier Consul, c'est-à-dire le chef de la France. Il s'efforça de réconcilier les Français et d'effacer les souvenirs de la guerre civile. Bientôt il rétablira la religion persécutée et signera avec le Pape un accord appelé Concordat. Mais surtout il fallait mettre le pays à l'abri des envahisseurs.[36] Il retourna en Italie, remporta[37] encore une victoire éclatante[38] à Marengo et obligea l'ennemi à signer la paix.

Ces choses se passaient en l'année 1800, mille ans après le couronnement de Charlemagne. Le petit Corse, quatre ans plus tard, allait être couronné par le Pape, comme l'empereur à la barbe fleurie.[39]

JACQUES BAINVILLE
Petite Histoire de France
Ed. Mame, 1958, pp. 130–133.

Composition française

Tout jeune Napoléon était maigre[1]
et officier d'artillerie
plus tard il devint empereur
alors il prit du ventre[2] et beaucoup de pays
et le jour où il mourut il avait encore du ventre
mais il était devenu plus petit.

JACQUES PRÉVERT
Paroles, Ed. Le Point du jour
(Gallimard), 1947, p. 214.

QUESTIONS

1. Racontez l'histoire de Napoléon. 2. Quel est le pays des mameluks? 3. Qui était l'empereur à la barbe fleurie? 4. Comparez le premier texte avec le poème qui suit.

---

[20]**cherchent à l'arrêter** try to stop him.   [31]**hardiment** bravely.   [32]**compter sur** to count on. [33]**répandre** to spread.   [34]**la haine** hatred.   [35]**le 18 brumaire:** November 9, 1799.   [36]**mettre . . . envahisseurs** to shelter the land against invaders.   [37]**remporter** to win.   [38]**éclatant** striking. [39]**l'empereur . . . fleurie** emperor with his flowing beard (Charlemagne).

[1]**maigre** thin.   [2]**le ventre** belly.

Dix-neuvième leçon

19A

QUAND JE SERAI RICHE

:44 JACQUES: Quand je serai riche, j'irai finir mes études à Paris, et vous?

When I am rich, I'll go to Paris to finish my studies, and you?

GUY: Je ne sais pas si je deviendrai riche un jour. . . .

I don't know whether I'll ever get rich. . . .

JACQUES: Qu'est-ce que vous ferez quand vous serez riche?

What will you do when you are rich?

GUY: Je crois que je voyagerai beaucoup, en Asie, en Afrique.

I think I'll travel a great deal, in Asia, in Africa.

JACQUES: Vous irez dans les pays où il y a du soleil?

Will you go to countries where the sun shines?

GUY: Oui, par exemple, et je ferai collection de poteries antiques.

Yes, among others, and I'll collect ancient pottery.

JACQUES: Vous deviendrez archéologue amateur!

You'll become an amateur archeologist!

GUY: J'habiterai en Grèce ou en Tur-

I shall live in Greece or in Turkey;

quie; je chercherai des villes disparues.

I'll look for cities that have disappeared.

JACQUES: Vous trouverez des civilisations anciennes; moi, je préfère les modernes.

You'll find ancient civilizations; *I* prefer modern ones.

GUY: Alors vous irez dans des pays exotiques!

Then you will go to exotic countries!

JACQUES: Oui, quand j'aurai fini mes études, je trouverai un nouveau mode de vie.

Yes, when I have finished my studies, I'll discover a new way of life.

GUY: Vous croyez que vous vous adapterez facilement?

Do you think that you will adjust easily?

JACQUES: Je crois que oui, mais vous savez, je reviendrai de temps en temps à la maison.

I think so, but, you know, I'll come back home from time to time.

GUY: Moi, quand j'aurai les moyens, je pourrai rester des années loin de chez moi. Ça me sera égal.

When I have the means, I'll be able to stay away from home for years. It won't bother me.

JACQUES: Pas moi, j'aurai besoin de retrouver mes parents, ma maison, mon pays.

Not me, I'll need to get back to my parents, my home, my country.

GUY: Vous êtes sentimental!

You are a sentimentalist!

Étudiez: *le mode* [way], *la mode* [fashion], *la poterie*, *la civilisation*, *la collection*.

19.1 Phonétique

Intonation

Notez l'ordre des mots dans les deux phrases suivantes:

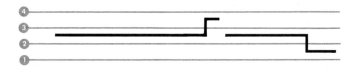

(a) J'irai finir mes études à Paris, quand je serai riche.

(b) Quand je serai riche, j'irai finir mes études à Paris.

La première phrase (*a*) est dans l'ordre normal. Pour donner plus d'importance à l'expression **quand je serai riche**, on la place au commencement. Dans la deuxième phrase (*b*) le mot **riche** porte le sommet de hauteur [has the highest pitch].

1. *Sur ce modèle d'intonation, répétez les phrases suivantes:*

> Quand je serai grand, je serai archéologue.
> Quand j'irai en Orient, je trouverai des villes disparues.
> Quand je serai vieux, je resterai chez moi.
> Quand j'aurai fini mes études, je ferai collection de poteries.

2. *Transformez les phrases suivantes selon l'exemple:*

EXEMPLE: Je chercherai des villes disparues quand je serai en Grèce.
RÉPONSE: Quand je serai en Grèce, je chercherai des villes disparues.

Vous voyagerez quand vous serez riche. Vous ferez collection de poteries quand vous serez en Grèce. Je trouverai un nouveau mode de vie quand j'aurai fini mes études. Je m'adapterai facilement quand je serai dans les pays exotiques. Vous deviendrez archéologue quand vous habiterez en Grèce. Je pourrai rester des années loin de chez moi, quand j'aurai les moyens. Je voyagerai beaucoup quand je serai en Europe.

Liaison avec *en*

Le **-n** du mot **en** se prononce devant les voyelles. Il ne se prononce pas devant les consonnes.

3. *Répétez et étudiez:*

Cet été je serai en‿Allemagne /ãnalmaɲ/, . . . en‿Italie, . . . en‿Espagne, . . . en‿ Angleterre, . . . en‿Israël, . . . en‿Autriche, . . . en‿Afrique, . . . En‿Asie, . . . en‿ Australie.

Cet été j'irai en France /ãfrãs/, . . . en Grèce, . . . en Turquie, . . . en Suisse, . . . en Russie, . . . en Chine, . . . en Belgique, . . . en Norvège, . . . en Suède.

19.2 Futur

Verbes en -er; première personne du singulier

Remarquez que pour prononcer la première personne du singulier du futur, il faut ajouter /re/ à la première personne du présent. Pour l'écrire, ajoutez la désinence **-ai** à l'infinitif.

4. *Répétez et étudiez:*

je trouve	je **trouverai**	je cherche	je **chercherai**
je voyage	je **voyagerai**	j'habite	j'**habiterai**
j'étudie	j'**étudierai**	je travaille	je **travaillerai**
je change	je **changerai**	j'apprécie	j'**apprécierai**

Verbes en -er et -ir

Remarquez que normalement les désinences du futur s'ajoutent à l'infinitif. Ces désinences ressemblent au présent du verbe **avoir**. Elles sont toujours régulières (mais le radical ne l'est pas toujours).

5. *Répétez et étudiez:*

j'ai envie de voyager	**je** voyagerai	**je** partirai
tu as envie de partir	**tu** voyageras	**tu** partiras
il a envie de voyager	**il** voyagera	**il** partira
ils ont envie de partir	**ils** voyageront	**ils** partiront
nous avons envie de voyager	**nous** voyagerons	**nous** partirons
vous avez envie de partir	**vous** voyagerez	**vous** partirez

6. *Mettez les phrases suivantes au futur:*

EXEMPLE: Je vais travailler sérieusement.
RÉPONSE: Je travaillerai sérieusement.
EXEMPLE: Il va finir le travail.
RÉPONSE: Il finira le travail.

Il va beaucoup voyager. Elle va l'expliquer une deuxième fois. Vous allez vous adapter facilement. Elle va choisir une robe. Nous allons trouver un nouveau mode de vie. Elle va s'habiller immédiatement. Je vais m'amuser beaucoup. Tu ne vas pas rester longtemps. Nous n'allons pas dormir.

7. *Mettez les phrases suivantes au futur:*

EXEMPLE: J'aime les voyages.
RÉPONSE: J'aimerai les voyages.
EXEMPLE: Nous remplissons la fiche.
RÉPONSE: Nous remplirons la fiche.

Je reste ici. Il trouve un ami. Elle voyage beaucoup. Nous ne travaillons pas. Vous ne finissez pas. Vous ne me trouvez pas chez moi. Je ne sors pas de chez moi.

Verbes en -re

Le radical du futur est l'infinitif sans **e**.

8. *Répétez et étudiez:*

je vais répon**dre**	je répond**rai**
tu vas descen**dre**	**tu** descend**ras**
il va sui**vre**	**il** sui**vra**
ils vont écri**re**	**ils** écri**ront**
nous allons li**re**	**nous** li**rons**
vous allez condui**re**	**vous** condui**rez**

9. *Remplacez le futur immédiat par le futur:*

EXEMPLE: Je vais vendre la maison.
RÉPONSE: Je vendrai la maison.
EXEMPLE: Tu vas prendre le métro.
RÉPONSE: Tu prendras le métro.

Il va comprendre la question. Nous allons lire ce livre. Vous allez suivre cinq cours. Ils vont descendre du premier étage. Je vais prendre un verre. Tu vas me connaître! Je vais te croire.

19.3 Futurs irréguliers

Aller, venir, s'asseoir

10. *Répétez et étudiez:*

Infinitif	Présent	Futur
aller	Je **vais** en France.	J'**irai** en France.
s'en aller	Je **m'en vais** bientôt.	Je **m'en irai** bientôt.
venir	Je **viens** avec vous.	Je **viendrai** avec vous.
devenir	Je **deviens** archéologue.	Je **deviendrai** archéologue.
revenir	Je **reviens** demain.	Je **reviendrai** demain.
retenir	Je ne vous **retiens** pas.	Je ne vous **retiendrai** pas.
s'asseoir	Je m'**assieds**	Je m'**assiérai***

---

*Autre forme du futur: **Je m'assoirai** (Voir 18.4).

▼ **11.** *Mettez les phrases suivantes au pluriel:*

EXEMPLE: Il ira avec nous.

RÉPONSE: Ils iront avec nous.

Il s'en ira tout de suite. Il viendra me voir. Il deviendra riche. Il nous retiendra. Il tiendra tout. Il ira en France. Il retiendra quatre places. Il s'assiéra derrière ▲ nous.

Être, faire

12. *Étudiez:*

Infinitif	Présent	Futur
être	Je **suis** riche.	Je **serai** riche.
	Nous **sommes** contents.	Nous **serons** contents.
faire	Je **fais** beaucoup de choses.	Je **ferai** beaucoup de choses.
	Vous **faites** la vaisselle.	Vous **ferez** la vaisselle.

▼ **13.** *Mettez les phrases suivantes à la forme* ***vous:***

EXEMPLE: Tu seras en ville.

RÉPONSE: Vous serez en ville.

Tu feras beaucoup de choses. Tu n'y seras pas. Tu feras ce qu'il faut. Tu ne feras rien. Tu ne seras pas riche. Tu seras bientôt en Europe. Tu feras une prome- ▲ nade?

Avoir, savoir

14. *Étudiez:*

Infinitif	Présent	Futur
avoir	**J'ai** toujours raison.	**J'aurai** toujours raison.
	Nous avons sommeil.	**Nous aurons** sommeil.
savoir	**Je sais** beaucoup de choses.	**Je saurai** beaucoup de choses.
	Vous savez le français.	**Vous saurez** le français.

15. *Répétez et étudiez:*

Tu as faim; quand tu auras mangé* quelque chose, tu n'auras plus faim.
Tu as tort; quand tu sauras tout, tu auras raison.
Ils savent peu; ils sauront tout.
Je n'ai pas soif; ce soir j'aurai soif.
Nous savons que nous avons raison et que nous aurons toujours raison.

---

*Pour le futur antérieur [you will have eaten] voir 24.3.

16. *Mettez les phrases suivantes au futur:*

EXEMPLE: J'avais peur.
RÉPONSE: J'aurai peur.
EXEMPLE: Il savait la réponse.
RÉPONSE: Il saura la réponse.

J'avais beaucoup de temps. Elle savait beaucoup de choses. Nous n'avions rien. Ils avaient toujours tort. Elles avaient toujours raison. Est-ce que vous saviez la réponse? Qu'est-ce qu'ils avaient?

Vouloir

Le radical contient la consonne *d*: *voudr-*:

17. *Étudiez:*

Infinitif	Présent	Futur
vouloir	**Je veux** dormir.	**Je voudrai** dormir ce soir.
	Il veut dormir.	**Il voudra** dormir ce soir.
	Nous voulons dormir.	**Nous voudrons** dormir ce soir.

Il faut a un futur et un infinitif analogues: *il faudra, falloir.*

18. *Mettez les phrases suivantes au futur.*

EXEMPLE: Je veux le faire.   EXEMPLE: Il faut que je parte.
RÉPONSE: Je voudrai le faire. RÉPONSE: Il faudra que je parte.

Nous voulons sortir. Ils veulent se raser. Il faut qu'elle se maquille. Il faut me le dire. Il faut qu'on ait du courage. Vous voulez dormir?

Pouvoir, voir, envoyer

Étudiez les radicaux du futur: *pourr-, verr-, enverr-.*

19. *Étudiez·*

Infinitif	Présent	Futur
pouvoir	**Tu peux** aller avec nous.	**Tu pourras** aller avec nous demain.
	Nous pouvons partir.	**Nous pourrons** parler demain.
voir	**Tu vois** Jean.	**Tu verras** Jean demain.
	Vous voyez.	**Vous verrez** ça demain.
envoyer	**Il m'envoie** à la poste.	**Il m'y enverra** demain.
	Ils envoient la lettre.	**Ils l'enverront** demain.

▼ **20.** *Mettez les phrases suivantes au futur:*

EXEMPLE: Je ne peux pas venir.
RÉPONSE: Je ne pourrai pas venir.

Nous pouvons le croire. Vous pouvez lui téléphoner. Je peux vous emmener. Il envoie la lettre. Vous pouvez faire le tour du quartier. On peut attendre le soleil. Je vois la tour Eiffel. Vous la voyez.

21. *Mettez les phrases suivantes au futur:*

EXEMPLE: Il voit Marie.   EXEMPLE: Il envoie une lettre.
RÉPONSE: Il verra Marie.   RÉPONSE: Il enverra une lettre.

Il voit ses amis tous les jours. J'envoie chercher la robe. Elle renvoie sa robe chez Dior. Nous te voyons souvent. Vous les renvoyez au magasin. Il voient tout ▲ le monde.

22. QUESTIONS ET RÉPONSES

1. Qu'est-ce que Jacques fera quand il sera riche? 2. Est-ce que Guy deviendra riche un jour? 3. Qu'est-ce qu'il fera quand il sera riche? 4. Où est-ce qu'il cherchera des poteries antiques? 5. Où est-ce que Jacques reviendra de temps en temps? 6. Qu'est-ce qu'il cherchera en Grèce, en Turquie? 7. Qu'est-ce que Guy dit de Jacques?

23. TRADUCTIONS

1. We'll finish our studies in Paris. 2. One day they'll become rich. 2. One must believe that one will be rich some day. 4. We shall live in Germany. 5. In Turkey we shall find forgotten villages. 6. One has to get used to things easily. 7. We shall remain a long time, but we shall return from time to time. 8. We need to see our parents again. 9. We know it. 10. You know them.

19B

NOUS POURRIONS ALLER LE VOIR

21:46 ▼ PIERRE: Savez-vous ce qui me ferait plaisir ce matin?

Do you know what I would like to do this morning?

ANDRÉ: Non, j'aimerais bien le savoir.

No, I'd like to know.

PIERRE: Je voudrais faire un tour dans les vieux quartiers de la ville.

I'd like to take a walk through the old sections of the city.

ANDRÉ: Je vous y emmènerai dès qu'il fera beau.

I'll take you there as soon as the weather is nice.

PIERRE: Si nous attendons le soleil, je crois que nous ne sortirons jamais.

If we wait for the sun, I believe we'll never go out.

ANDRÉ: Non, la météo a annoncé du beau temps pour demain. Vous pourrez prendre des photos.

No, the weather report promised fine weather for tomorrow. You'll be able to take pictures.

PIERRE: S'il faisait beau cet après-midi, nous pourrions quand même aller dans l'île de la Cité.

If it's nice this afternoon, we could go to the Ile de la Cité anyway.

ANDRÉ: Vous la connaissez déjà?

You've already seen it?

PIERRE: Bien sûr, et si nous avions le temps, nous pourrions aller aussi dans l'île Saint Louis.

Of course, and if we had time, we could go to the Ile St. Louis as well.

ANDRÉ: Oui, c'est l'île derrière l'île de la Cité, et nous ferions bien de visiter quelques-uns des jolis hôtels particuliers du dix-huitième siècle. Je connais un peintre qui en habite un.* Nous pourrions aller le voir.

Yes, that's the island behind the Ile de la Cité, and it would be nice to visit some of the attractive eighteenth-century mansions. I know a painter who lives in one. We could go to see him.

PIERRE: Ce serait une bonne idée. Téléphonez-lui maintenant.

That would be a good idea. Call him up now.

ANDRÉ: Oui, tout de suite. Il faudra aussi que je vous emmène voir la tour Eiffel, un jour de beau temps.

Yes, right away. I must take you to see the Eiffel Tower too on a clear day.

PIERRE: C'est vrai! Je l'avais oublié.

That's true! I'd forgotten about that.

19.4   Ce adjectif : révision phonétique

24. *Répétez et étudiez:*

Voyelle + /s/	Consonne + /sə/
C'est ce vieux quartier /sɛsvjø/.	Par ce vieux quartier /parsəvjø/.
C'est ce pays-là.	Par ce pays-là.
C'est ce peintre-là.	Par ce peintre-là.
C'est ce mauvais temps.	Par ce mauvais temps.

---

*habiter un hôtel = habiter dans un hôtel.

25. *Répétez et étudiez:*

Masculin	/sɛt/	Féminin
Cet hiver /sɛtivɛr/.		Cette année /sɛtane/.
Cet après-midi.		Cette semaine.
Cet exemple.		Cette visite.

26. *Répétez et étudiez:*

Masculin	/sez/	Féminin
Ces hivers /sezivɛr/.		Ces idées /sezide/.
Ces amateurs.		Ces années.

Masculin	/se/	Féminin
Ces quartiers /sekartje/.		Ces semaines /sesmɛn/.
Ces tours.		Ces villes.

19.5   Conditionnel

Formes

27. *Répétez et étudiez les phrases suivantes:*

Je voyager**ais** [I would travel]
  si **j'étais** riche.

Elle nous parler**ait** si **elle***
  av**ait** le temps.

Nous nous amuser**ions** si
  nous ét**ions** en France.

Ils partir**aient** s'**ils**
  av**aient** de l'argent.

Je vendr**ais** ma maison si
  c'ét**ait** possible.

Tu le fer**ais** aussi si
  tu pouv**ais**.

Il le fer**ait** aussi s'**il***
  pouv**ait**.

Nous y ser**ions** si **nous**
  pouv**ions**.

Elles ser**aient** en France
  si **elles** pouv**aient**.

Elle écrir**ait** la lettre
  si c'ét**ait** nécessaire.

Observez que (a) le conditionnel se forme toujours avec le radical du futur;

  (b) les désinences sont les mêmes que pour *l'imparfait:*

je . . . **-ais**	nous . . . **-ions**
tu . . . **-ais**	vous . . . **-iez**
il . . . **-ait**	ils . . . **-aient**

---

*si + il = **s'il**; si + ils = **s'ils**; *mais* si + elle, elles = **si elle, si elles**.

(c) le conditionnel a le son /r/ que l'imparfait n'a pas:

je **voyagerais**—je voyageais	je **serais**— j'étais
j'**amuserais**— j'amusais	j'**aurais**— j'avais
je **partirais**— je partais	j'**irais**— j'allais
je **pourrais**— je pouvais	je **voudrais**—je voulais

(d) **si** [if] ne prend jamais le futur ou le conditionnel.

Hypothèses [conditional clauses]

28. *Étudiez la concordance des temps* [sequence of tenses]:*

Si + *présent*	*Phrase principale au futur*
Si vous apprenez la leçon,	vous la comprendrez bien.
Si vous la comprenez,	vous l'apprendrez vite.

Si + *imparfait*	*Phrase principale au conditionnel*
Si vous appreniez la leçon,	vous la comprendriez plus vite.
Si vous la compreniez,	vous l'apprendriez plus vite.

29. *Répondez selon le modèle:*

EXEMPLE: Vous viendrez?
RÉPONSE: Je viendrais si je pouvais.
EXEMPLE: Il ira?
RÉPONSE: Il irait s'il pouvait.

Elle viendra? Vous partirez? Ils finiront? Elles iront? Tu reviendras? Je viendrai? Il chantera? Tu conduiras? Nous écrirons? Elle descendra?

30. *Transformez les phrases suivantes selon l'exemple:*

EXEMPLE: S'il fait beau, je sortirai.
RÉPONSE: S'il faisait beau, je sortirais.

S'il fait beau, vous sortirez. S'il fait chaud, Paul sortira. Paul et Janine sortiront, s'il fait chaud. S'il fait du soleil, nous sortirons. S'il fait du vent, nous attendrons le soleil. S'il fait beau, nous irons vous voir. S'il fait trop chaud, tu partiras. S'il y a du vin, on descendra à la cave.

31. *Transformez selon l'exemple:*

EXEMPLE: Je sortirai s'il fait beau.
RÉPONSE: Je sortirais s'il faisait beau.

---

*Notez la même concordance des temps composés: Si vous aviez appris la leçon, vous l'auriez comprise.

Vous sortirez s'il fait beau. Paul partira s'il fait chaud. Nous partirons s'il fait frais. Ils iront s'il fait du soleil. Nous resterons chez nous s'il neige. Tu achèteras du pain s'il y en a.

32.   *Répondez en phrases complètes selon le modèle:*

EXEMPLE: Si vous aviez le temps, qu'est-ce que vous feriez? (de la géographie)
RÉPONSE: Si j'avais le temps, je ferais de la géographie.

des mathématiques, de la littérature, de la peinture, de la photo, du cinéma, du théâtre, de la poterie.

Conditionnel: futur du passé

33.   *Changez les temps selon le modèle:*

EXEMPLE: Il me dit qu'il viendra.
RÉPONSE: Il m'a dit qu'il viendrait.

Il me dit qu'il saura la réponse, . . . qu'il attendra Charlotte, . . . qu'il s'en ira demain, . . . qu'il fera sa valise, . . . qu'il sera prêt, . . . qu'il viendra avec moi, . . . qu'il reviendra de Turquie.

34.   *Mettez l'imparfait suivi du conditionnel:*

EXEMPLE: Je sais ce que je ferai.
RÉPONSE: Je savais ce que je ferais.

Je sais ce que je dirai, . . . ce qu'ils feront, . . . ce que nous dirons, . . . ce qu'ils répondront, . . . ce qu'elles voudront, . . . ce que tu penseras, . . . ce qu'elle emmènera.

35.   *Remplacez **je sais** par **je savais** et faites les changements nécessaires:*

EXEMPLE: Je sais que j'aurai peur.
RÉPONSE: Je savais que j'aurais peur.
EXEMPLE: Je sais que nous ferons la cuisine.
RÉPONSE: Je savais que nous ferions la cuisine.

Je sais que vous lirez ce livre, . . . qu'il écrira à ses parents, . . . que vous reviendrez demain, . . . qu'ils diront la vérité, . . . que tu retiendras la chambre, . . . qu'elle fera la vaisselle, . . . que je vendrai la maison.

19.6   Verbes qui changent d'orthographe : futur et conditionnel

Le radical du futur et du conditionnel contient /ɛ/, bien que [although] l'infinitif ne le contienne pas: acheter /aʃte/, appeler /aple/.

36. *Répétez et étudiez:*

        Je me lève à huit heures.   **Je me** lève**rai** à huit heures.

           Je me lève**rais** à huit heures, si **on** me réveill**ait**.

        J'achète du pain.   J'achète**rai** du pain.

           J'achète**rais** du pain, si le magasin ét**ait** ouvert.

        J'appelle le garçon.   J'appelle**rai** le garçon.

           J'appelle**rais** le garçon, s'**il** ét**ait** là.

        Je t'emmène voir la tour Eiffel.   **Je** t'emmène**rai** la voir.

           Je t'emmène**rais** la voir, si **j'av**ais le temps.

        Vous vous levez trop tard.   **Vous vous** lève**rez** trop tard.

           Vous vous lève**riez** trop tard, si **on** ne vous réveill**ait** pas.

        Vous achetez du pain.   **Vous** achète**rez** du pain.

           Vous en achète**riez**, si le magasin ét**ait** ouvert.

        Vous appelez le garçon.   **Vous** appelle**rez** le garçon.

           Vous appelle**riez** le garçon, s'**il** ét**ait** là.

        Vous m'emmenez voir la tour Eiffel.   **Vous** m'emmène**rez** la voir.

           Vous m'emmène**riez** la voir, si **vous** av**iez** le temps.

37. *Remplacez **nous** par **on** et mettez le verbe au futur:*

EXEMPLE: Nous les emmenons.

RÉPONSE: On les emmènera.

Nous nous levons de bonne heure. Nous l'appelons au téléphone. Nous nous rappelons votre visite. Nous vous emmenons au théâtre. Il faut que nous nous levions à sept heures. Il faut que nous l'appelions demain. Et si nous l'appelions tout de suite?

38. *Transformez les phrases suivantes selon l'exemple:*

EXEMPLE: Nous les emmènerons si nous pouvons.

RÉPONSE: Nous les emmènerions si nous pouvions.

Nous nous lèverons de bonne heure si tu es là. Je me lèverai tard si tu le veux. Vous l'appellerez si je vous le demande. Il nous appellera s'il le peut. On vous emmènera si vous voulez. Ils nous appelleront s'il le faut.

19.7   **Dès que** et **quand** + futur

Après **dès que, aussitôt que** [as soon as] et **quand** [when], on emploie le futur *si le sens indique le futur. Notez:* Je lui ai parlé *quand elle est venue*; je lui parlerai *quand elle viendra.*

39.   *Répétez et étudiez les phrases suivantes:*

> Je vous y emmènerai dès qu'il fera beau.
> Je vous verrai quand vous viendrez.
> On se parlera quand vous serez à Paris.
> Nous rentrerons dès qu'il commencera à pleuvoir.

▼ **40.**   *Mettez les phrases suivantes au futur:*

EXEMPLE: Je l'ai emmené quand il a fait beau.
RÉPONSE: Je l'emmènerai quand il fera beau.

J'ai acheté du pain aussitôt que le magasin était ouvert. Il s'est levé dès qu'il a fait du soleil. Elle est sortie quand il a commencé à neiger. Nous sommes rentrés dès qu'il a commencé à pleuvoir. Je l'ai appelé quand il s'est rendormi. Vous êtes arrivé aussitôt que nous nous sommes levés. Je suis allé à la poste dès que tu m'as apporté la lettre.

41.   *Transformez les phrases suivantes selon l'exemple:*

EXEMPLE: Je voyagerai quand je serai riche.
RÉPONSE: Je voyagerais si j'étais riche.

Je serai archéologue quand j'aurai trente ans. Nous nous amuserons quand nous irons en France. Elle parlera anglais quand elle le voudra. On vous connaîtra mieux quand vous reviendrez. Vous travaillerez quand vous irez mieux. Ils arriveront
▲ quand il fera beau. Nous trouverons des poteries quand nous irons en Grèce.

19.8   Formules de politesse

Le conditionnel de **vouloir** et **pouvoir** s'emploie souvent pour des raisons de politesse.

42.   *Répétez et étudiez les phrases suivantes:*

> Est-ce que je pourrais vous voir [*Could I see you*]?
> Je voudrais vous parler [*I would like to talk to you*].
> Pourriez-vous me dire l'heure exacte [*Could you tell me the right time*]?
> Voudriez-vous venir avec moi [*Would you like to come with me*]?
> Est-ce que nous pourrions entrer [*May we come in*]?
> Nous voudrions vous rendre visite [*We would like to visit you*].

19.9   Révision

43.   *Mettez les phrases suivantes au singulier:*

EXEMPLE: Vous voyez ces messieurs?   EXEMPLE: Ce sont ces peintres-là.
RÉPONSE: Tu vois ce monsieur.   RÉPONSE: C'est ce peintre-là.

Remarquez ces maisons-là! Nous connaissons ces dames. Ce sont ces enfants-là. Ils connaissent ces vieux quartiers. Elles habitent ces hôtels-là! Regardez ces étudiants!

44.   *Mettez les phrases suivantes au futur:*

EXEMPLE: Tu te lèves bientôt.
RÉPONSE: Tu te lèveras bientôt.
EXEMPLE: Tu l'achètes quand tu peux.
RÉPONSE: Tu l'achèteras quand tu pourras.

Je me lève à cinq heures. Ils achètent le journal tous les jours. Nous l'achetons quand nous pouvons. Vous l'emmenez à midi. Ils les appellent quand ils veulent. Vous vous levez quand nous vous appelons.

45.   *Transformez les phrases suivantes selon l'exemple:*

EXEMPLE: Je le vois quand je peux.
RÉPONSE: Je le verrais si je pouvais.

Il l'envoie quand il le voit. Nous venons quand nous pouvons. Ils nous voient quand ils veulent. Vous l'envoyez quand vous pouvez. Je veux le voir quand il envoie la lettre. Tu peux lui parler quand il est là. Vous pouvez lui donner à manger quand il a faim.

46.   QUESTIONS ET RÉPONSES

1. Qu'est-ce que les deux amis voudraient faire? 2. Où est-ce qu'ils iront? 3. Est-ce que Pierre veut attendre le soleil? 4. Où est l'île de la Cité? 5. Qui est-ce qu'André connaît dans l'île Saint-Louis? 6. Où se trouve l'île Saint-Louis? 7. Qu'est-ce qu'il y a dans l'île Saint-Louis? 8. Où est-ce qu'ils iront encore?

47.   TRADUCTIONS

1. If he waited for the sun, he would never leave. 2. If the weather were bad, we couldn't go to see the Eiffel Tower. 3. We'll go out as soon as we see the sun. 4. If it were sunny, we would take pictures. 5. If we were on the Ile St. Louis, we could see the painter who lives there. 6. This was a good idea yesterday, and it will be a good idea tomorrow. 7. I'd take you to the Eiffel Tower if I had time.

LECTURES

LA GUERRE DE TROIE

Préparation

1. Priam, roi de Troie, a trois enfants: une fille Cassandre, et deux fils, Hector et Pâris. Ulysse est arrivé de Grèce pour reprendre Hélène, enlevée[1] par Pâris. Hector veut maintenir la paix et espère qu'il n'y aura pas de guerre: il espère que la guerre de Troie *n'aura pas lieu.*[2]

2. Les *prêtres*[3] d'autrefois examinaient les entrailles des animaux qu'ils *tuaient*[4] pour prédire l'avenir,[5] mais souvent ils *s'abstenaient*[6] d'expliquer leurs prédictions. Cassandre semble connaître l'avenir et évoque des *génies* (= esprits); On la croit sorcière.[7] On croyait aussi que les *dieux* parlaient par la *foudre*[8] et le tonnerre.[9] Les prêtres écoutent le tonnerre et sentent le danger: ils voudraient que les dieux préservent la paix. Les hommes *cèdent*[10] à la peur et ils pleurent. Quelquefois ils *crient.*[11]

3. Avez-vous jamais vu un homme avec un *anneau*[12] au nez? Cet anneau brille; il *scintille* (= est brillant) au nez du capitaine du *navire*. C'est le navire qui *emportera*[13] Hélène. Un *mousse*[14] est là pour la servir.

4. Le *fer*[15] est un métal. La partie métallique du mât[16] (*de misaine*[17]) s'appelle la *ferrure*, parce qu'elle est en fer. Au loin, on *arrive à*[18] distinguer la ferrure qui scintille (= qui brille) au soleil.

5. Si vous *abondez dans mon sens*, vous êtes tout à fait (= complètement) *d'accord* avec moi.

3:34
▼

La Guerre de Troie n'aura pas lieu

HECTOR: Tu pleurerais, si on allait te tuer, Hélène?

HÉLÈNE: Je ne sais pas. Mais je crierais. Et je sens que je vais crier, si vous continuez ainsi, Hector . . . Je vais crier.

HECTOR: Tu repartiras ce soir pour la Grèce, Hélène, ou je te tue.

HÉLÈNE: Mais je veux bien partir! Je suis prête à partir. Je vous répète seulement que je ne peux arriver à rien distinguer du navire qui m'emportera. Je ne vois scintiller ni la ferrure du mât de misaine, ni l'anneau du nez du capitaine, ni le blanc de l'oeil du mousse.

HECTOR: Tu rentreras sur une mer grise, sous un soleil gris. Mais il nous faut la paix.

---

[1]**enlever** to carry off; to kidnap. [2]**avoir lieu** to take place. [3]**le prêtre** priest. [4]**tuer** to kill. [5]**prédire l'avenir,** *m.* to predict the future. [6]**s'abstenir** to abstain. [7]**la sorcière** sorceress. [8]**la foudre** lightning. [9]**le tonnerre** thunder. [10]**céder** to yield, give way to. [11]**crier** to scream, cry out. [12]**l'anneau,** *m.* ring. [13]**emporter** to take away, carry off. [14]**le mousse** cabin boy. [15]**le fer** iron. [16]**le mât** mast. [17]**le mât de misaine** foremast. [18]**arriver à** to succeed in.

HÉLÈNE: Je ne vois pas la paix.

HECTOR: Demande à Cassandre de te la montrer. Elle est sorcière. Elle évoque formes et génies.

UN MESSAGER: Hector, Priam te réclame![19] Les prêtres s'opposent à ce que l'on ferme les portes de la guerre! Ils disent que les dieux y verraient une insulte.

HECTOR: C'est curieux comme les dieux s'abstiennent de parler eux-mêmes dans les cas difficiles.

LE MESSAGER: Ils ont parlé eux-mêmes. La foudre est tombée sur le temple, et les entrailles des victimes sont contre le renvoi[20] d'Hélène.

HECTOR: Je donnerais beaucoup pour consulter aussi les entrailles des prêtres . . . Je te suis.

Le messager sort.

HECTOR: Ainsi, vous êtes d'accord, Hélène?

HÉLÈNE: Oui.

HECTOR: Vous direz désormais[21] ce que je vous dirai de dire? Vous ferez ce que je vous dirai de faire?

Hector et Hélène

---

[19]**Priam . . . réclame** Priam wants (to see) you.   [20]**le renvoi** sending back.   [21]**désormais** from now on.

HÉLÈNE: Oui.

HECTOR: Devant Ulysse, vous ne me contredirez pas, vous abonderez dans mon sens?

HÉLÈNE: Oui.

HECTOR: Écoute-la, Cassandre! Écoute ce bloc de négation qui dit oui! Tous m'ont cédé. Pâris m'a cédé, Priam m'a cédé, Hélène me cède. Et je sens qu'au contraire dans chacune de ces victoires apparentes, j'ai perdu.

JEAN GIRAUDOUX
La Guerre de Troie n'aura pas lieu
(Grasset), 1935, pp. 83–85.

QUESTIONS

1. Qui croit que la guerre n'aura pas lieu? 2. Cet extrait d'une pièce de théâtre, écrite en 1935, montre que l'auteur pensait au danger de guerre. Comment est-ce que la guerre menaçait la France en 1935? 3. À la fin du passage, Hector trouve que tout le monde lui cède; il triomphe; pourquoi dit-il; "J'ai perdu"? 4. Racontez l'histoire d'Hélène. Si vous ne la connaissez pas, cherchez-la dans une encyclopédie.

LE TOMBEAU[1] DE MONSIEUR MONSIEUR

Préparation

1. Étudiez les contraires suivants: Il y a quelqu'un, il n'y a *personne*.[2] Il y a quelque chose, il n'y a *rien*. Le présent existe, le *néant*[3] est l'absence du présent.

2. Quand (= *aussitôt que*) quelqu'un a *disparu* (est mort), on ne peut pas être sûr qu'il a existé (*fut*) vraiment.

3. Quand on dort, souvent on *rêve*. Ensuite, on voudrait (*ra*)*conter* le rêve. On s'imagine que quelque chose de terrible est *arrivé*, mais on trouve qu'on a rêvé, que rien n'est arrivé. Le rêve n'est déjà plus. Il ne nous appartient pas (= il n'est pas *à nous*).

4. L'indicatif et le subjonctif sont des *modes*.

Le Tombeau
de Monsieur Monsieur

Dans un silence épais[4]
Monsieur et Monsieur parlent:
c'est comme si Personne
avec Rien dialoguait.

---

[1] **le tombeau** tomb, grave. [2] **personne** no one. [3] **le néant** nothingness. [4] **épais** thick.

L'un dit: Quand vient la mort
pour chacun d'entre nous[5]
c'est comme si personne
n'avait jamais été.
Aussitôt disparu
qui vous dit que je fus?

—Monsieur, répond Monsieur,
plus loin que vous j'irai:
aujourd'hui ou jamais
je ne sais si j'étais.
Le temps marche si vite
qu'au moment où je parle
(indicatif-présent)
je ne suis déjà plus
ce que j'étais avant.
Si je parle au passé
ce n'est pas même assez;
il faudrait, je le sens,
l'indicatif-néant.

—C'est vrai, reprend[6] Monsieur,
sur ce mode inconnu
je conterai ma vie,
notre vie à tous deux:
À nous les souvenirs!
nous ne sommes pas nés
nous n'avons pas grandi
nous n'avons pas rêvé
nous n'avons pas dormi
nous n'avons pas mangé
nous n'avons pas aimé.
nous ne sommes personne
et rien n'est arrivé.

JEAN TARDIEU
"Monsieur Monsieur" dans *Choix de poèmes*,
1924–54 (Gallimard), 1961, pp. 220–221.

QUESTIONS

1. Combien de personnes y-a-t-il dans le poème? Comment le savez-vous? 2. Est-ce que vous pensez que ces personnes existent vraiment? 3. Quelles sont les opinions du poète sur la vie et la mort?

---

[5] **chacun d'entre nous** every one of us.   [6] **reprendre** (*here*) to continue.

Vingtième leçon

20A

VOILÀ L'APPARTEMENT QUI VOUS CONVIENT

5:00 M. LEJEUNE: Voilà le monsieur qui a téléphoné pour l'appartement.

M. RENAUD: C'est celui qui parle avec votre femme, à côté de la porte?

M. LEJEUNE: Non, c'est celui qui est près de la fenêtre.

M. RENAUD: Celui qui parle avec les mains?

M. LEJEUNE: Oui, mais le voilà qui arrive. Je vais vous le présenter. M. Renaud, voilà le jeune homme qui cherche un appartement.

M. RENAUD: Monsieur, vous avez de la chance. J'ai l'appartement qui vous convient.

Here is the gentleman who called about the apartment.

Is he the one talking to your wife next to the door?

No, he is the one near the window.

The one talking with his hands?

Yes, but here he comes. I'll introduce him to you. Mr. Renaud, this is the young man who is looking for an apartment.

Sir, you are in luck. I have just the apartment that is suitable for you.

JACQUES: Très bien. Est-il bien situé? Est-il grand? Y a-t-il le chauffage central?	Fine. Is it in a good location? Is it large? Is there central heating?
M. RENAUD: Bien sûr. C'est un nouvel appartement dans le nouveau quartier près de la poste.	Of course. It's a new apartment in the new section near the post office.
JACQUES: Je n'aime pas les nouveaux appartements; ils sont trop petits.	I don't like new apartments. They're too small.
M. RENAUD: Mais non, monsieur.	Not really, sir.
JACQUES: J'aimerais mieux un vieil appartement très grand, dans un vieux quartier plus pittoresque.	I would prefer an old apartment which is quite large, in an old, more picturesque section.
M. RENAUD: Les vieux appartements ne sont pas aussi confortables que les modernes . . .	Old apartments are not as comfortable as modern ones . . .
JACQUES: Y a-t-il le téléphone? Y a-t-il un ascenseur?	Does it have a telephone? Is there an elevator?
M. RENAUD: Oui, et l'appartement est clair et calme. Il est très beau. Avez-vous encore une question?	Yes, and the apartment is light and quiet. It's beautiful. Do you have any other questions?
JACQUES: Eh, oui. Ce bel appartement qui est si extraordinaire, est-il bon marché?	Well, yes. This beautiful apartment which is so extraordinary, is it inexpensive?
M. RENAUD: Quand je vous dirai le prix, vous serez étonné . . .	When I tell you the price, you'll be astonished . . .
JACQUES: J'en ai peur!	I'm afraid of that!

20.1   Les pronoms relatifs

Qui, que

Les pronoms **qui** /ki/ et **que** /kə/ sont normalement précédés d'un nom ou d'un pronom. **Qui** est sujet, **que** est complément d'object direct. La voix monte à la fin de la phrase principale pour descendre sur **qui** et **que**:

Voilà le monsieur qui a téléphoné.

Voilà le monsieur que je cherchais.

1. *Répétez sur le même modèle:*

C'est celui qui parle avec votre femme.

C'est la dame qui est près de la fenêtre.

Voilà le jeune homme qui cherche un appartement.

J'ai l'appartement qui vous convient.

Ce bel appartement qui est extraordinaire, est-il bon marché?

C'est un livre que je trouve intéressant.

Voilà la dame que vous attendiez.

C'est une région que je connais bien.

Je vous apporte la bière que vous avez demandée.

Voilà les villages que l'auteur décrit.

Paul a trouvé la femme qu'il aime.

Devant une voyelle, **que** devient **qu'** (*qu'il, qu'elle, qu'on,* etc.); **qui** ne change jamais.

2. *Répétez et étudiez:*

C'est le livre **qu'il** a.	C'est la femme **qu'il** aime.
C'est Paul **qui** a le livre.	C'est la femme **qui** l'aime.

Qui et **que** peuvent avoir comme antécédents des personnes ou des choses, des singuliers ou des pluriels; ainsi ils deviennent masculin ou féminin, singulier ou pluriel eux-mêmes.

3. *Répétez et étudiez:*

Le monsieur qui est arrivé.	**La lettre qui** est arrivée.
Les messieurs qui sont arrivés.	**Les lettres qui** sont arrivées.
Le livre que j'ai vu.	**La dame que** j'ai rencontrée.
Les livres que j'ai vus.	**Les dames que** j'ai rencontrées.

4. *Liez [link] les phrases suivantes avec* **qui:**

EXEMPLE: Voilà le monsieur; il a téléphoné.

RÉPONSE: Voilà le monsieur qui a téléphoné.

Voilà le monsieur; il arrive. Voilà le jeune homme; il parle avec votre femme. J'ai l'appartement; il vous convient. Voilà Alice; elle s'est bien amusée. Je vois un restaurant; il me semble cher. Je connais un homme; il vous conviendra.

5. *Combinez les phrases suivantes avec* **que;**
omettez [omit] le pronom complément d'objet:

EXEMPLE: Voilà de belles asperges; je voudrais les manger.

RÉPONSE: Voilà de belles asperges que je voudrais manger.

Voilà une jolie femme; je voudrais la connaître. Voilà de belles idées; je voudrais les discuter. Voilà de vieilles histoires; je voudrais les oublier. Voilà une belle opérette; je voudrais l'écouter. Voilà un nouvel exemple; je voudrais l'apprendre. Voilà un beau musée; je voudrais le visiter.

6. *Combinez les phrases suivantes;*
mettez **que** *et omettez le pronom complément d'objet:*

EXEMPLE: Voilà le livre; je vous l'ai prêté.
RÉPONSE: Voilà le livre que je vous ai prêté.
EXEMPLE: Voilà les dames; il les a vues.
RÉPONSE: Voilà les dames qu'il a vues.

Voilà l'histoire; vous l'avez lue. Voilà les villages; vous les avez vus. Voilà la région; on l'a modernisée. Voilà la vie! Vous la préférez. Voilà l'autobus; vous le conduisez. Voilà la ville; elle l'aime. Voilà la province; nous la connaissons.

Dont

Le pronom relatif **dont** est suivi du sujet de la subordonnée. L'équivalent anglais peut être *about (from) whom, whose, about (from) which.*

7. *Répétez et étudiez les phrases suivantes:*

Nous venons de parler de **ce monsieur.**
Voilà le monsieur **dont** nous venons de parler.
Je vous ai dit le prix de **l'appartement.**
C'est l'appartement **dont** je vous ai dit le prix.
Nous connaissons le frère de **la jeune fille.**
C'est la jeune fille **dont** nous connaissons le frère.
L'appartement du **garçon** est à louer.
C'est le garçon **dont** l'appartement est à louer.
J'ai appris le français du **professeur.**
C'est le professeur **dont** j'ai appris le français.

8. *Combinez les phrases avec* **dont:**

EXEMPLE: Voilà le jeune homme; je vous ai parlé de lui.
RÉPONSE: Voilà le jeune homme dont je vous ai parlé.
EXEMPLE: Voilà l'appartement; je vous en ai parlé.
RÉPONSE: Voilà l'appartement dont je vous ai parlé.

Voilà l'auto; j'en ai envie. Voilà la robe; je vous en ai dit le prix. Voilà la dame; on vous a parlé d'elle. Voilà l'étudiant; le professeur vous a parlé de lui.

Ce qui, ce que

Les pronoms relatifs **qui** et **que** sont précédés de **ce** quand ils n'ont pas d'autres antécédents. Voir 19.4.

9.   *Répétez et étudiez:*

Dites-moi **ce que** vous voulez dire.	Tell me **what** you mean.
Savez-vous **ce que** je pense?	Do you know **what** I think?
Savez-vous **ce qu'**il nous faut?	Do you know **what** we need?
Savez-vous **ce qui** me ferait plaisir?	Do you know **what** I would like?
Savez-vous **ce qui** nous arrive?	Do you know **what** is happening to us?
Voilà **ce qu'**il faut faire.	Here is **what** must be done.
Voilà **ce que** je vous dis.	Here is **what** I am telling you.

10.   *Combinez les phrases suivantes avec* **qui** *ou* **que:**

EXEMPLE: Voilà ce qui arrive; c'est une lettre.
RÉPONSE: Voilà une lettre qui arrive.

Voilà ce qui nous fait plaisir; c'est un menu. Voilà ce que nous connaissons bien; c'est une province. Voilà ce que vous mangez tous les jours; ce sont les légumes. Voilà ce que vous m'avez prêté; c'est un livre. Voilà ce que l'auteur décrit; ce sont des villages. Voilà ce qui vous convient; c'est l'appartement. Voilà ce qui vous fait peur; c'est le prix.

11.   *Répondez par* **Je ne sais pas** *et complétez la phrase selon l'exemple:*

EXEMPLE: Qu'est-ce qu'ils font?
RÉPONSE: Je ne sais pas ce qu'ils font.

Qu'est-ce que je vais faire? Qu'est-ce qui vous ferait plaisir? Qu'est-ce qu'ils ont trouvé? Qu'est-ce qu'ils feraient s'ils étaient riches? Qu'est-ce que vous feriez si je partais maintenant? Qu'est-ce qui arriverait si je partais maintenant?

20.2   Pronoms démonstratifs

Le pronom démonstratif se compose de **ce** et d'un des pronoms personnels: **lui, elle, eux, elles.**

12.   *Répétez et étudiez:*

Voilà **le monsieur** qui a téléphoné.	Voilà **celui** qui a téléphoné.
Voilà **la dame** qui a déjeuné.	Voilà **celle** qui a déjeuné.
Voilà **les messieurs** qui sont partis.	Voilà **ceux** qui sont partis.
Voilà **les demoiselles** qui sont arrivées.	Voilà **celles** qui sont arrivées.

▼ **13.** *Remplacez le nom par le pronom démonstratif*
*en employant **c'est celui qui** ou **c'est celle qui***:

EXEMPLE: Ce monsieur est à côté de la porte.
RÉPONSE: C'est celui qui est à côté de la porte.
EXEMPLE: Cette dame est bien aimable.
RÉPONSE: C'est celle qui est bien aimable.

Ce monsieur est près de la fenêtre. Cette chaise est devant le bureau. Ce monsieur parle à votre femme. Cette femme entre dans la maison. Ce monsieur arrive
▲ dans l'appartement. Cette dame a un chapeau bleu. Cette fille est très jolie.

14. *Employez le verbe **aimer** et le pronom démonstratif:*

EXEMPLE: Ces chambres sont très claires.
RÉPONSE: J'aime celles qui sont très claires.
EXEMPLE: Les appartements sont très clairs.
RÉPONSE: J'aime ceux qui sont très clairs.

Ces appartements sont très vieux. Ces hôtels sont très calmes. Ces maisons sont très grandes. Ces appartements sont très grands. Ces maisons sont très modernes. Ces appartements sont moins chers. Ces chambres sont très bon marché.

20.3 L'interrogation par inversion

Si le sujet est un pronom personnel, le verbe et le pronom changent de place (voir 10.5). Si le sujet est un nom, il reste où il est, mais il est repris [taken up again] par un pronom qui suit le verbe.

15. *Répétez les phrases suivantes:*

Le sujet est un nom	*Le sujet est un pronom*
Cet appartement est-**il** bien situé?	Où est-il?
Oui, cet appartement est bien situé.	Il est là.
Cette maison est-**elle** bon marché?	Est-elle chère?
Oui, cette maison est bon marché.	Non, elle n'est pas chère.
Le monsieur a-t-**il** téléphoné?	Vous a-t-il parlé?
Oui, le monsieur a téléphoné.	Oui, il vous a parlé.
Les enfants sont-**ils** arrivés?	Viennent-ils de Paris?
Non, les enfants ne sont pas arrivés.	Non, ils ne viennent pas de Paris.

16. *Répondez en combinant les phrases suivantes avec* **qui:**

EXEMPLE: Le monsieur est venu le voir? L'a-t-il trouvé?
RÉPONSE: Le monsieur qui est venu le voir, l'a-t-il trouvé?

Le monsieur est arrivé? A-t-il rempli la fiche? La bonne fait la cuisine chez vous? S'appelle-t-elle Anne? Mme Dupont est venue vous voir? Est-elle encore là? Le garçon a apporté l'addition? Est-il parti? Son ami français lui écrit? Habite-t-il à Marseille? Son assistante était malade? Travaille-t-elle au bureau? La jeune fille s'appelle Marthe? Vous a-t-elle parlé?

20.4 Révision

17. *Répondez au négatif:*

EXEMPLE: Y a-t-il un bon restaurant dans le quartier?
RÉPONSE: Oh, non! Il n'y a pas de bon restaurant dans le quartier.

Y a-t-il une vieille église dans le quartier?... un théâtre?... un bon cabaret? ... un bon cinéma?... de vieilles maisons?... des appartements bon marché? ... de nouveaux appartements?
Y a-t-il un appartement à louer?... des places à louer?... une maison à vendre?... un billet à prendre?... un train à cinq heures?... un taxi sur la place?... un bateau le vendredi?

18. *Mettez les phrases suivantes au futur:*

EXEMPLE: Je reviens aux États-Unis.
RÉPONSE: Je reviendrai aux États-Unis.
EXEMPLE: Nous savons tout.
RÉPONSE: Nous saurons tout.

Elle revient à Paris. Tu vas en Afrique. Nous le savons. Tu deviens riche. On fait collection de poteries. On est étudiant. Vous allez dans les pays exotiques. Je ne fais rien du tout. Guy en a les moyens. Ils vont finir leurs études. Je ne vais pas en Grèce. Je n'ai pas beaucoup d'argent. Elles savent conduire. C'est un nouveau mode de vie. Moi, je n'y vais pas; je n'en ai pas envie.

19. *Formez des questions par inversion:*

EXEMPLE: Vous vous rasez tous les matins?
RÉPONSE: Vous rasez-vous tous les matins?

Vous vous fâchez tout le temps? Vous vous préparez à sortir? Vous vous moquez de moi? Tu t'amuses facilement? Tu te lèves de bonne heure? Il se rendort tout de suite? Vous vous inquiétez à cause de lui?

20.   QUESTIONS ET RÉPONSES

1. Pourquoi Jacques a-t-il téléphoné à M. Renaud? 2. A-t-il parlé avec la femme de M. Lejeune? 3. Qui a présenté Jacques à M. Renaud? 4. Selon M. Renaud, pourquoi Jacques a-t-il de la chance? 5. Quelles sont les trois premières questions de Jacques? 6. Pourquoi n'aime-t-il pas les nouveaux appartements? 7. Quelle est sa dernière question? 8. De quoi a-t-il peur?

21.   TRADUCTIONS

1. I'm in Paris because I'm looking for an apartment. 2. Did you find one? 3. Yes, but I don't like it. 4. I know a man who wants to rent an apartment. 5. Who is there with you? An old friend who has returned from Europe. 6. It is the one who wrote you at New Year's. 7. I would prefer an old apartment with a new elevator and modern conveniences. 8. That (one) you will never find. 9. Here is the lady you saw.

20B

LA DEUX-CHEVAUX* DE MA SOEUR

17:36   RAYMOND: Est-ce que c'est ta nouvelle voiture, cette jolie Simca?

Is this your new car, this pretty Simca?

JEAN-PIERRE: Non, c'est celle de mon père. La mienne, c'est la Renault qui est là-bas, à gauche.

No, it's my father's. Mine is the Renault over there, on the left.

RAYMOND: Elle a l'air tout neuf.

It looks brand new.

JEAN-PIERRE: Non, elle a déjà un an. Et où est la tienne?

No, it's already a year old. And where is yours?

RAYMOND: La mienne, c'est la Peugeot bleue au coin de la rue, à droite.

Mine is the blue Peugeot at the end of the block, on the right.

JEAN-PIERRE: Tu en es content?

Are you satisfied with it?

RAYMOND: Oh, oui! Ça marche très bien. Je fais du 160 avec.

Oh, yes! It runs very well. I can do 100 m.p.h. with it.

JEAN-PIERRE: Tu vas plus vite que ma soeur avec sa 2 CV!

You go faster than my sister in her two horsepower.

---

*La deux-chevaux (2 CV) est une petite Citroën.

RAYMOND: Elle fait du 60 à l'heure au maximum et elle conduit mal.

She doesn't go over 40 miles an hour and she drives poorly.

JEAN-PIERRE: Toi, tu n'es pas prudent. Si les gendarmes te laissent faire, tu écraseras tout le monde!

You aren't careful yourself. If the police let you, you'll run over everybody!

RAYMOND: J'aime la vitesse, mon vieux. L'autre jour j'ai fait Paris-Chartres en moins d'une heure.

I like speed, man. The other day I drove from Paris to Chartres in less than an hour.

JEAN-PIERRE: Avec une voiture de quelle marque?

In what kind of car?

RAYMOND: Avec la nouvelle Citroën de Jacques.

With Jacques' new Citroën.

JEAN-PIERRE: Jacques te laisse faire de la vitesse avec sa voiture?

Does Jacques let you speed in his car?

RAYMOND: Oh, tu sais, sur l'autoroute on est vraiment en sécurité.

Oh, you know, on the highway you are really safe.

JEAN-PIERRE: Moi, j'aime bien conduire, mais je ne suis pas fou.

I really like driving, but I'm not crazy.

___

Étudiez: *une autoroute, la sécurité.*

20.5   Prononciation de **eu**

En finale et avant /z/ et /ʒ/, on prononce /ø/ fermé:

22.   *Répétez les phrases en arrondissant les lèvres:*

J'en ai deux. Donnez-moi du feu [a light]. Il joue le grand jeu [game at high stakes]. On fait la queue [stands in line]. Il est un peu vieux. Elle a les yeux bleus. Il m'en veut un peu [is a little angry at me]. Elle n'est pas heureuse. Elle conduit une Peugeot à Maubeuge.

Dans les autres cas, on prononce, en général, /œ/ ouvert:

23.   *Répétez les phrases en arrondissant les lèvres mais en ouvrant plus la bouche que pour /ø/:*

C'est une voiture neuve. Le professeur en a peur. Elle n'y demeure plus. Tu es beaucoup trop jeune. J'aime les fleurs et les feuilles [leaves] vertes. Cette veuve [widow] est en deuil [mourning]. Ils le veulent parce qu'ils le peuvent.

20.6   Le pronom possessif, un seul possesseur

Le pronom possessif, comme l'adjectif, s'accorde avec l'objet possédé.

24.   *Étudiez:*

L'objet possédé est masculin	L'objet possédé est féminin
C'est l'appartement {de Jean? / de Marie?	C'est la voiture {de Jean? / de Marie?
Non, ce n'est pas **son** appartement; **le sien** est au deuxième.	Non, ce n'est pas **sa** voiture; **la sienne** est au garage.
Ce sont les livres {de Jean? / de Marie?	Ce sont les cigarettes {de Jean? / de Marie?
Non, ce ne sont pas **ses** livres; **les siens** sont sur l'autre table.	Non, ce ne sont pas **ses** cigarettes; **les siennes** sont ici.

Le contraste /ɛ̃/—/ɛn/ distingue le masculin du féminin (voir 4.6, 14.6).

25.   *Répétez et étudiez:*

C'est **mon** livre; c'est **le mien.**   C'est **ma** voiture; c'est **la mienne.**

C'est **ton** livre; c'est **le tien.**   C'est **ta** voiture; c'est **la tienne.**

C'est **son** livre; c'est **le sien.**   C'est **sa** voiture; c'est **la sienne.**

Ce sont **mes** livres; ce sont **les miens.**   Ce sont **tes** voitures; ce sont **les tiennes.**

▼ **26.**   *Répondez selon le modèle:*

EXEMPLE: C'est ma voiture.
RÉPONSE: C'est la mienne.

C'est sa voiture. C'est ta Peugeot. C'est ma Simca. C'est ma 2 CV. C'est sa Citroën. C'est ta Renault. Ce sont tes autos? C'est mon école. C'est son esprit. C'est ton habitude. C'est son émission. C'est ton inscription. C'est mon argent
▲ de poche. C'est son exemple. C'est mon étude. C'est son impression.

20.7   Le pronom possessif, plusieurs possesseurs

27. *Étudiez:*

L'objet possédé est masculin	L'objet possédé est féminin
C'est le tableau de Jean et de Marie?	C'est l'idée de Jean et de Marie?
Oui, c'est **leur** tableau; c'est **le leur,** pas le mien.	Oui, c'est **leur** idée; c'est **la leur,** pas la mienne.
Ce sont les tableaux de Jean et de Marie?	Ce sont les idées de Jean et de Marie?
Oui, ce sont **leurs** tableaux; ce sont **les leurs,** pas les miens.	Oui, ce sont **leurs** idées; ce sont **les leurs,** pas les miennes.

28. *Étudiez et répétez les phrases suivantes:*

C'est **notre** tableau;	c'est **le nôtre.**	Il est **à nous.**
C'est **notre** idée;	c'est **la nôtre.**	Elle est **à nous.**
C'est **votre** tableau;	c'est **le vôtre.**	Il est **à vous.**
C'est **votre** idée;	c'est **la vôtre.**	Elle est **à vous.**
Ce sont **nos** tableaux;	ce sont **les nôtres.**	Ils sont **à nous.**
Ce sont **nos** idées;	ce sont **les nôtres.**	Elles sont **à nous.**
Ce sont **vos** tableaux;	ce sont **les vôtres.**	Ils sont **à vous.**
Ce sont **vos** idées;	ce sont **les vôtres.**	Elles sont **à vous.**

29. *Répondez avec le pronom possessif:*

EXEMPLE: Voilà un tableau; il est à vous.
RÉPONSE: C'est le vôtre.
EXEMPLE: Voilà des voitures; elles sont à moi.
RÉPONSE: Ce sont les miennes.

Voilà une Citroën; elle est à vous. Voilà une belle maison; elle est à nous. Voilà de beaux livres; ils sont à toi. Voilà une excellente idée; elle est à toi. Voilà de vieilles automobiles; elles sont à lui. Voilà des enfants gentils; ils sont à moi.

20.8   Révision

30. *Répondez selon le modèle:*

EXEMPLE: C'est votre 2 CV? (frère)
RÉPONSE: Non, ce n'est pas la mienne, c'est celle de mon frère.

C'est ta voiture? (sœur) C'est ton appartement? (père) Ce sont tes chiens? (voisin) C'est votre docteur? (mère) C'est son appareil? (professeur) Ce sont tes vêtements? (cousin) C'est ton université? (cousine)

31.   *Remplacez **histoire** par **roman** avec l'adjectif masculin:*

EXEMPLE: C'est une vieille histoire.
RÉPONSE: C'est un vieux roman.

C'est une nouvelle histoire. C'est une ancienne histoire. C'est une bonne histoire. C'est une belle histoire. C'est la dernière histoire. C'est la prochaine histoire. C'est la première histoire.

32.   *Remplacez l'adjectif pour dire le contraire:*

EXEMPLE: Tu es amusant.
RÉPONSE: Tu es ennuyeux.

Jean est grand. Faut-il être malheureux? Ça doit être très compliqué. Le café est trop froid. Il faut être jeune pour ça. Le vin est bon. La voiture est chère.

33.   *Mettez au masculin selon l'exemple:*

EXEMPLE: Elle, elle est intelligente.
RÉPONSE: Lui, il est intelligent.

Elle, elle est inquiète, distraite, sérieuse, intéressante, prudente,. malheureuse, vieille, très belle, sportive.

34.   *Répondez avec l'adverbe correspondant à l'adjectif indiqué:*

EXEMPLE: C'est un garçon sage; il conduit.
RÉPONSE: Il conduit sagement.

C'est un cours rapide; il avance. C'est un sujet facile; on l'apprend. C'est une fille polie; elle répond. Ma soeur est assez lente; elle travaille. Son français est bon; il le parle. Ce garçon est bête; il rit. C'est un garçon gentil;* il le fait.

35.   *Remplacez l'adverbe pour dire le contraire:*

EXEMPLE: Ma soeur conduit mal.
RÉPONSE: Ma soeur conduit bien.

Il ne faut pas aller si lentement. On doit apprendre ça difficilement. Elle arrive toujours en avance. Elle travaille bien. Nous allons plus vite que vous. Jean parle anglais rapidement. Elle conduit vite.

---

*Notez: *gentil, gentille* = nice; *gentiment* = in a nice manner.

36. *Répondez avec* **en:**

EXEMPLE: Es-tu content du cours?
RÉPONSE: J'en suis content.
EXEMPLE: Sont-elles sûres de leur voiture?
RÉPONSE: Elles en sont sûres.

Êtes-vous sûr de votre histoire? Es-tu satisfait de ta Simca? Êtes-vous content de cette décision? Est-il plein d'orgueil [pride]? Sont-ils certains des détails? Es-tu heureux de son arrivée? Es-tu malade de ses histoires?

37. *Remplacez le partitif; mettez* **adorer** *et l'article défini:*

EXEMPLE: Tu fais de la vitesse.
RÉPONSE: Tu adores la vitesse.

Elle fait de la tarte aux fraises. Vous mangez des huîtres. Vous voyez des filles blondes. Ils font de l'escrime. Nous faisons du ski. Vous prenez de la viande saignante. Elle conduit des voitures rapides.

▼ **38.** *Mettez les phrases suivantes à l'imparfait et au conditionnel selon le modèle:*

EXEMPLE: Si on te laisse faire, tu écraseras tout le monde.
RÉPONSE: Si on te laissait faire, tu écraserais tout le monde.

Si tu vas vite, tu auras un accident. Si vous gagnez la course, on vous applaudira. Si vous apprenez vos leçons, vous parlerez français. S'il vient me voir, je lui montrerai mes tableaux. S'il est prudent, il ira loin. Si vous faites l'idiot, vous aurez moins d'amis. Si vous le savez, vous travaillerez mieux.

39. *Mettez les phrases suivantes au futur:*

EXEMPLE: Je suis riche.   EXEMPLE: Ils ne font rien.
RÉPONSE: Je serai riche.   RÉPONSE: Ils ne feront rien.

J'ai envie de partir. Qu'est-ce que tu deviens? Où allez-vous? Elle étudie à Nice.
▲ Nous venons vous parler. Elles voyagent tout le temps. Voulez-vous y aller?

40. *Remplacez* **vouloir** *par la forme analogue de* **pouvoir:**

EXEMPLE: Je ne veux pas remplir la fiche.
RÉPONSE: Je ne peux pas remplir la fiche.

Nous voulons être riches. Tu veux aller en France? Je ne voulais pas te voir. Vous ne vouliez pas me croire? Il veut devenir archéologue. Ils veulent revenir à la maison de temps en temps.

41. *Étudiez le tableau suivant des pronoms relatifs:*

	L'antécédent est une personne	L'antécédent est une chose	L'antécédent n'est pas défini
Sujet:	**qui** Le monsieur qui parle.	**qui** Le livre qui est sur la table.	**ce qui** Voilà ce qui arrive.
Complément d'objet direct:	**que** Le monsieur que vous voyez.	**que** Le livre que vous avez lu.	**ce que** Voilà ce que vous avez dit.
Complément d'une préposition:	**qui (lequel)*** Le monsieur à qui (auquel) elle parle.	**lequel*** Les choses auxquelles il pense.	**quoi** Voilà (ce) à quoi vous pensez.
	dont Le garçon dont elle parle.	**dont** La chose dont elle parle.	**ce dont** Voilà ce dont elle parle.

42. QUESTIONS ET RÉPONSES

1. Est-ce que la voiture de Jean-Pierre est une Simca? 2. Est-ce que sa voiture est neuve? 3. Où est celle de Raymond? 4. Est-ce que Raymond est content de sa voiture? 5. Comment conduit la soeur de Jean-Pierre? 6. Elle conduit une voiture de quelle marque? 7. Pourquoi Raymond fait-il de la vitesse sur l'autoroute? 8. Est-ce que Jean-Pierre conduit aussi vite que Raymond? 9. De quelle année est votre voiture? 10. Quel âge avez-vous? 11. De quelle année est la voiture de votre ami? 12. De quand date votre maison? 13. À quelle vitesse conduisez-vous en ville? À la campagne? Sur l'autoroute? 14. Quelle est la marque de votre voiture?

43. TRADUCTIONS

1. Is this Jim's new car? No, it is his brother's. 2. Is he satisfied with it? 3. How old is it? It is only a year old. 4. Here is my new Citroën; where is yours? 5. My sister drives more slowly than I. 6. What make car does she drive? 7. *I* would go (*faire*) 100 m.p.h. if the police would let me. 8. Guy liked speed; he made Paris-Besançon in three hours, but he never got home.

***Lequel** est variable; le premier élément ressemble à l'article:
lequel, duquel, auquel; lesquels, desquels, auxquels; laquelle,
de laquelle, à laquelle; lesquels, desquelles, auxquelles.

44. TRADUISEZ RAPIDEMENT

> 1. If you would write me, I would write you too. 2. If I studied, I'd understand French. 3. If you would come in, I would hold the door. 4. If you finished your work, I would go with you. 5. If I studied, I'd know all the answers. 6. I'd be happy if I had money. 7. You must go with me. 8. You had to come. 9. I am sorry (that) you don't understand. 10. I want you to understand. 11. You ought to tell the truth.

20C

LECTURES

LE HARENG SAUR[1]

Préparation

1. Dans mon atelier[2] j'ai un *marteau*[3] et des *clous*.[4] Il y a aussi une *échelle*.[5] Pour bien *pendre*[6] des tableaux, je prends un *peloton de ficelle*,[7] je monte à l'échelle et je *plante*[8] un clou; je mesure le mur à l'aide de la ficelle.

2. Le *bout* du clou est *pointu*.

3. Quand on est nu on n'est pas habillé. Un mur nu n'est pas décoré; il est tout blanc. Les échelles longues ne sont pas courtes.[9] Les *harengs secs*[10] ne sont pas frais. Les mains propres ne sont pas *sales*.[11] Après s'être lavé, on s'essuie[12] les mains avec une *serviette*.[13] Les gens sérieux ont l'air grave. Ils n'aiment pas les blagues.[14]

Le Hareng saur

Il était un grand mur blanc—nu, nu, nu,
Contre le mur une échelle   haute, haute, haute,
Et par terre, un hareng saur—sec, sec, sec.

Il vient, tenant dans ses mains—sales, sales, sales,
Un marteau lourd, un grand clou—pointu, pointu, pointu,
Un peloton de ficelle—gros, gros, gros.

---

[1]**le hareng saur** pickled herring.   [2]**l'atelier,** *m.* workshop.   [3]**le marteau** hammer.   [4]**le clou** nail.
[5]**l'échelle,** *f.* ladder.   [6]**pendre** to hang.   [7]**le peloton de ficelle** ball of twine.   [8]**planter** to put in.
[9]**court** short.   [10]**sec, sèche** dry.   [11]**sale** dirty.   [12]**s'essuyer** to wipe.   [13]**la serviette** towel; napkin.   [14]**la blague** joke.

Alors il monte à l'échelle—haute, haute, haute,
Et plante le clou pointu—toc, toc, toc,
Tout en haut du grand mur blanc—nu, nu, nu.

Il laisse aller le marteau—qui tombe, qui tombe, qui tombe,
Attache au clou la ficelle—longue, longue, longue,
Et, au bout le hareng saur—sec, sec, sec.

Il redescend de l'échelle—haute, haute, haute,
L'emporte avec le marteau—lourd, lourd, lourd;
Et puis, il s'en va ailleurs—loin, loin, loin.

Et, depuis, le hareng saur—sec, sec, sec,
Au bout de cette ficelle—longue, longue, longue,
Très lentement se balance—toujours, toujours, toujours.

J'ai composé cette histoire—simple, simple, simple,
Pour mettre en fureur les gens—graves, graves, graves,
Et amuser les enfants—petits, petits, petits.

CHARLES CROS
Collection Poètes d'aujourd'hui
(Seghers), 1963, pp. 118–119.

Comparez le poème à la devinette [riddle] *suivante:*

C'est blanc, et ça pend au mur; on s'y sèche les mains. Qu'est-ce que c'est?

Une serviette? —Non, un hareng.

Mais un hareng n'est pas blanc. —On peut le blanchir. —Mais il ne pend pas au mur! —On peut l'y suspendre. —Mais on ne s'en sert pas pour s'essuyer les mains! —Et pourquoi pas?

QUESTIONS

1. Comment pendez-vous un tableau? 2. Pourquoi mettre en fureur les gens graves? 3. Qu'est-ce qu'il y a dans un atelier? 4. Racontez une histoire simple.

LE SINGE ET LE RHINOCÉROS

Préparation

1. Le *singe* et le rhinocéros sont des animaux qui, dans la fable, parlent ou pensent comme les hommes.

2. Le rhinocéros marche *à quatre pattes;*[1] il a une *corne*[2] en *os*[3] ce qui n'est pas *commode.*[4] Il est triste (= *morne*) parce qu'il n'a pas de *boule*[5] pour jouer. Il s'ennuie et *l'ennui le rend* dangereux.

---

[1]**à quatre pattes** on all fours. [2]**la corne** horn. [3]**l'os**, *m.* bone (ivory). [4]**commode** convenient.
[5]**la boule** ball.

Le Singe

Le singe descend de l'homme.
C'est un homme sans cravate,
Sans chaussettes,[6] sans varices,[7]
Sans polices, sans malice,
Sorte d'homme à quatre pattes
Qui n'a pas mangé la pomme.

Le Rhinocéros

Le rhinocéros est morne
et il louche[8] vers sa corne.
Que veut le rhinocéros?
Il veut une boule en os.
Ce n'est pas qu'il soit[9] coquet:
C'est pour jouer au bilboquet[10]
(car l'ennui le rend féroce
le pauvre rhinocéros).

CLAUDE ROY
(Courtesy Claude Roy).

QUESTIONS

1. Est-ce que le singe descend de l'homme? 2. Est-ce que le singe marche toujours à quatre pattes? 3. Pourquoi est-ce que le rhinocéros est morne? 4. Qui est plus malin (intelligent), le singe ou le rhinocéros? 5. Qu'est-ce que c'est qu'une fable? 6. Quelles fables connaissez-vous?

Nous ne voulons pas être tristes

Nous ne voulons pas être tristes
C'est trop facile
C'est trop bête
C'est trop commode
On en a trop souvent l'occasion

C'est pas malin
Tout le monde est triste
Nous ne voulons plus être tristes.

BLAISE CENDRARS
Du Monde entier au cœur du monde,
dans *Poésies complètes*, t. 1,
Ed. Denoël, 1960.

QUESTIONS

1. Est-ce que vous aimez être triste? Pourquoi? 2. Racontez une histoire gaie ou drôle qui cache de la tristesse.

---

[6]**la chaussette** sock.   [7]**la varice** varicose vein.   [8]**loucher** to look cross-eyed, squint.   [9]**qu'il soit** because he is.   [10]**le bilboquet** cup and ball game; the ball, tied to a string, must be caught in the cup.

Vingt et unième leçon

AS-TU FAIT LA VALISE?

:14 JANINE: Tu sais que nous devons partir très tôt.

You know we have to leave very early.

BERNARD: Et qu'est-ce que tu veux que je fasse?

And what do you want me to do?

JANINE: Tu devrais faire ta valise. Tiens, voilà des chaussettes, des slips, des cravates, et des pullovers.

You ought to pack. Look, here are socks, shorts, ties, and sweaters.

BERNARD: Je ne trouve ni les chemises ni les chaussettes.

I find neither the shirts nor the socks.

JANINE: Elles doivent être dans ce tiroir-là avec tes mouchoirs.

They must be in that drawer with your handkerchiefs.

BERNARD: Tiens, je trouve des bas dans mon tiroir, une combinaison et un soutien-gorge.

Look, I find stockings in my drawer, a slip and a brassiere.

JANINE: Évidemment tu t'es trompé de tiroir. Tu pourrais aussi trouver une

Evidently you got the wrong drawer. You could also find a skirt and a

jupe et un corsage dans mon placard.	blouse in my closet.
BERNARD: Tu devrais prendre ton ensemble et tes gants assortis.	You should take your suit and matching gloves.
JANINE: Je ne prendrai pas d'ensemble. J'ai deux nouvelles robes très chics.	I'm not going to take a suit. I have two very stylish new dresses.
BERNARD: Est-ce que je dois prendre mon imperméable ou mon pardessus?	Should I take my raincoat or my overcoat?
JANINE: Prends ton pardessus, moi je prendrai mon manteau.	Take your overcoat. I'll take my coat.

Étudiez: *un imperméable; le mouchoir, le bas, la chaussette.*

21.1   Intonation: phrases avec **ni . . . ni**

En général, la voix monte sur les deux **ni** aux niveaux 3 et 4:

Je ne trouve ni les chemises ni les chaussettes.

1.   *Répétez sur le même modèle d'intonation:*

> Je ne visite ni le Luxembourg, ni les Tuileries.
> Je ne connais ni Venise, ni Paris.
> Je n'aime ni la campagne, ni la montagne.
> Il ne veut ni manger, ni boire.
> Elle ne connaît ni l'un ni l'autre.

À l'affirmatif ces phrases emploient **et**; la voix ne monte pas sur **et**:

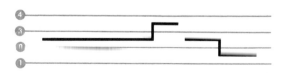

J'aime les grandes villes et les petites.

2. *Mettez les phrases suivantes à l'affirmatif:*

EXEMPLE: Je ne trouve ni les chemises, ni les chaussettes.
RÉPONSE: Je trouve les chemises et les chaussettes.

Je n'aime ni ces pardessus, ni ces gants. Je ne prends ni mon imperméable, ni mon parapluie. Je ne connais ni Londres, ni Madrid. Elle ne mange ni les légumes, ni les fruits. Nous ne prenons ni son sac, ni sa valise. Vous ne trouvez vos bas ni dans le tiroir, ni dans le placard. Elles ne se disent ni bonjour, ni au revoir.

3. *Employez ni . . . ni selon le modèle:*

EXEMPLE: J'aime l'Allemagne, l'Italie et la Suisse.
RÉPONSE: Je n'aime ni l'Allemagne, ni l'Italie, ni la Suisse.

Je connais le Mexique, le Brésil et le Chili. Je visiterai la France, l'Espagne et le Portugal. Je voyagerai en Angleterre, en Belgique et aux Pays-Bas. J'étudie la Russie, la Pologne [Poland] et la Tchécoslovaquie. Nous vendons des Renault, des Simca et des Peugeot. Nous aimons les pommes, les poires et les cerises. Nous prenons la viande, les légumes et les fruits.

21.2 Mots anglais adoptés en français

Les mots adoptés se prononcent avec l'accent [stress] et le rythme français; on remplace les sons anglais par les sons les plus proches du français.

4. *Prononcez les mots suivants avec l'accent sur la voyelle finale et des syllabes de longueur égale:*

le pullover	le sandwich	le cocktail
/pulɔvɛr/	/sãdwiʃ/	/kɔktɛl/
le football	le self-service	le parking [parking place]
/futbɔl/	/sɛlfsɛrvis/	/parkiŋ/
le coca-cola	le bowling	le dancing [dance hall]
/kɔkakɔla/	/boliŋ/	/dãsiŋ/

21.3 Devoir

5. *Étudiez:*

Devoir—verbe indépendant [to owe]:
Vous m'avez prêté cent francs. Je vous dois cent francs.
Elle lui a prêté soixante francs. Il lui doit soixante francs.
Devoir—[to have to]:
Nous devons partir très tôt = Il faut que nous partions tôt.

Est-ce que je dois prendre mon imperméable? = Est-ce qu'il faut que je le prenne?

Je devrais—au conditionnel [I ought to; I should]:

Je devrais le prendre = Il faudrait que je le prenne.

Tu devrais faire ta valise = Il faudrait que tu la fasses.

Vous devriez prendre votre ensemble = Il faudrait que vous le preniez.

Devoir—exprimant la possibilité [to be supposed to]:

Les chemises doivent être dans le tiroir = Elles y sont probablement.

Il doit pleuvoir aujourd'hui = Il pleuvra probablement.

Il devait pleuvoir hier, mais il n'a pas plu.

6. *Étudiez les formes du verbe **devoir**:*

	doi(v)- /wa/	dev- /ə/ ou *e*
Indicatif *présent:*	**Je** dois dormir. **Tu** dois dormir. **Il** doit rester. **Ils** doivent y aller.	**Nous** devons nous en aller. **Vous** devez nous parler.
Subjonctif *présent:*	Il est possible que **je** doive partir. que **tu** doives t'en aller. qu'**il** doive rester. qu'**ils** doivent s'en aller.	que **nous** devions rester ici. que **vous** deviez étudier davantage.
Imparfait:		**Je** devais partir.
Futur:		**Je** devrai partir.
Conditionnel:		**Je** devrais partir.

Participe passé: **dû.**

7. *Mettez **devoir** et l'infinitif selon les exemples:*

EXEMPLE: J'achète des cravates.

RÉPONSE: Je dois acheter des cravates.

EXEMPLE: Ils prendraient des slips.

RÉPONSE: Ils devraient prendre des slips.

Nous descendrons les valises. Ils écrivaient des lettres. Tu vas à Paris? Il reviendra de Marseille. J'emmènerais mes parents au cinéma. J'ai fait la cuisine. Il se peut que j'aille au cours.

▼ **8.** *Mettez les phrases suivantes à la première personne du pluriel:*

EXEMPLE: Je dois le trouver.

RÉPONSE: Nous devons le trouver.

Je devais faire ça. J'ai dû chercher dans le tiroir. Je devrais mettre un corsage.

Je devais prendre un pardessus. Je dois partir demain. Je devrai partir demain. J'ai dû me coucher de bonne heure.

9.   *Transformez selon le modèle; répondez avec le verbe **devoir** au négatif:*

EXEMPLE: Je me suis trompé d'adresse.
RÉPONSE: Je ne dois pas me tromper d'adresse.
EXEMPLE: Elle s'est trompée d'adresse.
RÉPONSE: Elle ne doit pas se tromper d'adresse.

Yvonne s'est trompée de tiroir. Vous vous êtes trompé de placard. Nous nous sommes trompés de pardessus. Elle s'est trompée d'appartement. Tu t'es trompé de porte. Ils se sont trompés de nom. On s'est trompé de maison.

10.   *Remplacez **il faut que** par des phrases avec **devoir**:*

EXEMPLE: Il faut que je trouve ma chemise.
RÉPONSE: Je dois trouver ma chemise.

Il faut que nous prenions des corsages, que vous trouviez vos bas, qu'il prenne son pardessus, que je mette une cravate, que je travaille, que je m'habille vite.

21.4   Falloir [to be necessary]

Falloir est un verbe impersonnel: le sujet est toujours **il** et le verbe a une seule forme pour chaque temps. Il est suivi soit [either] de l'infinitif soit [or] du subjonctif introduit par **que**.

11.   *Répétez et étudiez les phrases suivantes:*

Il va falloir que vous veniez.	Il va falloir venir.
Il faut que vous remplissiez la fiche.	Il faut remplir la fiche.
Il fallait qu'ils aillent avec nous.	Il fallait aller avec nous.
Il a fallu que vous partiez tout de suite.	Il a fallu partir tout de suite.
Il faudra que nous finissions le travail.	Il faudra finir le travail.
Il faudrait qu'on modernise la région.	Il faudrait moderniser la région.

12.   *Liez les deux phrases; employez **nous** et le subjonctif présent:*

EXEMPLE: Que faut-il faire? (remplir la fiche).
RÉPONSE: Il faut que nous remplissions la fiche.
EXEMPLE: Que fallait-il faire? (écrire à Paris).
RÉPONSE: Il fallait que nous écrivions à Paris.

Que faudrait-il faire? (choisir une chambre). Que faudra-t-il faire? (décrire ces villages). Qu'a-t-il fallu faire? (partir en autobus). Que faudrait-il faire? (vendre la maison). Que faut-il faire? (répondre aux questions). Que faudrait-il faire? (descendre les valises). Que faut-il faire? (lire tous ces livres).

21.5   Subjonctif: **faire, savoir, pouvoir**

Ces trois verbes gardent [keep] le radical irrégulier du subjonctif présent pour toutes les personnes.

13.   *Répétez:*

Il faut que **je**
—fasse un tour.   —sache la leçon.   —puisse répondre.
Il fallait que **tu**
—fass**es** tout.   —sach**es** le faire.   —puiss**es** le faire.
Il faudra qu'**il**
—fasse des courses.   —sache le français.   —puisse le parler.
Il a fallu que **nous**
—le fass**ions**.   —le sach**ions**.   —puiss**ions** le dire.
Il est possible que **vous**
—le fass**iez**   —le sach**iez**.   —puiss**iez** part**ir**.
Nous voulons qu'**ils**
—fass**ent** du bien.   —sach**ent** ce que c'est.   —puiss**ent** le décider.

14.   *Répondez avec **il faudrait que,** selon le modèle:*

EXEMPLE: Vous faites un tour.
RÉPONSE: Il faudrait que vous fassiez un tour.

Vous pouvez dormir. Je sais chanter. Ils font des analyses. Nous pouvons répondre à toutes les questions. Tu fais la cuisine. Ils savent remplir les fiches. Il fait son devoir.

15.   *Mettez **il faut que** selon le modèle:*

EXEMPLE: Qu'est-ce qu'un chauffeur doit faire?
RÉPONSE: Qu'est-ce qu'il faut qu'il fasse?
EXEMPLE: Qu'est-ce qu'une femme doit savoir?
RÉPONSE: Qu'est-ce qu'il faut qu'elle sache?

Qu'est-ce qu'un étudiant doit faire? Qu'est-ce qu'une étudiante doit savoir? Qu'est-ce qu'un professeur doit faire? Qu'est-ce qu'une chanteuse doit savoir? Qu'est-ce qu'il doit faire? Qu'est-ce qu'on doit savoir?

21.6   Adverbes en /amã/

Les adverbes des adjectifs en **-ent** et **-ant** se terminent en **-emment** et **-amment**, prononcés /amã/.

16.   *Répétez et étudiez:*

Il vient, c'est **évident**.

Il vient, **évidemment** /evidamã/.

C'est arrivé, c'est **récent**.

C'est arrivé **récemment** /resamã/.

Il est parti, c'est **prudent**.

Il est parti **prudemment** /prydamã/.

Il est **indépendant**.

Il travaille **indépendamment**.

Son français est **courant**.

Il parle français **couramment**.

Il pleut, c'est **constant**.

Il pleut **constamment**.

17.   *Mettez l'adverbe:*

EXEMPLE: Il conduit; il est prudent.

RÉPONSE: Il conduit prudemment.

Il parle; il est intelligent. Il le fait; il est différent. Il parle espagnol; son espagnol est courant. On s'ennuie; c'est constant. Il l'a fait; c'est évident. On l'a publié; c'est récent. Elle s'habille; elle est élégante. Il travaille; il est indépendant.

21.7   Révision

18.   *Mettez les phrases suivantes au futur:*

EXEMPLE: Elle doit trouver son pullover.

RÉPONSE: Elle devra trouver son pullover.

Je sais chanter la Marseillaise. Je ne peux pas trouver mes pullovers. Ils doivent jouer du piano. Vous voulez vous maquiller? Il faut étudier davantage. Ils font beaucoup de promenades.

19.   *Combinez les phrases suivantes avec **qui** ou **que**:*

EXEMPLE: Le peintre habite là; il a fait une exposition.

RÉPONSE: Le peintre qui a fait une exposition habite là.

EXEMPLE: Le peintre habite là; je le connais.

RÉPONSE: Le peintre que je connais habite là.

La dame est espagnole; elle est archéologue. La dame est espagnole; vous la voyez là-bas. La seizième leçon est longue; nous venons de l'étudier. La quinzième leçon est très courte; elle est difficile. Cet enfant est malade; il dort toujours. Cet enfant est malade; nous ne l'avons pas vu depuis trois semaines. M. Renaud habite au deuxième; il nous ennuie tout le temps.

20.   *Remplacez le nom par **celui, celle, ceux, celles:***

EXEMPLE: Ce sont les auteurs que j'aime le plus.
RÉPONSE: Ce sont ceux que j'aime le plus.
EXEMPLE: C'est la dame qui parle le plus.
RÉPONSE: C'est celle qui parle le plus.

C'est la chanteuse que j'aime le plus. Ce sont les acteurs que j'aime le plus. C'est le professeur que j'aime le plus. C'est le monsieur qui parle le plus. Ce sont les étudiantes qui travaillent le plus. C'est l'actrice qui joue le plus.

21.   *Combinez les deux phrases avec **où**:*

EXEMPLE: Voilà la région! J'y vais en vacances.
RÉPONSE: C'est la région où je vais en vacances.
EXEMPLE: Voilà le village! J'y vais souvent.
RÉPONSE: C'est le village où je vais souvent.

Voilà la région! J'aimerais y habiter, . . . y vivre, . . . y rester. Voilà le village! J'y passe souvent, . . . j'y reste longtemps, . . . j'y habite en hiver.

22.   *Liez les phrases en remplaçant **en** par **dont**:*

EXEMPLE: Voilà le village; j'en ai donné une description.
RÉPONSE: Voilà le village dont j'ai donné une description.

Voilà le beau château; j'en ai rêvé. Voilà la ville; j'en ai entendu parler. Voilà l'Obélisque; je vous en ai parlé. Voilà une chanson; j'en connais le titre. C'est la Seine; j'en ai un beau souvenir. C'est le béret; j'en ai envie. C'est une affaire; j'en suis sûr.

23.   *Répondez avec un adverbe:*

EXEMPLE: C'est un homme sérieux; il parle.
RÉPONSE: Il parle sérieusement.

C'est un garçon poli; il parle. C'est une histoire triste; il en parle. C'est une chose certaine; c'est arrivé. C'est une longue histoire; il la raconte. C'est une affaire lente; elle va. C'est un garçon actif; il le fait. C'est un garçon aimable; il le fait.

24.   QUESTIONS ET RÉPONSES

1. Quand Janine et Bernard doivent-ils partir? 2. Que faut-il que Bernard fasse? 3. Où les chemises de Bernard doivent-elles se trouver? 4. Qu'est-ce qu'il y a dans son tiroir? 5. Qu'est-ce qu'il veut que Janine prenne? 6. Que va-t-elle prendre au lieu de son

ensemble? 7. Auront-ils besoin de leurs manteaux? 8. Comment savez-vous que Janine pense qu'il fera beau?

25. TRADUCTIONS

1. We should leave early. 2. What do you want me to do? 3. We ought to pack. 4. They ought to give me the money. 5. I took the wrong coat. 6. Don't take one! 7. Don't look for one, but take one if you can! 8. I looked for my shirts and found one, but I did not find a tie. 9. You don't know how to have a good time.

21B

UNE SORTE DE LUTTE CONTRE LA MÉDIOCRITÉ

3:00

Dans les journaux français on trouve souvent une page sur la mode, selon la saison. Je viens de lire dans un journal un article sur ce qu'on portera l'hiver prochain. Vous devriez le lire. Il y a des couturiers qui ont des idées très originales. Il est difficile de s'habiller toujours d'une façon originale. On risque parfois d'être ridicule!

Je viens de voir une dame très élégante, qui portait un chapeau couvert d'oiseaux étranges. On pourrait se demander si la haute-couture n'est pas un anachronisme à l'époque de la démocratie—ou bien est-elle un art comme les autres?

Le grand couturier français, Christian Dior, considérait son métier comme une sorte de lutte contre la médiocrité. Il doit avoir raison, vous ne trouvez pas?

In French newspapers there is often a page on fashions, according to the season. I just read an article in a newspaper about what will be worn next winter. You ought to read it. Some dress designers have very original ideas. It's difficult to dress all the time in an original manner. Sometimes you run the risk of looking ridiculous!

I just saw a very elegant lady who was wearing a hat covered with exotic birds. One might wonder whether high fashion is an anachronsim in an age of democracy—or is it just another art form?

The great French fashion designer, Christian Dior, regarded his profession as a kind of battle against mediocrity. He must be right, don't you think?

Étudiez: *un oiseau, la raison.*

21.8   H muet et h aspiré

Le **h** muet [silent] ne se prononce pas; le mot se prononce comme s'il commençait par une voyelle. Le **h** dit aspiré [so-called aspirate h] ne se prononce pas, mais il empêche [prevents] l'élision et la liaison.

26.   *Répétez et étudiez:*

h muet	**h** aspiré
féminin	
l'histoire /listwar/	la haute couture /la otkutyr/
les histoires /lezistwar/	les hautes montagnes /le otmõtaɲ/
une histoire /ynistwar/	une hauteur /yn otœr/
masculin	
l'hôpital /lɔpital/	le hasard /lə azar/
les hôpitaux /lezɔpito/	les hasards /le azar/
un hôpital /œ̃nɔpital/	un hasard /œ̃ azar/

27.   *Formez le pluriel des phrases suivantes; les **h** sont muets:*

EXEMPLE: L'homme est mortel.
RÉPONSE: Les hommes sont mortels.

L'hiver est froid. L'hôtel est petit. Cette habitude est mauvaise. Cette huître est mauvaise. Cette heure est longue! Cette histoire est récente. L'homme s'habitue à tout.

28.   *Formez le pluriel des phrases suivantes; les **h** sont aspirés:*

EXEMPLE: La haute montagne est en face.
RÉPONSE: Les hautes montagnes sont en face.

Ce hors-d'oeuvre est excellent. Le hasard est toujours là. La hauteur est impressionnante. Le hall /lɔol/ est très grand. La halle /laal/ est très ancienne. Ce hangar /səãgar/ est moderne. Le hibou /ləibu/ [owl] est dans la forêt.

21.9   Phonétique : /l/ final*

Quand on prononce le /l/ français, la langue est convexe; pour le /l/ anglais, la langue est concave. En français elle redescend immédiatement si le /l/ est en position finale, en anglais elle reste appuyée contre les dents. En français la voyelle qui précède est pure, en anglais elle est souvent diphtonguée.

---

*Voir 13.1.

---

29. *Comparez la prononciation des mots suivants:*

anglais	français	anglais	français
hell	elle	bell	belle
feel	fil [string]	sell	selle [saddle]
toll	tôle [sheet iron]	tell	tel [such]

Répétez: Quelle dentelle! [What lace!] Il l'appelle. Il achète la selle telle quelle [as is]. Elle voit la belle tôle.

30. *Répétez chaque groupe sans varier la voyelle pure:*

si	pas	ma	c'est	fit
cire	par	mare	serre	firent
cil	pâle	malle	selle	fil
cite	pâte	mat	sept	fîtes

31. *Répétez:*

Donnez-moi le journal, s'il vous plaît. C'est trop difficile. C'est trop original. C'est ridicule. Elle est belle. L'appartement est sale. Envoyez-m'en mille. Rendez-lui les mille. Rendez-en mille.

21.10 **Devoir** (suite) *

32. *Répétez et étudiez:*

On m'appelait au téléphone.	*J'ai dû* sortir [I had to leave] pour répondre.
Il pleuvait.	*J'ai dû* prendre un taxi.
J'étais malade.	*J'ai dû* voir le médecin.
Il n'avait pas de voiture.	*Il a dû* rentrer à pied.
Il n'est pas sorti.	*Il aurait dû* sortir. [He should have gone out.]
Il n'est pas venu.	*Il aurait dû* venir.
Tu ne m'as rien dit.	*Tu aurais dû* me le dire.
J'ai trop mangé.	*Je n'aurais pas dû* le faire. [I should not have done it.]

33. *Répondez selon l'indication:*

EXEMPLE: Je me suis couché tôt.
RÉPONSE: J'ai dû me coucher tôt.
EXEMPLE: Nous nous sommes levés à six heures.
RÉPONSE: Nous avons dû nous lever à six heures.

---

*Voir 21.3.

Je me suis rasé très vite. Elle s'est débrouillée toute seule. Vous vous êtes adaptés aux conditions. Tu t'es habillé tout de suite. Ils se sont préparés rapidement. Nous nous sommes lavés.

34. *Dites ce qu'on aurait dû faire, selon le modèle.*

EXEMPLE: Je suis parti.   EXEMPLE: Nous avons attendu.
RÉPONSE: J'aurais dû partir.   RÉPONSE: Nous aurions dû attendre.

Ils ont écouté. Vous nous avez téléphoné. Nous sommes restés chez nous. Elle a pris l'avion. Tu as parlé anglais. Il a mis l'imperméable.

21.11   Les saisons et les parties du jour

35. *Apprenez les expressions suivantes:*

Ça se passe **en hiver** /ãnivɛr/.   That happens in (the) winter.
Ça se passe **en été** /ãnete/.   That happens in (the) summer.
Ça se passe **en automne** /ãnɔtɔn/.   That happens in (the) fall.
Ça se passe **au printemps** /oprɛ̃tã/.   That happens in (the) spring.
Il vient **le matin**   He comes in the morning.
  (pendant **la matinée**).
Il vient **le soir**   He comes in the evening.
  (pendant **la soirée**).
Il vient **l'après-midi**.   He comes in the afternoon.

36. *Transformez les phrases suivantes selon le modèle:*

EXEMPLE: On doit partir en été.
RÉPONSE: Il faut qu'on parte en été.
EXEMPLE: Tu dois prendre tes skis en hiver.
RÉPONSE: Il faut que tu prennes tes skis en hiver.

Ils doivent rester à Paris en été. Nous devons partir en automne. Pierre doit travailler beaucoup au printemps. Ils doivent faire du ski en hiver. Tu dois porter un manteau en hiver. Elle doit se préparer aux examens au printemps. Elle doit m'accompagner en automne.

21.12   L'infinitif complément d'un autre verbe

Certains verbes sont immédiatement suivis d'un infinitif. D'autres y sont liés par une préposition (**a, de,** etc.).

37. *Répétez et étudiez:*

Infinitif sans préposition

Vous **devez** faire la cuisine.	Je **sais** [know how to] lire et écrire.
Ils **aiment** parler français.	Il **veut** s'en aller.
Je **désire** vous revoir.	Vous **pouvez** le demander.
Il **faut** partir tout de suite.	Nous **allons** vous suivre.
Je **préfère** en prendre très peu.	Il **vient** déjeuner.
	[He comes to have lunch.]

à + l'infinitif

J'apprends à faire du ski.	Il **hésite à** sortir seul.
Je **m'amuse à** chanter.	Il **cherche à** comprendre.
Elle **commence à** travailler.	Vous **m'invitez à** dîner chez vous.
Vous **vous préparez à** partir.	Je **tiens à** vous voir.
Ils **ont à** travailler.	Nous **avons à** faire [We have things to do]!

de + l'infinitif

Nous **essayons** [try] **de** vous voir.	Vous **oubliez de** lui parler.
Je te **dis de** venir avec moi.	Je lui **demande de** partir.
J'**ai envie de** sortir.	Je t'**écris de** venir me voir.
Il **est bien de** parler couramment.	Il **est difficile de** parler chinois.
Il **vient de** déjeuner.	Il **est mieux de** ne pas se fâcher.†
[He has just had lunch.]*	

38. *Répondez selon le modèle avec **hésiter à**:*

EXEMPLE: Elle ne refuse pas de partir.
RÉPONSE: Elle n'hésite pas à partir.
EXEMPLE: Nous venons de partir.
RÉPONSE: Nous hésitons à partir.

Je n'oublie pas de parler à M. Dupont. J'ai envie d'apprendre les langues. Il décide de voyager en avion. Nous ne négligeons pas de parler à vos amis. Nous essayons de vous téléphoner. Les Dupont n'ont pas envie de vous rendre visite. Vous venez de faire vos valises.

39. *Substituez **dire de** selon le modèle:*

EXEMPLE: Je lui demande de m'aider.
RÉPONSE: Je lui dis de m'aider.

---

*Venir de + infinitif = to have just . . . .
†On met "ne pas" ensemble devant l'infinitif.

Il me demande de lire le journal. Elle me demande de porter mon vieux complet. Vous lui demandez de porter sa vieille robe. Je vous demande de décrire votre nouveau métier. On me demande de remplir ces fiches. Elle me demande de mettre ce complet. On vous demande d'arriver à l'heure.

▼ **40.** *Combinez les phrases suivantes avec de et l'infinitif; commencez par il est:*

EXEMPLE: On porte des chapeaux bizarres—c'est ridicule!
RÉPONSE: Il est ridicule de porter des chapeaux bizarres.

On lutte contre la médiocrité—c'est beau. On se demande si la haute couture est un anachronisme—c'est juste. On a toujours raison—c'est impossible. On se trompe souvent—c'est possible. On passe tout l'été en France—c'est agréable.
▲ On travaillera tout l'hiver—c'est terrible! On a des vacances—c'est sensationnel!

41. *Introduisez ne pas devant l'infinitif:*

EXEMPLE: Je tiens à parler.   EXEMPLE: Je peux le faire.
RÉPONSE: Je tiens à ne pas parler.   RÉPONSE: Je peux ne pas le faire.

Vous pouvez le dire. Il cherche à comprendre. Il tient à se lever. Il faut se moquer de lui. Elle essaie de se fâcher. Nous aimerions le voir. Elle désire travailler.

42. *Répondez poliment avec je préfère ne pas et l'infinitif selon le modèle:*

EXEMPLE: Prenez-en!
RÉPONSE: Non, merci, je préfère ne pas en prendre!

Donnez-en! Lisez-en! Écrivez-en! Allez-y! Pensez-y! Prenez-les! Écoutez-les!

21.13 Verbes en -**er** qui changent d'accent au présent

Exagérer, répéter et les verbes analogues prennent *l'accent grave* au singulier et à la troisième personne du pluriel du présent de l'indicatif et du subjonctif. Toutes les autres formes gardent l'accent aigu.

43. *Répétez et étudiez:*

On le considère.	Il faut le considérer.
	Il faut qu'on le considère.
Ils exagèrent.	Il ne faut pas exagérer.
	Il ne faut pas qu'on exagère.
On le répète.	Il ne faut pas le répéter.
	Il ne faut pas qu'on le répète.

Je le préfère.	Il faut le préfé**rer**.
	Il faut qu'on le préfère.
Elle s'inquiète.	Il ne faut pas s'inquié**ter**.
	Il ne faut pas qu'elle s'inquiète.

Il le considér**ait**.	**Il** le considér**era**.	**Il** l'a considéré.
Il le répét**ait**.	**Il** le répét**era**.	**Il** l'a répété.
Il s'inquiét**ait**.	**Il** s'inquiét**era**.	**Il** s'est inquiété.

▽ **44.** *Remplacez **nous** par **on** dans les phrases suivantes:*

EXEMPLE: Nous ne nous inquiétons pas.
RÉPONSE: On ne s'inquiète pas.
EXEMPLE: Nous ne nous inquiéterons pas.
RÉPONSE: On ne s'inquiétera pas.

Nous n'exagérons rien. Nous préférons la musique. Nous le considérons sérieusement. Il faut que nous le répétions souvent. Nous nous inquiétons beaucoup. Il faut que nous le considérions maintenant. Nous nous inquiéterions si
▲ nous le répétions.

21.14   Révision : pluriels irréguliers

45.   *Répétez et étudiez:*

-al, -aux	C'est le journal principal.	Ce sont les journaux principaux.
	C'est un bon cheval.	Ce sont de bons chevaux.
	Ça lui est égal.	Ils sont égaux.
-ale, -ales	C'est une condition égale.	Ce sont des distances égales.
-eu, -eux	Un cheveu dans la soupe!	Il a les cheveux blonds.
	Il est beau comme	Ils sont beaux
	un dieu [god].	comme des dieux.
	Il a un neveu [nephew].	Il a deux neveux.
-eu, -eus	Il a une voiture bleue.	Il a des yeux bleus.
-ou, -oux	Quel beau bijou!	Quels beaux bijoux!
	Il a mal au genou.	Il se met à genoux.
	[His knee hurts.]	[He kneels down.]
-ou, -ous	C'est un chauffeur fou.	Il conduit comme les fous.
-au, -aux	L'eau coule [runs] dans le tuyau [pipe].	On installe de nouveaux tuyaux.
-eau, -eaux	Quel beau tableau!	Quels beaux tableaux!
-ail, -aux	C'est un grand travail.	On fait de grands travaux.
-ail, -ails	C'est un petit détail.	Ce sont de petits détails.

Notez que les noms et les adjectifs en **-au** et les noms en **-eu** prennent un **x** au pluriel. Les adjectifs (masculins) en **-eu** prennent un **s**. *Travail* a un pluriel en **-aux**; *détail* prend un **s**.

▼ **46.**   *Mettez les phrases suivantes au pluriel:*

EXEMPLE: Un journal excellent.   EXEMPLE: Un timbre bleu.
RÉPONSE: Des journaux excellents.   RÉPONSE: Des timbres bleus.

Un nombre égal. Un garçon fou. Une idée spéciale. Un problème international. Un oiseau bleu. Un journal original.

47.   *Continuez avec **de:***

EXEMPLE: Une belle idée.   EXEMPLE: Un vieux cheval.
RÉPONSE: De belles idées.   RÉPONSE: De vieux chevaux.

Un bon gâteau. Un beau bijou. Un vieux bateau. Un joli chapeau. Un bel
▲ oiseau. Un grand bureau.

48.   QUESTIONS ET RÉPONSES

1. Qu'est-ce qu'on trouve souvent dans les journaux français? 2. Est-ce que tous les couturiers ont des idées originales? 3. Est-il facile de s'habiller toujours d'une façon originale? 4. Qu'est-ce qu'on risque? 5. Est-ce que notre ami français trouve que la haute couture est un anachronisme? 6. Comment Christian Dior considérait-il son métier? 7. Est-ce que notre ami français trouve que Dior a raison?

49.   TRADUCTIONS

1. There is often a fashion page in French and American newspapers. 2. What will women wear next spring? 3. They don't know (it) yet. 4. It's not easy for a woman to be elegant. 5. I wonder if there is a place for fashion salons in the United States. 6. This weekend I will buy sweaters and blouses. 7. I told Claire to come with us. 8. They speak French in this restaurant.

LECTURES

LA HAUTE COUTURE

Préparation

1. La *bataille*[1]: on *lutte*[2] contre ses ennemis, on se défend si on ne veut pas *se mettre à plat ventre*;[3] on se bat (= on lutte) avec courage, même si on a besoin d'aide. Si on peut, on *envahit* leur territoire et on *vainc*.[4]

2. Le couturier *coupe* les *tissus*[5] pour ses *clientes*[6]: il les *découpe* d'après ses *patrons*.[7]

3. Le vendeur note les *commandes*[8] dans son *carnet*;[9] il en a plusieurs.[10] Il est poli avec ses clients et ses *clientes*; il n'est jamais *rude* avec eux.

4. *Cependant*[11] il a l'air ascétique; il est complètement *chauve*,[12] avec le *visage en lame de couteau*,[13] presque réduit à *néant* (= rien).

5. Les tissus sont de couleurs variées, *claires* et sombres,[14] *vives*[15] et *criardes* (= qui choquent, qui "crient") et mornes.[16]

6. Dans mon appartement il y a trois *pièces*[17] avec de grandes fenêtres, de beaux *rideaux*[18] et des *tapis*[19] de laine.[20] Sur les chaises, il y a des *coussins*. Ils sont *entassés*[21] les uns sur les autres.

La Haute Couture parisienne

La haute couture parisienne présente ce mois-ci ses collections d'hiver... Il y a toujours les très grands: Dior, Balenciaga, Castillo, Balmain, Lanvin. Mais il y a aussi les nouveaux venus, des jeunes couturiers tels[22] Courrèges, Venet, Cardin, Saint-Laurent, qui font beaucoup parler d'eux.

Les deux premiers se rattachent[23] à l'école Balenciaga, les deux autres à l'école Dior. Ils ont chacun leur conception de la mode. Courrèges: l'avant-garde; Venet: la tradition; Saint-Laurent: l'éclectisme; Cardin: l'industrialisation. Mais toutes leurs conceptions se rejoignent[24] dans un seul but: lutter contre la confection[25] de plus en

---

[1]**la bataille** battle.   [2]**lutter** to fight, struggle.   [3]**se . . . ventre** to lie flat on one's stomach.   [4]**vaincre** to win, overcome.   [5]**le tissu** fabric.   [6]**le client, la cliente** customer.   [7]**le patron** pattern.   [8]**la commande** order.   [9]**le carnet** notebook.   [10]**plusieurs** several.   [11]**cependant** however.   [12]**chauve** bald.   [13]**visage . . . couteau** sharp features (like the blade of a knife).   [14]**sombre** dark.   [15]**vif, vive** bright.   [16]**morne** dull.   [17]**la pièce** (*here*) room.   [18]**le rideau** curtain.   [19]**le tapis** rug.   [20]**la laine** wool.   [21]**entasser** to pile (up).   [22]**tels** such as.   [23]**se rattacher à** to be connected with.   [24]**se rejoindre** to unite; to meet.   [25]**la confection** ready-made clothes.

plus envahissante et transformer peu à peu les systèmes actuels de fabrication de la haute couture.

CARDIN: L'INDUSTRIALISATION.   Cardin, 1,68 m.[26] L'industrie faite[27] homme. Trois cents employés. Chez lui tout est idée et tout est vendre depuis le lacet de chaussure créé spécialement pour la femme jusqu'au ruban qu'elle portera dans les cheveux. . . .

COURRÈGES: L'AVANT-GARDE.   Courrèges, c'est l'avant-gardiste, le couturier qui fait des robes comme Pinin-Farina fait des carrosseries[28] de voitures. Sobres, fonctionnelles, découpées mathématiquement. Courrèges n'a fait vraiment parler de lui que l'année dernière en présentant dans sa collection beaucoup de pantalons et en disant: "Dans deux ans, toutes les femmes porteront mes pantalons." Il le déclare avec un accent béarnais[29] très fort. "Enfin, un couturier non sophistiqué" dirent les journalistes. Il est certain que Courrèges porte une grande rudesse en lui, des silences profonds, des allures décidées: "Moi, je ne me mets pas à plat ventre. Je me bats et je vaincs." Les employés lui obéissent respectueusement car lui aussi a eu l'occasion d'obéir aveuglément[30]: il resta pendant quinze ans, obscur coupeur, au service de Balenciaga. Aujourd'hui, la presse américaine parle énormément de Courrèges, la presse française a suivi. . . . Pourtant les couleurs criardes, disons vives, les formes rectangulaires des vestes, des robes, désorientent encore. Et cependant Courrèges devient la sensation du monde de la mode. C'est de lui qu'on attend les prises de position[31] les plus catégoriques, les nouveautés les plus fracassantes.[32]

Courrèges, quarante ans, est grand, le visage en lame de couteau, presque chauve, une longue blouse blanche qui tombe aux mollets,[33] l'air d'un ingénieur électricien ou bien d'un dentiste.

Chez lui, l'atmosphère est pleine de rigueur, petites pièces, longs rideaux: tout est blanc, chaises qui ressemblent à des prie-dieu,[34] surmontées de coussins, tapis, murs. Les employées portent des bottines "riquiqui,"[35] des jupes au-dessus du genou, l'air très collégienne avec les cheveux ras du cou[36] et la poitrine[37] pas encore très développée. Sorti du néant en août 1961 avec dix ouvrières entassées dans un fond de cour,[38] Courrèges en emploie aujourd'hui plus de soixante, possède un carnet de commandes complète pour plusieurs mois.

"J'aime la difficulté. Les femmes, il faut les violer! Elles se perdent dans les détails. Elles ont des préjugés: je ne veux pas montrer mon genou parce qu'il n'est pas joli . . . Qu'est-ce que ça veut dire? Le problème n'est pas là, la beauté n'est pas une question de genoux, mais de rythme. Dix centimètres au-dessus du genou détruisent l'harmonie,

---

[26]**1,68 m.** 5′9′′.   [27]**faite** become.   [28]**la carrosserie** (car) body.   [29]**béarnais** *from Béarn, near the Pyrenees.*   [30]**aveuglément** blindly.   [31]**la prise de position** conception.   [32]**fracassant** shattering.   [33]**le mollet** calf (of the leg).   [34]**le prie-dieu** prayer stool.   [35]**des bottines "riquiqui"** small boots.   [36]**ras du cou** short cropped.   [37]**la poitrine** chest.   [38]**entassés . . . cour** crammed in off a courtyard.

la jeunesse, l'équilibre. Pour dix centimètres, les femmes préfèrent être des grand-mères. Elles pensent que la féminité se prouve à coups de perruques,[39] de bijoux, de talons hauts. Ah! les talons hauts, une catastrophe. Elles s'imaginent paraître plus grandes avec des talons. Quelle erreur! La mode, ma mode, c'est quelque chose qui est clair, vivant, simple, en harmonie avec notre époque.

"Les clientes refusent de porter des couleurs claires en hiver. Mais le clair c'est un état d'esprit, disons une vision différente du monde.

"Ne serait-ce que parce qu'une robe blanche est plus salissante[40] et qu'il faut la laver. Ça oblige à une certaine hygiène. Un grand journal anglais m'a fait une proposition, dernièrement. Il m'a dit: "M. Courrèges, nous voulons vous aider. Nous allons faire un grand article sur vous." Je lui ai répondu: "Merci. Mais ça ne m'intéresse pas. Vous arrivez après la bataille. Je n'ai pas besoin d'être aidé . . ."

SAINT-LAURENT: L'ÉCLECTISME.   Yves Saint-Laurent, c'est la couture incarnée, le désir inépuisable[41] de dessiner, de créer encore et toujours des robes, de toutes les façons, avec tous les tissus possibles . . .

VENET: LA TRADITION.   Philippe Venet: un couturier dans la tradition . . . Son slogan semble être: "Mes clientes m'aiment bien et je les aime bien." Volontairement traditionnel, le but de Venet est: plaire (ses modèles ne sont pas géniaux[42]—mais faut-il qu'une robe soit "géniale" pour être portée?).

BERNARD COSTA
"Les Quatre Jeunes Insolents qui dictent la mode"
Réalités, Août 1965, pp. 46–50.

QUESTIONS

1. Indiquez les différences entre ces couturiers. 2. Expliquez les expressions: éclectisme, avant-garde, tradition. 3. Pourquoi est-ce que la mode de Courrèges est "simple" et "claire"? 4. Qu'est-ce qui est "simple" et "clair"? 4. Est-ce qu'il y a une lutte contre la confection aux États-Unis? Expliquez votre réponse.

---

[39]à . . . **perruques** by means of wigs.   [40]**salissant** easily soiled.   [41]**inépuisable** inexhaustible.
[42]**génial** original.

0:48

Le Pélican

Le capitaine Jonathan,
Étant âgé de dix-huit ans,
Capture un jour un pélican
Dans une île d'Extrême-Orient.
Le pélican de Jonathan,
Au matin, pond[1] un oeuf tout blanc
Et il en sort un pélican
Lui ressemblant étonnamment.
Et ce deuxième pélican
Pond, à son tour,[2] un oeuf tout blanc
D'où sort, inévitablement
Un autre qui en fait autant.[3]
Cela peut durer pendant très longtemps
Si l'on ne fait pas d'omelette avant.

ROBERT DESNOS
Chantefables et chantefleurs
(Gründ), 1955, p. 20

QUESTIONS

1. Est-ce que ce poème est destiné aux enfants ou aux grandes personnes? Expliquez votre réponse. 2. Qu'est-ce qui arrivera si on fait une omelette?

---

[1]**pondre** to lay.   [2]**à son tour** in turn.   [3]**autant** as much, the same.

MÉDICALE
LUNETTES
PINCE NEZ
NATIONALE
TIRAGE MERCREDI
GRANDE PHAR
GRAINS
ÉMOLLIENTS
DE
VICHY
LE
MEILLEUR
DES
LAXATIFS
40 ANS
de SUCCÈS
Rester
SVELTE
c'est
JEUNE!
Traitement
SIMPSON
POUR
MAIGRIR
Thé
Dragées
Savon
Demander Brochure
DE POCHE
LE CERCLE ANTOINE
Gram
PIERRE DUDAN
LISE TOPART
MICHÈLE VERLY
d'au

Vingt-deuxième leçon

22A

ÇA IRA MIEUX

[8] LE DOCTEUR HAMEL: Qu'est-ce qu'il y a qui ne va pas?

What seems to be the trouble?

JEAN-PIERRE: Docteur, je ne me sens pas très bien.

Doctor, I don't feel very well.

HAMEL: Où avez-vous mal exactement? À la tête, à l'estomac, au foie?

Exactly where do you have pain? In your head, your stomach, your liver?

JEAN-PIERRE: Non, j'ai du mal à respirer, vous voyez.

No, you see I have trouble breathing.

HAMEL: Avez-vous de la température?

Do you have a fever?

JEAN-PIERRE: Oui, un peu, surtout le soir ou quand je viens de manger.

Yes, a little, especially in the evening or when I have just eaten.

HAMEL: Respirez, toussez, dites 33.

Breathe, cough, say 33.

JEAN-PIERRE: 33, 33, 33, 33.

33, 33, 33, 33.

HAMEL: Bon. Respirez profondément. Vous avez mal ici?

All right, breathe deeply. Does it hurt here?

JEAN-PIERRE: Non. Un peu plus à droite, je crois, surtout quand je ris.

No, a little more to the right, I think, especially when I laugh.

HAMEL: Quand vous riez? Bizarre! Ouvrez la bouche, tirez la langue, faites AAAA!

When you laugh? That's odd! Open your mouth, stick out your tongue, say aaah!

JEAN-PIERRE: A, A, A, A.

Aaah.

HAMEL: Avez-vous mal à la gorge?

Do you have a sore throat?

JEAN-PIERRE: Oui, j'ai du mal à avaler et j'ai toujours soif.

Yes, I have trouble swallowing and I'm always thirsty.

HAMEL: Ça n'est pas très grave. Voilà une ordonnance. Prenez ces pilules régulièrement, reposez-vous quelques jours, pas de tabac, pas de vin, et ça ira mieux.

That's not very serious. Here is a prescription. Take these pills regularly, rest for a few days, no tobacco, no wine, and you'll feel better.

Étudiez: *un estomac, la pilule.*

22.1 Phonétique

L'opposition /y/—/i/

L'opposition de ces deux sons est particulièrement difficile à marquer quand ils se trouvent à l'intérieur d'un mot. Pour /i/ les lèvres sont légèrement écartées [slightly spread]; pour /y/ elles sont arrondies.

1. *Répétez:*

une pilule	une musique	un fichu	la Russie
une fistule	une tulipe	un tissu	la Turquie
les dix rues	quand tu ris	le lis-tu?	quand tu lis
les dix Russes	quand tu lis	le dis-tu?	quand tu dis

c final

La lettre "c" se prononce dans *le lac, le sac, le bec, le pic, avec, sec, chic,* mais pas dans les mots suivants: *le fran¢, le ban¢, l'estoma¢, le caoutchou¢* [rubber], *le taba¢, blan¢.*

2. *Répétez:*

J'ai mal à l'estoma¢.

Je préfère le taba¢ anglais.

Ça fait vingt fran¢s.

J'ai des bottes de caoutchou¢.

Le mur est blan¢.

Asseyez-vous sur le ban¢.

22.2   L'article défini et les parties du corps

Dans la phrase *Ouvrez la bouche* [Open your mouth], notez que l'article défini **la** correspond à l'adjectif possessif *your* en anglais. En général, on emploie l'article défini avec les parties du corps.

3.   *Mettez les phrases suivantes à l'impératif selon l'exemple:*

EXEMPLE: Vous ouvrez la bouche.
RÉPONSE: Ouvrez la bouche! Ouvrez-la!

Vous tirez la langue. Vous levez la main. Vous fermez les yeux. Vous tournez la tête. Vous montrez les dents. Vous ouvrez les yeux. Vous fermez la bouche.

4.   *Répondez selon l'exemple:*

EXEMPLE: Dites que vous avez mal à la gorge.
RÉPONSE: J'ai mal à la gorge.

Dites que vous avez mal à la tête, . . . au pied, . . . à la main, . . . à l'estomac, . . . aux dents, . . . aux yeux, . . . au foie.

5.   *Répondez selon le modèle:*

EXEMPLE: Vous respirez avec difficulté?
RÉPONSE: Oui, j'ai du mal à respirer.

Vous apprenez avec difficulté? Vous comprenez difficilement? Vous marchez lentement? Vous parlez français comme un Américain? Vous répondez mal? Vous montez l'escalier avec difficulté? Vous étudiez rarement?

6.   *Répondez selon le modèle:*

EXEMPLE: Vous levez-vous facilement?
RÉPONSE: Non, j'ai du mal à me lever.

Vous maquillez-vous facilement? Vous habituez-vous facilement? Vous endormez-vous facilement? Vous couchez-vous facilement? Vous adaptez-vous facilement? Vous préparez-vous facilement? Vous coiffez-vous facilement?

22.3   **Sentir**

Le verbe **sentir** est conjugué comme **dormir, partir, sortir** (voir 18.5).

7.   *Répétez et étudiez:*

Je sens	/sã/	**Je me** sens bien.	I feel good.
Tu sens	/sã/	**Tu** sens des douleurs.	You feel pain.
Il sent	/sã/	**Il** sent le vin.	He smells of wine.
Ils sentent	/sãt/	**Ils** sentent les roses.	They are smelling the roses.

Vous **vous** sentez bien.

Il faut que **tu te** sentes bien.

Nous sort**ons** demain.

Il faut qu'**elle** parte ce soir.

Hier, **je me** suis senti fatigué.

Avant, **je me** sent**ais** très mal.

Demain, **vous vous** sent**irez** mieux.

Je me sent**irais** mieux si **je** dorm**ais** mieux.

8. *Répondez qu'on **se sent bien** ou **mal** selon le cas:*

EXEMPLE: Nous ne sommes plus malades.

RÉPONSE: Nous nous sentons bien.

EXEMPLE: Ils sont encore au lit.

RÉPONSE: Ils se sentent mal.

J'ai toujours mal à la tête. Je viens de gagner mille dollars. J'ai fait tout mon travail. Ils sont à l'hôpital à la suite de l'accident. Ils toussent du matin au soir. Il respire avec difficulté. Nous avons beaucoup d'examens.

22.4 Rire

Le verbe **rire** et son composé **sourire** [to smile] gardent le radical en **-i** pour toutes les formes. Le futur omet *e* comme pour tous les verbes en **-re:**

9. *Répétez et étudiez:*

Aujourd'hui, **je ris** tout le temps.

Hier, **je** ri**ais** bien moins.

Et vous? **Vous** n'avez pas **ri** non plus!

Aujourd'hui, **elle** sour**it** tout le temps.

Hier, **elle** sour**iait** bien moins.

Et vous? **Vous** ne sour**iiez** /surije/ pas.

Vous n'avez jamais sour**i**!

Je voudrais que **vous** sour**iiez**!

Vous ri**rez** quand vous serez au cabaret.

Et elle? **Elle** sour**ira** un peu.

Ces verbes ont un seul radical /ri/ et /suri/ au présent, à l'imparfait et au subjonctif; notez les participes passés du même son: **ri** et **souri**: *J'ai ri et elle a souri.*

▼ **10.** *Mettez les formes de **rire** ou de **sourire** à la première personne du pluriel:*

EXEMPLE: On sourit.

RÉPONSE: Nous sourions.

On riait tout le temps. On en rit. Il ne faut pas qu'on rie. On souriait souvent. Il faut qu'on sourie toujours. On ne souriait pas souvent! On sourit facilement.

11. *Mettez les phrases suivantes au futur:*

EXEMPLE: Nous rions beaucoup.
RÉPONSE: Nous rirons beaucoup.

Vous ne riez pas. Thérèse ne rit pas. Tu souris à la jeune fille. Nous lui sourions souvent. Les garçons rient beaucoup. Les jeunes filles rient avec tout le monde. Tu ne ris jamais.

12. *Mettez les phrases suivantes au passé composé:*

EXEMPLE: Elle ne souriait pas.
RÉPONSE: Elle n'a pas souri.

Elle souriait peu. Il riait trop. Nous ne riions pas tout le temps. Vous ne souriiez pas souvent. On souriait en travaillant. Je riais en y pensant. Ils souriaient en le regardant.

22.5   Ouvrir, souffrir, couvrir*

Ces verbes ont des formes des verbes en **-er** (première conjugaison) au présent et à l'imparfait. Ils forment leur futur et leur conditionnel comme les verbes en **-ir** (deuxième conjugaison). Le participe passé est irrégulier: *ouvert, souffert, couvert.*

13. *Répétez et étudiez:*

Présent indicatif:	J'ouvre la bouche.	**Nous nous** couvrons en hiver.
	Tu souffres beaucoup.	**Vous** ouvrez la porte?
	Il découvre des choses intéressantes.	**Ils** souffrent trop.
Subjonctif prés.:	Il faut qu'**il** se couvre.	
Imparfait:	Ce magasin ouvrait toujours à neuf heures.	**Elle** souffrait beaucoup quand **on** ne la couvrait pas.
Participe présent:	On apprend beaucoup en souffrant.	
Futur, conditionnel:	**On** ouvrira la porte tout de suite.	**Tu** souffrirais si tu savais!
Participe passé:	On a beaucoup souffert.	Il a ouvert la porte.

14. *Mettez les phrases suivantes au présent:*

EXEMPLE: Vous avez ouvert la bouche.   EXEMPLE: Il a couvert le livre.
RÉPONSE: Vous ouvrez la bouche.   RÉPONSE: Il couvre le livre.

---

*Offrir a des formes analogues: Je vous l'offre, nous vous l'offrons, il faut qu'on lui en offre. Il l'offrait souvent; il nous l'a offert hier.

Elle a souffert de son silence. Vous avez ouvert vos valises. Tu as ouvert la fenêtre. J'ai découvert cette tache. Ils ont ouvert les yeux! Elle a découvert la vérité.

15.   *Mettez les phrases suivantes au futur:*

EXEMPLE: On ouvrait le magasin tous les jours.
RÉPONSE: On ouvrira le magasin tous les jours.

Martine souffrait toujours. Vous ouvriez les yeux. Guy découvrait l'Amérique. Le bébé ouvrait la bouche. Tu souffrais tout le temps. Elle ouvrait la porte lentement. Les nuages couvraient le soleil.

16.   *Mettez les phrases au subjonctif avec **il faut**:*

EXEMPLE: Il découvrira la vérité.
RÉPONSE: Il faut qu'il découvre la vérité.

Le magasin ouvrira bientôt. Vous ouvrirez ce joli paquet. Vous y découvrirez un beau cadeau. Il ne souffrira pas longtemps! Nous ouvrirons toutes les fenêtres. Tu découvriras où il est. Ils ouvriront la lettre de ma mère!

22.6   Révision

17.   *Combinez les éléments suivants avec **à**:*

EXEMPLE: J'ai du mal (travailler).
RÉPONSE: J'ai du mal à travailler.

Elle a du mal (respirer). Vous apprenez (travailler). Nous commencerons (étudier). On s'habitue (être malade). Vous hésitez (appeler le docteur). J'apprendrai (parler français). Ils ont beaucoup de mal (se faire comprendre).

18.   *Combinez les éléments suivants avec **de**:*

EXEMPLE: Je vous dis (respirer).
RÉPONSE: Je vous dis de respirer.

Il essaiera (travailler). Elle a oublié (fermer la porte). On vous demande (partir). Nous avons envie (dormir). Il est si difficile (le faire). Il est toujours bien (essayer). Ils ont l'air (ne pas comprendre).

19.   *Substituez les verbes selon l'indication:*

EXEMPLE: J'oublie de lui écrire (hésiter à).
RÉPONSE: J'hésite à lui écrire.
EXEMPLE: Nous essayons de finir le travail (chercher à).
RÉPONSE: Nous cherchons à finir le travail.

Ils ont envie de faire de la cuisine française (apprendre à). Ils sont en train de faire de la peinture (s'amuser à). Nous venons d'écrire une lettre étonnante (arriver à). Vous avez envie de sortir (tenir à). Elle essaie de s'y habituer (commencer à). Tu oublies d'apprendre la leçon (avoir du mal à). Je suis en train de finir l'exercice (arriver à).

20. *Remplacez* **devoir** *par* **falloir:**

EXEMPLE: Je devrais vous dire la vérité.
RÉPONSE: Il faudrait que je vous dise la vérité.

Je devrais savoir l'espagnol, . . . prendre mon pardessus, . . . faire mes valises, . . . savoir les réponses, . . . faire un effort, . . . suivre ces cours, . . . vous écrire une lettre.

21. QUESTIONS ET RÉPONSES

1. Qu'est-ce que Jean-Pierre a qui ne va pas? 2. A-t-il mal à l'estomac ou au foie? 3. Est-ce qu'il respire facilement? 4. Quand a-t-il de la température? 5. Qu'est-ce que le docteur lui demande de faire? 6. Qu'est-ce que le médecin lui donne? 7. Qu'est-ce qu'il faut qu'il prenne régulièrement? 8. Est-ce que le docteur pense qu'il sera longtemps malade?

22. TRADUCTIONS

1. I just had (faire) the doctor come. 2. I don't have a headache, I have a stomach ache. 3. Do you have trouble swallowing? 4. Speak louder (plus haut), I have trouble understanding you. 5. I want you to smile always. 6. Try to open and close your mouth. 7. I shall write you a prescription and I want you to follow it. 8. You'll smile and you'll feel better.

22B

VOUS N'AVEZ PAS L'ESPRIT SPORTIF

8:36 ROBERT: Voulez-vous mettre la radio pour l'émission sportive?

Do you want to turn on the radio for the sports news?

YVES: Je l'ai déjà mise il y a une heure; j'ai écouté la première émission.

I (already) turned it on an hour ago; I listened to the first broadcast.

ROBERT: Avez-vous entendu les résultats?

Did you hear the scores?

YVES: Oui, en football, l'équipe de Bordeaux a été battue par celle de Nice, par cinq buts à zéro.

ROBERT: C'est incroyable! Et est-ce que c'est Poulidor qui a gagné l'étape d'aujourd'hui dans le Tour de France?*

YVES: Non, aujourd'hui il a été battu au sprint, à l'arrivée.

ROBERT: Par qui a-t-il été battu?

YVES: Je ne sais plus, mais il a été applaudi quand même.

ROBERT: Et vous, avez-vous fait du sport cet après-midi?

YVES: J'ai fait de l'athlétisme et, comme d'habitude, j'ai été battu dans toutes les courses que nous avons faites.

ROBERT: Moi, je suis allé me baigner. Mais je n'ai pas participé aux courses. Je n'aime pas être battu.

YVES: Vous n'avez pas l'esprit sportif!

ROBERT: Je dois vous dire que j'aime surtout les sports à la télévision.

Yes, in soccer, the Bordeaux team was beaten by Nice five (goals) to nothing.

That's unbelievable. And did Poulidor win today's lap in the Tour de France?

No, today he was defeated in the final sprint.

By whom was he defeated?

I don't remember, but he was applauded anyway.

How about you, did you do any sports this afternoon?

I was in a track meet and, as usual, I was beaten in all the races we ran.

I went swimming, but I didn't take part in the races. I don't like getting beaten.

You are not sports-minded!

I have to admit that I like sports best on television.

Étudiez: *un esprit, une émission, une équipe, une étape, le sport.*

22.7   Phonétique

Adjectifs en -if, -ive

Terminaison masculine: **-if.** Pour /f/ les cordes vocales ne vibrent pas; /f/ est une consonne *sourde* [unvoiced].

Terminaison féminine: **-ive.** Pour /v/ les cordes vocales vibrent; /v/ est une consonne *sonore* [voiced].

Comparez: fin /fɛ̃/	vin /vɛ̃/
faut /fo/	veau /vo/
fut /fy/	vu /vy/
faire /fɛr/	vert /vɛr/

*Le Tour de France est une course à bicyclette très populaire qui a lieu [takes place] tous les étés.

23. *Répétez:*

Il est *sportif*.   Elle est *sportive*.
Il est *actif*.   Elle est *active*.
Il est *passif*.   Elle est *passive*.
Il est *pensif*.   Elle est *pensive*.
Il est *craintif* [fearful].   Elle est *craintive*.
Il est *exclusif*.   Elle est *exclusive*.
Il est *maladif*.   Elle est *maladive*.
L'art *figuratif*.   Une représentation *figurative*.
Un cours *facultatif* [optional].   Une leçon *facultative*.

Le groupe orthographique *th*

Les lettres **th** se prononcent /t/ en français:

24. *Répétez:*

Cet athlète fait de l'athlétisme; il est athlétique.
Un théâtre à Athènes donne une représentation théâtrale.
Le thème de cette thèse est une théorie thermo-dynamique.
On prend la température avec un thermomètre.
L'orthoépie nous apprend à prononcer.
L'orthographe nous apprend à écrire correctement.

/e/ fermé

Le son /e/ n'est jamais diphtongué; sa longueur est constante.

25. *Répétez les groupes suivants en marquant le rythme:*

```
1 2   3 4    5  6     1 2        1      2 3
Il est allé se baigner,   se coiffer,   et se brosser.
1 2   3 4    5  6     1 2        1      2 3
Il est allé se laver,     se raser,     et se coucher.
1    2    3   4 5 6    1    2     1    2 3
Il s'est bien reposé     chez lui     tout l'été.
1   2    3 4 5  6      1 2        1    2 3
Il avait étudié          déjà        ces idées.
```

22.8   Les sports et les jeux

26. *Comparez et étudiez les expressions suivantes:*

Quels sont vos sports préférés?

Nous faisons *de* l'athlétisme, *du* cyclisme, *du* ski, *de* l'escrime [fencing], *du* catch, *de* l'aviron [rowing], *de* la voile [sailing], *de* l'alpinisme [mountain climbing], *du* tourisme et *de la* bicyclette (= du cyclisme).

À quoi jouez-vous?
Nous jouons *au* football, *au* basket (ball), *au* tennis, *au* polo, *au* golf, *aux* échecs [chess], *aux* cartes, *au* bridge, *etc.*

Observez qu'on joue **à** *ces jeux mais qu'on joue* **d'un** *instrument de musique:*
Jouez-vous d'un instrument?
Oui, nous jouons *du* violon, *du* piano, *de la* guitare, *du* banjo, *de l'*accordéon, *etc.*

27.   *Faites une composition décrivant vos activités et vos sports préférés.*

22.9   Battre, mettre

Formes

Ces verbes ont deux radicaux: un radical en **-t** non-prononcé au singulier de l'indicatif présent; un radical en **-tt** prononcé /t/ au pluriel de l'indicatif présent et aux autres temps.

Mettre a un participe passé irrégulier: **mis;** comparez **prendre, pris.** Notez les sens [meanings] de **mettre** [to put, to put on].

28.   *Répétez et étudiez:*

Présent:	**Je** le bat**s** /ba/ au tennis.	**Je** met**s** /mɛ/ mon manteau.
	Tu me bat**s** /ba/ au golf.	**Tu** met**s** /mɛ/ ton imperméable.
	Il me ba**t** /ba/ constamment.	**Il** me**t** /mɛ/ ses bas.
	Nous batt**ons** /batõ/ le record.	**Nous** mett**ons** /mɛtõ/ la radio.
	Ils batt**ent** /bat/ leur chien.	**Ils** mett**ent** /mɛt/ la télévision.
Subjonctif:	Il ne faut pas que **vous** batt**iez** ce garçon.	Il faut que **vous** mett**iez** vos pullovers.
	Il faut que **je** vous batt**e.**	Il faut que **je** mette le livre sur la table.
Imparfait:	**Nous** les batt**ions** tous les jours.	**Elles** mett**aient** toujours des chapeaux extraordinaires.
Futur:	**Tu** les batt**ras** demain.	**Ils** mett**ront** leurs habits [clothes] neufs demain.
Passé composé:	Ils les ont batt**us** au tennis.	Elle a **mis** une heure* à s'habiller.
	Elle a batt**u** les records.	Maman m'a **mis** mon manteau.

▼ **29.**   *Remplacez jouer par* **le battre,** *selon l'exemple:*

EXEMPLE: J'ai joué au tennis.   EXEMPLE: Nous jouons au golf.
RÉPONSE: Je l'ai battu au tennis.   RÉPONSE: Nous le battons au golf.

---

*Elle a mis une heure [she took an hour]. Notez cet emploi de *mettre* avec les expressions de temps.

Ils jouent aux cartes le mardi. Elles jouaient au bridge. Elle jouerait au golf si elle pouvait. Tu as joué au ping-pong. Nous jouerons au basketball demain. Il s'est fait mal en jouant au tennis. Savez-vous jouer aux échecs?

30. *Remplacez la forme de **prendre** par la forme analogue de **mettre**:*

EXEMPLE: Ils prendront leurs chapeaux si vous les prenez aussi.
RÉPONSE: Ils mettront leurs chapeaux si vous les mettez aussi.
EXEMPLE: Ils prendraient leurs chapeaux si vous les preniez aussi.
RÉPONSE: Ils mettraient leurs chapeaux si vous les mettiez aussi.

Elles prendront leurs manteaux si vous les prenez aussi. Elles prendraient leurs jolies robes si vous les preniez aussi. Nous prendrons des cravates si vous en prenez aussi. Nous prendrions un complet si vous en preniez un aussi. Je prendrais des chaussures si vous en preniez aussi. Je prendrais un pardessus si vous en preniez un aussi.

31. *Remplacez **pris**(e)(s) par **mis**(e)(s):*

EXEMPLE: La robe qu'elle a prise /priz/.
RÉPONSE: La robe qu'elle a mise.

Le manteau qu'il a pris. La cravate qu'il a prise. Le chapeau qu'elle a pris. Les chaussettes qu'elle a prises. Les bas qu'elle a pris. Les chaussures qu'il a prises. Les gants qu'il a pris.

Se battre, se mettre à

Comparez le sens de **battre** avec **se battre**; de **mettre** avec **se mettre à**:

32. *Répétez et étudiez:*

battre [to beat, hit]	**se battre** [to fight, quarrel]
il bat /ba/ le garçon	il se bat avec lui
il a battu le garçon	il s'est battu avec lui
mettre [to put, put on]	**se mettre à** [to begin]
il met /mɛ/ un manteau	il se met à travailler
il a mis un manteau	il s'est mis à travailler

33. *Répétez et étudiez les phrases suivantes:*

Je me mets à jouer au tennis.	Je me bats avec tout le monde.
Nous nous mettons à jouer au tennis.	Nous nous battons toujours quand nous jouons aux cartes.
Il faudrait que tu te mettes à jouer au tennis.	Il faudrait que tu te battes pour gagner.
Je m'y mettrai avant toi.	Je me battrai avec lui demain.
Vous vous y êtes mis?	Vous vous êtes battus à l'école?

▼ **34.** *Mettez les phrases suivantes au passé composé:*

EXEMPLE: Ils ne se battent jamais.
RÉPONSE: Ils ne se sont jamais battus.
EXEMPLE: Ils se mettent souvent à rire.
RÉPONSE: Ils se sont souvent mis à rire.

Vous ne vous battez plus. Je ne me bats jamais. Ils se battent déjà. Nous nous mettons souvent à travailler. On se met déjà à table. Je me mets vite à manger.
▲ Vous ne vous mettez jamais à travailler sérieusement.

22.10   La voix passive

La voix passive [passive voice] est assez rare en français. Elle est formée par l'auxiliaire **être** qui détermine le temps [tense], et le participe passé qui s'accorde avec son sujet.

35. *Étudiez et répétez:*

	Voix passive	Voix active (équivalents)
Présent:	L'équipe de Bordeaux est battue par celle de Nice.	L'équipe de Nice bat celle de Bordeaux.
Infinitif:	Je n'aime pas être dérangé [disturbed].	Je n'aime pas qu'on me dérange.
Passé composé:	L'épreuve [event] a été gagnée par Jazy.	Jazy a gagné l'épreuve.
	J'ai été battu dans toutes les courses.	On m'a battu dans toutes les courses.
Futur:	La ville sera prise par l'ennemi.	L'ennemi prendra la ville.
	Poulidor sera battu au sprint.	On battra Poulidor au sprint.

▼ **36.** *Exprimez la même idée en employant la voix active:*

EXEMPLE: L'enfant a été battu par les parents.
RÉPONSE: Les parents ont battu l'enfant.
EXEMPLE: La ville a été prise par Napoléon.
RÉPONSE: Napoléon a pris la ville.

Le voleur a été arrêté par la police. L'équipe du collège a été battue par l'équipe de New-York. Le beau temps a été annoncé par la radio. La première pierre a été posée par le ministre. Le jeune homme a été chargé de ce travail par la direction. Les lois [laws] françaises ont été codifiées par Napoléon. La Provence a été modernisée par les nouvelles méthodes agricoles. Le village a été abandonné par les
▲ paysans.

37. *Remplacez la voix passive par la voix active:*

EXEMPLE: Il a été battu au sprint.
RÉPONSE: On l'a battu au sprint.

Il a été applaudi. Elle a été vraiment appréciée. Il a été invité. Ils ont été empêchés de venir. La fiche a été remplie. La théorie n'a pas été acceptée. Tout le travail a été fait.

38. *Mettez les phrases suivantes à l'infinitif du passif:*

EXEMPLE: Je n'aime pas qu'on me batte.
RÉPONSE: Je n'aime pas être battu.
EXEMPLE: Il ne veut pas qu'on le conduise.
RÉPONSE: Il ne veut pas être conduit.

Je n'aime pas qu'on m'accompagne. Je ne veux pas qu'on me voie. Je n'aime pas qu'on me critique [criticize]. Je ne voudrais pas qu'on me remarque. Il ne voudrait pas qu'on le renvoie. Je ne voudrais pas qu'on me corrige. Je n'aime pas qu'on me suive.

22.11   Révision

39. *Répondez selon l'indication:*

EXEMPLE: Quand jouez-vous au football? (en automne).
RÉPONSE: Nous jouons au football en automne.

Quand allez-vous vous baigner? (en été). Quand faites-vous de la bicyclette? (en automne). Quand jouez-vous au bridge? (le soir). Quand faites-vous de la boxe? (l'après-midi). Quand jouez-vous au tennis? (le matin de bonne heure). Quand jouez-vous au basketball? (en hiver). Quand faites-vous du catch? (au printemps).

40.   QUESTIONS ET RÉPONSES

1. Quand Yves a-t-il écouté l'émission sportive? 2. Quel résultat de football a-t-il entendu? 3. Quel sport fait Poulidor? 4. Dans quelle épreuve sportive Yves a-t-il été battu? 5. Est-ce qu'il gagne souvent à la course? 6. Quel sport pratique Robert? 7. Pourquoi n'aime-t-il pas la course? 8. Qu'est-ce qu'il préfère comme sports?

41.   TRADUCTIONS

1. What dress did you put on today? 2. The boys fought yesterday. 3. Robert never liked getting beaten. 4. The Italian team beat that of the Racing Club by four goals to one. 5. She was beaten in all the races they ran. 6. I don't go out for track; I listen to television and radio. 7. There is the overcoat she took.

LECTURES

VACANCES À TOUT PRIX[1]

Préparation

1. Les avions modernes sont des avions à réaction[2] propulsés[3] par des réacteurs.[4] Les avions militaires tirent à la mitrailleuse[5] (la *mitraillette*[6] est l'arme automatique du soldat); le bombardier a des canons de *tourelles*.[7] Il faut que l'avion à réaction soit rapide pour échapper aux *fusées*[8] *lancées*[9] contre lui. Il *vole* vite. Il fait du *bruit*.

2. Un bombardier doit *atteindre* son *but*[10] avant de *déclencher* (= laisser partir, *larguer*, lancer) ses bombes. L'*équipage*[11] *s'apprête*[12] à les lancer quand l'avion approche du but. Ensuite il retourne à sa base et *atterrit*[13] avant de reprendre (= recommencer) le combat (= *bagarre*). On peut aussi *reprendre* un objet qu'on a donné à quelqu'un.

3. Il y a quelque temps on parlait des *soucoupes volantes*.[14] Beaucoup de gens pensaient *les avoir vues* dans le ciel. Ce *n'*est *guère*[15] probable.

4. Pour mieux contrôler la balance des paiements, on a, de temps en temps, bloqué (= *gelé*[16]) les comptes[17] internationaux. Cela a empêché le libre échange.[18]

5. On enregistre[19] fidèlement les sons sur une bande magnétique au moyen[20] d'un magnétophone. Mais "*enregistrer*" veut aussi dire "entendre": un homme enregistre un bruit, par exemple une conversation ou le *babil*[21] des enfants.

6. Il y a des *petits* (enfants) dotés d'une imagination *formid*(able), qui sont capab(les) de faire n'importe quoi, même d'*accueillir*[22] les Martiens (qui habitent sur la planète Mars).

7. Sur la terrasse, il y a des *chaises longues*[23] avec des *coussins*[24] confortables.

Apprenez l'alphabet français:

a /a/	**h** /aʃ/	**o** /o/	**u** /y/
b /be/	**i** /i/	**p** /pe/	**v** /ve/
c /se/	**j** /ʒi/	**q** /ky/	**w** = double v /dubləve/
d /de/	**k** /ka/	**r** /ɛr/	**x** /iks/
e /ə/	**l** /ɛl/	**s** /ɛs/	**y** = i grec /igrɛk/
f /ɛf/	**m** /ɛm/	**t** /te/	**z** /zɛd/
g /ʒe/	**n** /ɛn/		

---

[1]**à tout prix** at any price.   [2]**l'avion à réaction** jet.   [3]**propulser** to propel.   [4]**le réacteur** jet engine.   [5]**la mitrailleuse** machine gun.   [6]**la mitraillette** submachine gun.   [7]**la tourelle** (gun) turret.   [8]**la fusée** rocket.   [9]**lancer** to launch.   [10]**le but** target, goal.   [11]**l'équipage**, *m.* crew.   [12]**s'apprêter** to get ready.   [13]**atterrir** to land.   [14]**la soucoupe volante** flying saucer.   [15]**ne ... guère** hardly.   [16]**geler** to freeze.   [17]**le compte** account.   [18]**le libre échange** free exchange (of currencies).   [19]**enregistrer** to record.   [20]**au moyen de** with.   [21]**le babil** chatter.   [22]**accueillir** to receive, greet.   [23]**la chaise longue** lounge chair.   [24]**le coussin** cushion.

Vacances à tout prix

C'est donc sans surprise que j'ai enregistré l'autre jour, comme je m'apprêtais à faire la sieste dans le jardin de la villa, le babil d'une demi-douzaine de garçons occupés à jouer sur une terrasse proche où les chaises longues représentaient des bolides,[25] les tables des continents, et les coussins des soucoupes volantes. Le voici, fidèlement transcrit:

"Alerte à toutes les stations!. . . Ici fusée lunaire W H 349 . . . . Pilote James Robinson (*toujours les noms américains*) . . . . Allons atterrir, je répète: allons atterrir . . . . Rapportons trésor formid et prisonnière capturée dans le désert du Sable Rouge[26] . . . . Stop!

—Attention, fusée lunaire 349 . . . . Rayon[27] vert vous cherche . . . . Rayon vert vous cherche . . . .

—Avons détecté rayon vert . . . . Direction New-York . . . . Sommes au-dessus de[28] New-York . . . Bombardement déclenché . . . ."

(Ici, bruits divers. À noter que les enfants de cette époque, où le bruit est roi, ont acquis une véritable maîtrise[29] dans l'imitation des bruits, et des bruits les plus bruyants: mitraillettes de gangsters, crissements de pneus,[30] sirènes de police, réacteurs d'avions, explosions de toutes sortes.)

". . . Tous les objectifs atteints, retournons à notre base . . . . Mission terminée . . . . Stop!

—Allo X 23, Allo X 23 . . . . New-York rasée[31] . . . . Ordre immédiat bombarder Moscou avec six bombes H et quatre fusées de la mort . . . .

—O.K., boss . . . . Sommes au-dessus de Moscou . . . . Larguons la première bombe . . . . Objectif atteint . . . . Larguons deuxième bombe . . . . Moscou fini . . . .

—Attention, X 23 . . . . Attention, X 23! Alerte à tous les équipages . . . . Guerre bactériologique déclenchée . . . . Martiens arrivent . . . . Dix mille soucoupes en vue . . . . Feu sur la fusée lunaire à volonté![32]

—Bombardier X 222 avec tourelle et gros canon descend sur Paris . . . . Attention Paris!"

La planète entière ayant été bombardée, restait à organiser la paix.

Un petit, qui faisait la Suisse[33] accueillit les plénipotentiaires. Mais les menaces, très vite, reprirent:

"Si tu passes dans le camp des Martiens, je t'envoie mes soucoupes volantes!

—Si tu reviens ici avec ton bombardier, je reprends ma fusée!"

Après quelques minutes de discussion, la bagarre recommença. La paix, c'eût été[34] la fin de l'après-midi . . . .

---

[25]**le bolide** meteor.   [26]**le désert du Sable Rouge** Red Sand desert.   [27]**le rayon** ray.   [28]**au-dessus de** above, over.   [29]**la maîtrise** mastery.   [30]**le crissement de pneus** squeaking of tires.   [31]**raser** to raze. [32]**feu . . . à volonté** fire at will.   [33]**qui . . . Suisse** who was playing Switzerland.   [34]**c'eût été** that might have been.

Si ces paroles d'enfants rendaient pour moi un son familier, n'était-ce pas, au fait, parce qu'elles me rappelaient celles de certaines grandes personnes? Les gouvernantes barbues[35] du Kremlin et les apôtres[36] du Pentagone ne parlent guère autrement.

"Si tu n'es pas sage, je te flanque[37] la fusée!

—Si tu vas en face chercher de l'essence,[38] je te gèle tes dollars!"

Tant il est vrai que dans ce monde divisé en Grands vraiment grands, en faux Grands et en petits qui voudraient grandir, les grandes personnes ne sont que des enfants déguisés.

PIERRE DANINOS
Vacances à tout prix (Hachette),
1958, pp. 198–200.

QUESTIONS

1. Est-ce que votre définition du bruit est la même que celle de vos professeurs? Expliquez-vous. 2. Décrivez les jeux des enfants que Daninos a observés. 3. Quel pays veut organiser la paix? Pourquoi? 4. Est-ce que les enfants modernes sont réalistes? Expliquez. 5. Quelle est l'attitude de Daninos envers la guerre?

---

[35]**la gouvernante barbue** bearded governess (tutor). [36]**l'apôtre** *m.* apostle. [37]**je te flanque** I will throw at you. [38]**l'essence,** *f.* gasoline.

MI-ROUTE

Préparation

1. La syllabe "mi" indique le *milieu* ou la moitié;[1] *mi-route* indique la moitié de la route = du chemin de la vie: On est à mi-chemin entre le commencement et la fin de la vie.

2. L'homme qui attache de l'importance aux sentiments est un homme *sensible*.[2] On dit que nous sentons avec le coeur, que le sentiment est important, qu'il faut sentir aussi bien que[3] comprendre, que le coeur *pressent* (= sent à l'avance) ce qui va arriver.

Mi-route

Il y a un moment précis dans le temps
Où l'homme atteint le milieu exact de sa vie,
Un fragment de seconde,
Une fugitive parcelle de temps plus rapide qu'un regard.
Plus rapide que le sommet des pâmoisons[4] amoureuses
Plus rapide que la lumière,
Et l'homme est sensible à ce moment
Il pressent le mystère de cette seconde, de ce
        fragment de seconde,
Mais il dit: "Chassons ces idées noires."
Et il chasse ces idées noires,
Et que pourrait-il dire
Et que pourrait-il faire
De mieux?

ROBERT DESNOS
Fortunes (Gallimard), 1942, pp. 72, 74.

QUESTIONS

1. Quel est ce "moment précis de la vie?" Décrivez-le. 2. Qu'est-ce que l'homme pressent à ce moment-là? 3. Pourquoi chasse-t-il les idées noires?

---

[1] **la moitié** half.   [2] **sensible** sensitive.   [3] **aussi bien que** as well as.   [4] **sommet des pâmoisons** climax of ecstasy.

Vingt-troisième leçon

DE LA BIBLIOTHÈQUE À LA LIBRAIRIE

18:14 ANDRÉ: Tiens! Vous voilà! Je pensais à vous.

What do you know! There you are! I was thinking of you.

ROBERT: Et moi, je viens d'entendre parler de vous.

And *I* just heard someone talking about you.

ANDRÉ: On vous a dit du bien de moi, j'espère.

They told you nice things about me, I hope.

ROBERT: Bien sûr. D'où venez-vous?

Of course. Where have you been?

ANDRÉ. Je viens de la bibliothèque, et vous?

I've been at the library, and you?

ROBERT: Je viens d'assister au cours de psychologie.

I just had a psychology class.

ANDRÉ: J'ai entendu dire que c'était très bien.

I heard that it was very good.

ROBERT: Pas mal. Mais il y avait trop de monde.

Not bad. But it was too crowded.

ANDRÉ: Et naturellement on n'entend rien au fond de la salle.

And of course you can't hear anything in the back of the room.

ROBERT: Pas grand-chose, Et j'ai entendu dire que le professeur ne traitera qu'une partie du cours.

Not much, and I heard that the professor will discuss only a part of the material.

ANDRÉ: Évidemment. On vous montre comment étudier une question et vous vous débrouillez pour le reste.

Of course. They show you how to study a problem and you are on your own after that.

ROBERT: Alors il faut que j'aille vite dans une librairie pour acheter des livres et que je me mette à étudier.

Then I must rush to a bookstore to buy some books and start studying.

ANDRÉ: Pensez à acheter des fiches et n'oubliez pas de demander une réduction pour étudiant.

Remember to buy index cards and don't forget to ask for a student discount.

ROBERT: C'est une chose que je n'oublie jamais.

That's something I never forget.

Étudiez: *la psychologie.*

23.1   **Ne . . . que** [only]

Ne et **que** se placent autour du verbe; **que** ou un autre mot essentiel de la phrase porte l'accent d'intensité.

1.   *Répétez selon le modèle en mettant l'accent sur le mot souligné.*

Je n'ai que du pain.

Je n'ai que du lait.

Je n'ai que deux francs.

Je n'ai que des ennuis.

Il n'a que des problèmes.

Tu n'as que moi dans ce monde.

Je n'ai que deux litres de lait.

Je n'ai que deux francs français.

Il n'y a que Jacques qui en a.

Il n'y a que lui qui sait ce que c'est.

2.   *Dans les phrases suivantes remplacez **seulement** par ne . . . que:*

EXEMPLE: Nous applaudissons seulement ceux qui gagnent.

RÉPONSE: Nous n'applaudissons que ceux qui gagnent.

Il est revenu seulement une fois. On comprend seulement avec le coeur. On s'inscrit seulement au début de l'année. Maurice regarde seulement Irène. On risque seulement sa vie. On a perdu seulement un match de football. J'ai besoin seulement d'une voiture.

Vous n'avez qu'à ... [All you have to do is ...]

3. *Mettez les phrases suivantes à la forme familière:*

EXEMPLE: Vous n'avez qu'à vous raser.
RÉPONSE: Tu n'as qu'à te raser.

Vous n'avez qu'à étudier. Vous n'avez qu'à vous lever. Vous n'avez qu'à répondre immédiatement. Vous n'avez qu'à réfléchir un peu. Vous n'avez qu'à revenir plus vite. Vous n'avez qu'à appuyer dessus. Vous n'avez qu'à y arriver à temps.

23.2   Penser à ; penser de

Je pense à Yvonne

En parlant de personnes, on emploie **penser à** avec le pronom disjonctif: **moi, toi, lui**, etc.; pour les choses, on emploie **y**.

4. *Répétez et étudiez:*

Je pense à quelqu'un.	Je pense à lui.
[I'm thinking of someone.]	[I'm thinking of him].
Je pense à quelque chose.	J'y pense.
[I'm thinking of something.]	[I am thinking about it.]
Je pense à Yvonne.	Je pense à elle.
Je pense à cette question.	J'y pense.
Je pense à mes parents.	Je pense à eux.
Je pense à ces problèmes.	J'y pense.
Je pense à mes soeurs.	Je pense à elles.
Je pense à ces questions.	J'y pense.

5. *Remplacez les noms par des pronoms selon le modèle:*

EXEMPLE: Je pense à Yvonne.
RÉPONSE: Je pense à elle.

Je pense à Charles. Nous pensons à Guy et à Yvonne. Elle ne pense jamais à Guy et à Paul. Tu ne penses jamais à moi et à ma femme. J'ai pensé à toi et à ta famille. Nous avons pensé à tous ces gens-là.

6. *Répondez selon chaque indication:*

EXEMPLE: À qui* pensez-vous? (eux).
RÉPONSE: Je pense à eux.
EXEMPLE: À quoi* pensez-vous? (ça).
RÉPONSE: Je pense à ça.

À qui pensez-vous? (lui, elles, toi). À quoi pensez-vous? (ceci, cela). À qui pensez-vous? (elle, vous, nous).

▼ **7.** *Mettez y selon le modèle:*

EXEMPLE: Je pense à ce qu'il fait.   EXEMPLE: Pense au travail!
RÉPONSE: J'y pense.   RÉPONSE: Penses-y†

Je pensais à cette aventure. Je penserais aux vacances. Nous avons pensé à
tout. Il fallait penser à cette affaire. Pensez à ce que vous faites! Tu penses à ce que
▲ tu fais? Ne pensez jamais au danger!

Que pensez-vous de lui?

Avec **de**, le verbe **penser** exprime un jugement. "Que pensez-vous de lui?" signifie
What do you think of him?

8. *Répétez et étudiez:*

Que pensez-vous de Pierre?	Que pensez-vous de lui?
Que pensez-vous d'Anne?	Qu'est-ce que vous pensez d'elle?
Que pensez-vous des Potin?	Qu'est-ce que vous pensez d'eux?
Que pensez-vous de ces dames?	Que pensez-vous d'elles?
Que pensez-vous de notre problème?	Qu'en pensez-vous?
Que pensez-vous de la question?	Qu'est-ce que vous en pensez?
Que pensez-vous de ces problèmes?	Qu'est-ce que vous en pensez?
Que pensez-vous de ces questions?	Qu'en pensez-vous?

9. *Formez des questions en commençant par "Que pensez-vous":*

EXEMPLE: Je n'aime pas ce concert.
RÉPONSE: Que pensez-vous de ce concert?

Ce devoir est difficile à faire. Je trouve ce jeune homme charmant. J'aime
beaucoup Anne. Paul a l'air intelligent. Cet assistant est excellent. Ce bifteck est
délicieux. Ces jeunes gens sont sympathiques.

---

*À qui s'emploie pour les personnes; à quoi pour les objets, dans les questions de cet exercice.
†L'impératif familier ajoute **s** devant **y** et **en**. Comparez: *Pense à cela! Penses-y! Va à Paris! Vas-y!*

10. *Transformez selon le modèle:*

EXEMPLE: Qu'est-ce que vous pensez de la question?
RÉPONSE: Qu'est-ce que vous en pensez?
EXEMPLE: Qu'est-ce que vous dites de Guy?
RÉPONSE: Qu'est-ce que vous dites de lui?

Qu'est-ce que vous faites de ce problème? Qu'est-ce que vous pensez de ce problème? Qu'est-ce que vous faites de votre voiture? Qu'est-ce que vous pensez de cette question? Qu'est-ce que vous dites d'Alice? Qu'est-ce que vous pensez de mes parents? Qu'est-ce que vous pensez de mes soeurs?

23.3 Entendre

Entendre, écouter

Les verbes **entendre** [to hear] et **écouter** [to listen to] sont tous les deux transitifs:

J'entends la musique.   J'écoute la musique.

11. *Répondez selon l'exemple:*

EXEMPLE: Entendez-vous la musique?
RÉPONSE: J'entends la musique mais je ne l'écoute pas.

Entendez-vous cette radio? Entendez-vous le professeur? Entendez-vous le programme? Entendez-vous cet orchestre? Entendez-vous ces bruits? Entendez-vous ce que dit ta mère? Entendez-vous la voix de la conscience?

Entendre dire; entendre parler

12. *Répétez et étudiez:*

J'ai entendu parler de vous.
  [I heard (people) speak of you.]
J'ai entendu parler le professeur.
  [I heard the professor speak.]
J'ai entendu parler dans la maison.
  [I heard (people) talking in the house.]

J'ai entendu dire que vous êtes bavard.
  [I've heard that you are talkative.]
J'ai entendu dire qu'il est amusant.
  [I heard (it said) that he's amusing.]
J'ai entendu dire: "Allez-vous en!"
  [I heard (them) say: "Go away!"]

13. *Transformez les phrases suivantes selon l'exemple:*

EXEMPLE. J'ai entendu parler de ce cours.
RÉPONSE: J'ai entendu dire qu'il était formidable.

Nous avons entendu parler de ce professeur. J'ai entendu parler de cette nourriture. On a entendu parler de ces chambres. Elle a entendu parler de la Cité Uni-

▲ versitaire. J'ai entendu parler de vos parents. Nous avons entendu parler de la nouvelle librairie. J'ai entendu parler de vos bibliothèques.

14. *Mettez **entendre parler** selon les exemples:*

EXEMPLE: C'est un bon restaurant.
RÉPONSE: J'en ai entendu parler.
EXEMPLE: C'est un bon professeur.
RÉPONSE: J'ai entendu parler de lui.

C'est la bibliothèque universitaire. Voilà ma mère et ma tante. C'est un cours excellent. Quelle mauvaise affaire! Quel étudiant brillant! Voilà une catastrophe! Ce sont nos meilleurs professeurs!

15. *Répondez par **entendre dire que:***

EXEMPLE: Le restaurant est tout près.
RÉPONSE: J'ai entendu dire que le restaurant est tout près.

Cette question est difficile. Les études se font le matin. Paul s'est mis à étudier. Hélène est gentille. Tout le monde l'adore. Sa voiture n'est pas chère. Il faut se débrouiller.

23.4 Conjonctions suivies du subjonctif

Les conjonctions **pour que** [in order that], **avant que** [before], **bien que** [although], sont toujours suivies du subjonctif.

16. *Répétez et étudiez:*

Je te le dis **pour que** tu te mettes à travailler.
Je te le dis **pour que** tu ne sois pas surpris.
Je voudrais la voir **avant qu'**elle (ne)* parle.
Je vous parlerai **avant que** vous (n')alliez à la librairie.
Je lui parle toujours **bien qu'**il ne me comprenne pas.
Elle est arrivée **bien qu'**elle soit en retard.

▼ **17.** *Combinez les phrases en mettant la conjonction indiquée et le subjonctif:*

EXEMPLE: Il viendra; il est malade (bien que).
RÉPONSE: Il viendra, bien qu'il soit malade.

Tout est prêt; il partira (pour que). Tu prendras sa voiture; tu rentreras tard

---

*ne après **avant que** est facultatif [optional]: *Avant qu'il vienne = avant qu'il ne vienne.*

(bien que). Fais bien attention; tu es toujours prudent (bien que). Il préparera ses affaires; ses amis partiront (avant que). Nous nous coucherons; tu reviendras (avant que). Il nous donnera la voiture; nous ferons tout (pour que). Tu viendras; Irène s'en ira (avant que).

23.5 Révision

18. *Remplacez se mettre à par venir de:*

EXEMPLE: Il se met à travailler sur un sujet intéressant.
RÉPONSE: Il vient de travailler sur un sujet intéressant.

Elle se met à faire une robe. Nous nous mettons à jouer au tennis. On se met à moderniser la maison. Ils se mettent à voyager. Il se met à pleuvoir. Nous nous mettons à bavarder. Vous vous mettez à pleurer?

19. *Remplacez prendre par devoir:*

EXEMPLE: Qu'est-ce que vous prenez au restaurant?
RÉPONSE: Qu'est-ce que vous devez au restaurant?

Qu'est-ce qu'ils prennent au restaurant? Qu'est-ce qu'on prend au restaurant? Qu'est-ce que tu prends au restaurant? Qu'est-ce que vous preniez au restaurant? Qu'est-ce qu'elles prenaient au restaurant?

20. *Mettez les phrases suivantes à l'imparfait et au conditionnel selon l'exemple:*

EXEMPLE: Si vous aimez cet appartement, vous le prendrez.
RÉPONSE: Si vous aimiez cet appartement, vous le prendriez.

Si les appartements sont plus grands, je les préférerai. Si vous avez peur, je viendrai vous aider. Si vous connaissez le Midi de la France, vous saurez qu'il y a des villages abandonnés. Si on modernise ces régions, on n'y ira pas. Si vous voulez faire la cuisine, vous me le direz. Si vous aimez cet article, vous m'écrirez tout de suite. Si vous renvoyez cette robe au magasin vous aurez raison.

21. *Ajoutez voilà ce qui ou voilà ce que selon le cas:*

EXEMPLE: Tu le vois.
RÉPONSE: Voilà ce que tu vois.
EXEMPLE: Cela m'arrive.
RÉPONSE: Voilà ce qui m'arrive.

Cela me semble juste. Je l'ai payé. Il faut le faire. Cela ne va pas du tout. Cela vous fait mal. Tu l'as mis. Vous l'avez emmené avec vous.

22.   *Remplacez **penser à** par **se moquer de** dans les phrases suivantes:*

EXEMPLE: Ne pensez pas à eux!
RÉPONSE: Ne vous moquez pas d'eux!

Ne pensez pas à elle! Ne pensez pas à lui! Ne pensez pas à eux! Ne pensez pas à nous! Ne pensez pas à M. et Mme. Lanson! Ne pensez pas à mon cadeau! Ne pensez pas toujours à la télévision!

23.   QUESTIONS ET RÉPONSES

1. Est-ce qu'on dit du mal d'André? 2. D'où vient-il? 3. Et Robert? 3. Entend-on au fond des salles? 5. Est-ce que les professeurs de la Sorbonne traitent leurs sujets comme leurs collègues aux États-Unis? 6. Que faut-il faire si on est étudiant en France? 7. Qu'est-ce que Robert va acheter à la librairie? 8. Qu'est-ce qu'il n'oubliera pas?

24.   TRADUCTIONS

1. Think of me when you go to France. 2. I hope you will speak well of me. 3. I just heard a noise. 4. I just heard that the psychology course is excellent. 5. But there are always too many people. 6. When you are a student, you have to know how to get along. 7. Do you find your books in the bookstore or in the library? 8. All you have to do is to start working.

23B

FAUT-IL QUE LES MARIS FASSENT LA VAISSELLE?

23:06 JEAN: Il faut qu'une jeune fille française sache faire la cuisine pour pouvoir trouver un mari, n'est-ce pas?

A French girl has to know how to cook to be able to find a husband, doesn't she?

Mme HAMOND: On dit aussi qu'il faut qu'elle sache faire la vaisselle et le ménage.

They also say that she must know how to do the dishes and to keep house.

JEAN: Ce n'est pas vrai?

Isn't that true?

Mme HAMOND: C'était vrai du temps de nos grands-mères, mais les jeunes filles modernes sont les mêmes partout maintenant.

It was true in our grandmothers' day, but modern girls are the same everywhere now.

JEAN: Elles ne savent plus rien faire.

They no longer know how to do anything.

Mme HAMOND: Non, vous exagérez; il y en a qui font d'excellentes ménagères.

No, you're exaggerating; some make excellent housewives.

JEAN: Mais il y en a moins qu'autrefois.

But there are fewer than in the past.

Mme HAMOND: Oui, parce que les jeunes filles d'aujourd'hui vont à l'université et apprennent un métier.

Yes, because the girls of today go to the university and learn a profession.

JEAN: Alors elles ont moins de temps pour travailler à la maison.

Then they have less time to work in the home.

Mme HAMOND: Oui, c'est ça. Mais quand elles sont mariées, il faut qu'elles fassent la cuisine comme autrefois.

Yes, that is true. But when they are married, they have to cook as in the old days.

JEAN: Faut-il que les maris français fassent aussi la cuisine, le ménage et la vaisselle?

Do French husbands also have to cook, do housework and the dishes?

Mme HAMOND: Ça n'est jamais une obligation, mais le mari moderne aide souvent sa femme à la maison.

They never *have* to, but modern husbands often help their wives at home.

23.6 Phonétique

Intonation d'opposition

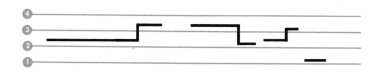

Vous aimez marcher?   —Marcher oui, courir, non.

25.   *Répétez sur le même modèle:*

Vous aimez faire la cuisine?   —La cuisine oui, la vaisselle, non.
Vous aimez lire?   —Des romans policiers [detective stories] oui, des romans d'amour, non.
Vous aimez les chocolats?   —Les chocolats suisses oui, les chocolats ordinaires, non.

Vous faites du sport? —Du football oui, du basketball, non.
Vous prenez quelque chose? —Du vin oui, du whiskey, non.
Vous connaissez ses parents? —Sa mère oui, son père, non.

Rencontre de deux consonnes dentales

Une hésitation marque la deuxième dentale, et les /d/ et /t/ sont assimilés s'ils se rencontrent.

26. *Répétez selon le modèle:*

plus dé doute	moins dé travail	plus dé tartes
plus dé dents	moins dé touristes	plus dé temps
plus dé deux	moins dé tissus	plus dé trois
plus dé douze	moins dé tableaux	plus dé treize

23.7 Plus

Plus de; plus que

De remplace **que** devant les nombres.

27. *Répétez et étudiez:*

J'ai mangé plus /ply/ de quinze huîtres.   J'en ai mangé plus /plys/ que vous.

Il m'a montré plus de cinq mille timbres.   Il m'en a montré plus que toi.

J'ai travaillé moins d'une heure.   J'ai travaillé moins que toi.

J'ai attendu moins de trente minutes.   J'ai attendu moins que lui.

28. *Dans les phrases suivantes ajoutez* **que** *ou* **de:**

EXEMPLE: Voilà plus ____ cent timbres.
RÉPONSE: Voilà plus de cent timbres.
EXEMPLE: Elle travaille moins ____ Marie.
RÉPONSE: Elle travaille moins que Marie.

Elle étudie moins ____ son frère. Il y a passé plus ____ un mois. Ils ont vu plus ____ nous. Ils ont vu plus ____ cent oiseaux. Vous avez conduit moins ____ vos amis. Il en faut moins ____ trois. Il est arrivé en moins ____ une heure. Elle est restée à Paris plus ____ une quinzaine de jours.

Plus: sens affirmatif et négatif

Plus a deux sens, un sens affirmatif et un sens négatif. **Ne** marque la plupart des exemples du sens négatif.

29.   *Répétez et étudiez:*

Plus *affirmatif* [more]	**Plus** *négatif* [no more, no longer]
J'ai plus d'argent que Paul.	Il n'a plus d'argent.
[I have more money than Paul.]	[He has no more money.]
Qu'est-ce qu'elle veut, plus d'argent?	Elle a tout perdu—plus d'argent.
[What does she want, more money?]	[She has lost everything—no more money.]
Tu en veux plus?*	Tu n'en veux plus?
[Do you want more?]	[Don't you want any more?]

30.   *Ajoutez **ne** aux phrases suivantes et omettez la comparaison:*

EXEMPLE: Elles ont plus dé travail que nous.
RÉPONSE: Elles n'ont plus dé travail.

J'ai plus dé temps que toi. Tu as plus dé dessert que moi. Vous prenez plus dé valises qu'elle. Vous, vous avez plus dé problèmes que lui. L'après-midi, il y a plus dé départs que le matin. Ce mois-ci, il y a plus dé dimanches que le mois dernier. Maintenant nous avons plus dé difficultés qu'avant.

31.   *Employez **ne ... plus** dans les phrases suivantes:*

EXEMPLE: J'ai du temps.
RÉPONSE: Je n'ai plus dé temps.
EXEMPLE: Il a une question.
RÉPONSE: Il n'a plus dé questions.

Vous avez du travail. Il y a des médecins ici. Nous avons une télévision. On vend des tapisseries. Jean-Pierre a de la température. Il y a des ménagères parfaites.

23.8   Révision

32.   *Mettez les phrases suivantes au subjonctif avec **il faut**:*

EXEMPLE: Les maris font la vaisselle.
RÉPONSE: Il faut que les maris fassent la vaisselle.

---

*Ou bien: *Tu en veux davantage?*

Les femmes font la cuisine. Les jeunes filles peuvent partir. Les messieurs savent faire quelque chose. Ce garçon va travailler. Cette fille peut travailler. Nous pouvons partir. Je fais la vaisselle.

33.   *D'après le modèle suivant, posez des questions avec* **que faut-il:**

EXEMPLE: Je ne fais rien du tout.   RÉPONSE: Que faut-il que je fasse?

Je ne sais rien du tout. Elles ne savent rien. Nous ne faisons rien du tout. Vous ne répondez rien du tout. Nous n'essayons plus rien. Vous ne cherchez rien du tout. Il ne dit rien du tout.

34.   *Transformez les phrases suivantes en questions:*

EXEMPLE: Je ne fais absolument rien.
RÉPONSE: Que voulez-vous que je fasse?
EXEMPLE: Ils ne disent absolument rien.
RÉPONSE: Que voulez-vous qu'ils disent.

Elle ne comprend absolument rien. Je ne sais absolument rien. On ne promet absolument rien. Vous n'écrivez absolument rien. Vous ne faites absolument rien. Tu ne dis absolument rien.

35.   *Mettez le sujet* **il** *et le subjonctif:*

EXEMPLE: Faut-il vendre le livre?
RÉPONSE: Faut-il qu'il vende le livre?
EXEMPLE: Voulez-vous l'apprendre?
RÉPONSE: Voulez-vous qu'il l'apprenne?

Voulez-vous la suivre? Voulez-vous l'écrire? Faut-il la reprendre? Faut-il le mettre? Voulez-vous la chanter? Faut-il le savoir? Voulez-vous le faire partir?

36.   *Dans les phrases suivantes, remplacez le verbe par* **pouvoir,**
suivi de l'infinitif correspondant:

EXEMPLE: Il faut que nous suivions ce cours.
RÉPONSE: Il faut que nous puissions suivre ce cours.
EXEMPLE: Il faut que nous nous rendormions.
RÉPONSE: Il faut que nous puissions nous rendormir.

Il faut que les jeunes filles étudient. Il faut qu'elles apprennent un métier. Il faut que les maris modernes fassent la cuisine de temps en temps. Il faut qu'une bonne ménagère fasse le ménage. Il faut qu'on s'habille comme il faut. Il faut qu'on se voie souvent. Il faut que nous nous disions au revoir.

37.   *Mettez les réponses au subjonctif avec **il faut que:***

EXEMPLE: Qu'est-ce qu'elle fait pour trouver un mari?—Elle apprend
à faire la cuisine.
RÉPONSE: Il faut qu'elle apprenne à faire la cuisine.

Qu'est-ce qu'elle fait pour gagner de l'argent?—Elle apprend un métier. Qu'est-
ce qu'elle fait pour bien manger?—Elle apprend à faire la cuisine. Qu'est-ce qu'elle
fait pour s'amuser?—Elle va au match de football. Qu'est-ce qu'elle fait pour
moderniser la maison?—Elle achète des meubles neufs. Qu'est-ce qu'elle fait pour
s'inscrire au cours?—Elle fait la queue. [She stands in line.] Qu'est-ce qu'elle fait
pour s'habiller à la mode?—Elle demande de l'argent à son mari.

38.   *Mettez les phrases suivantes au futur:*

EXEMPLE: Ils ne peuvent plus rien faire.
RÉPONSE: Ils ne pourront plus rien faire.
EXEMPLE: Ils savent faire la vaisselle.
RÉPONSE: Ils sauront faire la vaisselle.

Ils aiment faire ça. Nous ne devons plus rien faire. Ils ne doivent plus faire la
cuisine. Elles ne veulent plus faire le ménage. Nous ne désirons plus faire le ménage. Marie va faire les achats. Tu sais faire le ménage.

39.   *Mettez les phrases suivantes au conditionnel:*

EXEMPLE: Tu ne sais aider personne.
RÉPONSE: Tu ne saurais aider personne.

Tu ne peux aider personne. Il n'aime aider personne. Il ne veut aider personne.
Vous ne désirez aider personne. Tu ne dois aider personne. Tu ne veux aider personne. Tu ne vas aider personne. Nous ne devons aider personne. Ils ne viennent
aider personne.

40.   *Mettez les phrases suivantes à l'imparfait ou au futur, selon le cas:*

EXEMPLE: Les femmes font le ménage; d'autrefois.
RÉPONSE: Les femmes d'autrefois faisaient le ménage.
EXEMPLE: Les femmes apprennent un métier; de demain.
RÉPONSE: Les femmes de demain apprendront un métier.

Les jeunes filles ne vont pas à l'université; d'hier. Les maris aident leurs femmes;
de demain. Les ménagères apprennent peu à la maison; d'autrefois. Les jeunes
gens sont tous un peu mécaniciens; de demain. Les jeunes filles savent beaucoup de
choses; de demain. Beaucoup de femmes sont d'excellentes ménagères; d'autrefois.

41. *Étudiez le tableau suivant des emplois répandus* [frequent] *du subjonctif:*

Proposition principale	Proposition subordonnée	Exemple
Verbe exprimant le désir l'émotion la nécessité l'incertitude	+ **que** + subjonctif	Je veux qu'il parte. J'ai peur qu'il (ne)* parte. Il faut qu'il parte. Il est possible qu'il parte.
Verbe avec un complément incertain ou non-existant	+ pronom relatif + subj.	Je cherche quelqu'un qui puisse m'aider.
Verbe +	**pour que** **avant que** **bien que** **à condition que** + subj.	Je l'explique pour que tu comprennes. Il est parti avant que tu (ne)* sois arrivé. Elle suit le cours bien qu'elle ne comprenne rien. Je viendrai à condition que tu sois là aussi.

42. QUESTIONS ET RÉPONSES

1. Quand est-ce qu'il fallait qu'une jeune fille française sache faire la cuisine pour trouver un mari? 2. Le faut-il aujourd'hui? 3. La jeune fille française d'aujourd'hui, est-elle très différente de la jeune fille américaine? 4. Est-ce que les jeunes filles françaises ne savent plus rien faire dans la maison? 5. Pourquoi y a-t-il moins d'excellentes ménagères qu'autrefois? 6. Que faut-il qu'elles fassent, comme autrefois? 7. Faut-il que le mari fasse la vaisselle? 8. Faut-il qu'il aide sa femme?

43. TRADUCTIONS

1. A French girl has to know how to cook. 2. Her husband wants her to cook. 3. French husbands often help their wives at home. 4. Yesterday's women learned few professions. 5. There are still good housewives, but fewer than in the old days. 6. What do you want me to say? 7. You are exaggerating, aren't you? 8. What do you want them to do?

---

*Cet emploi de **ne** est facultatif et sans valeur négative. Voir note à la page 412.

LECTURES

UN CERTAIN SOURIRE

Préparation

1. Un amour romantique: la passion *déborde*.[1] On se dit des choses tendres sur la *berge*[2] d'une petite rivière; on admire les *hirondelles*[3] qui passent dans le ciel; on est *envahi* de bonheur en contemplant la nature; on *s'embrasse* sur les *joues*.[4]

2. Un amour moderne: On danse une nouvelle danse sans toucher son partenaire. On admire les mouvements *ondoyants*[5] des danseuses à la discothèque. Un disque se pose contre un *saphir*.[6] Le *souffle*[7] de la clarinette sort d'une machine aux *rebords*[8] de chrome. Est-ce que la jeunesse[9] *angoissée*[10] *se détourne*[11] de la nature?

3. Analyse: L'amour est une *fièvre*[12] qui envahit l'imagination. C'est, selon l'auteur, un épisode temporaire et fréquent qui fait passer le temps quand on s'ennuie.

Un Certain Sourire

Nous avions passé l'après-midi dans un café de la rue Saint-Jacques, un après-midi de printemps comme les autres. Je m'ennuyais un peu, modestement; je me promenais de la machine à disques à la fenêtre pendant que Bertrand discutait le cours de Spire. Je me souviens qu'à un moment, m'étant appuyée à la machine, j'avais regardé le disque se lever, lentement, pour aller se poser de biais[13] contre le saphir, presque tendrement, comme une joue. Et, je ne sais pourquoi, j'avais été envahie d'un violent sentiment de bonheur; de l'intuition physique, débordante, que j'allais mourir un jour, qu'il n'y aurait plus ma main sur ce rebord de chrome, ni ce soleil dans mes yeux.

Je m'étais retournée vers Bertrand. Il me regardait et, quand il vit mon sourire, se leva. Il n'admettait pas que je fusse[14] heureuse sans lui. Mes bonheurs ne devaient être que des moments essentiels de notre vie commune. Cela, je le savais déjà confusément, mais ce jour-là, je ne pus le supporter et me détournai. Le piano avait esquissé le thème[15] de *Lone and Sweet*; une clarinette le relayait, dont je connaissais chaque souffle.

---

[1]**déborder** to overflow. [2]**la berge** bank. [3]**l'hirondelle,** *f.* swallow. [4]**la joue** cheek. [5]**ondoyant** undulating. [6]**le saphir** sapphire needle. [7]**le souffle** breath. [8]**le rebord** rim, edge. [9]**la jeunesse** youth. [10]**angoissé** anxious. [11]**se détourner** to turn (away) from. [12]**la fièvre** fever. [13]**de biais** at a slant, sideways. [14]**que je fusse** that I might be. [15]**avait esquissé le thème** had picked out the melody.

J'avais rencontré Bertrand aux examens de l'année précédente. Nous avions passé une semaine angoissée côte-à-côte avant que je ne reparte[16] pour l'été chez mes parents. Le dernier soir, il m'avait embrassée. Puis il m'avait écrit. Distraitement, d'abord. Ensuite, le ton avait changé. Je suivais ces gradations non sans une certaine fièvre, de sorte que, lorsqu'il m'avait écrit: "Je trouve cette déclaration ridicule, mais je crois que je t'aime," j'avais pu lui répondre sur le même ton et sans mentir[17]: "Cette déclaration est ridicule, mais je t'aime aussi." Cette réponse m'était venue naturellement, ou plutôt phonétiquement. La propriété de mes parents, au bord de l'Yonne,[18] offrait peu de distractions.

Je descendais sur la berge, je regardais un moment les troupeaux[19] d'algues, ondoyants et jaunes, à la surface, puis je faisais des ricochets avec des petites pierres douces, usées,[20] noires et agiles sur l'eau comme des hirondelles. Tout cet été, je répétais "Bertrand" en moi-même, et au futur. D'une certaine manière, établir les accords d'une passion par lettres me ressemblait assez.

FRANÇOISE SAGAN
Un Certain Sourire (René Julliard),
1956, pp. 13–15.

QUESTIONS

1. Est-ce que vous discutez souvent les cours de vos professeurs? Comment? 2. Comment grandit un amour? Faites une description analogue à celle de notre texte. 3. Quels éléments d'un certain ennui trouvez-vous dans ce passage? Ou bien y trouvez-vous une passion forte et vraie? 4. Décrivez une discothèque. Parlez de votre musique préférée.

---

[16]**avant . . . reparte pour** before I left again to spend.   [17]**mentir** to lie.   [18]**Yonne** French river.
[19]**le troupeau** drove.   [20]**usé** worn.

Le Tendre et Dangereux Visage
de l'amour

Le tendre et dangereux
visage de l'amour
m'est apparu un soir
après un trop long jour
C'était peut-être un archer
avec son arc
ou bien un musicien
avec sa harpe
Je ne sais plus
Je ne sais rien
Tout ce que je sais
c'est qu'il m'a blessée
peut-être avec une flèche
peut-être avec une chanson
Tout ce que je sais.

JACQUES PRÉVERT
Histoires, Ed. du Pré aux clercs
(Gallimard), 1948, pp. 66–67.

QUESTIONS

1. Décrivez les éléments d'angoisse dans ce poème. 2. Dites comment l'auteur montre que l'amour n'a rien de logique. 3. Comparez les conceptions de l'amour dans les textes de Françoise Sagan et de Jacques Prévert.

Vingt-quatrième leçon

24A

DES SCÈNES D'ENFER PITTORESQUES

:50 ÉLISABETH: Quand j'étais allée en France la première fois, je connaissais très peu l'histoire de l'art.

I When I went [had gone] to France for the first time, I knew very little about the history of art.

CHARLES: Moi, j'avais étudié seulement l'art moderne.

I had studied only modern art.

ÉLISABETH: Moi, j'avais étudié l'art roman, qui me plaisait beaucoup, mais je ne connaissais rien à l'art gothique.

I had studied Romanesque art, which I liked very much, but I knew nothing about Gothic art.

CHARLES: Qu'est-ce qui vous paraît le plus intéressant maintenant?

What seems the most interesting to you now?

ÉLISABETH: C'est difficile à dire. Et vous, qu'est-ce que vous préférez?

It's hard to say. How about you, what do you prefer?

CHARLES: Les cathédrales gothiques ne m'avaient jamais plu, je ne sais pas pourquoi. Mais maintenant elles me paraissent très belles.

I had never liked Gothic cathedrals, I don't know why. But now they seem very beautiful to me.

425

ÉLISABETH: Ce qui m'avait attirée dans l'art roman, c'est l'architecture à la fois sobre et harmonieuse.

What had attracted me in Romanesque art was its sober and, at the same time, harmonious architecture.

CHARLES: Moi, je m'étais imaginé que l'art moderne était vraiment le seul art intellectuel et profond.

I had imagined that modern art was really the only intellectual and profound art.

ÉLISABETH: Les cathédrales gothiques me paraissent pleines de symbolisme religieux.

Gothic cathedrals seem to me (to be) full of religious symbolism.

CHARLES: Et en même temps elles sont pleines de réalisme malicieux. Qu'est-ce que vous en pensez?

And at the same time they are full of malicious realism. What do you think (about that)?

ÉLISABETH: Regardez, ici le sculpteur a mis en enfer son seigneur, un marchand et son évêque.

Look, here the sculptor put his lord, a merchant and his bishop in hell.

CHARLES: Je n'avais jamais imaginé des scènes d'enfer aussi pittoresques.

I had never imagined such picturesque scenes of hell.

ÉLISABETH: Regardez ici du côté du paradis comme cet ange a un joli sourire.

Look here on the side of paradise; what a nice smile this angel has.

CHARLES: Oui, c'est vraiment un art admirable.

Yes, this art is certainly admirable.

Étudiez: *un enfer.*

24.1   Liaison interdite [forbidden]*

La phrase française se compose de groupes de souffle [breath groups]. On peut respirer [breathe] entre ces groupes de souffle, et il n'y a jamais de liaison.

1.   *Répétez:*

Groupe 1	*Groupe 2*
Nos amis les Dupont	achètent un bon sandwich.
Les deux étudiants	admirent un château Renaissance.
Vous n'allez pas manger	une tarte aux fraises?
Est-ce que vous pensez	à votre prochain voyage?

*Pour la liaison obligatoire, voir 16.6.

À l'intérieur des groupes de souffle, la liaison est interdite dans certains cas; il y a alors enchaînement, mais pas de liaison. Voici les cas les plus fréquents:

2.   *Répétez:*

(a) *après un nom au singulier:**

L'anglais /ɛe/ et le français.   Le français /ɛe/ et le russe
Un enfant /ãa/ adorable.   Le papier /ɛe/ est cher.
Le temps /ãa/ a changé.   L'enfant /ãe/ écoute.
L'étudiant /ãa/ apprend.   L'argent /ãɛ/ est difficile à gagner.

(b) *après* **et:**

et /ɛe/ elle   et /ea/ Alice
et /eã/ ensuite   et /ea/ après
et /ea/ alors   et /eo/ aussi
et /eõ/ on va   et /eɛ̃/ ainsi

(c) *devant* **h** *aspiré:*

les /ea/ hasards   les /ee/ héros
des /eo/ hauteurs   des /eɔ/ hors-d'oeuvres

(d) *entre* **chez** *et un nom propre:†*

chez /ea/ Alice   chez /ee/ Élisabeth
chez /eã/ André   chez /eã/ Henri

24.2   Le plus-que-parfait [the pluperfect]

Comme en anglais, l'auxiliaire à l'imparfait et le participe passé du verbe forment le plus-que-parfait.

j'étais allé(e)	**j'avais aimé**	**il avait fallu**
il était venu	**il avait suivi**	**il avait pu**
nous étions descendu(e)s	**nous avions eu**	**nous avions été**
vous étiez monté(e)(s)	**vous aviez vu**	**vous aviez passé**

3.   *Mettez les phrases suivantes au plus-que-parfait:*

EXEMPLE: Je suis allé en France.
RÉPONSE: J'étais allé en France.

---

*Mais il y a souvent liaison après un nom au pluriel: les soldats‿anglais; les temps‿anciens.
†Il y a liaison entre les prépositions et les noms ordinaires (ou les articles) qui suivent, même après **chez:**

sans‿enfants   chez‿un‿oncle   en‿Allemagne   dans‿un parc

J'ai étudié l'art moderne. Cela m'a beaucoup plu. Est-ce que cela vous a paru intéressant? L'architecture sobre m'a attiré dans l'art roman. Je me suis imaginé ça. Le sculpteur y a mis l'enfer. Il a imaginé ces scènes d'enfer.

4. *Mettez les phrases suivantes au plus-que-parfait;*
   remplacez le complément d'objet direct par un pronom;
   attention à l'accord du participe passé:

   EXEMPLE: Vous aimiez ces sculptures.
   RÉPONSE: Vous les aviez aimées.

   Ils préféraient l'art roman. Il lisait souvent les romans. Vous regardiez les cathédrales. Il imaginait les aventures. Il donnait les réponses intelligentes. Il faisait ces tableaux impressionnistes.

24.3 Les temps composés

À chaque temps simple correspond un temps composé. Le temps composé comprend [includes] l'auxiliaire *avoir* ou *être* et le participe passé du verbe (voir 18.2). Remarquez que le temps et le mode de l'auxiliaire sont les mêmes que ceux du verbe au temps simple.

5. *Répétez et étudiez:*

   Indicatif présent: **Il** connaît tout ça. **Elle va** en ville.
   Passé composé: **Il a** connu tout ça. **Elle est** allée en ville.
   Subjonctif présent: Il faut qu'**il** le fasse demain.
      Il faut qu'**il** parte demain.
   Passé du subjonctif: Il faut qu'**il** l'**ait** fait demain.
      Il faut qu'**il soit** parti demain.
   Imparfait: **Elle** connaiss**ait** Guy quand il était chez nous.
      Elle all**ait** en ville tous les mercredis.
   Plus-que-parfait: **Elle avait** connu Guy pendant très longtemps.
      Elle était allée en ville très souvent.
   Futur: **Il** nous connaît**ra** mieux un de ces jours.
      Il ira en France un de ces jours.
   Futur antérieur: **Il** nous **aura** répondu avant les vacances.
      Elle sera partie demain.
   Conditionnel: **Il** nous répond**rait** s'il pouvait.
      Il irait en France s'il pouvait.
   Conditionnel passé: **Il** nous **aurait** répondu s'il avait pu.
      Il serait parti s'il avait pu.
   Infinitif présent: Il faut fin**ir** avant sept heures!
   Passé de l'infinitif: Il faut **être** parti quand il arrive.

6. *Transposez les phrases suivantes au temps composé correspondant:*

EXEMPLE: Il part.   EXEMPLE: Il travaillait
RÉPONSE: Il est parti.   RÉPONSE: Il avait travaillé.

Elle répond. Il répétait la phrase. Elle reste toute la journée. Elle resterait si elle pouvait. Il répondra avant la fin du mois. Elle est contente. Il faut qu'elle y aille demain.

24.4 Paraître

7. *Comparez et répétez les formes analogues des verbes* **paraître** *et* **connaître:**

Présent:	**Je** parais en public.	**Je** connais toute la classe.
	Tu parais content.	**Tu** connais tout le monde.
	Il paraît heureux.	**Il** connaît tout le monde.
	Nous paraissons malades.	**Nous** connaissons ces travaux.
	Vous paraissez fatigué.	**Vous** connaissez ce travail.
	Ils paraissent stupéfaits.	**Ils** connaissent tout ce travail.
Subjonctif:	Il faut qu'**il** paraisse bientôt.	Il faut qu'**il** connaisse tout.
	J'ai peur que **vous** paraissiez trop tôt.	J'ai peur que **vous** connaissiez mon secret.
Imparfait:	**Elle** paraissait fatiguée.	**On** la connaissait bien.
Futur:	**Ils** paraîtront de bonne heure.	**Ils** le connaîtront demain.
Passé composé:	**Ils ont paru** de bonne heure.	**Ils l'ont connu** avant-hier.

8. *Remplacez* **connaître tout le monde** *par* **paraître souvent en public:**

EXEMPLE: Il connaît tout le monde.
RÉPONSE: Il paraît souvent en public.

Nous connaissons tout le monde. Elles connaissaient tout le monde. Tu as connu tout le monde. Je connaîtrai tout le monde. Ils connaissent tout le monde. Il faut que nous connaissions tout le monde. Il avait connu tout le monde.

9. *Transposez les phrases suivantes des temps composés aux temps simples:*

EXEMPLE: Tu auras paru en public.
RÉPONSE: Tu paraîtras en public.
EXEMPLE: Tu avais paru en public.
RÉPONSE: Tu paraissais en public.

Tu as paru en public. Elle aura paru en public. Nous aurions paru en public. Ils ont paru en public. J'avais paru en public. Vous aviez paru en public. Il aurait paru en public. Tu aurais paru plus tôt si tu les avais connus. Je regrette qu'il n'ait pas paru en public.

24.5 Plaire [to like]*

Remarquez que le complément d'objet indirect français devient le sujet du verbe *like* en anglais.

10. *Répétez et étudiez:*

Je lui plais.	**Nous** lui plaisons.	**Je** lui ai plu.
[*He, she likes me.*]*		[*He, she liked me.*]
Tu lui plais.	**Vous** lui plaisez.	Je lui avais plu.
[*He, she likes you.*]		[*He, she had liked me.*]
Il lui plaît.	**Ils** lui plaisent.	**Je** lui aurai plu.
S'il vous plaît!	**Je** lui plaisais.	**Je** lui aurais plu.
Je lui plairais.	**Il** faut que je lui plaise.	

Notez le son /z/ dans **nous plaisons, vous plaisez,** etc., le son /s/ dans **nous connaissons, vous connaissez,** etc.

▼ **11.** *Remplacez **paraître intéressant** par **plaire**:*

EXEMPLE: Qu'est-ce qui vous paraît intéressant?
RÉPONSE: Qu'est-ce qui vous plaît?

Qu'est-ce qui vous paraissait intéressant? Qu'est-ce qui vous a paru intéressant? Qu'est-ce qui vous avait paru intéressant? Qu'est-ce qui vous paraîtrait intéressant? Qu'est-ce qui pourrait vous paraître intéressant? Qu'est-ce qui vous paraîtra intéressant? Qu'est-ce qui vous aura paru intéressant?

12. *Continuez l'exercice selon le modèle:*

EXEMPLE: Voilà ce qui me paraît intéressant.
RÉPONSE: Voilà ce qui me plaît.

Voilà ce qui vous a paru intéressant. Ça vous paraît intéressant? Cet emploi leur paraîtra intéressant. Voici l'idée qui nous a paru intéressante. Tout ça leur avait paru intéressant. Ça leur paraîtra intéressant s'ils en savent quelque chose.
▲ Ça te paraîtrait intéressant si tu y étais.

24.6 Révision

13. *Complétez chaque phrase en ajoutant **je connais** ou **je sais**, selon le cas:*

EXEMPLE: L'art gothique.
RÉPONSE: Je connais l'art gothique.

Plaire, literally = to be pleasing. *Le chat me plaît* = The cat is pleasing to me = I like the cat.

EXEMPLE: Il faut admirer l'art gothique.
RÉPONSE: Je sais qu'il faut admirer l'art gothique.

L'art roman. Il est massif. La cathédrale de Notre-Dame. Quand Notre-Dame a été construite. La cathédrale de Chartres. C'est une des premières cathédrales gothiques. Montmartre. Où se trouve Montmartre.

14.   *Transformez chaque phrase deux fois selon le modèle:*

EXEMPLE: C'est difficile à dire.
RÉPONSE: Faut-il le dire? Oui, il faut qu'on le dise.
EXEMPLE: C'est difficile à tenir.
RÉPONSE: Faut-il le tenir? Oui, il faut qu'on le tienne.

C'est difficile à comprendre. C'est difficile à apprendre. C'est difficile à savoir. C'est difficile à connaître. C'est difficile à finir. C'est difficile à construire. C'est difficile à écrire.

15.   *Remplacez **être prêt** par le passé du subjoncif de **finir de dîner**:*

EXEMPLE: Il faut que je sois prêt dans une demi-heure.
RÉPONSE: Il faut que j'aie fini de dîner dans une demi-heure.

Il faut que nous soyons prêtes dans une demi-heure. Il faut qu'ils soient prêts dans une demi-heure. Il faut qu'on soit prêt dans une demi-heure. Il faut que vous soyez prêts dans une demi-heure. Faudra-t-il que je sois prêt dans une demi-heure? Faudra-t-il qu'elle soit prête dans une demi-heure? Faudra-t-il qu'elles soient prêtes dans une demi-heure?

16.   *Mettez le verbe au présent du subjonctif:*

EXEMPLE: Il se peut que j'aie fini de dîner avant huit heures.
RÉPONSE: Il se peut que je finisse de dîner avant huit heures.

Il faut que tu sois rentré à dix heures. Il y a des chances qu'on ne soit pas rentré à minuit. Il vaut mieux que vous ayez préparé vos valises demain. Il faut que vous les ayez préparées à dix heures moins le quart. Il se peut qu'elles aient appris tout cela dans deux jours. Il faut que nous l'ayons envoyé ce soir. Il y a des chances qu'elle l'ait vu à huit heures.

17.   *Mettez le verbe au passé du subjonctif:*

EXEMPLE: J'aurai fini de dîner dans une demi-heure.
RÉPONSE: Il faut que j'aie fini de dîner dans une demi-heure.

J'aurai préparé ma valise avant mon départ. J'aurai retrouvé mes parents avant le match. J'aurai appris la onzième leçon avant demain. Nous aurons compris ça avant de continuer. Nous aurons fait ce qu'il faut avant de partir. Ils auront vu Paris avant de rentrer. Vous aurez oublié Irène avant l'été.

18. *Remplacez les conjonctions par* **avant que;** *mettez le subjonctif:*

EXEMPLE: Je veux te voir parce que tu partiras.
RÉPONSE: Je veux te voir avant que tu (ne) partes.

Je veux te boir quand tu lui écriras. Je veux te voir aussitôt que tu auras fini. Je veux te voir parce que tu le reverras. Je veux te voir s'il te répond. Je veux te voir parce que je m'en irai. Je veux te voir quand la maison se vendra. Je veux te voir quand tu l'enverras.

19. QUESTIONS ET RÉPONSES

1. Est-ce qu'Élisabeth connaissait l'histoire de l'art, à sa première visite en France? 2. Charles, qu'avait-il étudié? 3. Que pense-t-il maintenant des cathédrales gothiques? 4. Croit-il que l'art moderne soit le seul art profond? 5. Et Élisabeth? 6. Où est-ce que le réalisme malicieux paraît? 7. Quel est le contraire de l'enfer? 8. Qui voit-on du côté du paradis?

20. TRADUCTIONS

1. She studied modern art and she liked it (*plaire*). 2. Modern art is not the only intellectual and profound art. 3. There is malicious realism and religious symbolism in Gothic cathedrals. 4. They (the cathedrals) had seemed very beautiful. 5. I had known her in Paris but liked her less than her sister. 6. This seems to me (*paraître*) difficult to learn. 7. It is the most difficult (thing) but we have to learn it. 8. Look here on this side of the street; how pretty this Citroën is. 9. If we had seen her in Paris, we would have spoken to her.

24 B

QUI EST-CE QUI A CASSÉ LE VASE DE SOISSONS?

24:00 LE PROFESSEUR SAUVAGE: Qui est-ce qui a cassé le vase de Soissons?

Who broke the vase of Soissons?

BILL: Ce n'est pas moi! Qui est-ce que vous soupçonnez?

Not I! Whom do you suspect?

SAUVAGE: Il faut que vous sachiez ça! Ça fait partie de la petite histoire de France.

You ought to know that! It's one of the well-known anecdotes of French history.

BILL: Où est-ce que ça s'est passé?

Where did it happen?

SAUVAGE: Eh bien, à Soissons, après une bataille où Clovis et un autre soldat voulaient emporter le même trophée, un vase, le fameux vase de Soissons.

Well, at Soissons, after a battle when Clovis and another soldier wanted to carry off the same trophy, a vase, the famous vase of Soissons.

BILL: Qui était Clovis?

Who was Clovis?

SAUVAGE: C'était un guerrier franc qui allait devenir roi en 481.

He was a Frankish warrior who was to become king in the year 481.

BILL: Et qu'est-ce qui s'est passé?

And what happened?

SAUVAGE: L'autre guerrier a cassé le vase exprès plutôt que de le laisser à Clovis.

The other warrior broke the vase intentionally rather than leave it for Clovis.

BILL: Et qu'est-ce que Clovis a fait?

And what did Clovis do?

SAUVAGE: Il n'a rien fait. Quand il est devenu roi, il a retrouvé ce guerrier et sous un prétexte futile, il lui a tranché la tête d'un coup d'épée pour se venger.

He didn't do a thing. When he became king, he met this warrior again and, on some kind of pretext, he chopped off his head with one blow of his sword in order to get revenge.

BILL: Et il a prononcé une parole historique, n'est-ce pas?

And he uttered some famous words, didn't he?

SAUVAGE: Évidemment! Il a dit: "Souviens-toi du vase de Soissons!"

Of course! He said, "Remember the vase of Soissons!"

BILL: Est-ce que tous les enfants français connaissent cette histoire?

Do all French children know this story?

SAUVAGE: Oh oui! Ça fait partie de la culture populaire, comme le cerisier de George Washington aux États-Unis.

Oh yes! It's part of our folklore, like George Washington's cherry tree in the United States.

Étudiez: *une épée.*

24.7 Liaison facultative [optional]

Souvent à l'intérieur d'un groupe verbal la liaison est facultative; c'est-à-dire qu'on ne la fait pas en général, mais on la fait dans la conversation soignée [in careful speech]: *J'étais allé* se prononce d'ordinaire /ʒeteale/, mais en conversation soignée /ʒetezale/.

21. *Répétez chaque phrase, d'abord sans liaison, ensuite avec liaison:*

J'étais allé.   Ce qui m'avait attiré.
J'avais étudié.   Il l'a mis en enfer.
Je m'étais imaginé.   Je n'avais jamais imaginé.

Dans les phrases suivantes on a le choix entre la liaison et l'enchaînement vocalique. Il ne faut pas s'arrêter avant la fin du groupe de mots.

22. *Répétez et étudiez:*

Liaison	*Enchaînement vocalique*
je suis /za/ arrivé	je suis /ia/ arrivé
tu es /za/ amusant	tu es /ɛa/ amusant
il est /tɔ/ obligeant	il est /ɛɔ/ obligeant
je suis /ze/ étonné	je suis /ie/ étonné
il est /tœ/ heureux	il est /ɛœ/ heureux
ils sont /ta/ agréables	ils sont /õa/ agréables

23. *Prononcez des deux façons:*

Je suis arrivé. Ça paraît intéressant. Il est étudiant. Elles vont au cinéma. Tu es attendue. Tu es étrangère. Je suis impressionnée.

Il faut choisir entre la liaison et l'enchaînement consonantique après les formes du pluriel:

24. *Répétez et étudiez:*

Liaison	*Enchaînement consonantique*
nous sommes /zã/ ensemble	nous sommes /mã/ ensemble
vous êtes /ze/ équippés	vous êtes /te/ équippés
nous sommes /ze/ étonnés	nous sommes /me/ étonnés
vous êtes /zɛ/ aimable	vous êtes /tɛ/ aimable

25. *Prononcez des deux façons:*

Vous êtes intéressante. Vous êtes épatant. Nous sommes obligeants. Nous sommes italiens. Vous êtes espagnol. Nous sommes allemands. Vous êtes impressionnant.

24.8   Pronoms interrogatifs

Sujet

Quand le sujet est une personne, on a le choix entre **qui est-ce qui** et **qui** [who].

26.   *Remplacez **qui** par **qui est-ce qui**:*

EXEMPLE: Qui a cassé le vase?

RÉPONSE: Qui est-ce qui a cassé le vase?

Qui a cassé le vase de Soissons? Qui était très ancien? Qui a fait ça? Qui est arrivé avant-hier? Qui s'est vengé? Qui se souvient du vase de Soissons? Qui connaît l'histoire?

Qu'est-ce qui [what] désigne un sujet qui n'est pas une personne. Son équivalent **que** est rare. On peut cependant dire:

Que se passe-t-il? = **Qu'est-ce qui se passe?**

Que s'est-il passé? = **Qu'est-ce qui s'est passé?**

Qu'arrive-t-il?   = **Qu'est-ce qui arrive?**

Qu'est-il arrivé?   = **Qu'est-ce qui est arrivé?**

▼ **27.**   *Posez la question analogue avec **qu'est-ce qui**:*

EXEMPLE: Le vase s'est cassé.

RÉPONSE: Qu'est-ce qui s'est cassé?

Cette histoire est arrivée. Elle fait partie de la petite histoire de France. Le prétexte était futile. "Souviens-toi du vase de Soissons" est une parole historique. Cela s'est passé en 481. Le cerisier de Washington fait partie du folklore. Cette histoire est connue de tous les enfants français.

Complément d'objet direct

Pour des questions concernant les personnes [whom] on a le choix entre **qui est-ce que** et **qui** + inversion.

28.   *Remplacez **qui** par **qui est-ce que**:*

EXEMPLE: Qui avez-vous vu?

RÉPONSE: Qui est-ce que vous avez vu?

Qui a-t-il tué d'un coup d'épée? Qui a-t-il retrouvé? Qui avez-vous soupçonné? Qui avaient-ils rencontré en France? Qui connaissez-vous à Paris? Qui avez-vous admiré au concert? Qui le professeur a-t-il interrogé?

En parlant de choses [what] on emploie **que** et l'inversion ou **qu'est-ce que**.

29. *Remplacez que par qu'est-ce que:*

EXEMPLE: Qu'a-t-il dit? [What did he say?]
RÉPONSE: Qu'est-ce qu'il a dit?

Qu'as-tu écrit? Qu'ont-ils raconté? Qu'avait-il pensé? Qu'en penses-tu? Que
▲ vont-ils faire? Qu'en sait-elle? Qu'a-t-il fait?

Notez: **Qu'est-ce? Qu'est-ce que c'est?** [what is it?] **Qu'est-ce que c'est que ça?**

Quoi

Quoi [what] s'emploie après les prépositions.

30. *Répétez et étudiez:*

À **quoi** pensez-vous?	Je sais **à quoi** vous pensez.
Sur quoi vous asseyez-vous?	Je sais **sur quoi** vous vous asseyez.
De quoi avez-vous besoin?	Je sais **ce dont** vous avez besoin.
De quoi avez-vous envie?	Je sais **ce dont** vous avez envie.
Avec quoi écrivez-vous?	Je sais **avec quoi** vous écrivez.

▼ **31.** *Répondez avec je sais:*

EXEMPLE: À quoi pensez-vous?
RÉPONSE: Je sais à quoi vous pensez.

À quoi avez-vous droit? À quoi avez-vous pensé? À quoi tenaient ils? À quoi
ont-ils tenu? À quoi n'ont-ils pas eu droit? À quoi pensiez-vous?

32. *Répondez avec je sais:*

EXEMPLE: De quoi avez-vous besoin?
RÉPONSE: Je sais ce dont vous avez besoin.

De quoi ont-elles envie? De quoi s'est-il moqué? De quoi as-tu eu besoin? De
quoi aura-t-elle envie? De quoi se sont-ils occupés? De quoi t'es-tu occupé? De
▲ quoi s'occupe-t-elle?

24.9 Hypothèses : temps composés

On emploie le plus-que-parfait dans la proposition subordonnée et le passé du
conditionnel dans la proposition principale.

33. *Etudiez les phrases suivantes:*

Si elle avait été là, j'aurais été content.
Si elle avait été malade, il aurait eu peur.

S'il n'avait pas été malade, il n'aurait pas eu peur.

S'il n'avait pas été roi, il aurait été simple guerrier.

34. *Transformez au négatif avec* si, *selon l'exemple:*

EXEMPLE: Quand Clovis est devenu roi, il a retrouvé le guerrier.

RÉPONSE: Si Clovis n'était pas devenu roi, il n'aurait pas retrouvé le guerrier.

Quand Clovis a pris le vase, le guerrier l'a cassé. Quand Clovis a retrouvé le guerrier, il lui a tranché la tête. Quand Clovis lui a tranché la tête, il a prononcé un mot historique. Quand je suis allé en France, j'ai vu des cathédrales gothiques. Quand j'ai étudié l'art moderne, j'ai appris à l'aimer. Quand il est arrivé au paradis, il a vu un ange. Quand il a fait ce tableau, il a mis son seigneur en enfer.

24.10   Les fruits et les arbres fruitiers

35. *Répétez et étudiez:*

Le *cerisier* donne des *cerises.*   Le *pommier* donne des *pommes* [apples].

Le *rosier* produit des *roses.*   Le *poirier* donne des *poires* [pears].

L'*olivier* produit des *olives.*   Le *figuier* produit des *figues.*

▼ **36.** *Remplacez* **souviens-toi de** *par* **rappelle-toi:**

EXEMPLE: Souviens-toi du cerisier de Washington!

RÉPONSE: Rappelle-toi le cerisier de Washington.

Souviens-toi du rosier de tes parents! Souviens-toi des pommiers des Martin! Souviens-toi des figues du Portugal! Souvenez-vous des oliviers d'Espagne! Souvenez-vous des poires de notre poirier! Souvenez-vous du cerisier de mon

▲ jardin! Souvenez-vous de la plume de ma tante!

24.11   Un coup

37. *Répétez et étudiez les expressions suivantes:*

Il lui a donné un **coup de pied** [a kick].

un **coup de poing** [a blow of the fist].

un **coup de main** [a helping hand].

un **coup de téléphone** [a telephone call].

Il a jeté un **coup d'oeil** [a glance].

Il a eu un **coup de génie** [a bright idea, a stroke of genius].

La révolution s'est faite par un **coup d'État.**

Il lui a donné un **coup d'épée;** c'était le **coup de grâce** [mercy or finishing blow].

24.12   Les adverbes de lieu [place]

38.   *Étudiez les phrases suivantes:*

Est-ce qu'il se trouve **là-bas**?	[over there]
Non, il se trouve **ailleurs**.	[elsewhere]
Est-ce qu'il se trouve **devant**?	[in front]
Non, il se trouve **derrière**.	[behind]
Est-ce qu'il fait chaud **à l'intérieur**?	[inside]
Non, il fait chaud **dehors**.	[outside]
Est-ce que la poste est **du côté droit**?	[on the right]
Non, elle se trouve **du côté gauche**.	[on the left]
L'oiseau est **au-dessus**.	[above]
L'oiseau est sur l'arbre; il est **là-haut**.	[up there]
Moi, je suis sous l'arbre; je suis **au-dessous**.	[below]

39.   *Remplacez les adverbes **là** et **ailleurs** selon l'indication:*

EXEMPLE: Pourquoi là plutôt qu'ailleurs? (devant, derrière)
RÉPONSE: Pourquoi devant plutôt que derrière?

Pourquoi là plutôt qu'ailleurs? (à l'intérieur, dehors) . . . (dessus, dessous)? . . . (ici, là-bas)? . . . (avant, après)? . . . (à droite, à gauche)? . . . (du côté gauche, du côté droit)? . . . . (derrière, devant)?

24.13   Révision

▼ **40.**   *Mettez les phrases suivantes au négatif:*

EXEMPLE: Il le leur a raconté exprès.
RÉPONSE: Il ne le leur a pas raconté exprès.

Ils nous les ont donnés exprès. Elle le lui a dit exprès. On vous l'a annoncé exprès. Tu lui en as parlé exprès. Il en a mis exprès. On l'y a retrouvé exprès. Elle les y a apportés exprès.

41.   *Remplacez **appartenir à** par **faire partie de**:*

EXEMPLE: Ça appartient à la petite histoire.
RÉPONSE: Ça fait partie de la petite histoire.
EXEMPLE: Il appartenait au groupe.
RÉPONSE: Il faisait partie du groupe.

Ça appartient à la culture populaire. Ça appartenait au réalisme religieux. Ça a appartenu à l'art roman. Ça appartiendra à la nouvelle Europe. Elle appartenait à la haute société. Ce groupe appartenait à l'élite intellectuelle. Cette chanson appartient au folklore.

42. *Remplacez la deuxième personne du singulier par la deuxième personne du pluriel:*

EXEMPLE: Souviens-toi du vase de Soissons!
RÉPONSE: Souvenez-vous du vase de Soissons!

Habille-toi tout de suite! Rase-toi tout à l'heure! Lève-toi de bonne heure! Rappelle-toi cette histoire! Souviens-toi de cette histoire! Assieds-toi! Couche-toi!

43. *Transformez à l'affirmatif:*

EXEMPLE: Ne t'assieds pas!`
RÉPONSE: Assieds-toi!

Ne te couche pas! Ne t'habille pas! Ne t'ennuie pas! Ne te lève pas! Ne t'achète pas ce manteau! Ne vous achetez pas tous ces vêtements! Ne t'assieds pas dans ce fauteuil!

44. *Étudiez le tableau des pronoms interrogatif:*

	Forme brève		*Forme longue*	
	Personne	Chose	Personne	Chose
Sujet	Qui est là?	Que se passe-t-il?	Qui est-ce qui vous a parlé?	Qu'est-ce qui s'est passé?
Complément d'obj. direct	Qui y voyez-vous?	Que pensez-vous?	Qui est-ce que vous avez vu?	Qu'est-ce que vous avez vu?
Complément d'une préposition	À qui parlez-vous?	De quoi parlez-vous?	À qui est-ce que vous parlez?	De quoi est-ce que vous vous occupez?

45. QUESTIONS ET RÉPONSES

1. Qui a cassé le vase de Soissons? 2. Est-ce que le professeur soupçonne Bill? 3. Qu'est-ce qui est arrivé à Soissons après la bataille? 4. Qui était Clovis? 5. Est-ce que l'autre guerrier voulait bien laisser le vase à Clovis? 6. Quand Clovis lui a-t-il tranché la tête? 7. Pourquoi les enfants français connaissent-ils cette histoire? 8. Quelle histoire tous les enfants américains connaissent-ils?

46. TRADUCTIONS

1. We have to know this. 2. He cut off his head with a stroke of his sword. 3. He did not do anything. 4. Do you remember the story about George Washington and the cherry tree? 5. I

broke the vase, but I did not do it intentionally. 6. I knew her already (*plus-que-parfait*) when we talked to her, but I had not liked her (*plaire*). 7. He strikes me as intelligent but malicious at the same time. 8. I do not want you to imagine that modern art is the only art.

47. TRADUISEZ RAPIDEMENT

1. I did not do it intentionally. 2. If I had known her, I would not have done it. 3. What do you like? 4. Whom do you know here? 5. What happened? 6. Who came? 7. I know nothing about Gothic art. 8. He kicked me! 9. I gave him a helping hand. 10. He threw him a glance. 11. I'll give you a call (on the telephone).

24C

LECTURES

COMMENT CLOVIS FIT LA FRANCE

Préparation

1. Romulus et Rémus n'avaient pas de *berceau;*[1] ils *avaient tété*[2] le lait de la louve.[3] Ça s'est passé il y a longtemps: c'est l'histoire des siècles des *ténèbres*[4] dont nous ne savons rien de précis. À partir de[5] Clovis, on connaît beaucoup plus de détails historiques.

2. Il y a des gens qui croient qu'*il vaut mieux*[6] conserver nos légendes; ils pensent qu'un héros de la légende *vaut plus cher*[7] qu'un fait de l'histoire. Ils préfèrent les anciens *païens*[8] aux *chrétiens*[9] avec leurs *évêques*[10] qui demandent le *baptême*.[11] 3. *Or,*[12] il y a d'autres personnes qui préfèrent les faits, qui croient qu'un fait vaut mieux qu'une légende et qu'à *l'avenir*[13] les historiens ne *tarderont*[14] pas à remplacer les légendes par les faits.

4. Monsieur Cronosse raconte l'histoire de Clovis au jeune François et à Caroline. Les enfants posent beaucoup de *questions* à leur *maître*. Je dois vous prévenir qu'ils connaissent déjà l'histoire de Clovis, comme tout le monde *sauf* vous, n'est-ce pas? Ou est-ce que vous connaissez le *coup*[15] du vase de Soissons!

5. François et Caroline sont des enfants sages (= de bons enfants). Monsieur Cronosse est *sage* aussi, mais dans un sens différent.

---

[1] **le berceau** cradle.   [2] **téter** to suckle.   [3] **la louve** she-wolf.   [4] **les ténèbres**, *f. pl.* darkness.   [5] **à partir de** beginning with.   [6] **il vaut mieux** it is better.   [7] **vaut . . . cher** is worth more.   [8] **le païen** pagan.   [9] **le chrétien** Christian.   [10] **l'évêque**, *m.* bishop.   [11] **le baptême** baptism.   [12] **or** now (then).   [13] **à l'avenir** in the future.   [14] **tarder** to hesitate.   [15] **le coup** stroke, feat.

:20

Comment Clovis fit la France

Donc, pendant cinq siècles, la petite France au berceau avait tété le lait romain et elle va maintenant traverser cinq siècles de ténèbres. Pourtant, avec Clovis, elle avait eu un maître génial.

—Ah! Clovis! dit François. Alors, là, je vous arrête, Monsieur Cronosse. Je dois vous prévenir que vous ne pourrez plus nous raconter n'importe quoi.[16] À partir de Clovis, je sais des choses, en Histoire: "Dieu de Clotilde, si tu me donnes la victoire..." etc., etc.... Et puis le vase.

—Bon, dit Cronosse. Veux-tu que je passe tout de suite à Charlemagne?

—Donnez-nous quand même, dit François avec un sourire en coin, des nouvelles du baptême de Clovis, si vous y étiez.

—Ah! s'écria Caroline, très fière[17] de montrer sa science, le baptême! "Baisse la tête, fier Sicambre[18]..."

—Bien sûr, bien sûr, dit Cronosse. Mais vous ne vous êtes jamais demandé pourquoi Clovis s'était fait baptiser?

—Tiens, cette idée! dit Caroline. Parce qu'il était catholique.

—Évidemment, répondit Cronosse. Mais cette histoire que disait François tout à l'heure[19]: "Dieu de Clotilde, si tu me donnes la victoire, je croirai en toi," vous ne trouvez pas que cela ressemble un peu à un marché?[20] La vérité, voyez-vous, c'est que les évêques étaient très sages et très forts. De la belle organisation romaine, il ne restait qu'eux, et sans eux Clovis ne pouvait rien faire. Or il avait beaucoup à faire, car il n'était que le roi de Tournai, et il voulait sa place au soleil. Je dis bien au soleil, car son idée, c'était la vieille idée des barbares, de tous les géants pâles qui, de siècle en siècle, roulaient du Danube au Rhin et du Rhin sur notre pays, c'était l'antique nostalgie du soleil. Clovis voulait sa Méditerranée, et il en était loin, le petit roi de Tournai: les Burgondes et les Wisigoths, arrivés chez nous avant les Francs, avaient pris les places au soleil. Seulement, ces gens-là avaient tout pour eux, sauf un petit détail: ils étaient ariens.

—Qu'est-ce que ça veut dire, ça? demande François.

—Cela veut dire hérétiques.

—Mais Clovis, lui, il était païen, observa François. Est-ce qu'un païen valait plus cher qu'un hérétique?

—D'abord, je te ferai observer qu'il est plus facile de convertir un païen qu'un hérétique. Sans doute, au début, Clovis n'était qu'un petit païen de village, mais les évêques ne tardèrent pas à s'apercevoir[21] que ce jeune homme avait de l'avenir; parce que, non loin de Tournai, il y a Soissons.

---

[16]**n'importe quoi** just anything at all.   [17]**fier, fière** proud.   [18]**baisse... Sicambre** lower your head, proud Frankish warrior.   [19]**tout à l'heure** just now.   [20]**le marché** deal, bargain.   [21]**s'apercevoir** to notice.

—Le vase! s'écria Caroline. Le coup du vase de Soissons!

—Un coup de génie, dit Cronosse. Et Clovis n'avait que dix-neuf ans! Le jour où il abattit sa hache²² sur le crâne²³ du soldat insolent, il apparut clairement qu'il savait se faire respecter . . . et respecter les évêques. Et comme sa femme Clotilde, qui était une bonne chrétienne, n'arrêtait pas de le turlupiner²⁴ pour qu'il se fasse baptiser, il ne lui restait plus qu'à s'écrier, sur le champ de bataille²⁵ de . . . de . . .

—De Tolbiac, souffla²⁶ Caroline. Dieu de Clothilde . . . .

JEAN DUCHÉ
*L'Histoire de France
racontée à François et Caroline*
(Ed. G.P.), 1955, pp. 24–26.

QUESTIONS

1. Qu'est-ce que Clovis a dit sur le champ de bataille de Tolbiac? 2. Est-ce que la France était grande à l'époque de Clovis? 3. Les Ariens disaient que le Christ n'était pas divin, mais plutôt homme. Était-ce aussi l'idée de Clovis? Qu'est-ce que les évêques de l'Église pensaient des Ariens? Est-ce que leur attitude a aidé ou empêché le succès de Clovis? 4. Quand a eu lieu le baptême de Clovis? Pourquoi est-ce qu'on dit que cela faisait partie d'un "marché"? 5. Qui est Monsieur Cronosse? 6. Est-ce que le "coup du vase de Soissons" est important dans l'histoire de Clovis? Expliquez.

LE PETIT PRINCE

Préparation

1. Les *fauves* (= les animaux sauvages) *mâchent*¹ leur *proie*² dans la *forêt vierge.*³ *Du premier coup d'oeil*⁴ ils semblent satisfaits, mais attention: Ne vous mettez pas *à leur portée*⁵ car ils sont prêts à vous *avaler*, vous aussi! Si vous *vous égarez,*⁶ ne le faites pas dans la forêt vierge chez les fauves! Vous serez leur proie, et ce n'est pas là une *expérience*⁷ à faire: vous savez d'avance qu'ils vous avaleront et vous ne pourrez pas *bouger*! Il y a *des tas* (= beaucoup) de gens qui préféreraient mourir dans leur lit.

2. Est-ce que vous aimez ce *dessin?* Pour un enfant qui ne sait pas dessiner, c'est un *chef-d'oeuvre!*⁸ *À côté de* ce dessin, les autres ne valent pas grand'chose (= n'ont pas une grande valeur). *À mon tour*⁹ j'ai voulu l'imiter, sans succès (= sans réussir)! Dessiner, c'est très *utile.*¹⁰

3. *Vivre:* Il vit en France. Avant, il a *vécu* en Italie. *Lorsqu*'il (= quand il) y vivait, quelle belle vie c'était!

---

²²**abattit sa hache** brought down his ax.   ²³**le crâne** skull.   ²⁴**turlupiner** to bother, fuss at.   ²⁵**le champ de bataille** battlefield.   ²⁶**souffler** to prompt; to whisper.

¹**mâcher** to chew.   ²**la proie** prey.   ³**vierge** virgin.   ⁴**du . . . d'oeil** from the first glance.   ⁵**à leur portée** within their reach.   ⁶**s'égarer** to lose one's way.   ⁷**l'expérience,** *f.* experiment.   ⁸**le chef-d'oeuvre** masterpiece.   ⁹**à mon tour** in turn.   ¹⁰**utile** useful.

4. Je n'ai pas de chapeau! Ceci n'est pas un chapeau, c'est un éléphant.

5. Je vous explique la leçon pour que (= afin que) vous puissiez la comprendre. J'étudie la leçon pour (= afin de) la comprendre.

Le Petit Prince

Lorsque j'avais six ans j'ai vu, une fois, une magnifique image, dans un livre sur la Forêt Vierge qui s'appelait "Histoires vécues." Ça représentait un serpent boa qui avalait un fauve. Voilà la copie du dessin.

On disait dans le livre: "Les serpents boas avalent leur proie tout entière, sans la mâcher. Ensuite ils ne peuvent plus bouger et ils dorment pendant les six mois de leur digestion."

J'ai alors beaucoup réfléchi sur les aventures de la jungle et, à mon tour, j'ai réussi, avec un crayon de couleur, à tracer mon premier dessin. Mon dessin numéro 1. Il était comme ça.

J'ai montré mon chef-d'oeuvre aux grandes personnes et je leur ai demandé si mon dessin leur faisait peur.

Elles m'ont répondu: "Pourquoi un chapeau ferait-il peur?"

Mon dessin ne représentait pas un chapeau. Il représentait un serpent boa qui digérait[11] un éléphant. J'ai alors dessiné l'intérieur du serpent boa, afin que les grandes personnes puissent comprendre. Elles ont toujours besoin d'explications. Mon dessin numéro 2 était comme ça:

Les grandes personnes m'ont conseillé de laisser de côté les dessins de serpents boas ouverts ou fermés, et de m'intéresser plutôt à la géographie, à l'histoire, au calcul et à la grammaire. C'est ainsi que j'ai abandonné, à l'âge de six ans, une magnifique carrière de peintre. J'avais été découragé par l'insuccès de mon dessin numéro 1 et de mon dessin numéro 2. Les grandes personnes ne comprennent jamais rien toutes seules, et c'est fatigant, pour les enfants, de toujours leur donner des explications.

J'ai donc dû choisir un autre métier et j'ai appris à piloter des avions. J'ai volé un peu partout dans le monde. Et la géographie, c'est exact, m'a beaucoup servi. Je savais reconnaître, du premier coup d'oeil, la Chine de l'Arizona. C'est très utile, si l'on s'est égaré pendant la nuit.

J'ai ainsi eu, au cours de ma vie, des tas de contacts avec des tas de gens sérieux. J'ai beaucoup vécu chez les grandes personnes. Je les ai vues de très près. Ça n'a pas trop amélioré mon opinion.

Quand j'en rencontrais une qui me paraissait un peu lucide, je faisais l'expérience sur elle de mon dessin numéro 1 que j'ai toujours conservé. Je voulais savoir si elle était vraiment compréhensive.[12] Mais toujours elle me répondait: "C'est un chapeau." Alors je ne lui parlais ni de serpents boas, ni de forêts vierges, ni d'étoiles. Je me mettais à sa portée. Je lui parlais de bridge, de golf, de politique et de cravates. Et la grande personne était bien contente de connaître un homme aussi raisonnable.

ANTOINE DE SAINT EXUPÉRY
Le Petit Prince (Gallimard),
1946, pp. 9–11.

---

[11]**digérer** to digest. [12]**compréhensif, compréhensive** understanding.

QUESTIONS

1. Décrivez une expérience récente. 2. Quels animaux mâchent leur proie? 3. Comment vous mettez-vous à la portée de quelqu'un? 4. Définissez, selon l'auteur, les enfants et les grandes personnes. 5. Est-ce que vous partagez le point de vue de l'auteur? Expliquez.

LE SCHPOUNTZ

Préparation

1. Tout le monde veut être vedette de cinéma et paraître sur l'*écran*,[1] comme Raimu (grand acteur comique, qui est mort en 1946) et comme Charles Boyer, mais tout le monde n'est pas aussi beau que Charles Boyer: Si on a un nez gros *comme un boudin*[2], un cou maigre[3] (*un cou d'oiseau plumé*[4]) et des *pieds mal tournés* (= des pieds tournés *en dedans*[5]), on ne ressemble guère à Charles Boyer; mais on peut oublier tout cela et, avec un peu d'imagination . . .

2. Le Schpountz croit avoir une ressemblance *frappante*[6] avec un acteur, Raimu, par exemple. Il croit qu'il a sa voix, sa *façon* (= manière) de marcher et sa *bonté un peu bourrue*.[7]

3. Dans un hôtel, il y a des employés qui portent l'uniforme de la maison, par exemple le *portier* et le *chasseur*. Le portier ouvre la porte aux clients de l'hôtel ou du bar; le chasseur fait des commissions.[8]

4. Dans la scène qui suit, nous voyons le personnel de l'hôtel et celui d'une équipe qui tourne un film:

EDMOND, le chasseur du bar de l'hôtel	MARTELETTE, membre de l'équipe
LE BARMAN de l'hôtel	ASTRUC, opérateur de cinéma
LE PORTIER de l'hôtel	CHARLET, ingénieur du son
DROMART, directeur de cinéma	FRANÇOISE, secrétaire technique

Le Schpountz

LE BARMAN: Et qu'est-ce que c'est qu'un Schpountz?

ASTRUC: Tiens, il y a un Schpountz par ici?

CHARLET: Eh oui! Le chasseur vient de m'expliquer qu'il ressemble à Charles Boyer, et que si on lui donnait une chance pour paraître sur l'écran . . .

> *Devant les deux cents boîtes aux lettres de l'hôtel, le portier et le chasseur discutent.*

LE CHASSEUR: Celui à qui j'ai parlé, c'est celui des pantalons de golf.

LE PORTIER: C'est le directeur du film. Celui qui a des lunettes, il s'appelle Astruc, c'est l'opérateur. Le barbu,[9] c'est l'ingénieur du son. La demoiselle, c'est la . . . secrétaire technique.

---

[1]**l'écran,** *m.* screen. [2]**le boudin** blood sausage. [3]**cou maigre** scrawny neck. [4]**plumé** plucked. [5]**pieds . . . en dedans** pigeon-toed. [6]**frappant** striking. [7]**bonté . . . bourrue** grumpy kindness. [8]**la commission** errand. [9]**le barbu** one with a beard.

LE BARMAN (*de loin*): Edmond! Viens ici! Approche-toi, espèce d'imbécile![10] (LE CHASSEUR s'avance.) Tu t'es vu dans une glace,[11] dis, malheureux? Tu as un nez comme un boudin, tu as un cou d'oiseau plumé, l'oreille triste, les pieds en dedans, et tu te prends pour M. Charles Boyer?

LE CHASSEUR: C'est ma soeur qui m'a dit . . .

LE BARMAN: Allez, rompez.[12] Ça ne semble pas possible! Je ne m'étais jamais aperçu qu'il était idiot.

ASTRUC: Mais cher Monsieur, un Schpountz n'est pas un idiot! Un Schpountz raisonne parfaitement sur toutes choses, il vit comme tout le monde, il a même du bon sens—sauf en ce qui concerne le cinéma.

CHARLET: Une fois qu'il s'est mis dans la tête qu'il ressemble à un grand acteur, il le croira toute sa vie.

MARTELETTE: On peut leur faire toutes les blagues[13] possibles: ils ne comprennent jamais qu'on se moque d'eux.

LE BARMAN: Et vous en voyez beaucoup comme ça?

DROMART: Un ou deux par jour.

LE BARMAN: Quel malheur! Avouez[14] tout de même que si ça n'est pas des fous, c'est au moins des idiots!

FRANÇOISE: Pas du tout.

LE BARMAN: Mais enfin, mademoiselle, ce chasseur, qui va s'imaginer des choses pareilles! Encore, s'il avait le moindre petit point de ressemblance, si seulement il avait un air de famille avec M. Boyer, si seulement il avait quelque chose de son timbre de voix—comme moi par exemple, j'ai la voix de M. Raimu—je comprendrais! Mais rien, il n'a rien.

ASTRUC (*soudainement intéressé*): Tandis que vous, vous avez la voix de M. Raimu!

DROMART: Eh oui. Lui, il a la voix de M. Raimu!

LE BARMAN (*il montre l'ingénieur du son*): Monsieur l'a remarqué tout à l'heure. Je parlais avec monsieur, et vous m'avez écouté d'un drôle d'air.

DROMART: Parce que, en effet, vous avez la voix de M. Raimu.

MARTELETTE: C'est frappant.

LE BARMAN: Et je ne suis pas un Schpountz.

FRANÇOISE: Bien sûr que non!

LE BARMAN (*confidentiel*): D'ailleurs, ce n'est pas seulement la voix. Mais l'oeil . . . La façon de marcher . . . La bonté un peu bourrue . . .

CHARLET: Enfin tout, quoi!

MARCEL PAGNOL
Le Schpountz (Fasquelle), 1938, pp. 13–15.

---

[10]**espèce d'imbécile** idiot.   [11]**la glace** mirror.   [12]**rompez** (*here*) cut it out.   [13]**leur . . . blagues** tell them any kind of nonsense.   [14]**avouer** to admit.

QUESTIONS

1. Qui pense ressembler à un acteur au commencement de la scène? à la fin? 2. Est-ce que les autres le croient aussi? 3. Qu'est-ce que c'est qu'un Schpountz? 4. Est-ce qu'on trouve le mot dans le dictionnaire? 5. Est-ce que vous trouvez que l'humour français ressemble à l'humour américain? Expliquez votre réponse.

L'ÉTRANGER

Préparation

1. Les gens deviennent nerveux quand ils pensent à la mort. La seule vue d'une *bière*[1] supportée par des *chevalets*[2] rend les *vieillards*[3] nerveux. Cela les *impressionne*. Ils commencent à *bégayer*,[4] à se *tortiller*[5] la moustache. Ils commencent à parler si *bas*[6] que leurs paroles ressemblent au *jacassement assourdi de perruches*.[7]

2. L'étranger n'est pas nerveux. Il examine la bière, les *planches*[8] *passées au brou de noix*,[9] les *vis*[10] à peine *enfoncées*,[11] faciles à *dévisser* (= enlever). Il examine aussi l'*infirmière*[12] avec son *sarrau*[13] blanc et son *foulard*.[14]

3. Le matin on se réveille, si on a bien dormi. Une personne qui ne dort pas est éveillée; elle veille toute la nuit, parce qu'elle ne peut pas dormir. Quand on *veille* une personne *disparue* (morte), on le fait par respect et parce qu'on l'a connue *de son vivant* (= quand il vivait). On vit; on a vécu. On *meurt*. On dit: Un homme est mort; une femme est morte.

4. Les morts[15] sont *enterrés* (= mis en terre). La cérémonie s'appelle l'*enterrement*.

5. Il habite dans une chambre *meublée*.[16] Le toit couvre le *bâtiment; la cour*[17] est recouverte d'un toit en verre (une *verrière*). Une boîte a un *couvercle*[18] qui la couvre. Quand il fait froid, il faut bien se couvrir.

6. Souvent les vieillards habitent dans des maisons de santé[19] (= des maisons de repos). Ils sont *pensionnaires*[20] de la maison. Une telle maison est dirigée pas un *directeur* qui organise le *service*, c'est-à-dire les repas, le service des chambres, etc. Le *concierge*[21] aide le directeur à diriger la maison.

L'Étranger

Le directeur m'a encore parlé. Mais je ne l'écoutais presque plus. Puis il m'a dit: "Je suppose que vous voulez voir votre mère." Je me suis levé sans rien dire et il m'a expliqué: "Nous l'avons transportée dans

---

[1]**la bière** coffin. [2]**le chevalet** stand. [3]**les vieillards**, *m. pl.* old people. [4]**bégayer** to stammer. [5]**tortiller** to twist. [6]**bas** softly (low). [7]**jacassement . . . perruches** subdued chatter of parakeets. [8]**la planche** board. [9]**passées . . . noix** rubbed with walnut stain. [10]**la vis** screw. [11]**enfoncé** driven in. [12]**l'infirmière**, *f.* nurse. [13]**le sarrau** smock. [14]**le foulard** scarf. [15]**les morts**, *m. pl.* the dead. [16]**meublé** furnished. [17]**la cour** courtyard. [18]**le couvercle** cover. [19]**la maison de santé** nursing home. [20]**le pensionnaire** boarder. [21]**le concierge** caretaker, porter.

notre petite morgue. Pour ne pas impressionner les autres. Chaque fois qu'un pensionnaire meurt, les autres sont nerveux pendant deux ou trois jours. Et ça rend le service difficile." Nous avons traversé une cour où il y avait beaucoup de vieillards, bavardant par petits groupes. Ils se taisaient[22] quand nous passions. Et derrière nous, les conversations reprenaient. On aurait dit un jacassement assourdi de perruches. À la porte du petit bâtiment, le directeur m'a quitté: "Je vous laisse, monsieur Meursault. Je suis à votre disposition dans mon bureau. En principe, l'enterrement est fixé à dix heures du matin. Nous avons pensé que vous pourrez ainsi veiller la disparue. Un dernier mot: votre mère a, paraît-il, exprimé souvent à ses compagnons le désir d'être enterrée religieusement. J'ai pris sur moi de faire le nécessaire. Mais je voulais vous en informer." Je l'ai remercié.[23] Maman, sans être athée, n'avait jamais pensé de son vivant à la religion.

Je suis entré. C'était une salle très claire, blanchie à la chaux[24] et recouverte d'une verrière. Elle était meublée de chaises et de chevalets en forme de X. Deux d'entre eux, au centre, supportaient une bière recouverte de son couvercle. On voyait seulement des vis brillantes, à peine enfoncées, se détacher[25] sur les planches passées au brou de noix. Près de la bière, il y avait une infirmière arabe en sarrau blanc, un foulard de couleur vive sur la tête.

À ce moment, le concierge est entré derrière mon dos. Il avait dû courir. Il a bégayé un peu: "On l'a couverte, mais je dois dévisser la bière pour que vous puissiez la voir." Il s'approchait de la bière quand je l'ai arrêté. Il m'a dit: "Vous ne voulez pas?" J'ai répondu: "Non." Il s'est interrompu[26] et j'étais gêné[27] parce que je sentais que je n'aurais pas dû dire cela. Au bout d'un moment, il m'a regardé et il m'a demandé: "Pourquoi?" mais sans reproche, comme s'il s'informait. J'ai dit: "Je ne sais pas." Alors tortillant sa moustache blanche, il a déclaré sans me regarder: "Je comprends."

ALBERT CAMUS
L'Étranger (Gallimard), 1953, pp. 12–14.

QUESTIONS

1. Décrivez un enterrement. 2. Décrivez une maison de repos. 3. Commentez le détachement de l'étranger: Expliquez pourquoi Meursault est "étranger"; examinez ses rapports avec le directeur, avec sa mère, avec le monde. 4. Trouvez-vous des thèmes "existentialistes" dans cet épisode? Expliquez.

---

[22]**se taire** to stop talking. [23]**remercier** to thank. [24]**blanchi à la chaux** whitewashed. [25]**se détacher** to stand out. [26]**s'interrompre** to stop talking, interrupt oneself. [27]**gêné** embarrassed.

DIEU ET LA FRANCE

Dieu et la France

C'est embêtant,[1] dit Dieu. Quand il n'y aura plus ces Français,
Il y a des choses que je fais, il n'y aura plus personne pour les comprendre.
Peuple, les peuples de la terre te disent léger
Parce que tu es un peuple prompt.
Les peuples pharisiens[2] te disent léger
Parce que tu es un peuple vite.
Tu es arrivé avant que les autres soient partis.
Mais moi je t'ai pesé[3] dit Dieu, et je ne t'ai point trouvé léger.
Ô peuple inventeur de la cathédrale, je ne t'ai point trouvé léger en foi.[4]
Ô peuple inventeur de la croisade, je ne t'ai point trouvé léger en charité.
Quant à l'espérance, il vaut mieux ne pas en parler, il n'y en a que pour eux.
Tels sont nos Français, dit Dieu. Ils ne sont pas sans défauts.[5] Il s'en faut.[6] Ils ont même beaucoup de défauts.
Ils ont plus de défauts que les autres.
Mais avec tous leurs défauts, je les aime encore mieux que tous les autres avec censément[7] moins de défauts.
Je les aime comme ils sont.

CHARLES PÉGUY
Le Mystère des saints innocents,
Oeuvres poétiques complétes
(Gallimard), 1957, pp. 739–40.

QUESTIONS

1. Quelles sont les idées de Péguy sur les Français? 2. Est-ce que vous partagez ses idées? Expliquez. 3. Est-ce que vous avez changé vos idées sur la France pendant que vous suiviez ce cours? Comment?

---

[1]**embêtant** annoying. [2]**pharisien** self-righteous (like the Pharisees). [3]**peser** to weigh. [4]**la foi** faith. [5]**le défaut** fault. [6]**il s'en faut** far from it. [7]**censément** supposedly, practically.

Verb list

The basic forms of verbs occurring in parts A and B of each lesson are either listed in the following pages or conjugated like one of the prototypes in the list. They are numbered from 1 to 52. Regular -er verbs follow the prototype *parler*, verb 33. To find other verbs, consult the French-English vocabulary, which includes a reference to the prototype of each verb, e.g. *promettre* (29V) indicates that *promettre* is conjugated like *mettre*, verb 29 on the list.

The only pronominal (reflexive) verbs included are *s'asseoir*, verb 4, and *se lever*, verb 27. They are models for the use of other pronominal verbs.

The only compound forms included are the past infinitive and the *passé composé*. Other compound tenses can be formed with the appropriate form of *avoir or être* and a past participle:

Tense of *avoir* or *être*		Corresponding compound tense	Example
present	+ past participle	*passé composé*	j'ai parlé
imperfect	+ past participle	pluperfect	j'étais resté
future	+ past participle	future perfect	je serai venu
conditional	+ past participle	conditional perfect	j'aurais acheté
present subjunctive	+ past participle	past subjunctive	que j'aie fini

For the *passé simple*, see p. 323.
For agreement of the past participle, see pp. 127, 174, 311.

✓1. ACHETER

Présent (Indicatif)		Présent (Subjonctif)		Imparfait	
j'	achète	que j'	achète	j'	achetais
tu	achètes	que tu	achètes	tu	achetais
il	achète	qu'il	achète	il	achetait
nous	achetons	que nous	achetions	nous	achetions
vous	achetez	que vous	achetiez	vous	achetiez
ils	achètent	qu'ils	achètent	ils	achetaient

Infinitif			Participe
Présent: acheter	**Impératif** achète		*Présent:* achetant
Passé: avoir acheté	achetons		*Passé:* acheté, e
	achetez		
	Passé simple j'achetai		

Futur		Conditionnel		Passé composé		
j'	achèterai	j'	achèterais	j'	ai	acheté
tu	achèteras	tu	achèterais	tu	as	acheté
il	achètera	il	achèterait	il	a	acheté
nous	achèterons	nous	achèterions	nous	avons	acheté
vous	achèterez	vous	achèteriez	vous	avez	acheté
ils	achèteront	ils	achèteraient	ils	ont	acheté

✓2. ALLER

Présent (Indicatif)		Présent (Subjonctif)		Imparfait	
je	vais	que j'	aille	j'	allais
tu	vas	que tu	ailles	tu	allais
il	va	qu'il	aille	il	allait
nous	allons	que nous	allions	nous	allions
vous	allez	que vous	alliez	vous	alliez
ils	vont	qu'ils	aillent	ils	allaient

Infinitif			Participe
Présent: aller	**Impératif** va		*Présent:* allant
Passé: être allé	allons		*Passé:* allé, e
	allez		
	Passé simple j'allai		

Futur		Conditionnel		Passé composé		
j'	irai	j'	irais	je	suis	allé
tu	iras	tu	irais	tu	es	allé
il	ira	il	irait	il	est	allé
nous	irons	nous	irions	nous	sommes	allés
vous	irez	vous	iriez	vous	êtes	allé(s)
ils	iront	ils	iraient	ils	sont	allés

3. APPELER

Présent (Indicatif)		Présent (Subjonctif)		Imparfait	
j'	appelle	que j'	appelle	j'	appelais
tu	appelles	que tu	appelles	tu	appelais
il	appelle	qu'il	appelle	il	appelait
nous	appelons	que nous	appelions	nous	appelions
vous	appelez	que vous	appeliez	vous	appeliez
ils	appellent	qu'ils	appellent	ils	appelaient

Infinitif			Participe
Présent: appeler	**Impératif**	appelle	*Présent:* appelant
Passé: avoir appelé		appelons	*Passé:* appelé, e
		appelez	
	Passé simple	j'appelai	

Futur		Conditionnel		Passé composé		
j'	appellerai	j'	appellerais	j'	ai	appelé
tu	appelleras	tu	appellerais	tu	as	appelé
il	appellera	il	appellerait	il	a	appelé
nous	appellerons	nous	appellerions	nous	avons	appelé
vous	appellerez	vous	appelleriez	vous	avez	appelé
ils	appelleront	ils	appelleraient	ils	ont	appelé

4. S'ASSEOIR

Présent (Indicatif)			Présent (Subjonctif)			Imparfait		
je	m'	assieds	que je	m'	asseye	je	m'	asseyais
tu	t'	assieds	que tu	t'	asseyes	tu	t'	asseyais
il	s'	assied	qu'il	s'	asseye	il	s'	asseyait
nous	nous	asseyons	que nous	nous	asseyions	nous	nous	asseyions
vous	vous	asseyez	que vous	vous	asseyiez	vous	vous	asseyiez
ils	s'	asseyent	qu'ils	s'	asseyent	ils	s'	asseyaient

Infinitif			Participe
Présent: s'asseoir	**Impératif**	assieds-toi	*Présent:* s'asseyant
Passé: s'être assis		asseyons-nous	*Passé:* assis, e
		asseyez-vous	
	Passé simple	je m'assis	

Futur			Conditionnel			Passé composé			
je	m'	assiérai	je	m'	assiérais	je	me	suis	assis
tu	t'	assiéras	tu	t'	assiérais	tu	t'	es	assis
il	s'	assiéra	il	s'	assiérait	il	s'	est	assis
nous	nous	assiérons	nous	nous	assiérions	nous	nous	sommes	assis
vous	vous	assiérez	vous	vous	assiériez	vous	vous	êtes	assis
ils	s'	assiéront	ils	s'	assiéraient	ils	se	sont	assis

5. AVOIR

Présent (Indicatif)		Présent (Subjonctif)		Imparfait	
j'	ai	que j'	aie	j'	avais
tu	as	que tu	aies	tu	avais
il	a	qu'il	ait	il	avait
nous	avons	que nous	ayons	nous	avions
vous	avez	que vous	ayez	vous	aviez
ils	ont	qu'ils	aient	ils	avaient

Infinitif			Participe	
Présent: avoir	**Impératif**	aie	*Présent:* ayant	
Passé: avoir eu		ayons	*Passé:* eu, e	
		ayez		
	Passé simple	j'eus		

Futur		Conditionnel		Passé composé		
j'	aurai	j'	aurais	j'	ai	eu
tu	auras	tu	aurais	tu	as	eu
il	aura	il	aurait	il	a	eu
nous	aurons	nous	aurions	nous	avons	eu
vous	aurez	vous	auriez	vous	avez	eu
ils	auront	ils	auraient	ils	ont	eu

6. BATTRE

Présent (Indicatif)		Présent (Subjonctif)		Imparfait	
je	bats	que je	batte	je	battais
tu	bats	que tu	battes	tu	battais
il	bat	qu'il	batte	il	battait
nous	battons	que nous	battions	nous	battions
vous	battez	vous que	battiez	vous	battiez
ils	battent	qu'ils	battent	ils	battaient

Infinitif			Participe	
Présent: battre	**Impératif**	bats	*Présent:* battant	
Passé: avoir battu		battons	*Passé:* battu, e	
		battez		
	Passé simple	je battis		

Futur		Conditionnel		Passé composé		
je	battrai	je	battrais	j'	ai	battu
tu	battras	tu	battrais	tu	as	battu
il	battra	il	battrait	il	a	battu
nous	battrons	nous	battrions	nous	avons	battu
vous	battrez	vous	battriez	vous	avez	battu
ils	battront	ils	battraient	ils	ont	battu

7. BOIRE

Présent (Indicatif)	Présent (Subjonctif)	Imparfait
je bois	que je boive	je buvais
tu bois	que tu boives	tu buvais
il boit	qu'il boive	il buvait
nous buvons	que nous buvions	nous buvions
vous buvez	que vous buviez	vous buviez
ils boivent	qu'ils boivent	ils buvaient

Infinitif		Participe
Présent: boire	**Impératif** bois	*Présent:* buvant
Passé: avoir bu	buvons	*Passé:* bu, e
	buvez	
	Passé simple je bus	

Futur	Conditionnel	Passé composé
je boirai	je boirais	j' ai bu
tu boiras	tu boirais	tu as bu
il boira	il boirait	il a bu
nous boirons	nous boirions	nous avons bu
vous boirez	vous boiriez	vous avez bu
ils boiront	ils boiraient	ils ont bu

8. CONDUIRE

Présent (Indicatif)	Présent (Subjonctif)	Imparfait
je conduis	que je conduise	je conduisais
tu conduis	que tu conduises	tu conduisais
il conduit	qu'il conduise	il conduisait
nous conduisons	que nous conduisions	nous conduisions
vous conduisez	que vous conduisiez	vous conduisiez
ils conduisent	qu'ils conduisent	ils conduisaient

Infinitif		Participe
Présent: conduire	**Impératif** conduis	*Présent:* conduisant
Passé: avoir conduit	conduisons	*Passé:* conduit, e
	conduisez	
	Passé simple je conduisis	

Futur	Conditionnel	Passé composé
je conduirai	je conduirais	j' ai conduit
tu conduiras	tu conduirais	tu as conduit
il conduira	il conduirait	il a conduit
nous conduirons	nous conduirions	nous avons conduit
vous conduirez	vous conduiriez	vous avez conduit
ils conduiront	ils conduiraient	ils ont conduit

9. CONNAÎTRE

Présent (Indicatif)		Présent (Subjonctif)		Imparfait	
je	connais	que je	connaisse	je	connaissais
tu	connais	que tu	connaisses	tu	connaissais
il	connaît	qu'il	connaisse	il	connaissait
nous	connaissons	que nous	connaissions	nous	connaissions
vous	connaissez	que vous	connaissiez	vous	connaissiez
ils	connaissent	qu'ils	connaissent	ils	connaissaient

Infinitif			Participe
		Impératif connais	
Présent: connaître		connaissons	*Présent:* connaissant
Passé: avoir connu		connaissez	*Passé:* connu, e
		Passé simple je connus	

Futur		Conditionnel		Passé composé		
je	connaîtrai	je	connaîtrais	j'	ai	connu
tu	connaîtras	tu	connaîtrais	tu	as	connu
il	connaîtra	il	connaîtrait	il	a	connu
nous	connaîtrons	nous	connaîtrions	nous	avons	connu
vous	connaîtrez	vous	connaîtriez	vous	avez	connu
ils	connaîtront	ils	connaîtraient	ils	ont	connu

10. COUDRE

Présent (Indicatif)		Présent (Subjonctif)		Imparfait	
je	couds	que je	couse	je	cousais
tu	couds	que tu	couses	tu	cousais
il	coud	qu'il	couse	il	cousait
nous	cousons	que nous	cousions	nous	cousions
vous	cousez	que vous	cousiez	vous	vousiez
ils	cousent	qu'ils	cousent	ils	cousaient

Infinitif			Participe
		Impératif couds	
Présent: coudre		cousons	*Présent:* cousant
Passé: avoir cousu		cousez	*Passé:* cousu, e
		Passé simple je cousis	

Futur		Conditionnel		Passé composé		
je	coudrai	je	coudrais	j'	ai	cousu
tu	coudras	tu	coudrais	tu	as	cousu
il	coudra	il	coudrait	il	a	cousu
nous	coudrons	nous	coudrions	nous	avons	cousu
vous	coudrez	vous	coudriez	vous	avez	cousu
ils	coudront	ils	coudraient	ils	ont	cousu

11. COURIR

Présent (Indicatif)		Présent (Subjonctif)		Imparfait	
je	cours	que je	coure	je	courais
tu	cours	que tu	coures	tu	courais
il	court	qu'il	coure	il	courait
nous	courons	que nous	courions	nous	courions
vous	courez	que vous	couriez	vous	couriez
ils	courent	qu'ils	courent	ils	couraient

Infinitif			Participe
Présent: courir	**Impératif** cours	*Présent:* courant
Passé: avoir couru	courons	*Passé:* couru, e
	courez	
	Passé simple je courus	

Futur		Conditionnel		Passé composé		
je	courrai	je	courrais	j'	ai	couru
tu	courras	tu	courrais	tu	as	couru
il	courra	il	courrait	il	a	couru
nous	courrons	nous	courrions	nous	avons	couru
vous	courrez	vous	courriez	vous	avez	couru
ils	courront	ils	courraient	ils	ont	couru

12. CROIRE

Présent (Indicatif)		Présent (Subjonctif)		Imparfait	
je	crois	que je	croie	je	croyais
tu	crois	que tu	croies	tu	croyais
il	croit	qu'il	croie	il	croyait
nous	croyons	que nous	croyions	nous	croyions
vous	croyez	que vous	croyiez	vous	croyiez
ils	croient	qu'ils	croient	ils	croyaient

Infinitif			Participe
Présent: croire	**Impératif** crois	*Présent:* croyant
Passé: avoir cru	croyons	*Passé:* cru, e
	croyez	
	Passé simple je crus	

Futur		Conditionnel		Passé composé		
je	croirai	je	croirais	j'	ai	cru
tu	croiras	tu	croirais	tu	as	cru
il	croira	il	croirait	il	a	cru
nous	croirons	nous	croirions	nous	avons	cru
vous	croirez	vous	croiriez	vous	avez	cru
ils	croiront	ils	croiraient	ils	ont	cru

13. DEVOIR

Présent (Indicatif)		Présent (Subjonctif)		Imparfait	
je	dois	que je	doive	je	devais
tu	dois	que tu	doives	tu	devais
il	doit	qu'il	doive	il	devait
nous	devons	que nous	devions	nous	devions
vous	devez	que vous	deviez	vous	deviez
ils	doivent	qu'ils	doivent	ils	devaient

Infinitif	Impératif ———	Participe
Présent: devoir		*Présent:* devant
Passé: avoir dû		*Passé:* dû, due

Passé simple   je dus

Futur		Conditionnel		Passé composé		
je	devrai	je	devrais	j'	ai	dû
tu	devras	tu	devrais	tu	as	dû
il	devra	il	devrait	il	a	dû
nous	devrons	nous	devrions	nous	avons	dû
vous	devrez	vous	devriez	vous	avez	dû
ils	devront	ils	devraient	ils	ont	dû

14. DIRE

Présent (Indicatif)		Présent (Subjonctif)		Imparfait	
je	dis	que je	dise	je	disais
tu	dis	que tu	dises	tu	disais
il	dit	qu'il	dise	il	disait
nous	disons	que nous	disions	nous	disions
vous	dites	que vous	disiez	vous	disiez
ils	disent	qu'ils	disent	ils	disaient

Infinitif	Impératif	Participe
Présent: dire	dis	*Présent:* disant
Passé: avoir dit	disons	*Passé:* dit, e
	dites	

Passé simple   je dis

Futur		Conditionnel		Passé composé		
je	dirai	je	dirais	j'	ai	dit
tu	diras	tu	dirais	tu	as	dit
Il	dira	il	dirait	il	a	dit
nous	dirons	nous	dirions	nous	avons	dit
vous	direz	vous	diriez	vous	avez	dit
ils	diront	ils	diraient	ils	ont	dit

15. DORMIR

Présent (Indicatif)		Présent (Subjonctif)		Imparfait	
je	dors	que je	dorme	je	dormais
tu	dors	que tu	dormes	tu	dormais
il	dort	qu'il	dorme	il	dormait
nous	dormons	que nous	dormions	nous	dormions
vous	dormez	que vous	dormiez	vous	dormiez
ils	dorment	qu'ils	dorment	ils	dormaient

Infinitif			Participe
Présent: dormir	**Impératif** dors		*Présent:* dormant
Passé: avoir dormi	dormons		*Passé:* dormi, e
	dormez		
	Passé simple je dormis		

Futur		Conditionnel		Passé composé		
je	dormirai	je	dormirais	j'	ai	dormi
tu	dormiras	tu	dormirais	tu	as	dormi
il	dormira	il	dormirait	il	a	dormi
nous	dormirons	nous	dormirions	nous	avons	dormi
vous	dormirez	vous	dormiriez	vous	avez	dormi
ils	dormiront	ils	dormiraient	ils	ont	dormi

16. ÉCRIRE

Présent (Indicatif)		Présent (Subjonctif)		Imparfait	
j'	écris	que j'	écrive	j'	écrivais
tu	écris	que tu	écrives	tu	écrivais
il	écrit	qu'il	écrive	il	écrivait
nous	écrivons	que nous	écrivions	nous	écrivions
vous	écrivez	que vous	écriviez	vous	écriviez
ils	écrivent	qu'ils	écrivent	ils	écrivaient

Infinitif			Participe
Présent: écrire	**Impératif** écris		*Présent:* écrivant
Passé: avoir écrit	écrivons		*Passé:* écrit, e
	écrivez		
	Passé simple j'écrivis		

Futur		Conditionnel		Passé composé		
j'	écrirai	j'	écrirais	j'	ai	écrit
tu	écriras	tu	écrirais	tu	as	écrit
il	écrira	il	écrirait	il	a	écrit
nous	écrirons	nous	écririons	nous	avons	écrit
vous	écrirez	vous	écririez	vous	avez	écrit
ils	écriront	ils	écriraient	ils	ont	écrit

17. ENNUYER

Présent (Indicatif)	Présent (Subjonctif)	Imparfait
j' ennuie	que j' ennuie	j' ennuyais
tu ennuies	que tu ennuies	tu ennuyais
il ennuie	qu'il ennuie	il ennuyait
nous ennuyons	que nous ennuyions	nous ennuyions
vous ennuyez	que vous ennuyiez	vous ennuyiez
ils ennuient	qu'ils ennuient	ils ennuyaient

Infinitif		Participe
Présent: ennuyer	**Impératif** ennuie	*Présent:* ennuyant
Passé: avoir ennuyé	ennuyons	*Passé:* ennuyé, e
	ennuyez	
	Passé simple j'ennuyai	

Futur	Conditionnel	Passé composé
j' ennuierai	j' ennuierais	j' ai ennuyé
tu ennuieras	tu ennuierais	tu as ennuyé
il ennuiera	il ennuierait	il a ennuyé
nous ennuierons	nous ennuierions	nous avons ennuyé
vous ennuierez	vous ennuieriez	vous avez ennuyé
ils ennuieront	ils ennuieraient	ils ont ennuyé

18. ENTENDRE

Présent (Indicatif)	Présent (Subjonctif)	Imparfait
j' entends	que j' entende	j' entendais
tu entends	que tu entendes	tu entendais
il entend	qu'il entende	il entendait
nous entendons	que nous entendions	nous entendions
vous entendez	que vous entendiez	vous entendiez
ils entendent	qu'ils entendent	ils entendaient

Infinitif		Participe
Présent: entendre	**Impératif** entends	*Présent:* entendant
Passé: avoir entendu	entendons	*Passé:* entendu, e
	entendez	
	Passé simple j'entendis	

Futur	Conditionnel	Passé composé
j' entendrai	j' entendrais	j' ai entendu
tu entendras	tu entendrais	tu as entendu
il entendra	il entendrait	il a entendu
nous entendrons	nous entendrions	nous avons entendu
vous entendrez	vous entendriez	vous avez entendu
ils entendront	ils entendraient	ils ont entendu

19. ENVOYER

Présent (Indicatif)		Présent (Subjonctif)		Imparfait	
j'	envoie	que j'	envoie	j'	envoyais
tu	envoies	que tu	envoies	tu	envoyais
il	envoie	qu'il	envoie	il	envoyait
nous	envoyons	que nous	envoyions	nous	envoyions
vous	envoyez	que vous	envoyiez	vous	envoyiez
ils	envoient	qu'ils	envoient	ils	envoyaient

Infinitif	Impératif	Participe
Présent: envoyer	envoie	*Présent:* envoyant
Passé: avoir envoyé	envoyons	*Passé:* envoyé, e
	envoyez	

Passé simple   j'envoyai

Futur		Conditionnel		Passé composé		
j'	enverrai	j'	enverrais	j'	ai	envoyé
tu	enverras	tu	enverrais	tu	as	envoyé
il	enverra	il	enverrait	il	a	envoyé
nous	enverrons	nous	enverrions	nous	avons	envoyé
vous	enverrez	vous	enverriez	vous	avez	envoyé
ils	enverront	ils	enverraient	ils	out	envoyé

20. ESPÉRER

Présent (Indicatif)		Présent (Subjonctif)		Imparfait	
j'	espère	que j'	espère	j'	espérais
tu	espères	que tu	espères	tu	espérais
il	espère	qu'il	espère	il	espérait
nous	espérons	que nous	espérions	nous	espérions
vous	espérez	que vous	espériez	vous	espériez
ils	espèrent	qu'ils	espèrent	ils	espéraient

Infinitif	Impératif	Participe
Présent: espérer	espère	*Présent:* espérant
Passé: avoir espéré	espérons	*Passé:* espéré, e
	espérez	

Passé simple   j'espérai

Futur		Conditionnel		Passé composé		
j'	espérerai	j'	espérerais	j'	ai	espéré
tu	espéreras	tu	espérerais	tu	as	espéré
il	espérera	il	espérerait	il	a	espéré
nous	espérerons	nous	espérerions	nous	avons	espéré
vous	espérerez	vous	espéreriez	vous	avez	espéré
ils	espéreront	ils	espéreraient	ils	ont	espéré

21. ÊTRE

Présent (Indicatif)		Présent (Subjonctif)		Imparfait	
je	suis	que je	sois	j'	étais
tu	es	que tu	sois	tu	étais
il	est	qu'il	soit	il	était
nous	sommes	que nous	soyons	nous	étions
vous	êtes	que vous	soyez	vous	étiez
ils	sont	qu'ils	soient	ils	étaient

Infinitif	Impératif		Participe
Présent: être	**Impératif**	sois	*Présent:* étant
Passé: avoir été		soyons	*Passé:* été
		soyez	

Passé simple   je fus

Futur		Conditionnel		Passé composé		
je	serai	je	serais	j'	ai	été
tu	seras	tu	serais	tu	as	été
il	sera	ils	serait	il	a	été
nous	serons	nous	serions	nous	avons	été
vous	serez	vous	seriez	vous	avez	été
ils	seront	ils	seraient	ils	ont	été

22. ÉTUDIER

Présent (Indicatif)		Présent (Subjonctif)		Imparfait	
j'	étudie	que j'	étudie	j'	étudiais
tu	étudies	que tu	étudies	tu	étudiais
il	étudie	qu'il	étudie	il	étudiait
nous	étudions	que nous	étudiions	nous	étudiions
vous	étudiez	que vous	étudiiez	vous	étudiiez
ils	étudient	qu'ils	étudient	ils	étudiaient

Infinitif	Impératif		Participe
Présent: étudier	**Impératif**	étudie	*Présent:* étudiant
Passé: avoir étudié		étudions	*Passé:* étudié, e
		étudiez	

Passé simple   j'étudiai

Futur		Conditionnel		Passé composé		
j'	étudierai	j'	étudierais	j'	ai	étudié
tu	étudieras	tu	étudierais	tu	as	étudié
il	étudiera	il	étudierait	il	a	étudié
nous	étudierons	nous	étudierions	nous	avons	étudié
vous	étudierez	vous	étudieriez	vous	avez	étudié
ils	étudieront	ils	étudieraient	ils	ont	étudié

23. EXTRAIRE

Présent (Indicatif)	Présent (Subjonctif)	Imparfait
j' extrais	que j' extraie	j' extrayais
tu extrais	que tu extraies	tu extrayais
il extrait	qu'il extraie	il extrayait
nous extrayons	que nous extrayions	nous extrayions
vous extrayez	que vous extrayiez	vous extrayiez
ils extraient	qu'ils extraient	ils extrayaient

Infinitif	Impératif	Participe
Présent: extraire	extrais	*Présent:* extrayant
Passé: avoir extrait	extrayons	*Passé:* extrait, e
	extrayez	

Passé simple ———

Futur	Conditionnel	Passé composé
j' extrairai	j' extrairais	j' ai extrait
tu extrairas	tu extrairais	tu as extrait
il extraira	il extrairait	il a extrait
nous extrairons	nous extrairions	nous avons extrait
vous extrairez	vous extrairiez	vous avez extrait
ils extrairont	ils extrairaient	ils ont extrait

24. FAIRE

Présent (Indicatif)	Présent (Subjonctif)	Imparfait
je fais	que je fasse	je faisais
tu fais	que tu fasses	tu faisais
il fait	qu'il fasse	il faisait
nous faisons	que nous fassions	nous faisions
vous faites	que vous fassiez	vous faisiez
ils font	qu'ils fassent	ils faisaient

Infinitif	Impératif	Participe
Présent: faire	fais	*Présent:* faisant
Passé: avoir fait	faisons	*Passé:* fait, e
	faites	

Passé simple   je fis

Futur	Conditionnel	Passé composé
je ferai	je ferais	j' ai fait
tu feras	tu ferais	tu as fait
il fera	il ferait	il a fait
nous ferons	nous ferions	nous avons fait
vous ferez	vous feriez	vous avez fait
ils feront	ils feraient	ils ont fait

25. FALLOIR

Présent (Indicatif)	Présent (Subjonctif)	Imparfait
il faut	qu'il faille	il fallait

Infinitif		Participe
falloir	**Impératif** ———	*Passé:* fallu
	Passé simple il fallut	

Futur	Conditionnel	Passé composé
il faudra	il faudrait	il a fallu

26. FINIR

Présent (Indicatif)	Présent (Subjonctif)	Imparfait
je finis	que je finisse	je finissais
tu finis	que tu finisses	tu finissais
il finit	qu'il finisse	il finissait
nous finissons	que nous finissions	nous finissions
vous finissez	que vous finissiez	vous finissiez
ils finissent	qu'ils finissent	ils finissaient

Infinitif		Participe
Présent: finir	**Impératif** finis	*Présent:* finissant
Passé: avoir fini	finissons	*Passé:* fini, e
	finissez	
	Passé simple je finis	

Futur	Conditionnel	Passé composé
je finirai	je finirais	j' ai fini
tu finiras	tu finirais	tu as fini
il finira	il finirait	il a fini
nous finirons	nous finirions	nous avons fini
vous finirez	vous finiriez	vous avez fini
ils finiront	ils finiraient	ils ont fini

27. SE LEVER

	Présent (Indicatif)	
je	me	lève
tu	te	lèves
il	se	lève
nous	nous	levons
vous	vous	levez
ils	se	lèvent

	Présent (Subjonctif)	
que je	me	lève
que tu	te	lèves
qu'il	se	lève
que nous	nous	levions
que vous	vous	leviez
qu'ils	se	lèvent

	Imparfait	
je	me	levais
tu	te	levais
il	se	levait
nous	nous	levions
vous	vous	leviez
ils	se	levaient

Infinitif

Présent: se lever
Passé: s'être levé

Impératif lève-toi
levons-nous
levez-vous

Passé simple je me levai

Participe

Présent: se levant
Passé: s'étant levé, e

	Futur	
je	me	lèverai
tu	te	lèveras
il	se	lèvera
nous	nous	lèverons
vous	vous	lèverez
ils	se	lèveront

	Conditionnel	
je	me	lèverais
tu	te	lèverais
il	se	lèverait
nous	nous	lèverions
vous	vous	lèveriez
ils	se	lèveraient

	Passé composé	
je	me suis	levé
tu	t'es	levé
il	s'est	levé
nous	nous sommes	levés
vous	vous êtes	levé(s)
ils	se sont	levés

28. LIRE

	Présent (Indicatif)
je	lis
tu	lis
il	lit
nous	lisons
vous	lisez
ils	lisent

	Présent (Subjonctif)
que je	lise
que tu	lises
qu'il	lise
que nous	lisions
que vous	lisiez
qu'ils	lisent

	Imparfait
je	lisais
tu	lisais
il	lisait
nous	lisions
vous	lisiez
ils	lisaient

Infinitif

Présent: lire
Passé: avoir lu

Impératif lis
lisons
lisez

Passé simple je lus

Participe

Présent: lisant
Passé: lu, e

	Futur
je	lirai
tu	liras
il	lira
nous	lirons
vous	lirez
ils	liront

	Conditionnel
je	lirais
tu	lirais
il	lirait
nous	lirions
vous	liriez
ils	liraient

	Passé composé	
j'	ai	lu
tu	as	lu
il	a	lu
nous	avons	lu
vous	avez	lu
ils	ont	lu

29. METTRE

Présent (Indicatif)		Présent (Subjonctif)		Imparfait	
je	mets	que je	mette	je	mettais
tu	mets	que tu	mettes	tu	mettais
il	met	qu'il	mette	il	mettait
nous	mettons	que nous	mettions	nous	mettions
vous	mettez	que vous	mettiez	vous	mettiez
ils	mettent	qu'ils	mettent	ils	mettaient

Infinitif				Participe	
Présent: mettre		**Impératif**	mets	*Présent:* mettant	
Passé: avoir mis			mettons	*Passé:* mis, e	
			mettez		
		Passé simple	je mis		

Futur		Conditionnel		Passé composé		
je	mettrai	je	mettrais	j'	ai	mis
tu	mettras	tu	mettrais	tu	as	mis
il	mettra	il	mettrait	il	a	mis
nous	mettrons	nous	mettrions	nous	avons	mis
vous	mettrez	vous	mettriez	vous	avez	mis
ils	mettront	ils	mettraient	ils	ont	mis

30. MOURIR

Présent (Indicatif)		Présent (Subjonctif)		Imparfait	
je	meurs	que je	meure	je	mourais
tu	meurs	que tu	meures	tu	mourais
il	meurt	qu'il	meure	il	mourait
nous	mourons	que nous	mourions	nous	mourions
vous	mourez	que vous	mouriez	vous	mouriez
ils	meurent	qu'ils	meurent	ils	mouraient

Infinitif				Participe	
Présent: mourir		**Impératif**	meurs	*Présent:* mourant	
Passé: être mort			mourons	*Passé:* mort, e	
			mourez		
		Passé simple	je mourus		

Futur		Conditionnel		Passé composé		
je	mourrai	je	mourrais	je	suis	mort
tu	mourras	tu	mourrais	tu	es	mort
il	mourra	il	mourrait	il	est	mort
nous	mourrons	nous	mourrions	nous	sommes	morts
vous	mourrez	vous	mourriez	vous	êtes	mort(s)
ils	mourront	ils	mourraient	ils	sont	morts

31. NAÎTRE

Présent (Indicatif)		Présent (Subjonctif)		Imparfait	
je	nais	que je	naisse	je	naissais
tu	nais	que tu	naisses	tu	naissais
il	naît	qu'il	naisse	il	naissait
nous	naissons	que nous	naissions	nous	naissions
vous	naissez	que vous	naissiez	vous	naissiez
ils	naissent	qu'ils	naissent	ils	naissaient

Infinitif			Participe
Présent: naître	**Impératif**	nais	*Présent:* naissant
Passé: être né		naissons	*Passé:* né, e
		naissez	
	Passé simple	je naquis	

Futur		Conditionnel		Passé composé		
je	naîtrai	je	naîtrais	je	suis	né
tu	naîtras	tu	naîtrais	tu	es	né
il	naîtra	il	naîtrait	il	est	né
nous	naîtrons	nous	naîtrions	nous	sommes	nés
vous	naîtrez	vous	naîtriez	vous	êtes	né(s)
ils	naîtront	ils	naîtraient	ils	sont	nés

32. OUVRIR

Présent (Indicatif)		Présent (Subjonctif)		Imparfait	
j'	ouvre	que j'	ouvre	j'	ouvrais
tu	ouvres	que tu	ouvres	tu	ouvrais
il	ouvre	qu'il	ouvre	il	ouvrait
nous	ouvrons	que nous	ouvrions	nous	ouvrions
vous	ouvrez	que vous	ouvriez	vous	ouvriez
ils	ouvrent	qu'ils	ouvrent	ils	ouvraient

Infinitif			Participe
Présent: ouvrir	**Impératif**	ouvre	*Présent:* ouvrant
Passé: avoir ouvert		ouvrons	*Passé:* ouvert, e
		ouvrez	
	Passé simple	j'ouvris	

Futur		Conditionnel		Passé composé		
j'	ouvrirai	j'	ouvrirais	j'	ai	ouvert
tu	ouvriras	tu	ouvrirais	tu	as	ouvert
Il	ouvrira	il	ouvrirait	il	a	ouvert
nous	ouvrirons	nous	ouvririons	nous	avons	ouvert
vous	ouvrirez	vous	ouvririez	vous	avez	ouvert
ils	ouvriront	ils	ouvriraient	ils	ont	ouvert

33. PARLER

Présent (Indicatif)		Présent (Subjonctif)		Imparfait	
je	parle	que je	parle	je	parlais
tu	parles	que tu	parles	tu	parlais
il	parle	qu'il	parle	il	parlait
nous	parlons	que nous	parlions	nous	parlions
vous	parlez	que vous	parliez	vous	parliez
ils	parlent	qu'ils	parlent	ils	parlaient

Infinitif			Participe
Présent: parler	**Impératif**	parle	*Présent:* parlant
Passé: avoir parlé		parlons	*Passé:* parlé, e
		parlez	
	Passé simple	je parlai	

Futur		Conditionnel		Passé composé		
je	parlerai	je	parlerais	j'	ai	parlé
tu	parleras	tu	parlerais	tu	as	parlé
il	parlera	il	parlerait	il	a	parlé
nous	parlerons	nous	parlerions	nous	avons	parlé
vous	parlerez	vous	parleriez	vous	avez	parlé
ils	parleront	ils	parleraient	ils	ont	parlé

34. PLACER

Présent (Indicatif)		Présent (Subjonctif)		Imparfait	
je	place	que je	place	je	plaçais
tu	places	que tu	places	tu	plaçais
Il	place	qu'il	place	il	plaçait
nous	plaçons	que nous	placions	nous	placions
vous	placez	que vous	placiez	vous	placiez
ils	placent	qu'ils	placent	ils	plaçaient

Infinitif			Participe
Présent: placer	**Impératif**	place	*Présent:* plaçant
Passé: avoir placé		plaçons	*Passé:* placé, e
		placez	
	Passé simple	je plaçai	

Futur		Conditionnel		Passé composé		
je	placerai	je	placerais	j'	ai	placé
tu	placeras	tu	placerais	tu	as	placé
il	placera	il	placerait	il	a	placé
nous	placerons	nous	placerions	nous	avons	placé
vous	placerez	vous	placeriez	vous	avez	placé
ils	placeront	ils	placeraient	ils	ont	placé

35. PLAIRE

Présent (Indicatif)		Présent (Subjonctif)		Imparfait	
je	plais	que je	plaise	je	plaisais
tu	plais	que tu	plaises	tu	plaisais
il	plait	qu'il	plaise	il	plaisait
nous	plaisons	que nous	plaisions	nous	plaisions
vous	plaisez	que vous	plaisiez	vous	plaisiez
ils	plaisent	qu'ils	plaisent	ils	plaisaient

Infinitif			Participe
Présent: plaire	**Impératif** plais		*Présent:* plaisant
Passé: avoir plu	plaisons		*Passé:* plu, e
	plaisez		
	Passé simple je plus		

Futur		Conditionnel		Passé composé		
je	plairai	je	plairais	j'	ai	plu
tu	plairas	tu	plairais	tu	as	plu
il	plaira	il	plairait	il	a	plu
nous	plairons	nous	plairions	nous	avons	plu
vous	plairez	vous	plairiez	vous	avez	plu
ils	plairont	ils	plairaient	ils	ont	plu

36. PLEUVOIR

Présent (Indicatif)	Présent (Subjonctif)	Imparfait
il pleut	qu'il pleuve	il pleuvait

Infinitif		Participe
Présent: pleuvoir	**Impératif** ———	*Présent:* pleuvant
Passé: avoir plu		*Passé:* plu
	Passé simple il plut	

Futur	Conditionnel	Passé composé
il pleuvra	il pleuvrait	il a plu

37. POUVOIR

Présent (Indicatif)		Présent (Subjonctif)		Imparfait	
je	peux (puis)	que je	puisse	je	pouvais
tu	peux	que tu	puisses	tu	pouvais
il	peut	qu'il	puisse	il	pouvait
nous	pouvons	que nous	puissions	nous	pouvions
vous	pouvez	que vous	puissiez	vous	pouviez
ils	peuvent	qu'ils	puissent	ils	pouvaient

Infinitif

Présent: pouvoir
Passé: avoir pu

Impératif ———

Passé simple   je pus

Participe

Présent: pouvant
Passé: pu

Futur		Conditionnel		Passé composé		
je	pourrai	je	pourrais	j'	ai	pu
tu	pourras	tu	pourrais	tu	as	pu
il	pourra	il	pourrait	il	a	pu
nous	pourrons	nous	pourrions	nous	avons	pu
vous	pourrez	vous	pourriez	vous	avez	pu
ils	pourront	ils	pourraient	ils	ont	pu

38. PRENDRE

Présent (Indicatif)		Présent (Subjonctif)		Imparfait	
je	prends	que je	prenne	je	prenais
tu	prends	que tu	prennes	tu	prenais
il	prend	qu'il	prenne	il	prenait
nous	prenons	que nous	prenions	nous	prenions
vous	prenez	que vous	preniez	vous	preniez
ils	prennent	qu'ils	prennent	ils	prenaient

Infinitif

Présent: prendre
Passé: avoir pris

Impératif   prends
prenons
prenez

Passé simple   je pris

Participe

Présent: prenant
Passé: pris, e

Futur		Conditionnel		Passé composé		
je	prendrai	je	prendrais	j'	ai	pris
tu	prendras	tu	prendrais	tu	as	pris
il	prendra	il	prendrait	il	a	pris
nous	prendrons	nous	prendrions	nous	avons	pris
vous	prendrez	vous	prendriez	vous	avez	pris
ils	prendront	ils	prendraient	ils	ont	pris

39. RECEVOIR

Présent (Indicatif)		Présent (Subjonctif)		Imparfait	
je	reçois	que je	reçoive	je	recevais
tu	reçois	que tu	reçoives	tu	recevais
il	reçoit	qu'il	reçoive	il	recevait
nous	recevons	que nous	recevions	nous	recevions
vous	recevez	que vous	receviez	vous	receviez
ils	reçoivent	qu'ils	reçoivent	ils	recevaient

Infinitif

Présent: recevoir
Passé: avoir reçu

Impératif   reçois
recevons
recevez

Passé simple   je reçus

Participe

Présent: recevant
Passé: reçu, e

Futur		Conditionnel		Passé composé		
je	recevrai	je	recevrais	j'	ai	reçu
tu	recevras	tu	recevrais	tu	as	reçu
il	recevra	il	recevrait	il	a	reçu
nous	recevrons	nous	recevrions	nous	avons	reçu
vous	recevrez	vous	recevriez	vous	avez	reçu
ils	recevront	ils	recevraient	ils	ont	reçu

40. RÉPÉTER

Présent (Indicatif)		Présent (Subjonctif)		Imparfait	
je	répète	que je	répète	je	répétais
tu	répètes	que tu	répètes	tu	répétais
il	répète	qu'il	répète	il	répétait
nous	répétons	que nous	répétions	nous	répétions
vous	répétez	que vous	répétiez	vous	répétiez
ils	répètent	qu'ils	répètent	ils	répétaient

Infinitif

Présent: répéter
Passé: avoir répété

Impératif   répète
répétons
répétez

Passé simple   je répétai

Participe

Présent: répétant
Passé: répété, e

Futur		Conditionnel		Passé composé		
je	répéterai	je	répéterais	j'	ai	répété
tu	répéteras	tu	répéterais	tu	as	répété
il	répétera	il	répéterait	il	a	répété
nous	répéterons	nous	répéterions	nous	avons	répété
vous	répéterez	vous	répéteriez	vous	avez	répété
ils	répéteront	ils	répéteraient	ils	ont	répété

41. RIRE

Présent (Indicatif)		Présent (Subjonctif)		Imparfait	
je	ris	que je	rie	je	riais
tu	ris	que tu	ries	tu	riais
il	rit	qu'il	rie	il	riait
nous	rions	que nous	riions	nous	riions
vous	riez	que vous	riiez	vous	riiez
ils	rient	qu'ils	rient	ils	riaient

Infinitif

Présent: rire
Passé: avoir ri

Impératif   ris
rions
riez

Passé simple   je ris

Participe

Présent: riant
Passé: ri

Futur		Conditionnel		Passé composé		
je	rirai	je	rirais	j'	ai	ri
tu	riras	tu	rirais	tu	as	ri
il	rira	il	rirait	il	a	ri
nous	rirons	nous	ririons	nous	avons	ri
vous	rirez	vous	ririez	vous	avez	ri
ils	riront	ils	riraient	ils	ont	ri

42. SAVOIR

Présent (Indicatif)		Présent (Subjonctif)		Imparfait	
je	sais	que je	sache	je	savais
tu	sais	que tu	saches	tu	savais
il	sait	qu'il	sache	il	savait
nous	savons	que nous	sachions	nous	savions
vous	savez	que vous	sachiez	vous	saviez
ils	savent	qu'ils	sachent	ils	savaient

Infinitif

Présent: savoir
Passé: avoir su

Impératif   sache
sachons
sachez

Passé simple   je sus

Participe

Présent: sachant
Passé: su, e

Futur		Conditionnel		Passé composé		
je	saurai	je	saurais	j'	ai	su
tu	sauras	tu	saurais	tu	as	su
il	saura	il	saurait	il	a	su
nous	saurons	nous	saurions	nous	avons	su
vous	saurez	vous	sauriez	vous	avez	su
ils	sauront	ils	sauraient	ils	ont	su

43. SERVIR

Présent (Indicatif)		Présent (Subjonctif)		Imparfait	
je	sers	que je	serve	je	servais
tu	sers	que tu	serves	tu	servais
il	sert	qu'il	serve	il	servait
nous	servons	que nous	servions	nous	servions
vous	servez	que vous	serviez	vous	serviez
ils	servent	qu'ils	servent	ils	servaient

Infinitif		Participe

Présent: servir

Passé: avoir servi

Impératif	sers
	servons
	servez

Présent: servant

Passé: servi, e

Passé simple	je servis

Futur		Conditionnel		Passé composé		
je	servirai	je	servirais	j'	ai	servi
tu	serviras	tu	servirais	tu	as	servi
il	servira	il	servirait	il	a	servi
nous	servirons	nous	servirions	nous	avons	servi
vous	servirez	vous	serviriez	vous	avez	servi
ils	serviront	ils	serviraient	ils	ont	servi

44. SORTIR

Présent (Indicatif)		Présent (Subjonctif)		Imparfait	
je	sors	que je	sorte	je	sortais
tu	sors	que tu	sortes	tu	sortais
il	sort	qu'il	sorte	il	sortait
nous	sortons	que nous	sortions	nous	sortions
vous	sortez	que vous	sortiez	vous	sortiez
ils	sortent	qu'ils	sortent	ils	sortaient

Infinitif		Participe

Présent: sortir

Passé: être sorti

Impératif	sors
	sortons
	sortez

Présent: sortant

Passé: sorti, e

Passé simple	je sortis

Futur		Conditionnel		Passé composé		
je	sortirai	je	sortirais	je	suis	sorti
tu	sortiras	tu	sortirais	tu	es	sorti
il	sortira	il	sortirait	il	est	sorti
nous	sortirons	nous	sortirions	nous	sommes	sortis
vous	sortirez	vous	sortiriez	vous	êtes	sorti(s)
ils	sortiront	ils	sortiraient	ils	sont	sortis

45. SUIVRE

Présent (Indicatif)		Présent (Subjonctif)		Imparfait	
je	suis	que je	suive	je	suivais
tu	suis	que tu	suives	tu	suivais
il	suit	qu'il	suive	il	suivait
nous	suivons	que nous	suivions	nous	suivions
vous	suivez	que vous	suiviez	vous	suiviez
ils	suivent	qu'ils	suivent	ils	suivaient

Infinitif			Participe	
Présent: suivre	**Impératif**	suis	*Présent:* suivant	
Passé: avoir suivi		suivons	*Passé:* suivi, e	
		suivez		
	Passé simple	je suivis		

Futur		Conditionnel		Passé composé		
je	suivrai	je	suivrais	j'	ai	suivi
tu	suivras	tu	suivrais	tu	as	suivi
il	suivra	il	suivrait	il	a	suivi
nous	suivrons	nous	suivrions	nous	avons	suivi
vous	suivrez	vous	suivriez	vous	avez	suivi
ils	suivront	ils	suivraient	ils	ont	suivi

46. TEINDRE

Présent (Indicatif)		Présent (Subjonctif)		Imparfait	
je	teins	que je	teigne	je	teignais
tu	teins	que tu	teignes	tu	teignais
il	teint	qu'il	teigne	il	teignait
nous	teignons	que nous	teignions	nous	teignions
vous	teignez	que vous	teigniez	vous	teigniez
ils	teignent	qu'ils	teignent	ils	teignaient

Infinitif			Participe	
Présent: teindre	**Impératif**	teins	*Présent:* teignant	
Passé: avoir teint		teignons	*Passé:* teint, e	
		teignez		
	Passé simple	je teignis		

Futur		Conditionnel		Passé composé		
je	teindrai	je	teindrais	j'	ai	teint
tu	teindras	tu	teindrais	tu	as	teint
il	teindra	il	teindrait	il	a	teint
nous	teindrons	nous	teindrions	nous	avons	teint
vous	teindrez	vous	teindriez	vous	avez	teint
ils	teindront	ils	teindraient	ils	ont	teint

47. VALOIR

Présent (Indicatif)

je	vaux
tu	vaux
il	vaut
nous	valons
vous	valez
ils	valent

Présent (Subjonctif)

que je	vaille
que tu	vailles
qu'il	vaille
que nous	valions
que vous	valiez
qu'ils	vaillent

Imparfait

je	valais
tu	valais
il	valait
nous	valions
vous	valiez
ils	valaient

Infinitif

Présent: valoir
Passé: avoir valu

Impératif ——————

Participe

Présent: valant
Passe: valu, e

Passé simple   je valus

Futur

je	vaudrai
tu	vaudras
il	vaudra
nous	vaudrons
vous	vaudrez
ils	vaudront

Conditionnel

je	vaudrais
tu	vaudrais
il	vaudrait
nous	vaudrions
vous	vaudriez
ils	vaudraient

Passé composé

j'	ai	valu
tu	as	valu
il	a	valu
nous	avons	valu
vous	avez	valu
ils	ont	valu

48. VENIR

Présent (Indicatif)

je	viens
tu	viens
il	vient
nous	venons
vous	venez
ils	viennent

Présent (Subjonctif)

que je	vienne
que tu	viennes
qu'il	vienne
que nous	venions
que vous	veniez
qu'ils	viennent

Imparfait

je	venais
tu	venais
il	venait
nous	venions
vous	veniez
ils	venaient

Infinitif

Présent: venir
Passé: être venu

Impératif   viens
                 venons
                 venez

Participe

Présent: venant
Passé: venu, e

Passé simple   je vins

Futur

je	viendrai
tu	viendras
il	viendra
nous	viendrons
vous	viendrez
ils	viendront

Conditionnel

je	viendrais
tu	viendrais
il	viendrait
nous	viendrions
vous	viendriez
ils	viendraient

Passé composé

je	suis	venu
tu	es	venu
il	est	venu
nous	sommes	venus
vous	êtes	venu(s)
ils	sont	venus

49. VIVRE

Présent (Indicatif)		Présent (Subjonctif)		Imparfait	
je	vis	que je	vive	je	vivais
tu	vis	que tu	vives	tu	vivais
il	vit	qu'il	vive	il	vivait
nous	vivons	que nous	vivions	nous	vivions
vous	vivez	que vous	viviez	vous	viviez
ils	vivent	qu'ils	vivent	ils	vivaient

Infinitif		Participe
Présent: vivre	**Impératif** vis	*Présent:* vivant
Passé: avoir vécu	vivons	*Passé:* vécu, e
	vivez	
	Passé simple je vécus	

Futur		Conditionnel		Passé composé		
je	vivrai	je	vivrais	j'	ai	vécu
tu	vivras	tu	vivrais	tu	as	vécu
il	vivra	il	vivrait	il	a	vécu
nous	vivrons	nous	vivrions	nous	avons	vécu
vous	vivrez	vous	vivriez	vous	avez	vécu
ils	vivront	ils	vivraient	ils	ont	vécu

50. VOIR

Présent (Indicatif)		Présent (Subjonctif)		Imparfait	
je	vois	que je	voie	je	voyais
tu	vois	que tu	voies	tu	voyais
il	voit	qu'il	voie	il	voyait
nous	voyons	que nous	voyions	nous	voyions
vous	voyez	que vous	voyiez	vous	voyiez
ils	voient	qu'ils	voient	ils	voyaient

Infinitif		Participe
Présent: voir	**Impératif** vois	*Présent:* voyant
Passé: avoir vu	voyons	*Passé:* vu, e
	voyez	
	Passé simple je vis	

Futur		Conditionnel		Passé composé		
je	verrai	je	verrais	j'	ai	vu
tu	verras	tu	verrais	tu	as	vu
il	verra	il	verrait	il	a	vu
nous	verrons	nous	verrions	nous	avons	vu
vous	verrez	vous	verriez	vous	avez	vu
ils	verront	ils	verraient	ils	ont	vu

51. VOULOIR

Présent (Indicatif)		Présent (Subjonctif)		Imparfait	
je	veux	que je	veuille	je	voulais
tu	veux	que tu	veuilles	tu	voulais
il	veut	qu'il	veuille	il	voulait
nous	voulons	que nous	voulions	nous	voulions
vous	voulez	que vous	vouliez	vous	vouliez
ils	veulent	qu'ils	veuillent	ils	voulaient

Infinitif

Présent: vouloir
Passé: avoir voulu

Impératif veuille
veuillons
veuillez

Passé simple je voulus

Participe

Présent: voulant
Passé: voulu, e

Futur		Conditionnel		Passé composé		
je	voudrai	je	voudrais	j'	ai	voulu
tu	voudras	tu	voudrais	tu	as	voulu
il	voudra	il	voudrait	il	a	voulu
nous	voudrons	nous	voudrions	nous	avons	voulu
vous	voudrez	vous	voudriez	vous	avez	voulu
ils	voudront	ils	voudraient	ils	ont	voulu

52. VOYAGER

Présent (Indicatif)		Présent (Subjonctif)		Imparfait	
je	voyage	que je	voyage	je	voyageais
tu	voyages	que tu	voyages	tu	voyageais
il	voyage	qu'il	voyage	il	voyageait
nous	voyageons	que nous	voyagions	nous	voyagions
vous	voyagez	que vous	voyagiez	vous	voyagiez
ils	voyagent	qu'ils	voyagent	ils	voyageaient

Infinitif

Présent: voyager
Passé: avoir voyagé

Impératif voyages
voyageons
voyagez

Passé simple je voyageai

Participe

Présent: voyageant
Passé: voyagé, e

Futur		Conditionnel		Passé composé		
je	voyagerai	je	voyagerais	j'	ai	voyagé
tu	voyageras	tu	voyagerais	tu	as	voyagé
il	voyagera	il	voyagerait	il	a	voyagé
nous	voyagerons	nous	voyagerions	nous	avons	voyagé
vous	voyagerez	vous	voyageriez	vous	avez	voyagé
ils	voyageront	ils	voyageraient	ils	ont	voyagé

Vocabularies

ABBREVIATIONS

adj.	adjective	*impers.*	impersonal	*pl.*	plural
adv.	adverb	*ind.*	indirect	*poss.*	possessive
art.	article	*interj.*	interjection	*p.p.*	past participle
conj.	conjunction	*interrog.*	interrogative	*prep.*	preposition
def.	definite	*m.*	masculine	*pron.*	pronoun
dem.	demonstrative	*neg.*	negative	*rel.*	relative
disj.	disjunctive	*num.*	numeral	*subj.*	subject
f.	feminine	*obj.*	object		

Numbers in parentheses refer to the Verb List; e.g. (3V) means that a verb is conjugated like verb 3 (*appeler*) on the list. Regular -er verbs do not have a number; they follow the prototype *parler* (33V).

Numbers at the end of entries refer to the A or B part in which a word first occurs; e.g. 4B means the word is first used in dialogue 4B or in the text and exercises following it. Words without terminal numbers occur elsewhere.

FRENCH-ENGLISH

a (*see* **avoir**)

à *prep.* to, on, in, at 1B

  C'est à moi. It's mine. 13B

abandonné/e *adj.* abandoned

abandonner to abandon 22B

abeille *f.* bee

abonder to abound

abord: d'abord *adv.* (at) first 4A

absolument *adv.* absolutely 17A

abstrait/e *adj.* abstract 12B

accélérateur *m.* accelerator 22A

accent *m.* accent, stress 1A

accepter (de) to agree (to)

accident *m.* accident

accompagner to accompany 14A

accord *m.* agreement 11A

  d'accord agreed, in agreement 13B

accordéon *m.* accordion 22B

accordéoniste *m., f.* accordionist 5B

accorder to agree 17B

s'accorder to agree 18A
accueillir to welcome
accumuler to accumulate,
to amass
accusateur *m.* accuser
achat *m.* purchase
faire des achats to shop
23B
acheter (1V) to buy 4A
acteur *m.* actor 15B
actif/active *adj.* active 21A
action *f.* action, deed
actrice *f.* actress 17B
adapter to adjust
s'adapter to adapt
onself, to become
adapted 19A
addition *f.* check, bill 3A
adieu *m.* goodbye
adjectif *m.* adjective 1A
admirable *adj.* admirable
24A
adopté/e *adj.* adopted,
borrowed 21A
adorer to love, to be very
fond of 16A
adresse *f.* address 4A
adulte *m.* adult
adverbe *m.* adverb 5A
affaire *f.* business 14A
les affaires things,
possessions
affirmative *f.: à l'affirmative*
in the affirmative 1A
affirmativement *adv.*
affirmatively 1B
affirmer to affirm, to assert
afin de *prep.* in order to
Afrique *f.* Africa 10A
agacer to irritate
âge *m.* age 7B
âgé/e *adj.* old 20A
agent *m.* officer, policeman
17A
agir (26V): s'agir de to be
about, to be
concerned or deal
with 27A
agiter to wave
agréable *adj.* pleasant 20B
agricole *adj.* farming,
agricultural 22B
ah! *interj.* oh! ah! 1A
aider to help 21B
aigu/aigüe *adj.* acute 21B
aille (*see* aller)
ailleurs *adv.* elsewhere 5A
d'ailleurs *adv.* besides
aimable *adj.* kind, nice 1A

aimer to like, to love 2A
ainsi *adv., conj.* thus 11A
air *m.* air 15B; tune,
melody 6A
avoir l'air neuf to look
new 7B
en plein air in the open
ajouter to add 7B
Allemagne *f.* Germany
10A
allemand/e *adj.* German
allemand *m.* German
(language) 6B
Allemand/e *m., f.*
German 10B
aller (2V) to go
Comment allez-vous?
How are you? 1A
Ça va? How's everything
2B
Comment ça va? How
goes it? 4B
aller et retour *m.*
round-trip
s'en aller to go away,
to leave 18A
allumer to light
allumette *g.* match
allure *f.* pace
alors *adv.* then 1B; well
then 3A
alpinisme *m.* mountain
climbing 22B
amant *m.* lover
ambiance *f.* environment,
atmosphere
âme *f.* soul 7B
améliorer: s'améliorer to
improve, to become
better
amer/amère *adj.* bitter
américain/e *adj.* American
1B
Américain/e *m., f.*
American 2A
Amérique *f.* America 2B
ami/e *m., f.* friend, boy
friend, girl friend 2A
amitié *f.* friendship 17B
amitiés regards 15B
amour *m.* love 20A
amusant/e *adj.* amusing
10B
amuser to amuse 15B
s'amuser to have a good
time 16A
an *m.* year 6A
anachronisme *m.*
anachronism 21B

analogue *adj.* analogous
3B
analyse *f.* analysis,
research 2A
ancien/ne *adj.* old, former
14B
âne *m.* donkey
ange *m.* angel 24A
anglais/e *adj.* English 1A
anglais *m.* English
(language) 2B
Anglais/e *m., f.*
Englishman,
Englishwoman 2A
Angleterre *f.* England 10A
animal *m.* animal, beast
anneau *m.* ring
année *f.* year 9A
anniversaire *m.* birthday
16A
annonce *f.* advertisement
petite annonce classified
ad 16B
annoncer to announce 11B
antécédent *m.* antecedent
20A
antéposé/e *adj.* preceding
20A
antérieur/e *adj.* previous
18A
antique *adj.* antique,
ancient 19A
août *m.* August
apaisement *m.* appeasement,
calming
apercevoir: s'apercevoir
to notice
apéritif *m.* aperitif
appartement *m.* apartment
2A
appartenir to belong 11B
appeler (3V) to call 8A
s'appeler to be called,
to be named 18A
appétit *m.* appetite 15A
applaudir (26V) to applaud
22B
appliqué/e *adj.* industrious,
hardworking
apporter to bring 3A
apprécier to appreciate
12B
apprendre (18V) to learn
3B; to teach 16B
apprêter: s'apprêter to
undertake to
appuyé/e (contre) *adj.*
pressing (against)
20B

appuyer to lean, to back up, to support
　　appuyer sur le bouton to press the button
après *adv.* afterwards 4A; *prep.* after
après-midi *m.* afternoon 11B
aptitude *f.* aptitude, capacity
arabe *m.* Arabic (language) 6B
arbre *m.* tree 24B
archéologie *f.* archaeology 19A
archéologue *m.* archaeologist 19A
architecture *f.* architecture 24A
ardoise *f.* slate 17B
argent *m.* money 3A; silver 17B
argument *m.* argument
armée *f.* army 1B
armer to arm 12A
arrêter to arrest 22B; to stop
　　s'arrêter to stop
arrivée *f.* arrival 12A
arriver to arrive 2A; to happen 14A
　　arriver à to succeed in
arrondi/e *adj.* rounded 22A
arrosoir *m.* watering can
art *m.* art 12B
article *m.* article 1B
artiste *m., f.* artist 2A
ascenseur *m.* elevator 9B
ascension *f.* ascent 20A
Asie *f.* Asia 10A
aspect *m.* aspect 14B
asperge *f.* asparagus 5A
asseoir: s'asseoir (4V) to sit down 18A
assez *adv.* rather 5A
　　assez de enough 5A
assiette *f.* plate 11A
assis *p.p of* **s'asseoir**
assistant/e *m., f.* assistant, instructor 1A
assister to assist 23A
　　assister à to attend
assorti/e *adj.* matching, harmonizing 21A
astre *m.* heavenly body
atelier *m.* workshop
athlète *m.* athlete 22B
athlétique *adj.* athletic 22B

athlétisme *m.* track 22B
attaquer to attack 6A
atteindre to reach, to attain 16A
attendre (18V) to wait (for) 9B
attention *f.* attention
　　faire attention à to look out for, to watch 4B
atterrir (26V) to land
attirer to attract 24A
attitude *f.* attitude 20A
au(x) = **à** + *def. art.*
auberge *f.* inn 14B
aucun/e *pron.* none, no one 17B
augmenter to increase
aujourd'hui *adv.* today 4A
aussi *adv.* also 2B
　　aussi ... que (just) as ... as 12A
aussitôt que *adv.* as soon as
Australie *f.* Australia 10A
autant (de) *adv.* as much 12A; 15A
auteur *m.* author
auto *f.* automobile 9B
autobus *m.* bus 7A
automne *f.* fall 21B
automobiliste *m., f.* motorist
autoroute *f.* expressway 20A
autour de *adv.* around 14B
autre *adj., pron.* another 2B
autrefois *adv.* formerly, in the old days 23B
autrement *adv.* otherwise, in another way 14B
Autriche *f.* Austria 19A
autrichien/ne *adj.* Austrian 4B
　　Autrichien/ne *m., f.* Austrian
auxiliaire *adj.* auxiliary 21A; *m.* auxiliary verb 24A
avaler to swallow 22A
avance: en avance early 1A
　　à l'avance in advance
　　d'avance beforehand
avancer to advance, to put forward 20B
avant (de) *prep.* before 10B
　　avant que *conj.* before
avant-hier *adv.* the day before yesterday 24B

avantage *m.* advantage 3B
avec *prep.* with 1B
　　Tu es aimable avec moi. You are nice to me. 11B
avenir *m.* future
　　à l'avenir in the future
aventure *f.* adventure 23A
avertir (26V) to warn
avion *m.* airplane 9B
aviron *m.* rowing 22B
avoir (5)V to have 3A
　　il y a there is (are) 3A; ago 12A
　　avoir à to have to 19A
avouer to admit

babil *m.* chatter
bacon *m.* bacon 3A
bague *f.* ring 17B
baigner: se baigner to go swimming 22B
bâiller to yawn
bain *m.* bath
baiser *m.* kiss 14A
balayer to sweep
balcon *m.* balcony 7A
ballon *m.* ball
banc *m.* bench
bande *f.* (paper) band, tape
bandit *m.* bandit 6A
banjo *m.* banjo 22B
banque *f.* bank
banquier *m.* banker
barbe *f.* beard 8B
barque *f.* boat
barrer to bar, to stop
bas *m.* stocking 21A
bas *adj.* low 15A
base *f.* base 12A
basque *adj.* Basque
bataille *f.* battle 24B
bateau *m.* ship 4A
　　faire du bateau to go boating 19A
bâtiment *m.* building 20A
battre (6V) to beat 22B
　　se battre to fight 22B
bavard/e *adj.* talkative 2B
bavarder to chat 5B
beau, bel *m.*, **belle** *f.*, *adj.* handsome, beautiful 6A
　　Il fait beau. It's fine weather. 11B
beaucoup *adv.* (very) much 3B
　　beaucoup (de) much, many (of) 5A

bébé *m.* baby 22A
bec *m.* beak, bill
bégayer to stammer
Belgique *f.* Belgium 19A
berceau *m.* cradle
béret *m.* beret 15A
berge *f.* (river) bank
berger *m.* shepherd
besoin *m.* want, need
    avoir besoin de to need
    12A
bête *adj.* stupid 20B
bêtise *f.* stupidity 14B
beurre *m.* butter 3A
bibliothèque *f.* library 23A
bicyclette *f.* bicycle 22B
bien *adv.* well, very, really,
    quite 1A; all right
    1B
    bien sûr of course 10A
    bien que *conj.* although
bien-aimé/e beloved
bientôt *adv.* soon
bière *f.* beer 3A; coffin
bifteck *m.* steak 3A
bijou (*pl.* **bijoux**) *m.* jewel
    16A
billet *m.* ticket 5A
biologie *f.* biology 2A
bizarre *adj.* odd, peculiar
    8A
blague *f.* joke
blanc/he *adj.* white 17B
blême *adj.* pale
blesser to wound
bleu/e *adj.* blue 11B
blond/e *adj.* blond 15B
boeuf *m.* beef
boire (7V) to drink 5A
bois *m.* wood 17B
boisson *m.* drink 10B
boîte *f.* box 13A
    boîte aux lettres mailbox
bon/ne *adj.* good 3B
    bon! *interj.* fine!
    bon marché cheap,
    inexpensive 20A
bonbon *m.* candy 13B
bonheur *m.* happiness 14A
bonjour *m.* hello, good
    morning 1A
bonne *f.* maid 4A
bonsoir *m.* good evening
    1A
bord *m.* side, shore
botte *f.* boot
bouche *f.* mouth
bouger to stir, to move, to
    budge

bougie *f.* candle
bouillotte *f.* hot-water
    bottle
boulangerie *f.* bakery 6B
boule *f.* ball
boulevard *m.* boulevard
    1B
bourgeois *m.* middle-class
    person, citizen
bourse *f.* scholarship
bousculer to jostle, push
bout *m.* tip 13A, end
boxe *f.* boxing
branche *f.* branch
bras *m.* arm 7B
brave *adj.* brave,
    courageous 6A
Brésil *m.* Brazil 4B
    brésilien/ne *adj.* Brazilian
    4B
bridge *m.* bridge (card
    game) 22B
brièvement *adv.* briefly
brillant/e *adj.* brilliant 23A
brioche *f.* a kind of roll
    6B
briser to break
brochet *m.* pike
broncher to stumble, to
    falter
brosser: se brosser to
    brush oneself 22B
bruit *f.* noise 5A
brûlé/e *adj.* burned,
    scorched
brun/e *adj.* brown 7B
    brune *f.* brunette
brusquement *adv.* roughly,
    brusquely
brute *f.* brute 7B
bu *p.p of* **boire**
buffet *m.* snack bar 10B
bureau *m.* office 8A; desk
    13B
bureau de poste post office
    4A
bureau de tabac tobacco
    shop 4A
but *m.* goal 22B

ça (= **cela**) *dem. pron.* that
    1B
    C'est ça! That's right!
    2A
    Ça vous va? Does that
    suit you? 9A
    de ça, de là from here
    and there
cabane *f.* hut

cabaret *m.* night club 18B
cabine *f.* cabin, telephone
    booth
cacher to hide, to conceal
    30A
cadavre *m.* dead body 6A
cadeau *m.* present, gift
    16A
caduc/caduque *adj.* unstable
café *m.* cafe, coffee 3A
    café au lait *m.* coffee
    with milk
    café-crème *m.* coffee
    with cream 3A
cahier *m.* notebook
caillou *m.* pebble
caisse *f.* case, box
calcul *m.* calculation
calme *adj.* quiet 9A
caméra *f.* movie camera
campagne *f.* (the) country
    14B
Canada *m.* Canada 10A
canadien/ne *adj.* Canadian
    4B
Canadien/ne *m., f.*
    Canadian 4B
canal *m.* canal
canard *m.* duck
canari *m.* canary
cancre *m.* dunce
capitale *f.* capital (city)
    14B
car *m.* bus 4A
car *conj.* because, for
caractère *m.* character
    20A
cardinal/e *adj.* cardinal 7B
caresser to caress, to
    fondle, to stroke
carnet *m.* notebook, order
    book
carte *f.* map 14B; card
    22B; plan
cas *m.* case 20A
    selon le cas as the case
    may be, as necessary
casser to break 11A
catastrophe *f.* catastrophe
    23A
catch *m.* wrestling 22B
cathédrale *f.* cathedral
    24A
cause: à cause de because
    of 10A
causer to talk, to chat
cave *f.* cellar 4A
ce, cet *m.*, **cette** *f., dem. adj.*
    this, that 4B

ce . . . -ci this; **ce . . . -là** that
ce *dem. pron.* it, that
c'est it is 1B
c'est-à-dire that is to say 24A
Ce que la vie est compliquée! How complicated life is!
ceci *dem. pron.* this
céder to yield, to give way to
cela *dem. pron.* that
célèbre *adj.* famous 15B
céleste *adj.* heavenly
celui/celle *dem. pron.* the one 20A; that 3B
cendre *f.* cinders, ash
cendrier *m.* ashtray
cent *num.* hundred 14A
centaine *f.* about a hundred 17B
centre *m.* center 1B
cependant *adv.* however
cerisier *m.* cherry tree 24B
certain/e *adj.* certain 5B
certainement *adv.* certainly 14B
chacun/e *pron.* each, every 11A
chaise *f.* chair
chaleur *f.* warmth, heat
chambre *f.* chamber 1B; room 2A
champagne *m.* champagne 14B
chance *f.* luck 5A; chance
chandelier *m.* candlestick
changement *m.* change 2A
changer to change 1A
chanson *f.* song 4B
chanter to sing 4B
chanteur/chanteuse *m., f.* singer 15A
chapeau *m.* hat 8B
chapitre *m.* chapter
chaque *adj.* each 11B
char *m.* wagon
charbon *m.* coal
chargé (de) *adj.* entrusted (with)
charmant/e *adj.* charming 14A
charme *m.* charm 17B
chasse *f.* hunting 4B
chasse gardée private hunting grounds

chat *m.* cat
château *m.* chateau, castle 16B
château-fort *m.* castle (fortified) 17B
chaud *m.* hot 3A; *adj.* hot 3A
avoir chaud to be hot 3A
Il fait chaud. It's warm (weather). 11B
chaudement *adv.* warmly
chauffeur *m.* driver 1B
chaussette *f.* sock 21A
chaussure *f.* shoe, footwear
chauve *adj.* bald
chef *m.* chief, head, leader 6A
chemin *m.* path
chemise *f.* shirt 21A
cher/chère *adj.* expensive 3B; dear 6A
chercher to look for 4A
chercheur *m.* investigator
cheval (*pl.* chevaux) *m.* horse 20B
deux chevaux (2 CV) Citroën 20B
cheveu (*pl.* cheveux) *m.* hair 15B
chevreuil *m.* deer
chez *prep.* at (or to) the house (office) of 12A
Je vais chez lui. I'm going to his house. 12A
chez nous at our house, in our country, etc.
chic *adj.* stylish 21A
chien *m.* dog 29A
chiffre *m.* number, figure 6A
Chili *m.* Chile 27B
chilien/ne *adj.* Chilean 5B
Chilien/ne *m., f.* Chilean
chimie *f.* chemistry 2A
chimiste *m.* chemist 2B
Chine *f.* China 10A
choinois/e *adj.* Chinese 15A
chinois *m.* Chinese (language) 12A
Chinois/e *m., f.* Chinese
chocolat *m.* chocolate 1B
chocolat au lait hot chocolate 3A
choisir (26V) to choose 6B
choix *m.* choice

chose *f.* thing 9B
chou *m.* cabbage, darling
choucroute *f.* sauerkraut
cidre *m.* cider
ciel *m.* sky 11B
cigare *m.* cigar 8A
cigarette *f.* cigarette 3B
cinéma *m.* movie 4A
cinq *num.* five 6A
cinquantaine *f.* about fifty 17B
cinquante *num.* fifty 24A
cinquième *num.* fifth 5A
circonflexe *adj.* circumflex 8B
circulation *f.* traffic 12A
circuler to drive, to ride 12A
cire *f.* wax
cirer to wax, to polish
citer to quote
citoyen/ne *m., f.* citizen
civilisation *f.* civilization 19A
clair/e *adj.* clear, light 11B
claquer to smack, to crack
classe *f.* class 2A
clef *f.* key 8A
cliché *m.* cliché, stock phrase
client *m.* customer
clou *m.* nail
club *m.* club 18B
codifier to codify 22B
coeur *m.* heart 23A
coiffer: se coiffer to fix one's hair 18A
coin *m.* corner 20B; spot
colis *m.* package, parcel 16B
colonie *f.* colony
collection *f.* collection 19A
collège *m.* college 2B
collègue *m.* colleague 14A
combien (de) *adv.* how many, how much 5A
combinaison *f.* slip 21A
combiner to combine 3A
commander to order 3A
comme *adv.* as, like 5A
commencement *m.* beginning 12A
commencer (34V) to begin 5A
comment *adv.* how 1A
commentaire *m.* commentary
commode *adj.* convenient
communal/e *adj.* common

communiquer to communicate

comparaison f. comparison 12A

comparatif m. comparative 12A

comparer to compare 4A

complément m. complement, object 7A

complet m. suit 21A

complet/complète adj. complete

compléter to complete 1A

compliqué/e adj. complicated 9A

composer to dial 16B

composition f. composing, composition

comprendre (38V) to understand 3B

compte m. count, reckoning; account 29A

Ça fait juste le compte. That's exactly right. 7A

compter to count 6A

concave adj. concave 21B

concernant prep. concerning 24B

concert m. concert 19A

concierge m., f. caretaker, janitor 29B

conclure (6V) to conclude

conclu p.p. of **conclure**

concordance f. agreement 19B

condition: à condition que provided that

conditionnel adj. conditional 19B

conducteur m. driver 20A

conduire (8V) to drive, to conduct 7A

conduit p.p. of **conduire**

conférence f. lecture 11A

confier: se confier à to confide in

confiture f. marmalade, jam 3A

confondre (18V) confound, to confus

confort m. convenience(s) comfort(s)

confortable adj. comfortable 2A

confrontation f. confrontation

confus/e adj. obscure, dim, confused

conjonction f. conjunction

conjuguer to conjugate 14A

connaissance f. knowledge 16B, acquaintance

connaître (9V) to know, to be acquainted with 4B

connu p.p. of **connaître**

conscience f. conscience 22B

conseil m. piece of advice **des conseils** advice 13B

conseiller m. advisor, counselor 13B

conserver to preserve

considérer to consider, to regard 21B

consoler to comfort

consonantique adj. consonant 4A

consonne f. consonant 1A

constamment adv. constantly

constant/e adj. constant 21A

constatation f. statement

construction f. construction 24B

construire (8V) to build 24A

construit p.p. of **construire**

consul m. consul

consulter to consult

conte de fées m. fairy tale

contempler to gaze upon, to ponder

content/e adj. satisfied, content 1A

continent m. continent 10A

continuer to continue 1A

contraire adj. opposite 21A

contraste m. contrast 24D

contre prep. against 13A

contrôle m. roll (list of names), control

contrôler to check, to examine, to control

convenable adj. suitable 10B

convenir (48V) to suit 20A

conversation f. conversation 2A

convocation f. summons, notice

corde f. chord 22B

corne f. horn

corps m. body

corriger to correct 22A

corsage m. blouse 21A

costume m. suit, costume

côte f. rib; coast **côte de porc** pork chop 5A

côté m. side **à côté de** beside 20A **du côté de** on the side of 24A **du côté droit** on the right

cou m. neck

couchant m. west, sunset

coucher: se coucher to go to bed 21B; to set (of the sun)

coudre (10V) to sew

couler to run 21B

couleur f. color; paint

coup m. drink; stroke, blow 24B

couper to cut (off) 24B

couple m. couple, pair

coupure f. break

cour f. yard

courant/e adj. fluent 21A

courir (11V) to run 17A

cours m. course 2A

course f. errand 4A; race 22B

court/e adj. short 15A

couru p.p. of **courir**

cousin/e m., f. cousin 6A

coussin m. pillow 6A

cousu p.p. of **coudre**

couteau m. knife 11A

coûter to cost **coûter cher** to cost a lot, to be expensive 8A

couture f. dressmaking **haute couture** high fashion

couturier m. dress designer 21B

couvert p.p. of **couvrir**

couverture f. blanket

couvre-pied m. quilt

couvrir (32V) to cover 22A **se couvrir** to put on one's hat 22A

craie f. chalk 7B

craindre (46V) to fear
craint *p.p. of* craindre
crampe *f.* cramp 7B
crapaud *m.* toad
cravate *f.* necktie 7B
crayon *m.* pencil 7B
crème *f.* cream 3A
cri *m.* cry, shout
criard/e *adj.* crying, shrill
crier to shout, to cry 22B
criminel *m.* criminal
crise *f.* crisis
critiquer to criticize 22B
croire (12V) to believe 7A
croissant *m.* croissant
    (crescent-shaped roll)
    3A
cru *p.p. of* croire
crudité *f.* raw vegetable
    hors d'oeuvre
cruel/e *adj.* cruel
cubiste *adj.* Cubist 12B
cuiller *f.* spoon
cuisine *f.* cuisine, cooking
    3B
    faire la cuisine to cook
    7B
cultiver to cultivate, to
    raise
culture *f.* culture 24B
curieux/curieuse *adj.*
    curious, inquisitive
    4A
cyclisme *m.* bicycle riding
    22B
cycliste *m.* bicycle rider,
    cyclist

dame *f.* lady 1B
dancing *m.* dance hall
    21A
danger *m.* danger 23A
dans *prep.* in 2A
    dans une famille française
    with a French
    family
danser to dance 3B
danseuse *f.* dancer 18B
date *f.* date 6B
dater to date (from) 20B
davantage *adv.* more
de *prep.* of 1B; from, by
    7B
    de + *def. art.* some
    (partitive
    construction) 2B
débarquer to disembark
déborder to overflow
debout *adv.* standing 18A

débrouiller: se débrouiller
    to manage, to get
    along 16A
début *m.* beginning 23A
décembre *m.* December
décentraliser to
    decentralize
décès *m.* decease
décider to decide 3A
déclaratif/declarative *adj.*
    declarative 13B
déclaration *f.* statement
    10A
déclarer to declare, to
    make known
découper to cut up
découverte *f.* discovery
découvrir (32V) to discover
    22A
décrire (16V) to describe
    15A
dedans *adv.* inside
défaut *m.* defect; fault
défini/e *adj.* definite 1B
définition *f.* definition
déguster to taste, to sample
dehors *adv.* outside 11B
    en dehors de outside of
    17A
déjà *adv.* already 8A
déjeuner *m.* lunch; *v.* to
    have lunch 3B
    petit déjeuner breakfast
    3A
délicat/e *adj.* delicate,
    dainty
délicieux/délicieuse *adj.*
    delicious, delightful
demain *adv.* tomorrow
    8A
demander to ask (for) 7A
    se demander to wonder
    18A
demi/e *adj.* half 10B
démocratie *f.* democracy
    21B
demoiselle *f.* young lady
    20A
démonstratif/demonstrative
    adj. demonstrative
    10A
démontrer to demonstrate,
    to show
dense *adj.* dense
dent *f.* tooth 13A
dental/e *adj.* dental 23B
départ *m.* departure 10B
département *m.* department
    2B

dépêcher: se dépêcher to
    hurry 18A
dépendre (18V) to depend
    16A
depuis *prep.* since 11A
depuis combien de temps
    how long 11B
député *m.* deputy 11A
déranger (52V) to disturb
    22B
dernier/dernière *adj.* last,
    latest 11A
derrière *prep.* behind 6A
des (= de + les). of the
    1A; some 2A
dès *prep.* beginning
    dès que *conj.* as soon as
descendre (18V) to go
    down, to come down;
    to take down 9B
description *f.* description
désert *m.* desert 6A
désinence *f.* ending
    (grammar) 13A
désirer to desire, to wish
désolé/e *adj.* sorry 1A
désordre *m.* disorder
dessert *m.* dessert 5A
dessin *m.* pattern, drawing
dessiner to draw, to sketch
dessous: *adv.* au-dessous
    (de) under, beneath
    19A
dessus: *adv.* au-dessus (de)
    above, on top (of)
destin *m.* fate, destiny
destinée *f.* fate, destiny
destruction *f.* destruction
détail *m.* detail 13B
détective *m.* detective
détruire (8V) to destroy
détruit *p.p. of* détruire
deuil *m.* mourning 20B
deux *num.* two 3A
deuxième *num.* second 2A
devant *prep.* before, in
    front of 8A
développer to develop
devenir (48V) to become
    5A
devinette *f.* riddle
devoir *m.* homework,
    assignment, duty,
    task 7A
devoir (13V) to have to,
    must, ought 21A,
    to owe 23A
dialogue *m.* dialogue 1A
diamant *m.* diamond

dictionnaire *m.* dictionary 7B
Dieu *m.* God 21B
différence *f.* difference 14B
différent/e *adj.* different 17B
difficile *adj.* difficult 1B
difficilement *adv.* with difficulty 25A
difficulté *f.* difficulty, trouble 12A
dimanche *m.* Sunday 11A
dîner *m.* dinner 4A
dîner to have dinner, to dine 8A
diphtongué/e *adj.* dipthongized 21B
dire (14V) to say, to tell 3A
direct/e *adj.* direct 8B
directeur *m.* director 13B
direction *f.* management 22B
discuter to argue 13B
disjonctif/disjonctive *adj.* disjunctive 23A
disparaître (9V) to disappear
disparu/e *adj.* vanished 19A
disposition *f.*: à votre disposition at your disposal
disputer: se disputer to quarrel 18A
disque *m.* record, disk
distinguer to distinguish 23B
distrait/e *adj.* absent-minded
dit *p.p. of* **dire**
divan *m.* divan 7A
diviser to divide
dix *num.* ten 6A
dixième *num.* tenth 7A
dizaine *f.* about ten 12B
docteur *m.* doctor
domestique *adj.* home, domestic 6B
domicile *m.* home 6B
donc *conj.* then, so, therefore 5B
donner to give 7A
donner sur to face, to overlook 8A
dont *rel. pron.* of whom, from whom, whose, of which 20A

dormir (15V) to sleep
dos *m.* back 13A
douceur *f.* sweetness, gentleness
douche *f.* shower 8A
douleur *f.* pain, suffering
doute *m.* doubt
douter to doubt
doux/douce *adj.* sweet sweet(water)
douzaine *f.* about twelve 12B
douze *num.* twelve 6A
douzième *num.* twelfth 7B
dramatique *adj.* dramatic 7B
drame *m.* drama, play
drapeau *m.* flag
droit/e *adj.* straight 7B
droit *m.* right
　avoir droit à to be entitled to
　donner droit à to entitle to
droite *f.* right, right-hand side
　à droite on the right 1B
drôle *adj.* funny 7B
du (= **de** + **le**) of the, some 3A
dû/due *p.p. of* **devoir**
dru/e *adj.* thick, dense 7B
dur/e *adj.* hard
durée *f.* duration 18B
durer to last 17B

eau *f.* water 3A
écarté/e *adj.* spread 22A
échapper to escape
échec *m.* failure
　jouer aux échecs to play chess 22B
échelle *f.* ladder
éclatant/e *adj.* brilliant
école *f.* school 13B
écolier *m.* schoolboy
économie *f.* economics 6B
économique *adj.* economic
écouter to listen 1A
écouteur *m.* earphone
écran *m.* screen
écraser to run over 20B
écrier: s'écrier to exclaim
écrire (16V) to write 9A
écrit *p.p. of* **écrire**
écriture *f.* writing 22B
Ecritures *f. pl.* Scriptures

écrivain *m.* writer
édredon *m.* eiderdown comforter
effacer to wipe off
effort *m.* effort 21A
égal/e *adj.* equal 18B
　Ça me sera égal. That will be all the same to me. 19A
également *adv.* equally, likewise, to the same extent
église *f.* church 1B
élancer to dart, to shoot
électrique *adj.* electric
électronique *f.* electronics 8B
élégant/e *adj.* graceful, refined, elegant 21A
élément *m.* unit, component 8A
élève *m., f.* pupil
élevé/e *adj.* high 15A
éliminer to eliminate 15A
élision *f.* elision 19B
élite *f.* elite, select group of people 26B
elle *subj. & disj. pron.* she 1A; her, it 1B
elles *subj. & disj. pron.* they 1B; them
embêtant/e *adj.* bothersome
embrasser to kiss
émission *f.* utterance 18B; broadcast 22B
emmener (27V) to take (someone somewhere) 19B
émotion *f.* emotion
empêcher to prevent
empereur *m.* emperor
emploi *m.* use 7B
employé/e *m., f.* clerk 7A
employer (19V) to use 3B
emporter to carry off 24B
en *prep.* in
　en + *present participle* (gérondif) while 15B
　en avance early 1A
　en retard late 1A
　en pierre (made of) stone 17B
en *pron.* of it, of them 6A; from it, from them some, from there 7A
enchaînement *m.* link, linking 2B

enchanté/e *adj.* delighted 1A

encore *adv.* still, yet
  encore une fois once more 6A

encre *f.* ink 5A

encrier *m.* inkwell

endive *f.* endive 5B

endormir: (15V) s'endormir to fall asleep 18A

endroit *m.* place 10A

énergie *f.* energy

enfant *m., f.* child 4A

enfer *m.* hell 24A

enfin *adv.* finally

enfuir: s'enfuir to flee, to escape

enlever to subtract 14A; to take off, to carry away

ennemi *m.* enemy 22B

ennui *m.* weariness, boredom
  ennuis *m. pl.* difficulties, trouble 11A

ennuyer (17V) to bore, to annoy 13A

enquête *f.* inquiry, investigation

enregistrement *m.* recording 21B

enregistrer to record

enregistreur *m.* recorder

enseigner to teach 2B

ensemble *m.* (the) whole 17B; suit 21A

ensuite *adv.* then, next 5B

entendre (18V) to hear 5B
  entendre parler to hear (it) said

enterrer to bury

entier/entière *adj.* whole, entire

entre *prep.* between 8B

entrée *f.* entrance 3A

entreprise *f.* undertaking

entrer (dans) to enter (into) 2B

envelopper to envelop, to wrap up

envahir to invade

envie: avoir envie de to feel like (doing something) 4B

environ *adv.* approximately 17B

envoyer (19V) to send 14A

épais/se *adj.* thick

épatant/e *adj.* marvelous, excellent 12B

épaule *f.* shoulder

épée *f.* sword 24B

épeler to spell

éponger to erase with a sponge

époque *f.* time, period, age 15A
  la belle époque turn of the century 15A

épouser to marry 6A

époux *m.* husband

épreuve *f.* dead heat (in sports), race 22B; test, proof

équipage *m.* crew

équipe *f.* team 22B

équivalence *f.* equivalence, equivalent 12A

équivalent/e *adj.* equivalent 3B

escalier *m.* staircase 9B

escargot *m.* snail 3B

esclave *m., f.* slave

escrime *f.* fencing 22B

Espagne *f.* Spain 10A

espagnol/e *adj.* Spanish, espagnol *m.* Spanish (language) 2B
  Espagnol/e *m., f.* Spaniard

espèce *f.* kind

espérer (20V) to hope 5B

esprit *m.* spirit; mind 22B

esquimau *m.* Eskimo 6A

essayer (de) to try (to)

essentiel *m.* crux, most important part 23A

essuyer (17V) to wipe (off)

est *m.* east 1B

estomac *m.* stomach 22A

estrade *f.* platform, stage

et *conj.* and 1A

étage *m.* floor 4B

étang *m.* pool

étape *f.* stage (of journey), halting place, lap 22B

États-Unis *m., pl.* United States 10A

ete *m.* summer 10A

été *p.p. of* être

étoile *f.* star

étonnant/e *adj.* surprising 15B

étonné/e *adj.* astonished, surprised 1B

étrange *adj.* strange 21B

étranger/étrangère *m., f.* stranger, foreigner 7B
  à l'étranger abroad 15B

être (21V) to be 1A
  être à to belong to 11B

être *m.* being 7B

étude *f.* study 4A

étudiant/e *m., f.* student 1A

étudier (22V) to study 2A

eu *p.p. of* avoir

Europe *f.* Europe 10A

eux *disj. pron.* they, them 11B

éveiller: s'éveiller to wake up

événement *m.* event 20B

évêque *m.* bishop 24A

évidemment *adv.* of course, evidently 11A

évident/e *adj.* obvious 21A

éviter to avoid

évoquer to evoke 23A

exactement *adv.* precisely, exactly 9B

exagérer to exaggerate 9A

examen *m.* examination

examiner to examine 8A

excellent/e *adj.* excellent 2B

excepté *prep.* except

excès *m.* excess

excessivement *adv.* excessively

exclusif/exclusive *adj.* exclusive 22B

exemple *m.* example, model 1A
  par exemple for example 3B

exister to exist 17B

exotique *adj.* exotic 19A

expédition *f.* expedition, sending

expérience *f.* experience

explication *f.* explanation 24B

explicite *adj.* explicit 14B

expliquer to explain 13B

exposer to expose 12A

exposition *f.* exhibition 12A

exprès *adv.* intentionally 24B

expression *f.* expression
2B
exprimer to express 14A
exquis/e *adj.* exquisite,
delightful
extérieur/e *adj.* exterior,
outer, external
extraire (23V) to extract
extraordinaire *adj.*
extraordinary 8B

fable *f.* story, fable
fabriquer to make 14B
face: en face opposite,
across the street
17A
fâcher: se fâcher to
become angry 18A
facile *adj.* easy 1B
façon *f.* manner 9A
facteur *m.* mailman
facultatif/facultative *adj.*
optional 23B
faculté *f.* school (of
medicine, law, etc.)
5B
faim *f.* hunger
avoir faim to be hungry
3A
faire (24V) to make 2A;
to do 4A
se faire to get, to become
17B
faire un tour to stroll,
to ride around
faire une promenade to
take a walk, a ride
n'avoir rien à faire à to
have nothing to do
with
fait accompli accomplished
fact 24B
falloir (25V) to be
necessary 14A
fallu *p.p. of* **falloir**
fameux/fameuse *adj.*
famous, well-known,
all too known
famille *f.* family 2A
de famille familiar 17B
fantaisie *f.* fancy,
imagination
farci/e *adj.* stuffed 5A
farouche *adj.* wild, fierce
fastidieux/fastidieuse *adj.*
tedious
fatigué/e *adj.* tired 8A
fausser to falsify
faut (*see* **falloir**)

faute *f.* mistake
fauteuil *m.* armchair 7A
fauteuil d'orchestre
orchestra seat 7A
faux/fausse *adj.* false
favori/te *adj.* favorite
féminin/e *adj.* feminine
1B
femme *f.* wife, woman
9A
fendre (18V) to slit
fenêtre *f.* window 11B
fer *m.* iron
fermer to close 8A
ferraille *f.* scrap iron
ferrure *f.* iron work
feu *m.* traffic light 17A;
fire
du feu a light (for a
cigarette) 20B
feuille *f.* leaf 20B
février *m.* February
ficelle *f.* twine, string
fiche *f.* filing card, form
7A
fidèle *adj.* faithful
fidèlement faithfully
fier/fière *adj.* proud
fièvre *f.* fever
figé/e *adj.* fixed 24B
figue *f.* fig 24B
figuier *m.* fig tree 24B
figuratif/figurative *adj.*
representational
12B
figure *f.* face
filet *m.* luggage rack
fille *f.* daughter 3A
jeune fille *f.* girl 6A
film *m.* film, movie 4A
filmer to film
fils *m.* son 3A
fin *f.* end 14A
final/e *adj.* final 12B
finalement *adv.* finally
7B
finir (26V) to finish 6B
firmament *m.* (the)
heavens
fixer to determine
flâner to stroll
flatter to flatter
flèche *f.* arrow, steeple
fleur *f.* flower 20B
flûtiste *m., f.* flutist 5B
foi *f.* faith
foie *m.* liver 22A
fois *f.* time(s)
deux fois twice 1B

fond *m.* back (of a room)
23A
fontaine *f.* spring
football *m.* soccer 13A
forêt *f.* forest 21B
forme *f.* form
formidable *adj.* great,
terrific, wonderful
2B
formulaire *m.* form 28A
formule *f.* formula
formule de politesse *f.*
polite expression
19B
fort *adj.* strong 12A
fort *adv.* strongly
fortement *adv.* strongly
fossé *m.* ditch
fou, fol *m.*, **folle** *f.*, *adj.*
crazy, mad 20B;
m. pl. mad people
foudre *f.* lightning
foulard *m.* scarf
fourmi *f.* ant
frais *m. pl.* expenses
frais/fraîche *adj.* cool
11B; fresh
fraise *f.* strawberry 5A
franc *m.* franc 6A; *adj.*
Frankish 24B
français/e *adj.* French 1A
français *m.* French
(language) 2A
Français/e *m., f.*
Frenchman,
Frenchwoman
France *f.* France 3A
franchir (26V) to cross
frapper to hit, to strike
frémir (26V) to quiver, to
tremble
frère *m.* brother 8B
frigidaire *m.* refrigerator
6B
frit/e *adj.* fried 5A; *f. pl.*
French fries 5A
froid *m.* cold
avoir froid to be cold
3A
Il fait froid. It (the
weather) is cold.
11B
fromage *m.* cheese 3A
fruit *m.* fruit 14A
fruitier/fruitière *adj.*
fruit-bearing 24B
fumer to smoke
futile *adj.* trivial 24B
futur *m.* future 5A

gagner to earn 16B; to win 22A
galerie *f.* gallery 12B
gant *m.* glove 21A
garage *m.* garage 4A
garçon *m.* boy 4A; waiter 2B
garder to keep, to retain 21B
gare *f.* station 1B
garer to park, to garage 12A
gastronomique *adj.* gastronomic 14B
gâteau *m.* cake 10B
gauche *f.* left; clumsy 14A
à gauche on the left 1B
gaz *m.* gas 29A
géant *m.* giant
géminé/e *adj.* paired 23B
gendarme *m.* policeman 20B
gêne *f.* embarrassment
gêner to bother
se gêner to be bothered 14A
général *m.* general 21B
en général in general 3B
genou *m.* knee 21B
genre *m.* gender 1A
gens *pl.* people 2A
gentil/le *adj.* nice 2A
gentiment *adv.* nicely 14B
géographie *f.* geography 1B
géranium *m.* geranium 11A
gérant *m.* director, manager
gérondif *m.* gerund 15B
geste *m.* gesture 9B
girandole *f.* candelabra
glace *f.* ice, ice cream; mirror
golf *m.* golf 22B
gorge *f.* throat 22A
gothique *adj.* Gothic 24A
gouvernement *m.* government 1B
gouverner to govern 12A
grâce à *prep. phrase* thanks to
grand/e *adj.* big 6A; tall 14B
grand-chose: pas grand-chose not much 23A
grand-mère *f.* grandmother 13A

grand-père *m.* grandfather 13A
grandir (26V) to grow
gras/se *adj.* fat 7B
gratuit/e *adj.* free
grave *adj.* serious, grave 14A
rien de grave nothing serious 14A
gravement *adv.* seriously 14B
Grèce *f.* Greece 19A
gris/e *adj.* gray 7B
gros/se *adj.* fat, big 7B
groupe *m.* group
grouper to group 17B
guère: ne ... guère hardly
guerre *f.* war 12A
guerrier *m.* warrior 24B
guitare *f.* guitar 4B

habile *adj.* skillful 12A
habillé/e *adj.* dressed 15B
habiller: s'habiller to dress (oneself), to get dressed 16A
habit *m.* suit; *pl.* clothes 22B
habiter to live 2A
habitude *f.* practice, habit 3A
avoir l'habitude (de) to be used (to) 3B
comme d'habitude as usual 13A
habitué/e *adj.* accustomed, used (to) 5B; *m.* faithful client
habituer: s'habituer to get used to 16A
*haine *f.* hatred
*hall *m.* hall, lobby 21B
*halle *f.* market, marketplace 21B
*hangar *m.* shed 21B
*hareng *m.* herring
*haricot *m.* bean
harmonieux/harmonieuse *adj.* harmonious 24A
*hasard *m.* chance, luck 21B
*haut/e *adj.* high 15A
*hauteur *f.* height, intensity (of sound) 19A

*hélas *interj.* alas, unfortunately
hélicoptère *m.* helicopter 9B
*héros *m.* hero 21B
héroïne *f.* heroine 21B
héroïsme *m.* heroism 21B
hésiter to hesitate 22A
heure *f.* hour 6A
Il est trois heures. It's three o'clock. 7B
heureusement *adv.* fortunately
heureux/heureuse *adj.* happy 1A
*hibou *m.* owl 21B
hier *adv.* yesterday 11B
hirondelle *f.* swallow, small river steamer
histoire *f.* history; story 5A
hiver *m.* winter 12A
*homard *m.* lobster
homme *m.* man 6A
honnête *adj.* honest
*honte *f.* shame
hôpital *m.* hospital 21B
horaire *m.* timetable 10B
horizon *m.* horizon
horreur *f.* horror
avoir horreur (de) to hate (to)
*hors-d'oeuvre *m.* hors d'oeuvre, appetizer 5A
hôte *m.* visitor, lodger, host
hôtel *m.* hotel 1B
hôtel particulier mansion, town house 19B
hôtelier *m.* innkeeper 8A
*houx *f.* holly
*huée *f.* shout, uproar
*huit *num.* eight 6A
*huitième *num.* eighth 7B
huître *f.* oyster 3B
humain/e *adj.* human, humane
humer to breathe in
humide *adj.* wet 11B
hypothèse *f.* hypothesis, supposition

ici *adv.* here 1A
idéal *m.* ideal
idée *f.* idea 14B
identifier to identify
identique *adj.* identical 14A

---

* = aspirate "h" which prevents elision and liaison

idiot *m.* idiot 4A
  faire l'idiot to act like
  an idiot 6B
il *m. subj. pron.* he 1A;
  it 1B
  il y a there is, there are
  3A; ago 12A
île *f.* island 7B
ils *m. subj. pron.* they 1B
imaginaire *adj.* imaginary
  28A
imagination *f.* imagination,
  conception
imaginer to imagine 17B
  s'imaginer to imagine
  18B
imiter to imitate 7B
immédiat/e *adj.* immediate
  4B
immédiatement *adv.*
  immediately 14A
immobiliser to immobilize
  23B
imparfait *m.* imperfect
  15A
impératif *m.* imperative
  5A
imperméable *m.* raincoat
  21A
impersonnel/le *adj.*
  impersonal
importance *f.* importance
  19A
importer to matter, to be
  of importance 27B
impossible *adj.* impossible
impression *f.* impression
  12A
impressionnant/e *adj.*
  impressive 1B
impressionner to impress
impressionniste *adj.*
  impressionist 17B
incise *f.* interpolation,
  parenthetical phrase
incroyable *adj.* unbelievable
  11A
indéterminé/e *adj.* indefinite,
  uncertain 21A
indication *f.* indication,
  instruction, direction
  selon l'indication as
  indicated 1A
indiqué/e *adj.* indicated
  2A
indiquer to indicate 5B;
  to sketch
Indochine *f.* Indochina
industrie *f.* industry

inespéré/e *adj.* unexpected
  14A
infantile *adj.* infantile,
  childish
infinitif *m.* infinitive 10A
infirmière *f.* nurse
informations *f. pl.* news
informer to inform
initial/e *adj.* initial 4A
inquiet/inquiète *adj.*
  uneasy, worried
inquiéter: s'inquiéter to
  worry, to be uneasy
  18B
inscription *f.* registration,
  enrolment 11A
inscrire: (16V) s'inscrire to
  enroll, to register
insister (sur) to emphasize
  9A; to insist (upon)
insonorisé/e *adj.* soundproof
instant *m.* instant, moment
instituteur *m.* teacher
institutrice *f.* teacher 30A
instruction *f.* instruction
  6A
instrument *m.* instrument
  15A
intellectuel/le *adj.* intellectual
  24A
intelligemment *adv.*
  intelligently 20B
intelligence *f.* intelligence,
  understanding
intelligent/e *adj.* intelligent
  6B
intensité *f.* intensity
  accent d'intensité stress
  23A
interdit/e *adj.* prohibited,
  forbidden 16B
intéressant/e *adj.* interesting
  10B
intéresser to interest 16B
intérieur *m.* inside
  à l'intérieur de inside
  of, within 18B
interminable *adj.* endless
  13B
international/e *adj.*
  international 21B
interrogatif/interrogative
  adj. interrogative
  1B
interrogation *f.* question,
  interrogation 2B
interrompre to interrupt
intonation *f.* pitch,
  intonation 1A

intrigant/e *adj.* intriguing
  10A
introduire (8B) to introduce
invariable *adj.* invariable
  23B
inversé/e *adj.* inverted
  19A
inversion *f.* inversion 10A
invitation *f.* invitation
iriser to make iridescent
ironique *adj.* ironical
irrégulier/irrégulière *adj.*
  irregular 4A
Israël *f.* Israel 19A
Italie *f.* Italy 10A
italien/ne *adj.* Italian 4B
italien *m.* Italian
  (language) 2B
Italien/ne *m., f.* Italian

jaloux/jalouse *adj.* jealous,
  envious
jamais: ne . . . jamais *adv.*
  never 5A
  jamais de . . . never
  any . . . 15A
jambe *f.* leg
jambon *m.* ham 6B
janvier *m.* January
Japon *m.* Japan 10A
japonais/e *adj.* Japanese
japonais *m.* Japanese
  (language) 10A
  Japonais/e *m., f.*
  Japanese
jardin *m.* garden
jardinier *m.* gardener
jargon *m.* jargon, lingo
javanais/e *adj.* Javanese
je *subj. pron.* I 1A
jeter to throw
jeu *m.* game
  le grand jeu game at
  high stakes 20B
jeudi *m.* Thursday
jeune *adj.* young 1A
  jeune fille *f.* girl 6A
jeunesse *f.* youth
joli/e *adj.* pretty 2B
joue *f.* cheek
jouer to play 15A
  jouer du piano to play
  the piano
joueur *m.* player
joujou *m.* toy
jour *m.* day 9A
  tous les jours every day
  15A
journal *m.* newspaper 7A

journée *f.* day 13B
judicieux/judicieuse *adj.*
    judicious
juillet *m.* July
juin *m.* June
jupe *f.* skirt 20A
jusque *prep.* as far as, up
    to, until 7B
juste *adj.* just, exactly
    17A
justement *adv.* as a matter
    of fact, as it happens;
    right now 4A

kilomètre *m.* kilometer
    12B

la *f. art.* the 1B; *pron.*
    it, her 8A
là *adv.* there
    ce garçon-là that boy
        10A
    là-bas over there 1B
    là-haut up there
laboratoire *m.* laboratory
    laboratoire d'analyse
        research laboratory
        2A
lac *m.* lake
laine *f.* wool
laisser to leave; to let
    20B
lait *m.* milk 3A
lancer to throw, to launch
    langue *f.* language
        10A; tongue 13A
langueur *f.* languor
lapin *m.* rabbit
latin/e *adj.* Latin 4B
laver: se laver to wash
    (onseelf) 18A
le *m. art.* the 1B; *pron.*
    it, him 8A
leçon *f.* lesson 1A
lecture *f.* reading
légende *f.* legend 24B
léger/légère *adj.* light
légèrement *adv.* slightly
    22A
légume *m.* vegetable 5A
lent/e *adj.* slow 21A
lentement *adv.* slowly 15A
lequel *pron.* which (one)
les *pl. art.* the 2A; *obj.*
    pron. them 8A
lettre *f.* letter 16A
leur *poss. adj.* their 9A;
    ind. obj. pron.
    them, for them 9A

levant *m.* east
lever: se lever (27V) to
    get up, to rise 18A
lèvre *f.* lip 12A
liaison *f.* liaison 8A
librairie *f.* bookstore 7A
libre *adj.* free 6A
lier to link, to connect
    14A
lieu *m.* place 15A
    au lieu de instead of
        4A
limite *f.* boundary
limonade *f.* lemonade 3A
lièvre *m.* hare
lion *m.* lion
lionceau *m.* lion cub
lionne *f.* lioness
lire (28V) to read 7A
lisse *adj.* smooth, sleek
lit *m.* bed 8A
littérature *f.* literature 2B
livre *m.* book 3A
livrer to deliver 6B
locataire *m.* tenant
location *f.* ticket sale 12A
    bureau de location box
        office 10A
logement *m.* lodging,
    housing
loi *f.* law 22B
loin *adv.* far 19A
long/ue *adj.* long 13B
longtemps *adv.* a long time
    11A
    il y a longtemps a long
        time ago 12A
longuement *adv.* at
    length, for long 14B
longueur *f.* length 1A
lorsque *conj.* when
louer to rent 7A
lourd/e *adj.* heavy
louve *f.* she-wolf
lu *p.p.* of **lire**
lui *disj. pron.* he, him 11B
luire (8V) to shine
lumière *f.* light
lundi *m.* Monday 5A
lune *f.* moon
lunettes *f. pl.* eyeglasses
    11A
lustre *m.* chandelier
lutte *f.* struggle 21B
lutter to fight
Luxembourg *m.*
    Luxembourg 10A

ma *f. poss. adj.* my 4A

machine *f.* machine
    machine à laver washing
        machine
    machine à écrire
        typewriter
mademoiselle *f.* miss 1A
magasin *m.* store 3B
    grand magasin *m.*
        department store
        3B
magnétophone *m.* tape
    recorder
maigre *adj.* thin, slight
main *f.* hand 9B
    donner la main to shake
        hands
maintenant *adv.* now 1B
mairie *f.* city hall 4A
mais *conj.* but 3A
maison *f.* building, house
    1B
maître *m.* master, teacher
majuscule *f.* capital (letter)
    4B
mal *adv.* badly, in bad
    health, 4B; *adj.*
    bad
    pas mal not bad 8B
mal *m.* difficulty, hurt
    7B; pain, ache 22A
    avoir mal to have an
        ache
    avoir du mal à to have
        trouble (doing
        something)
malade *adj.* sick 18B; *m.*
    invalid, patient
maladie *f.* illness
maladif/maladive *adj.*
    sickly 22B
malheur *m.* unhappiness
malheureux *m.* poor fellow
    1B
malheureux/malheureuse
    adj. unfortunate,
    unhappy 20B
malicieux/malicieuse *adj.*
    malicious 26A
malin/maligne *adj.* clever
    6B
manche *f.* sleeve
Mandchou *m.* Manchu
manger (52V) to eat 3B
manière *f.* manner
    de la même manière in
        the same way 8B
    de toute manière in
        any case 11B
manquer to lack

manteau *m.* coat, overcoat 11A

maquiller: se maquiller to make (oneself) up 18A

marchand *m.* merchant 26A

marchandise *f.* merchandise, goods

marché *m.* market
bon marché *adj.* inexpensive, cheap 20A

marcher to walk 6A; to run (of a car, etc.) 20B; to work (of a machine, etc.)

mardi *m.* Tuesday 11A

mari *m.* husband

mariage *m.* marriage 17B

marié/e *adj.* married 23B

marin *m.* sailor

marque *f.* make, brand 20B

marquer to mark, to indicate, to denote 15A

mars *m.* March

marteau *m.* hammer

masculin/e *adj.* masculine 1B

massif/massive *adj.* massive 24A

mât *m.* mast

match *m.* game 13A

maternel/le *adj.* maternal
langue maternelle mother tongue

maths (mathématiques) *f. pl.* math 2B

matière *f.* material

matin *m.* morning 7B

mauvais/e *adj.* bad
Il fait mauvais. It's bad weather. 2B

maximum *m.* maximum 20B

mécanicien/mécanicienne *adj.* mechanic(al)

médecin *m.* doctor

médecine *f.* medicine

médical/e *adj.* medical

médicament *m.* drug, medicine

médiocrité *f.* mediocrity 21B

méduser to bewitch, to petrify

meilleur/e *adj.* better 12A

le meilleur the best 12A

même *adj.* same 2B; *adv.* even 13B

menace *f.* threat

ménage *m.* housekeeping 23B

ménagère *f.* housewife, housekeeper 23B

mentionné/e *adj.* aforesaid, aforementioned 23A

mentionner to mention, to name

mentir (44V) to lie

menu *m.* menu

mer *f.* sea

merci *interj.* thank you 1A

mercredi *m.* Wednesday 11A

mère *f.* mother 8B

merveilleux/merveilleuse *adj.* marvelous

mes *pl. poss. adj.* my 8B

message *m.* message 13A

messieurs *m. pl.* gentlemen 3A

métamorphose *f.* metamorphosis

météo *f.* weather report, weather bureau 11B

méthode *f.* method 22B

métier *m.* profession, trade 21B

mètre *m.* meter

métro *m.* subway 9B

metteur en scène *m.* producer, director

mettre (29V) to put 2A; to put on 18A
se mettre à to start, to begin 22B

mexicain/e *adj.* Mexican 4B

Mexicain/e *m., f.* Mexican 4B

Mexique *m.* Mexico 10A

microbe *m.* microbe 2A

midi *m.* noon 7B

Midi South (of France) 17B

miel *m.* honey

mieux *adv.* better 8B

milieu *m.* center, middle 7A

mille *num.* thousand 15A

millier *m.* thousand; about a thousand 17B

mince *adj.* slight 30A

mine *f.* mine 29A

minéral *m.* mineral 29A

ministre *m.* minister 23A

minuit *m.* midnight 7B

minuscule *f.* small letter 4B

minute *f.* minute 10B

miracle *m.* miracle

miroir *m.* mirror

mis *p.p. of* **mettre** 22B

misaine *f.* foremast

misérable *adj.* wretched 29B

mi-temps: à mi-temps part-time 24A

mode *m.* way 19A; *f.* fashion 15B
à la mode fashionable, popular 15B

modèle *m.* model 1A

moderne *adj.* modern 1B

moderniser to modernize

modestie *f.* modesty 19B

moi *disj. pron.* I 2B; (after *prep.*) me
C'est à moi. It's mine. 11A

moindre *adj.* less, least

moins *adv.* less 12A; minus 6A
moins de less 15A
au moins at least 6B
le moins least 12A

mois *m.* month 12A

moisissure *f.* mildew

moitié *f.* half

moment *m.* moment
à ce moment at that moment 10A
en ce moment at the moment, right now 4B

mon *poss. adj.* my 8B

monde *m.* world
tout le monde everybody 8B
beaucoup de monde many people 12A

monnaie *f.* change 7A

monotone *adj.* monotonous

monsieur *m.* sir 1A; gentleman 1B; Mr.

montagne *f.* mountain 21B

monter to take up 8A; to go up 11A; to rise 20A

montrer to show 17B

moquer: se moquer de to make fun of 16A

moral/e *adj.* moral
morne gloomy
mort *f.* death 17B
mort *p.p. of* **mourir**
mortel/le *adj.* mortal 21B
morue *f.* cod
mot *m.* word 2A
moteur *m.* motor
mouchoir *m.* handkerchief 21A
mouiller to wet
mourir (30V) to die 6A
mousse *m.* cabin boy
moyen *m.* way, means 14B middle 14B;
moyen/ne *adj.* average, middle 14B
Moyen Âge *m.* Middle Ages 14B
moyenne *f.* average (speed) 14B
  en moyenne on the average
muet/te *adj.* mute 5A; silent 21B
mur *m.* wall 20A
mûr/e *adj.* ripe 23A
muscle *m.* muscle 18B
musée *m.* museum 12B
musical/e *adj.* musical
musicien/ne *m., f.* musician 15A
musique *f.* music 2B

naître (31V) to be born 9A
nasal/e *adj.* nasal 3B
nasale *f.* nasal 21A
natte *f.* tress
nature *f.* nature
naturel/le *adj.* natural 14B
naturellement *adv.* of course 3A
navire *m.* ship, vessel
né *p.p. of* **naître**
ne . . . pas *adv.* not
ne . . . que *adv.* only
néant *m.* nothingness
nécessaire *adj.* necessary 5B
négatif/négative *adj.* negative 3B
négation *f.* negation 8B
négliger to neglect 21D
neige *f.* snow 11B
nettoyer to clean 22A
neuf/neuve *adj.* new 12B

tout neuf brand new 20B
neuf *num.* nine 6A
neveu *m.* nephew 21B
neuvième *num.* ninth 7B
nez *m.* nose 20A
ni . . . ni *adv.* neither . . . nor
niveau *m.* level 1A
noir/e *adj.* black
nom *m.* noun 1B; name 12B
nombre *m.* number 4B
non *adv.* no 1A
nord *m.* north 1B
normal/e *adj.* normal 14B
Norvège *f.* Norway 19A
noter to note 8B
notre *adj.* our
nôtre *m., f. pron.* our
nouille *f.* noodle
nourriture *f.* food 24A
nous *subj. & disj. pron.* we 1A; us 3A
nouveau, nouvel *m.*, **nouvelle** *f.*, *adj.* new 18A
nouvelles *f. pl.* news
novembre *m.* November
nuage *m.* cloud 22A
nuageux/nuageuse *adj.* cloudy 11B
nuit *f.* night 8A
numéro *m.* number 4B

obéir (26V) to obey
obélisque *m.* obelisk 4A
objet *m.* object 8B
obligation *f.* obligation 23B
obligatoire *adj.* obligatory, required 16B
obligeant/e *adj.* obliging, considerate 24B
observer to observe 8A
obstacle *m.* obstacle, hindrance
obtenir (26V) to obtain
occasion *f.* occasion; bargain 7B
  d'occasion secondhand 7B
occuper to occupy, to inhabit
octobre *m.* October
œil (*pl.* **yeux**) *m.* eye 15B
œuf *m.* egg 3A
œuvre *f.* work
offrir (32V) to offer 16B

oh! *interj.* oh! 1B
  oh là là! oh boy! 6A
oie *f.* goose
oiseau *m.* bird 21B
olive *f.* olive 14A
olivier *m.* olive tree 24B
ombre *f.* darkness, shadow, shade
omettre (19V) to omit 19A
on *impers. pron.* one, we, you, they 8A
oncle *m.* uncle 8B
onze *num.* eleven 6A
onzième *num.* eleventh 7B
opéra *m.* opera 12B
opération *f.* operation
opérette *f.* operetta 10A
opinion *f.* opinion
opposition *f.* contrast
or *m.* gold 17B
or *conj.* now
orange *f.* orange 3B
orangeade *f.* orangeade 3A
orchestre *m.* orchestra 22B
ordinaire *adj.* ordinary 22A
ordinal/e *adj.* ordinal 7B
ordonnance *f.* prescription 22A
ordre *m.* 19A
oreille *f.* ear
oreiller *m.* pillow
orgueil *m.* pride 20B
Orient *f.* Orient 19A
original/e *adj.* original 21B
Orphée *m.* Orpheus
orthoépie *f.* principles of pronunciation 22B
orthographe *f.* spelling 12B
orthographique *adj.* spelling orthographic 22B
os *m.* bone
oser to dare
ou *conj.* or 2A
où *adv.* where 2A
ouate *f.* cotton
oublier to forget 4A
ouest *m.* west
oui *adv.* yes 1A
  Je pense que oui. I think so. 4B
ouvert/e *adj.* open 17A
ouverture *f.* opening
ouvrier/ouvrière *m., f.* worker 15A

ouvrir (32V) to open 11A

page *f.* page 21B
païen *m.* pagan
paille *f.* hay
pain *m.* bread 3A
  petit pain *m.* roll 3A
paire *f.* pair
paix *f.* peace
pâle *adj.* pale
pan! *interj.* bang! 6A
pantalon *m.* trousers
papa *m.* dad
papier *m.* paper 9A
paquet *m.* package 16A
par *prep.* by 1B
paradis *m.* paradise 24A
paraître (9V) to appear,
  to seem 26A
parapluie *m.* umbrella
  11A
parc *m.* park
parce que *conj.* because
  1A
pardessus *m.* overcoat
  21A
pardon *interj.* excuse me
  5B
pardonner to pardon
pareil/le *adj.* like, similar
parent *m.* relative 4A;
  parent 8B
parfait/e *adj.* perfect, fine
  2B
parfois *adv.* sometimes
  21B
parfum *m.* perfume 16A
parisien/ne *adj.* Parisian
  27B
parking *m.* parking lot
  21A
parler (33V) to speak, to
  talk 2A
parole *f.* word
parquet *m.* floor
partager to share, to
  divide
participe *m.* participle
  12B
participer to participate
  22B
partie *f.* part
  faire partie de to form a
  part of 24B
partir (44V) to depart, to
  leave 10B
partitif *m.* partitive 3A
partout *adv.* everywhere
  9A

parvenir to arrive; to
  succeed
pas *adv.* no, not 5A
pas *m.* step
passage *m.* passing
passé *m.* past 4B
  passé composé past
  indefinite tense 6A
passer to pass 5B; to stop
  off 14A; to pay (a
  visit)
  se passer to take place
passif/passive *adj.* passive
  22B
passion *f.* passion
passionnant/e *adj.*
  fascinating
pastoral/e *adj.* pastoral
patron *m.* patron,
  proprietor
pauvre *adj.* poor 14B
payer to pay
pays *m.* country 10A
paysage *m.* landscape 17B
Pays-Bas *m. pl.*
  Netherlands
paysan *m.* peasant,
  farmer
pédant/e *adj.* pedantic
peigner to comb
peine *f.* trouble
  à peine scarcely, barely
  9A
  ce n'est pas la peine
  don't bother, never
  mind 4B
  se donner de la peine
  to take pains
peintre *m.* painter 12B
peinture *f.* painting 17B
peloton *m.* ball
pendant *prep.* for, during
  11B
  pendant que *conj.* while
  15A
pendre (18V) to hang
penser to think 3B
  penser à to think about
  15B
  penser de to think of
  (to have an opinion
  about) 23A
pensif/pensive *adj.* pensive
  22B
perdre (18V) to lose
  11A; to waste (time)
  11B
père *m.* father 8B
période *f.* period, era

permettre (29V) to permit,
  to allow 16B
Pérou *m.* Peru
persan/e *adj.* Persian
Perse *f.* Persia
persister to persist
personne *f.* person 3A
  ne . . . personne *indef.*
  pron. no one 14A
personnel/le *adj.* personal
  9A
peser to weight
petit/e *adj.* little, small
  10B
pétrole *m.* petroleum
peu *adv.* little 1B
  peu de little, few 5A
  un peu a little 5B
  à peu près about,
  approximately 12A
peur *f.* fear
  avoir peur to be afraid
  3A
  faire peur to frighten
peut-être *adv.* perhaps 7A
pharmacien/ne *m., f.*
  pharmacist 4B
phénomène *m.* phenomenon
  21B
philosophe *m.* philosopher
phonétique *f.* phonetics
  6A
photo *f.* photo 7A
phrase *f.* sentence 1A
physicien *m.* physicist 4B
physique *f.* physics 10A
pianiste *m., f.* pianist 5B
piano *m.* piano 13B
pièce *f.* play 15A; room
pied *m.* foot
  à pied on foot 12B
piège *m.* trap, snare
pierre *f.* stone 17B
piéton *m.* pedestrian 12A
pilule *f.* pill 22A
pingouin *m.* penguin
pipe *f.* pipe 15A
piquer to sting
pis *adv.* worse
pitié *f.* pity, mercy
pittoresque *adj.* picturesque
  20A
placard *m.* closet 21A
place *f.* square, plaza 1B;
  seat 3B; room,
  space 12A
placer (34V) to place, to
  put 19A
plage *f.* beach 4A

plaindre: se plaindre to complain

plaine *f.* plain 6A

plaire (35V) to please
s'il vous plaît please 1B

plaisir *m.* pleasure 13A
avec plaisir gladly 4B
faire plaisir à to please 13A

plan *m.* plan

planter to put in (a nail), to plant

plat *m.* dish

plein/e *adj.* full 14A
en plein air outdoors 14B
en plein travail in the midst of work 14B
en pleine campagne right out in the country 14B

pleurer to cry, to weep 15A

pleuvoir (36V) to rain 11B

plier to fold

pluie *f.* rain 11B

plume *f.* pen 24B

plupart *f.* most 14B

pluriel *m.* plural 2A

plus *adv.* more 1B
plus de more 15A
le plus most 12A
ne . . . plus (de) no more 5A
plus que more than 12A
le plus possible as much as possible 14B
de plus en plus more and more

plusieurs *adj.* several

plus-que-parfait *m.* pluperfect 26A

plutôt *adv.* rather, instead 13A

poche *f.* pocket 24A

poème *m.* poem 7A

poésie *f.* poetry

poète *m.* poet

poids *m.* weight 16A

poing *m.* fist 26B

point *adv.* not

pointer to point out

poire *f.* pear 26B

poirier *m.* pear tree 24B

poison *m.* poison 6A

poisson *m.* fish 5A

poitrine *f.* chest

poivre *m.* pepper 5A

pôle *m.* pole

poli/e *adj.* polite 14B

police *f.* police 4A; police station 9A

policier/policière *adj.* (pertaining to) police
roman policier detective novel

poliment *adv.* politely 14B

politesse *f.* courtesy 19B

politicien/ne *m., f.* politican 4B

polo *m.* polo 22B

Pologne *f.* Poland

pomme *f.* apple 13A; potato 5A

pommier *m.* apple tree 24B

pont *m.* bridge

populaire *adj.* popular, colloquial 6B

population *f.* population

porc *m.* pork 5A

portatif/portative *adj.* portable

porte *f.* door 4B

porter to carry 13B; to wear 21B

portier *m.* doorman 8A

portrait *m.* portrait

portugais/e *adj.* Portuguese
portugais *m.* Portuguese (language) 10B
Portugais/e *m., f.* Portuguese 10B

Portugal *m.* Portugal 10A

poser to put
poser une question to ask a question 1A

position *f.* position 12A

possédé/e *adj.* possessed 20B

possesseur *m.* possessor 20B

possessif/possessive *adj.* possessive 9A

possibilité *f.* possibility 21A

possible *adj.* possible 4B

poste *f.* post office 1A; *m.* radio station
poste de radio *m.* radio set
poste de télévision *m.* TV set

poster to dispatch, to send off 14B

postposé/e *adj.* placed after 17B

pot *m.* pot, jar

pot-au-feu *m.* boiled beef

poterie *f.* pottery 19A

potion *f.* potion

pou *m.* louse

poudre *f.* powder

poularde *f.* young fowl

poulet *m.* chicken 5A

pour *prep.* for 3A; in order to 4A
pour que *conj.* in order that

pour cent *m.* percent

pourcentage *m.* percentage

pourquoi *conj., adv.* why 1A

pourtant *adv.* yet, however 11B

pousser to sprout, to grow 20B; to utter; to push

pouvoir (37V) to be able to 17A
il se peut it is possible

pratique *adj.* practical 7B

pratique *f.* practice

pratiquer to practice, to go in for (a sport) 22B

précédé/e *adj.* preceded 20A

précéder (40V) to precede 21B

précieux/précieuse *adj.* precious, valuable

prédire (14V) to predict

préférable *adj.* preferable

premier/première *adj.* first 1A

prendre (38V) to take 6A; to get 4A; to eat, drink 3A

prénom *m.* first name

préparation *f.* preparing

préparer to prepare 3A
se préparer to get ready 16A

près (de) *adv.* near, close (to) 4B
tout près (de) *adv.* very near (to) 2B

présent *m.* present tense 2A

présentation *f.* showing

présenter to introduce 4B
se présenter to appear 24A

presque *adv.* almost 15A
presse *f.* press, newspapers
pressentir (44V) to have a presentiment (foreboding) of
presser to press, to hurry
se presser to hurry
prêt/e *adj.* ready 7B
prêter to lend 14A
prétexte *m.* pretext, excuse 24B
prêtre *m.* priest
prévenir (48V) to warn
prévoir (50V) to foresee 7B
prier to ask, to pray
primaire *adj.* primary
prince *m.* prince
principal/e *adj.* main, principal 23B
printemps *m.* spring 21B
pris *p.p. of* **prendre** 7B
prix *m.* price 7A
problème *m.* problem 12B
prochain/e *adj.* next 14A
proche *adj.* near 5A
produit *m.* product 14B
professeur *m.* teacher, professor 1B
profession *f.* profession 9A
profond/e *adj.* deep, profound 26A
profondément *adv.* deeply 22A
programme *m.* program 22B
progrès *m.* progress
proie *f.* prey
promenade *f.* walk, ride 4A
promesse *f.* promise 17A
promettre (29V) to promise 16B
pronom *m.* pronoun 2A
pronominal/e *adj.* reflexive 16A
prononcer to pronounce, to utter 6A
prononciation *f.* pronunciation 5B
propos: à propos de apropos of, with reference to
proposition *f.* clause
propre *adj.* clean 20A; own
prouver to prove
province *f.* province 14B

prudent/e *adj.* careful 12A
psychologie *f.* psychology 23A
pu *p.p. of* **pouvoir**
publicité *f.* advertising 29A
publier to publish
puis *adv.* then (afterwards) 4A
puisque *conj.* since 11B
puissance *f.* strength, power
puissant/e *adj.* powerful
puits *m.* well
pullover *m.* sweater 21A
punir (26V) to punish
punition *f.* punishment
pur/e *adj.* pure 7A

quai *m.* platform 10B; embankment 15B
qualité *f.* quality
quand *adv.* when 9A
quand même anyway, all the same 5B
quant *adv.* as
quant à as for
quantité *f.* quantity 8B
quarantaine *f.* about forty 12B
quarante *num.* forty 10B
quarantième *num.* fortieth 12B
quart *m.* quarter 10B
quartier *m.* section of town 1B
quatorze *num.* fourteen 6A
quatorzième *num.* fourteenth 7B
quatre *num.* four 4A
quatre-vingts *num.* eighty 14A
quatre-vingt-dix *num.* ninety 14A
quatrième *num.* fourth 4A
que *conj.* that 3A, (in comparison) than 12A; *pron.* what
ne ... que only 23A
qu'est-ce que what 3A
Qu'est-ce que c'est? What is it? 2B
quel/le *interrog. adj.* which, what 9A
Quelle surprise! What a surprise! 5B

quelque *adj.* some 7B
quelque chose *pron.* something 6B
quelqu'un *pron.* someone 16B
quelques-uns, quelques-unes *pl.* 7A
question *f.* question 1A
questionnaire *m.* questionnaire 6B
questionner to question, to quiz
quête *f.* collection 15A
queue *f.* tail
faire la queue to stand in line
qui *interrog. pron.* who, whom 2A
quinzaine *f.* about fifteen 12B
quinze *num.* fifteen 6A
quinzième *num.* fifteenth 7B
quitter to leave
quoi *interrog. pron.* what 6B

raccommoder to fix, to mend, to repair 22A
racine *f.* root
raconter to tell, to relate 15A
radical *m.* stem (of a word) 12B
radio *f.* radio 22B
raffiné/e *adj.* subtle
raffiner to refine
raison *f.* reason
avoir raison to be right 3A
rajeunir (26V) to rejuvenate, to renew
rame *f.* oar
rang *m.* row 7A
rapide *adj.* fast 20B
rapidement *adv.* fast, rapidly 20B
rappeler: se rappeler to recall, to remember 18A
rapport *m.* report 7B
rapporter to bring back
rare *adj.* rare, uncommon
rarement *adv.* rarely 19A
raser: se raser to shave 18A
rauque *adj.* hoarse
ravissant/e *adj.* beautiful, gorgeous, entrancing 11B

réaliser to realize, to carry out

réalisme *m.* realism 24A

réaliste *adj.* realistic 15A

réalité *f.* reality 18B

récent/e *adj.* recent 5B

recevoir (39V) to receive

recherche *f.* research

recommencer to start over

reconnaître (9V) to recognize, to identify

recoucher: se recoucher to go back to bed

recouvrir (32V) to cover 30B

reçu *p.p. of* **recevoir**

réduction *f.* discount 23A

refermer to close again

réfléchi/e *adj.* reflexive

réfléchir (26V) to think over 16B

reflet *m.* reflection

refléter to reflect

réflexion *f.* reflection, thought

refrain *m.* refrain, burden

refuser to refuse 5B

réfuter to refute

regarder to look (at) 1B

régiment *m.* regiment

région *f.* region 14B

regretter to regret

régulier/regulière *adj.* regular 2A

relation *f.* relation, friend

religieux/religieuse *adj.* religious 24A

remarque *f.* remark

remarquer to notice 2B

rembourser to reimburse

remercier to thank

remonter to rise again 20A

remorquer to tow 22B

remplacer to replace 1B

remplir (26V) to fill (out) 6B

remuer to stir

Renaissance *f.* Renaissance 16B

rencontrer to meet 15A

rendormir: se rendormir (15V) to go back to sleep 18A

rendre (18V) to give back 9B, to render, to make

renforcer to reinforce, to emphasize 12B

renseignement *m.* information

reseigner to inform

rentrer to come back 11A

renvoyer to send back

répandre (18V) to spread

répandu/e *adj.* frequent 14A

repartir (44V) to leave again 11A

repas *m.* meal 13B

répéter (40V) to repeat 1A

répétition *f.* repetition 11B

répondre (à) (18V) to answer to 1A

réponse *f.* answer 1A

reposer: se reposer to rest 22A

reprendre (38V) to take up again

représentation *f.* performance 23A

représenter: se représenter to imagine 15B

reproduction *f.* reproduction 17B

respectueux/respectueuse *adj.* respectful

respirer to breathe 24A

responsable *adj.* responsible 22A

ressembler à to resemble 17B

ressource *f.* resource 6B

restaurant *m.* restaurant 15A

reste *m.* rest, remainder 28A.

rester to remain, to stay 11A; to be left 7A

résultat *m.* result 13B

retard: en retard *adv.* late 1A

retenir (48V) to hold, to hold back, to reserve 19A; to detain 8A

retour *m.* return, **aller et retour** roundtrip 10B

retrouver to find again 19A

retrouver: se retrouver to find oneself

réveiller to awaken

revenir (48V) to come back 10A

rêver to dream 10A

révision *f.* review 3B

revoir (49V) to see again 21B

au revoir goodbye 1A

revolver *m.* revolver 6A

rez-de-chaussée *m.* ground floor 4B

rhume *m.* cold

riche *adj.* rich, wealthy 14A

richesse *f.* riches, wealth

rideau *m.* curtain

ridicule *adj.* ridiculous 15B

rien: ne . . . rien *pron.* nothing 14A

rien de nothing 14A

rire (41V) to laugh 22A

risquer (de) to risk, to run the risk (of) 21B

rive *f.* bank (of river) 12B

rivière *f.* river

robe *f.* dress 11B

rocher *m.* rock 6A

roi *m.* king 24B

rôle *m.* role 29B

roman *m.* novel 7B

roman/e *adj.* Romanesque 24A

romancier *m.* novelist

romanesque *adj.* romantic 15B

ronfleur/ronfleuse *m., f.* snorer

rosbif *m.* roastbeef 5A

rose *adj.* pink 18A; *f.* rose 24B

rosier *m.* rose bush 24B

rôti/e *adj.* roast, roasted 5A

rouge *adj.* red 17B

rougir (26V) to redden

rousse *f.* redhead

route *f.* road

routine *f.* routine

rude *adj.* rude, rough

rue *f.* street 4B

russe *adj.* Russian

russe *m.* Russian (language) 10B

Russe *m., f.* Russian 10B

Russie *f.* Russia 10A

rythme *m.* rhythm 2A

sa *f. poss. adj.* his, her, its 8A

sac (à main) *m.* handbag 11A
sage *adj.* good, well-behaved, wise
saignant/e *adj.* rare (meat), bloody 3B
saisir (26V) to seize
saison *f.* season 12A
salaire *m.* salary 16B
sale *adj.* dirty 21B
salle *f.* room 24B
  salle de bains bathroom 8A
salon *m.* living room 8A
samedi *m.* Saturday 11B
sandwich *m.* sandwich 10B
sanglier *m.* wild boar
sanglot *m.* sob
sans *prep.* without 6B
sarrau *m.* smock
saucisse *f.* sausage
sauf *prep.* except 18B
saule *m.* willow
saur *adj.* salted, pickled
sauvage *adj.* savage, wild
sauver to save
savant *m.* scientist
savoir (42V) to know 4A; to know how to 6A
  j'ai su I found out
scène *f.* scene, stage 24A
scintiller to glitter
sculpteur *m.* sculptor 16A
sec/sèche *adj.* dry
sécher (20V) to dry
secondaire *adj.* secondary
secouer to shake
secte *f.* sect, cult
sécurité *f.* safety, security
  en sécurité safe 20B
seigneur *m.* lord 24A
seize *num.* sixteen 6A
seizième *num.* sixteenth 7B
séjour *m.* stay
sel *m.* salt 6B
selon *prep.* according to 1A
semaine *f.* week 11A
sembler to seem, to appear
sens *m.* meaning, direction 14B
sensationnel *adj.* sensational 12B
sensible *adj.* sensitive
sentiment *m.* feeling 15B
sentimental/e *adj.* sentimental 15A
sentir (44V) to feel 11B; to smell 22A

se sentir to feel 22A
sept *num.* seven 6A
septembre *m.* September 15B
septième *num.* seventh 7A
sérieux/sérieuse *adj.* serious 14B
serveur *m.* waiter
serviette *f.* napkin, towel
servir (43V) to serve
  se servir de to make use of 12B
seul/e *adj.* alone, only, single 13A
seulement *adv.* only 11A
sévère *adj.* severe
si *conj.* if 1B; *adv.* yes (after negative question or statement) 3B
siècle *m.* century 17B
siège *m.* seat
sifflet *m.* whistle
signaler to signal, to point out
signer to sign 9A
silence *m.* silence 2B
silhouette *f.* silhouette
singe *m.* monkey
singulier/singulière *adj.* singular 3A
sirop *m.* syrup
situé/e *adj.* located
six *num.* six 5B
sixième *num.* sixth
ski *m.* skiing 22B
  faire du ski to ski, to go skiing
slip *m.* shorts, panties 21A
sobre *adj.* sober 24A
social/e *adj.* social
société *f.* society 24B
sociologie *f.* sociology
soeur *f.* sister 6A
sofa *m.* sofa 13A
soif: avoir soif to be thirsty 3A
soigné/e careful 24A
soigner to take care of, to care for
soigneusement *adv.* carefully 6A
soi-même oneself 24B
soin *m.* care
soir *m.* evening 4B
soirée *f.* evening 4A
soixantaine *f.* about sixty 17B
soixante *num.* sixty 10B

soixante-dix *num.* seventy 10B
soldat *m.* soldier 24B
soleil *m.* sun 11B
  Il fait du soleil. It's sunny. 11B
solide *adj.* solid 17B
solo *m.* solo 19A
sombre *adj.* dark
somme *f.* amount 21B
sommeil: avoir sommeil to be sleepy 3A
sommet *m.* top, highest point 19A
son *m.* sound 5B
son *poss. adj.* his, her, its 8A
sonate *f.* sonata 19A
sonner to strike, to ring
sonnette *f.* bell
sonore *adj.* voiced 22B
sorcière *f.* sorceress
sort *m.* fate
sorte *f.* sort, type 15B
sortie *f.* exit
sortir (44V) to go out, to leave 10B; to take out 11A
sou *m.* cent 24B
soucoupe *f.* saucer
soudain *adv.* suddenly
souffle *m.* breath 15A
soufflé/e *adj.* breathed, aspirate
souffrir (32V) to suffer
souhaiter to wish
soulier *m.* shoe 20A
souligné/e *adj.* underlined 12B
soupçonner to suspect 24B
soupe *f.* soup 21B
soupirer to sigh
sourd/e *adj.* deaf 7A; voiceless 22B
sourire *m.* smile
sourire (41V) to smile 22A
sous *prep.* under 7A
soutien-gorge *m.* brassiere 21A
souvenir *m.* memory, remembrance
  se souvenir de (48V) to remember 24B
souvent *adv.* often 5B
spécial/e *adj.* special 20A
spectateur *m.* spectator
sprituel/le *adj.* witty 30A
splendide *adj.* splendid
sport *m.* sport 22B

sportif/sportive *adj.* fond of sport 22B
sprint *m.* sprint 22B
statistique *f.* statistics
steak *m.* steak 5A
stoppage *m.* invisible mending
stopper to repair by invisible mending
structure *f.* construction 21A
stupéfait/e *adj.* amazed 24A
stupeur *f.* stupor, daze
style *m.* style
su *p.p. of* **savoir** 7A
subjonctif *m.* subjunctive 14A
subordonné/e *adj.* subordinate
subordonnée *f.* subordinate clause 18B
substantif *m.* noun 3A
substituer to substitute 1B
succès *m.* success 12B
sucre *m.* sugar 3A
sucré/e *adj.* sweet 21A
sud *m.* south 3A
Suède *f.* Sweden 10A
  suédois *m.* Swedish (language)
suffisamment *adv.* sufficiently
suffoquer to choke
suggéré/e *adj.* suggested 2A
Suisse *f.* Switzerland 19A
  suisse *adj.* Swiss
suite *f.* sequel, continuation 1A
  à la suite de as a result of 22B
suivant/e *adj.* following 1A
suivre (45V) to follow, to take (a course) 2B
sujet *m.* subject 5B
superficiel/le *adj.* superficial
superlatif *m.* superlative 24A
supporter to support
supprimer to leave out 14A
sur *prep.* on 7A; about, in
sûr/e *adj.* sure 25A
  bien sûr of course 1B
  sûrement *adv.* surely 14B
surprise *f.* surprise 6A
surtout *adv.* especially 4A
survenir (48V) to occur, to happen

suspendre (18V) to hang (up)
syllabe *f.* syllable 11A
symbolisme *m.* symbolism 24A
sympathie *f.* sympathy, likeableness
sympathique *adj.* nice, pleasant, likeable
symphonie *f.* symphony 14B

ta *f. poss. adj.* your 6B
tabac *m.* tabacco 4A
tableau *m.* table 7B; picture 17B
  tableau (noir) blackboard
tablier *m.* apron
tache *f.* spot
tâche *f.* task
taille *f.* height, size
tailleur *m.* woman's tailored suit 23A
taire : se taire to be quiet, to stop talking
tandis que *conj.* while 20A
tant (de) *adv.* so much 15A
tante *f.* aunt 8B
tapis *m.* carpet
tapisserie *f.* tapestry 23B
tard *adv.* late
tardif/tardive *adj.* tardy, slow 22B
tarte *f.* tart 5A
tas *m.* lot, heap, pile
tâtons : à tâtons *adv. phrase* fumblingly
taxi *m.* taxi
  en taxi by taxi 1B
Tchécoslovaquie *f.* Czechoslovakia
teindre (46V) to dye
teinturier *m.* dry cleaner
tel/le *adj.* such
  de telle sorte que in such a way that
télégramme *m.* telegram 14A
téléphoner to telephone 6B
télévision *f.* television 6A
tellement de *adv.* so many 9B
température *f.* temperature 22A
tempête *f.* storm 11B
temps *m.* weather, time 11B; tense 14A

en même temps at the same time 3A
beaucoup de temps a lot of time 7B
combien de temps how long 10B
de temps en temps from time to time 13B
Quel temps fait-il? What's the weather like?
tenir (48V) to hold 3B
  tenir à to be insistent on, to be bent on 21B
tennis *m.* tennis 19A
tension *f.* tension 18B
terminaison *f.* ending
terminer to conclude
terrain *m.* area
terrasse *f.* terrace, sidewalk café 3B
terre *f.* land, earth, soil
terrible *adj.* frightful, terrible 2A
tes *pl. poss. adj.* your 8B
tête *f.* head 22A
têtu/e *adj.* stubborn
texte *m.* text 6B
thé *m.* tea 3A
théâtral/e *adj.* theatrical 22B
théâtre *m.* theater 1B
thème *m.* theme, subject 22B
théorie *f.* theory 22B
thermo-dynamique *adj.* thermodynamic
thermomètre *m.* thermometer 22B
thèse *f.* thesis 22B
tiens *interj.* (*see*) **tenir** really! 3B
timbre *f.* stamp 4A *m*.
timide *adj.* timid, shy
tirer to shoot 6A; to pull
  tirer la langue to stick out the tongue 22A
tiroir *m.* drawer 21A
tissu *m.* material, fabric
toi *disj. pron.* you 2A
toile *f.* canvas (= painting) 17B
toit *m.* roof 17B
tomate *f.* tomato 5A
tomber to fall 11A
ton *m.* tone, sound, pitch 17B
ton *poss. adj.* your 8B
tonique *adj.* tonic
  accent tonique stress 11A

tonnerre *m.* thunder
tort: avoir tort to be wrong 3A
tortiller to twist
tôt *adv.* early 21A
toucher to touch 23B
toujours *adv.* always 4A; still 4B
tour *f.* tower 1B; *m.* stroll, ride 4B; walk 15B
tourelle *f.* gun turret
tourisme *m.* touring 19A
touriste *m., f.* tourist 1B
tourment *m.* torment, worry
tournedos *m.* steak fillet
tourner to turn 22A; to make a film 15B
tous *pron.* all, all of them (*see* **tout**)
tousser to cough 22A
tout *pron.* everything, all 2B; *adv.* very,, quite
  tout à coup suddenly 26B
  tout à l'heure very soon, a little while ago '
  tout de suite right away 3A
  pas du tout not at all
tout/e *adj.* all, every 10B
  tout/e fait/e ready-made
  tout le monde everybody 8B
  tout le temps all the time 10B
traditionaliste *adj.* conservative 13B
traditionnel/le *adj.* traditional
traduction *f.* translation 1A
traduire (8V) to translate
tragédie *f.* tragedy
train *m.* train 9B
  être en train de (faire quelque chose) to be in the process of (doing something) 15B
traîner to pull
trait *m.* feature
traiter to deal with 23A
trancher to cut (off) 24B
transformer to change 1A
transistor *m.* transistor radio
travail *m.* work 6B

travailler to work 13B
traverser to cross 12A; to go through
treize *num.* thirteen 6A
treizième *num.* thirteenth 7B
trembler to tremble
trentaine *f.* about thirty 17B
trente *num.* thirty 7A
très *adv.* very 1A
triste *adj.* sad 1A
tristesse *f.* sadness, sorrow
trois *num.* three 3A
troisième *num.* third 3A
tromper: se tromper (de) to be mistaken (about) 21A
trop *adv.* too 16A
  trop de too much, too many 5A
trophée *m.* trophy 24B
trou *m.* hole
trouer to put a hole in
trouver to find 7A; to think 8B
tu *subj. pron.* you 1B
tuer to kill 24B
tuile *f.* tile 17B
tulipe *f.* tulip
Turquie *f.* Turkey 19A
tuyau *m.* pipe 21B
T.V. *f.* television 6A
type *m.* type, kind 2B

un/e *indef. art.* a, an 1A; one 6A
unique *adj.* only
unité *f.* unit
universitaire *adj.* university
université *f.* university 1B
urgent/e *adj.* urgent 14A
usine *f.* factory, plant
utile *adj.* useful

va (*see* **aller**)
vacances *f. pl.* vacation 10A
  en vacances on vacation 10A
  les grandes vacances annual vacation 13B
vaincre to win
vaisseau *m.* vessel, ship
vaisselle *f.* dishes
  faire la vaisselle to do the dishes 2A
valeur *f.* value

mettre en valeur to emphasize 19A
valise *f.* suitcase 4A
valoir (47V) to be worth 12B
  Il vaut mieux, It is better
  Cela vaut la peine. That's worth while.
vanité *f.* vanity, conceit
variété *f.* variety
vase *m.* vase 24B
vaste *adj.* vast
vécu *p.p.* of **vivre**
vedette *f.* movie star 15B
velours *m.* velvet
vendre (18V) to sell 9B
vendredi *m.* Friday 11A
venger: se venger to avenge oneself 24B
venir (48V) to come 4B
  venir de to have just (done something) 4B
vent *m.* wind 11B
  Il fait du vent. It's windy. 11B
verbe *m.* verb 1B
vérité *f.* truth 7A
verre *m.* glass 6B
vers *prep.* toward 1A; about
verser to pay
vert/e *adj.* green 17A
vêtement *m.* article of clothing
vêtir: se vêtir to get dressed
vêtu *p.p.* of **vêtir**
veuve *f.* widow 20B
viande *f.* meat 3A
vibrer to vibrate 22B
victoire *f.* victory
vide *adj.* empty
vie *f.* life 3B
vieillard *m.* old man
vieux, vieil *m.,* **vieille** *f.,* *adj.* old 15B
  mon vieux old man, buddy 20B
village *m.* village 5B
ville *f.* town, city 14B
  en ville downtown 7B
vin *m.* wine 3A
vingt *num.* twenty 7A
vingtaine *f.* about twenty 17B
vingtième *num.* twentieth 12B
violette *f.* violet

violon *m.* violin 15A
violoncelliste *m., f.* cellist 5B
violoniste *m., f.* violinist 5B
vis *f.* screw
visage *m.* face
visite *f.* visit
   rendre visite à to visit
visiter to visit 5A
vite *adv.* quickly 5B
vitesse *f.* speed 20B
vivant/e *adj.* living
vivre (49V) to live
vocal/e *adj.* vocal 22B
vocalique *adj.* vowel 2B
voie *f.* track 10B
voilà there is, there are 1A

voile *f.* sailing 22B
voir (50V) to see 4A
voisin *m.* neighbor 9B
voiture *f.* car 4A
voix *f.* voice 22B
   à haute voix aloud 1A
volant *m.* steering wheel
voler to fly
voleur *m.* thief 22B
votre *adj.* your
vôtre *m. & f. pron.* yours
vouloir (51V) to wish 8A
   vouloir dire to mean 16B
   en vouloir à to be angry with 20B
vous *pron.* you 1A
voyage *m.* trip 4A
voyager (52V) to travel 9A
voyelle *f.* vowel 1A

vrai/e *adj.* true
vraiment *adv.* truly 14B
vu *p.p.* of **voir** 7A

wagon *m.* railway car 14A
wagon-bar *m.* club car, lounge car 10B
wagon-restaurant *m.* dining car 10B
whiskey *m.* whiskey

y *adv.* there 10A
   il y a there is (are) 3A; ago 12A
yeux *m. pl.* eyes 15B (*see* **oeil**)

zéro *m.* zero, naught 10B
zut! *interj.* gosh! darn! 11B

ENGLISH-FRENCH

Use this list only for the translation exercises.

a, an un/e
able: to be able pouvoir
abnormal anormal/e
about sur, de, à, *etc.*
   to talk about parler de
   to talk about it en parler
   to think about penser à
   about a hundred une centaine
absent-minded distrait/e
absolutely absolument
accompany accompagner
adore adorer
advance: in advance en avance
afraid: to be afraid avoir peur
afterwards après
ago: five years ago il y a cinq ans
ahead of time à l'avance
all tout/e
   all you have to do is . . . vous n'avez qu'à . . .
almost presque
already déjà
also aussi
always toujours
amazing étonnant/e
American Américain/e américain/e *adj.*

amusing amusant/e
and et
angry: to get angry se fâcher
announce annoncer
another encore un/e
answer réponse *f.*
   to answer répondre
any: Have you any fish? Avez-vous du poisson?
   Have you any apples? Avez-vous des pommes?
   I did not find any. Je n'en ai pas trouvé.
anyway tout de même
apartment appartement *m.*
argue discuter
arrive arriver
art art *m.*
as comme
   as much autant de
   as much as autant que
   as . . . as aussi . . . que
ask demander
   to ask a question poser une question
assistant instructor assistant/e
at à
   at the house of chez
attack attaquer
aunt tante *f.*

average moyen/ne
   on the average en moyenne

bachelor vieux garçon
bacon bacon *m.*
bad mauvais/e
   The weather is bad. Il fait mauvais.
badly mal
balcony balcon *m.*
bandit bandit *m.*
be être
   How are you? Comment allez-vous?
   It is sunny. Il fait du soleil.
beard barbe *f.*
beat battre
beautiful beau, bel *m.*, belle *f.*
because parce que
   because of à cause de
become devenir
bed: to go to bed se coucher
   to go back to bed se recoucher
beer bière *f.*
before avant (de); avant que
begin se mettre à, commencer
behind derrière

believe croire
belong appartenir
between entre
big grand/e, gros/grosse
biology biologie *f.*
blouse corsage *m.*
blue bleu/e
body cadavre *m.*
book livre *m.*
bookstore librairie *f.*
bored: to be bored
    s'ennuyer
boy garçon *m.*
boyfriend ami *m.*
Brazil Brésil *m.*
bread pain *m.*
break casser
breakfast petit déjeuner
    m.
breathe respirer
bring apporter
    bring about réaliser
brother frère *m.*
bus autobus *m.*
but mais
butter beurre *m.*
buy acheter

call appeler; téléphoner;
    faire venir
    telephone call coup de
        téléphone
can: I can je peux
    She can sew. Elle sait
        coudre.
cap béret *m.*
capital (city) capitale *f.*
car voiture *f.*
care: to take care of
    soigner
careful prudent/e
cathedral cathédrale *f.*
center centre *m.*
certain certain/e
change monnaie *f.*,
    changement *m.*
cheap bon marché
cheaper moins cher/chère
check addition *f.*
chemistry chimie *f.*
cherry tree cerisier *m.*
child enfant *m., f.*
Chile Chili *m.*
choose choisir
church église *f*
cigarette cigarette *f.*
Citroën Citroën *f.*
city ville *f.*
    in the city en ville

class classe *f.*
clean nettoyer
clear clair/e
close fermer
clothes vêtements *m. pl.*
club club *m.*
coffee café *m.*
cold froid *m.*
    to be cold avoir froid
    (persons); faire froid
    (weather)
collection quête *f.*;
    présentation *f.*
    (fashion showing)
    to take up a collection
        faire la quête
comb one's hair se coiffer
come venir
    to come back revenir
    to come in entrer
complicated compliqué/e
consul consul *m.*
contain contenir
convenience confort *m.*
conversation conversation
    f.
cook faire la cuisine
cooking cuisine *f.*
country pays *m.*
course cours *m.*
    of course bien sûr,
        naturellement
couturier couturier *m.*
cover couvrir
cowboy cowboy *m.*
crazy fou/folle
crisis crise *f.*
cry pleurer
cut (off) trancher,
    couper

date (from) exister
    (depuis)
date: What is the date?
    Quelle est la date?
day jour *m.*, journée *f.*
    all day toute la journée
    five days cinq jours
    some day un jour
deal: a great deal of
    beaucoup de
delighted enchanté/e
department store grand
    magasin *m.*
dictionary dictionnaire *m.*
difficult difficile
dine dîner
dinner dîner *m.*
discover découvrir

do faire
doctor médecin *m.*
door porte *f.*
dream rêver
dress robe *f.*
    to dress s'habiller
drink boire
drive conduire
driver chauffeur *m.*

each chaque
early en avance, tôt
easily facilement
easy facile
eat manger
egg oeuf *m.*
Eiffel Tower tour Eiffel *f.*
eight huit
elegant élégant/e
elevator ascenseur *m.*
elsewhere ailleurs
end finir
endless interminable
England Angleterre *f.*
English anglais/e
enough assez (de)
entertainment program
    programme de
    variété
Europe Europe *f.*
evening soir *m.*
everybody tout le monde
everyone tout le monde
everything tout
evidently évidemment
exaggerate exagérer
exam examen *m.*
excellent excellent/e
exhibit exposition *f.*
exhibition exposition *f.*
expense frais *m. pl.*
expensive cher/chère
explain expliquer
exposition exposition *f.*
extraordinary extraordinaire
eye oeil (*pl.* yeux) *m.*

factory usine *f.*
familiar de famille
family famille *f.*
fashion mode *f.*
fast vite
father père *m.*
feel se sentir
    to feel like avoir envie
        de
    to feel that avoir l'im-
        pression que
few peu de

a few quelques
fewer moins de, moins que
fight se battre
fill (out) remplir
finally finalement, enfin
find trouver
fine parfait, bon, très
    bien
finish finir
first d'abord
fish poisson *m.*
floor étage *m.*
food nourriture *f.*
foot: on foot à pied
for pour
  I have been in France for
    a month. Je suis en
    France depuis un
    mois. *or* Il y a un
    mois que je suis en
    France.
forecast: weather forecast
    météo *f.*
forget oublier (de)
forgotten disparu/e
form fiche *f.*, formulaire *m.*
former ancien/ne
formerly avant
four quatre
franc franc *m.*
France France *f.*
free libre, gratuit/e
French français/e *adj.*,
    français (language) *m.*
  French fries pommes
    frites
Friday vendredi *m.*
friend ami/e
from de
  from there en
front: in front of devant
fruit fruit *m.*
fun: to make fun of se
    moquer de

gangster mauvais garçon
garage garage *m.*
gas gaz *m.*
gastronomic gastronomique
gentleman monsieur *m.*
geography géographie *f.*
German allemand
    (language) *m.*
Germany Allemagne *f.*
gesticulate faire des gestes
get to get tickets prendre
    des billets
  to get along se débrouiller
  to get off descendre (de)

to get up se lever
to go to get aller
    chercher
gift cadeau *m.*
girl jeune fille *f.*
give donner
glance coup d'oeil *m.*
go aller
  How goes it? Comment
    ça va?
  to go about (doing
    something) être en
    train de (faire
    quelque chose)
  to go back retourner
  to go out sortir
  to go out for (a sport)
    pratiquer
goal but *m.*
good bon/bonne
good day bonjour
good weather beau temps
  to have a gold time
    s'amuser
good-looking beau, bel *m.*,
    belle *f.*
Gothic gothique
green vert/e

half demi/e
ham jambon *m.*
hand main *f.*
handbag sac *m.*
happy heureux/heureuse
hat chapeau *m.*
have avoir
  I have to il me faut
  to have a suit cleaned
    faire nettoyer un
    costume
  to have breakfast prendre
    le petit déjeuner
he il
head tête *f.*
headache mal à la tête
hear entendre
  to hear of *or* about
    entendre parler de
  to hear that entendre dire
    que
heaven ciel *m.*
help aider
helping hand coup de main
her *adj.* son, sa; *pron.* la;
    to her lui
here ici, *tion* l
  here is, here are voici
  Here I am. Me voilà.
him le, to him lui

his son, sa
hit frapper
hold tenir
home: I am going to stay
    at home. Je vais
    rester chez moi.
hope espérer
hot chaud/e
  to be hot avoir chaud
    (persons); faire
    chaud (weather)
hotel hôtel *m.*
hour heure *f.*
house maison *f.*
  at Monique's house chez
    Monique
housewife ménagère *f.*
how comment
  how long depuis quand,
    depuis combien de
    temps
  how many combien de
hundred cent
  about a hundred une
    centaine
hungry: to be hungry avoir
    faim
hurry se dépêcher
husband mari *m.*

I je; moi
idea idée *f.*
ideal idéal/e
if si
imaginary imaginaire
imagine s'imaginer
immediately tout de suite
impress impressioner
impression impression *f.*
in dans, en
  in France en France
  in Paris à Paris
inquisitive curieux/curieuse
instance: for instance par
    exemple
intellectual intellectuel/le
intelligent intelligent/e
intentionally exprès
interest intéresser
interesting intéressant/e
invalid malade *m.*
it *obj. prom.* le, la
  of it en
Italian italien/ne *adj.*

Japan Japon *m.*
Japanese japonais/e *adj.*,
    japonais (language)
    m.

jewel bijou (*pl.* bijoux) *m.*
job travail *m.*
just *adj.* juste; *adv.*
  justement
  We have just arrived.
  Nous venons
  d'arriver.

kick donner un coup de
  pied
kind aimable
  **What kind of meat do you
  have?** Qu'est-ce que
  vous avez comme
  viande?
know connaître, savoir
  to know how to sew
  savoir coudre

laboratory laboratoire *m.*
  of analytical chemistry
  laboratoire d'analyse
lady dame *f.*
large gros/se, grand/e
late en retard
leader chef *m.*
learn apprendre
leave (behind) laisser; (go
  away) partir, s'en
  aller
  before leaving avant de
  partir
**left: Have you any seats
  left?** Avez-vous
  encore des places?
  **There are two of them
  left.** Il en reste deux
lend prêter
less moins
let's go allons
letter lettre *f.*
library bibliothèque *f.*
life vie *f.*
light: traffic light feu *m.*
like aimer
  I feel like singing. J'ai
  envie de chanter
  We like that. Cela nous
  plaît.
listen (to) écouter
literature littérature *f.*
little *adj.* petit/e; peu (de)
  adv.
  a little un peu (de)
live habiter, demeurer
lodgings logement *m.*
long long/longue
  How long? Depuis
  quand?

look (at) regarder; (seem)
  avoir l'air
  look for chercher
loquacious bavard/e
lose perdre
lot: a lot (of) un tas (de)
louder plus haut
love aimer, amour *m.*
luck chance *f.*
lucky: to be lucky avoir de
  la chance
luggage bagages *m. pl.*
lunch déjeuner *m.*
  to have lunch déjeuner

mad: to get mad se fâcher
make marque *f.*
**make-up: to put on
  make-up** se maquiller
malicious
  malicieux/malicieuse
man homme *m.*
many beaucoup de
  many more beaucoup
  plus de
  as many ... as autant
  de ... que
map carte *f.*
marry épouser
math maths *f. pl.*
mathematics mathématiques
  f. pl.
me me, moi
meal repas *m.*
mean vouloir dire
meat viande *f.*
medical médical/e
medicine médecine *f.*
meet rencontrer
  Happy to meet you.
  Très heureux (de
  faire votre
  connaissance).
microbe microbe *m.*
Middle Ages Moyen Âge
  m.
midnight minuit *m.*
milk lait *m.*
miss mademoiselle *f.*
modern moderne
Monday lundi *m.*
  on Mondays le lundi
money argent *m.*
month mois *m.*
more plus, davantage
  more ... than plus ...
  que, plus ... de
  no more ne ... plus
morning matin *m.*

mother mère *f.*
mountain montagne *f.*
mouth bouche *f.*
movies cinéma *m.*
much beaucoup (de)
  as much autant de
  as much as autant que
museum musée *m.*
music musique *f.*
musician musicien *m.*
must devoir, falloir
  one must il faut
  you must vous devez, il
  vous faut
my mon, ma, mes

natural naturel/le
near près (de)
need avoir besoin de
  I need j'ai besoin de, il
  me faut
never ne ... jamais
new neuf, neuve; nouveau,
  nouvel *m.*, nouvelle
  f.
  New Year's le nouvel
  an
newspaper journal *m.*
next *adj.* prochain/e; *adv.*
  ensuite
nice gentil/le, agréable
night: last night hier soir
nine neuf
no, not non, ne ... pas
  no one ne ... personne
noise bruit *m.*
noon midi *m.*
note note *f.*
notice convocation *f.*
novel roman *m.*
now maintenant
number numéro *m.*

ocean mer *f.*
o'clock: It is nine o'clock.
  Il est neuf heures.
of de
  of it, of them en
often souvent
old vieux, vieil *m.*, vieille *f.*
  How old is he? Quel
  âge a-t-il?
on à, dans, sur
  on Monday lundi
  on the square sur la
  place
  on the street dans la
  rue
one on

one **must go** il faut aller
the one who celui qui
  (celle que)
only ne . . . que, seulement
open ouvrir
order commander
ought: you ought to see
  vous devriez voir
out: We're out of asparagus.
  Nous n'avons pas
  (*or* plus) d'asperges.
outlaw bandit *m.*
overcoat pardessus *m.*
oyster huître *f.*

pack faire la valise (*or* les
  valises)
package paquet *m.*, colis
  m.
paint faire de la peinture
painter peintre *m.*
paper papier *m.*
parents parents *m.*
part (of town) quartier *m.*
part-time à mi-temps
pass passer
pay (for) payer
people gens *m. pl.*, monde
  m.
percent pourcent *m.*
perfect parfait/e
perfume parfum *m.*
phone téléphoner
physical examen médical
picture photo *f.*
pill pillule *f.*
pink rose
pipe pipe *f.*
place place *f.*
play pièce *f.*
  to play jouer (de, à)
please s'il vous plaît
pleasure plaisir *m.*
pork porc *m.*
Portugal Portugal *m.*
**possible: as much as
  possible** autant que
  possible
post office poste *f.* bureau
  de poste *m.*
practice (a sport) faire (du
  sport)
prefer préférer
prescription ordonnance *f.*
present: at the present time
  en ce moment
press (the button) appuyer
  sur (le bouton)
pretty joli/e

problem problème *m.*
profession métier *m.*
profound profond/e
program programme *m.*
provided (that) à condition
  que
province province *f.*
psychology psychologie *f.*
pupil élève *m., f.*
put: to put on make-up se
  maquiller
  to put on (a dress)
  mettre (une robe)

question question *f.*
quickly vite

race course *f.*
racing *adj.* de courses
rack (in a railroad car)
  filet *m.*
radio radio *f.*
rain pluie *f.*
  to rain pleuvoir
rare saignant/e
rather plutôt
read lire
ready prêt/e
  to get ready se préparer
realism réalisme *m.*
refrigerator frigidaire *m.*
region région *f.*
register s'inscrire
regularly régulièrement
reimburse rembourser
relative parent *m.*
religious religieux/religieuse
remain rester
remember se souvenir
rent louer
reproduction reproduction
  f.
restaurant restaurant *m.*
return revenir, retourner
rich riche
right droit *m.*
  on the right à droite
  right away tout de suite
  that's right c'est vrai
  to be right avoir raison
roll petit pain *m.*
roof toit *m.*
room chambre *f.*

sad triste
salon salon *m.*
same même
satisfied content/e
Saturday samedi *m.*

school école *f.*
  in school à l'école
seat place *f.*
secondhand d'occasion
security sécurité *f.*
see voir
  to see again revoir
seem paraître, sembler (*see
  also* **strike**)
select choisir
sell vendre
send envoyer
serious grave,
  sérieux/sérieuse
  nothing serious rien de
  grave
seriously au sérieux
sew coudre
shave se raser
she elle
shirt chemise *f.*
shop:tobacco shop bureau
  de tabac *m.*
shopping: to go shopping
  faire des achats, faire
  des emplettes
short court/e
show montrer
sick malade
sidewalk café terrasse *f.*
  (d'un café)
sign signer
sing chanter
  I like to hear him sing.
  J'aime l'entendre
  chanter.
sister soeur *f.*
sit (down) s'asseoir
skillful habile
sky ciel *m.*
sleep dormir
  to go to sleep s'endormir
  to go back to sleep se
  rendormir
sleepy: to be sleepy avoir
  sommeil
sleeve manche *f.*
slowly lentement
smile sourire *m.*
snail escargot *m.*
snow neige *f.*
so si
  so much tellement (de)
  so that pour que
social social/e
sock chaussette *f.*
**some: I'll have some
  strawberries.** Je vais
  prendre des fraises.

Will you have some?
En voulez-vous?
someone quelqu'un
something quelque chose
song chanson *f.*
soon bientôt
sore throat mal à la gorge
sorry désolé/e
  to be sorry regretter
source (of a mineral)
  gisement *m.*
south (of France) Midi *m.*
Spain Espagne *f.*
speak parler
  French is spoken here.
  Ici on parle français.
speed vitesse *f.*
spend (time) passer
spot tache *f.*
spring printemps *m.*
square place *f.*
stamp timbre *f.*
start commencer
station (railroad) gare *f.*
stay rester
steak steak, bifteck *m.*
still toujours, encore
stomachache mal à
  l'estomac
stone: a stone house une
  maison en pierre
store magasin *m.*
storm tempête *f.*
story histoire *f.*
strawberry fraise *f.*
street rue *f.*
**strike: He strikes me as
  intelligent.** Je le
  trouve intelligent.; Il
  me semble intelligent.
stroke coup *m.*
student étudiant/e
study étude *f.*
  to study étudier
suit complet (man's) *m.*;
  costume (woman's)
  m.
suitcase valise *m.*
summer vacation grandes
  vacances *f. pl.*
sun soleil *m.*
Sunday dimanche *m.*
sunshine soleil *m.*
**supposed: he was supposed
  to** il devait
swallow avaler
sweater sweater *m.*
sword épée *f.*
symbolism symbolisme *m.*

take prendre; emmener
  to take a walk faire une
  promenade
  to take a course suivre
  un cours
  to take up monter
  to take oneself se prendre
talk parler
talkative bavard/e
tart tarte *f.*
taxi taxi *m.*
teacher professeur *m.*,
  institutrice *f.*
team équipe *f.*
telegram télégramme *m.*
television télévision *f.*
tell dire
ten dix
terrible horrible
terrifying terrible
thank you merci
that *conj.* que; *dem. pron.*
  cela, ça; celui, celle;
  dem. adj. ce, cet
  m., cette *f.* (. . . là)
  That's my room C'est
  ma chambre.
the *def. art.* le, la, les
theater théâtre *m.*
their leur, leurs
them *obj. pron.* les, *ind.
  obj. pron.* leur
then puis, ensuite, alors
there là, y, en
  there is, there are il y a,
  voilà
  I am going there. J'y
  vais.
  I am coming from there.
  J'en viens.
they ils, elles
  Here they are. Les voici.
thing chose *f.*
think penser
  to think about penser à,
  réfléchir
third troisième
thirsty: to be thirsty avoir
  soif
this *dem. pron.* ce; ceci;
  dem. adj. ce, cet
  m., cette *f.* (. . . ci)
  This is true. C'est
  vrai.
though bien que
throat gorge *f.*
throw a glance donner un
  coup d'oeil
Thursday jeudi *m.*

  on Thursdays le jeudi
tie cravate *f.*
tile tuile *f.*
time temps *m.*
  at what time à quelle
  heure
  from time to time de
  temps en temps
  to have a good time
  s'amuser
  a long time longtemps
  at the same time en
  même temps
to à, en
  to France en France
  to Paris à Paris
tobacco tabac *m.*
today aujourd'hui
tomorrow demain
tonight ce soir
too aussi (also); trop
  (excessively)
  too many trop de
  too much trop de
town ville *f.*
  in town, into town en
  ville
track athlétisme *m.*
traffic circulation *f.*
tragedy tragédie *f.*
train train *m.*
travel voyager
trophy trophée *m.*
**trouble: It is not worth the
  trouble.** Ce n'est pas
  la peine.
  to have trouble swallowing
  avoir du mal à
  avaler
truth vérité *f.*
try essayer
Tuesday mardi *m.*
Turkey Turquie *f.*
twenty vingt
two deux

umbrella parapluie *m.*
unbelievable incroyable
uncle oncle *m.*
understand comprendre
ungrateful ingrat/e
United States États-Unis
  m. pl.
university université *f.*
us nous
used: to get used to
  s'adapter à
usual: as usual comme
  d'habitude

vacation vacances *f. pl.*
vegetable légume *m.*
very très
village village *m.*
violin violon *m.*

wait (for) attendre
waiter garçon *m.*
walk promenade *f.*
  to take a walk faire une
    promenade
want vouloir
  to want to vouloir, avoir
    envie de
waste (time) perdre (son
    temps)
watch regarder
wear porter
weather temps *m.*
  weather forecast météo *f.*
  The weather is good. Il
    fait beau (temps).
Wednesday mercredi *m.*
  on Wednesdays le
    mercredi
week semaine *f.*

weekend week-end *m.*
well bien
  well, then alors
what *interrog. pron.* que,
    qu'est-ce que; ce
    que (= that which);
    quoi
  What is that? Qu'est-ce
    que c'est que ça?
when quand
where où
whether si
which quel/le
while pendant que
  while singing en
    chantant
white blanc/blanche
who qui
whole ensemble *m.*
wife femme *f.*
wind vent *m.*
windy: It is windy. Il fait
    du vent.
wine vin *m.*
with avec
woman femme *f.*

wonder se demander
wonderful formidable,
    épatant/e
work travail *m.*; oeuvre *f.*
  to work travailler
world monde *m.*
worried inquiet/inquiète
worth: It is not worth the
    trouble. Ce n'est pas
    la peine.
write écrire
wrong: to be wrong avoir
    tort
  I took the wrong coat.
    Je me suis trompé de
    manteau.

year an *m.*, année *f.*
yes oui, si (*after neg.*
    question)
yesterday hier
  yesterday's d'hier
yet encore
you vous, tu
your votre, vos; ton, ta,
    tes

Index

PARIS

N

BOULEVARD DE COURCELLES   BOULEVAR

AVENUE DE LA GRANDE ARMÉE

RUE DU FAUBOURG ST. HO

PLACE DE L'ÉTOILE

AVENUE DES CHAMPS ÉLYSÉES

PLACE DE LA CONCORDE

SEINE

PONT DE L'ALMA

PONT ALEXANDRE III

PONT D'IÉNA

BOULEVARD DES INVALIDES

BOUL

BO

5

22

21

9

35

34

33

36

20